REGARDS SUR LE DROIT MALGACHE

Mélanges en l'honneur du Professeur
Alisaona RAHARINARIVONIRINA

REGARDS SUR LE DROIT MALGACHE

L'HARMATTAN

JURID'IKA

Impression 2010

ISBN 976-2-36076-104-3
EAN 9782360761043

5-7, rue de l'École-Polytechnique ; 75005 Paris

http://www.librairieharmattan.com
diffusion.harmattan@wanadoo.fr
harmattan1@wanadoo.fr

ISBN : 978-2-296-12081-5
EAN : 9782296120815

BIOGRAPHIE

Monsieur Alisaona Raharinarivonirina a fait ses études primaires et secondaires à Antananarivo. Après le Baccalauréat, en 1959, il a commencé ses études supérieures à l'Ecole de Droit d'Antananarivo, à l'époque rattachée à l'Université d'Aix-Marseille. Ayant obtenu son DEUG, en 1961, il a continué à la Faculté de Droit et des Sciences Economique d'Aix-en-Provence. De cette Faculté, il a acquis successivement les diplômes de Licence en Droit (en quatre ans), les Diplômes d'Etudes Supérieures (D.E.S.) de Droit Privé, d'une part, de Droit Pénal et Sciences Criminelles, d'autre part. En parallèle, il a mené, à la Faculté des Lettres et Sciences Humaines d'Aix-en-Provence, des études couronnées par le Diplôme de Licence ès Lettres et le Diplôme d'Etudes Supérieures de Philosophie.

Rentré à Madagascar, en 1967, il a été recruté comme Assistant à la Faculté de Droit et des Sciences Economiques, de l'Université de Madagascar. Après la soutenance de sa thèse de Doctorat en Droit (1971), à la Faculté d'Aix-en-Provence, il est nommé Chargé de Cours.

Reçu au Concours français d'Agrégation des Facultés de Droit, en 1973, il a été nommé Maître de Conférence Agrégé, puis, quelques années après, Professeur Titulaire, à la Faculté de Droit d'Antananarivo. Il a été appelé à exercer les fonctions de Recteur de l'Université de Madagascar au cours des années 1977-1978 et, plus tard, de Directeur de l'Enseignement Supérieur au Ministère de l'Enseignement Supérieur et de la Recherche Scientifique.

M Alisaona Raharinarivonirina est le premier enseignant malgache à avoir écrit des ouvrages juridiques, à l'intention des étudiants, mais qui font aussi autorité auprès des praticiens, sur le « Droit pénal général », le « Droit du Travail », le « Droit des Biens et des Sûretés ». Il a aussi écrit des articles publiés dans diverses revues nationales et internationales, dont entre autres, le Fascicule sur le Droit Malgache de Juris-Classeur International.

En ce qui concerne ses activités d'enseignant, il peut être fier d'avoir largement contribué à la formation de plus d'une génération de juristes malgaches (enseignants, avocats et magistrats). Il a été professeur associé, et professeur invité ou visiteur dans des Facultés étrangères comme, notamment, celles d'Aix-en-Provence, Poitiers, La Réunion, Réduit (Ile Maurice). Il a siégé dans les Jurys du concours CAMM d'Agrégation des Facultés de Droit.

Avocat au Barreau de Madagascar, il a été membre du Conseil de l'Ordre. Il est Membre Associé de l'Académie Malgache. Dans ses activités syndicales et associatives, il est connu, d'une part, pour avoir été un des Fondateurs, puis, pendant longtemps, Président et actuellement Président d'Honneur du Syndicat des Enseignants-Chercheurs de l'Enseignement Supérieur. D'autre part, militant et formateur dans le domaine des droits de l'Homme, il a fondé et dirigé l'association dite « Comité National Malgache pour la Défense des Droits de l'Homme ». Il a d'ailleurs été membre de la Commission Nationale des Droits de l'Homme, à l'époque ou cet organisme fonctionnait encore.

Enfin, tout cela n'empêche que M. Alisaona Raharinarivonirina soit aussi *connu* et apprécié pour son caractère discret – trop discret, disent certains.

PREFACE

« Izay adala no toa an-drainy » : Insensé qui ne fait pas mieux que son père. La devise de l'Université d'Antananarivo ne peut mieux rendre hommage à l'enseignant, homme de devoir et d'engagement, que la faculté de Droit, d'Economie, de Gestion et de Sociologie et à travers elle l'Université honore par ces « Mélanges en l'honneur du professeur Alisaona RAHARINARIVONIRNA ». Car l'opinion commune ne semble voir de l'adage que sa face visible : inciter la jeunesse, la relève, la descendance à prendre en mains sa destinée de manière à se dépasser et à surpasser tous ceux qui auront été les racines et la source de ce désir de liberté, d'épanouissement et d'accomplissement. C'est, en quelque sorte, consacrer le privilège de la jeunesse et de tout apprenti à de nouvelles libertés à s'assumer dans ses propres aspirations. C'est effectivement un des reflets du cycle de la vie.

Or, l'autre face de la devise est l'hommage implicite qu'elle rend précisément à celui là même que l'on veut dépasser. Car c'est la grande leçon issue de l'observation de tout enseignement : l'apprenti ne peut et ne pourra aboutir pleinement sans le soutien rigoureux et sans complaisance mais compréhensif de ses Maitres. De fait, maintes réussites sont souvent l'aboutissement des efforts, voire des sacrifices de quelqu'un d'autre. Cela ne diminue en rien les efforts personnels de chacun mais apporte fierté et plénitude chez celui qui en est le premier initiateur. De manière générale, les éléments positifs implantés par les premiers bâtisseurs contribueront à la pérennité et au succès d'une institution ou d'une entreprise. D'où la double leçon recelée dans notre devise : notre réussite ne peut être imputée uniquement à nos propres efforts mais tributaire de l'engagement de ceux qui nous ont formé.

Des réussites, Alisaona RAHARINARIVONIRINA en a forgées. Si les qualités de l'homme sont à apprécier en premier lieu, en fonction de ce qu'il a bâti, géré et façonné, sa biographie illustre également la place inestimable qu'il a tenu tant dans l'univers professionnel qu'au sein de la société malgache. Présent au sein de « son » université et de sa faculté de droit depuis quelques quarante années (phase estudiantine non comprise), légion sont ceux collègues, amis, étudiants ou simples connaissances qui lui doivent à plus d'un titre une dette de reconnaissance. Non que ses actes ou actions aient été faits d'éclats volontaires ou de démonstrations ostensiblement préparées ; au contraire, la tranquille nonchalance de façade du personnage est légendaire, ce qui accentue d'autant ses calmes prises de position. Mais la force du message est ailleurs. Dans un de ses rares moments de confidence, à propos des inévitables mouvements sociaux qui secouent l'Université, Alisaona RAHARINARIVONIRINA confie que le plus important dans l'homme est son libre arbitre à vouloir décider de lui-même et de son avenir. Mais cela implique ajoute-t-il une nette prise de conscience de ses responsabilités. A défaut, à vouloir bruler les étapes à une vitesse vertigineuse, on risque de passer à coté de l'essentiel…

De jeunes collègues et futurs enseignants ceux qui refusent les précipitations et les grandes vitesses… ont voulu être présents dans ces études dédiées à l'Aîné. Pour témoigner, d'une part, que la relève qu'il a forgée patiemment au fil des ans notamment au travers des tourments et turbulences sans cesse traversés par l'université depuis des lustres est arrivée, et que la faculté de droit peut désormais prendre en main son devenir tant il est vrai qu'une institution universitaire délaissée par la jeunesse perd un peu de son âme et est vouée à la décrépitude. Pour illustrer, d'autre part, que même si les exigences de la formation les ont éloignés pour un temps plus ou moins long de leurs racines et de leur île, la sagesse secrétée par la devise de l'université les a accompagnée tout au long de leur vagabondage intellectuel. Que l'heure est venue de rendre à celui qui a tant fait pour eux un peu de ce qu'il leur a prodigué. La reconnaissance, dit-on, est la mémoire du cœur. C'est cette dette là que l'on prend le plus plaisir à honorer.

Comme la chaine formée par la devise de l'université est de portée illimitée, l'Aîné de l'aîné, dans le sens de l'adage et de la pensée malgache, ancien doyen de la faculté de Droit, d'Economie, de Gestion et de Sociologie a tenu à apporter son témoignage et son amitié, de même que les collègues et amis d'ici et d'ailleurs…Comme pour clairement signifier que les rencontres intellectuelles de passage au même titre que les amitiés issues d'un colloque, d'un jury de thèse ou d'agrégation, sans compter le noyau des collègues et futurs collègues, peuvent s'enraciner pour contribuer à l'essor de l'Institution laquelle, aujourd'hui, rend hommage à celui qui a porté haut sa devise : « izay adala no toa an-drainy », insensé qui ne fait pas mieux que son père.

Antananarivo, le 16 mai 2010
Ramarolanto-Ratiaray

Témoignage

Souvenirs... mélangés

Charles CADOUX

Cette contribution modeste, et sans doute un peu décalée par rapport à l'ensemble des articles qui animent ces Mélanges, est avant tout un témoignage d'amitié et de profonde estime que j'entends exprimer au professeur Alisaona RAHARINARIVONIRINA. C'est un collègue *et* ami (les deux termes ne sont pas toujours associés dans le monde universitaire) dont j'ai partagé un temps la carrière enseignante à l'université de Madagascar.

Ce sont donc quelques souvenirs – qui pour moi restent toujours de très bons souvenirs – que j'évoque de cette Faculté de Droit et de Sciences Economiques, première version si l'on peut dire, dont je suis un des derniers survivants. Comme dit Victor Hugo, « Et s'il n'en reste qu'un, je serai celui-là ».

Souvenir tout d'abord de ma première rencontre avec Alisaona à la Fac de Tana. C'était au début de l'année 1968 (il rectifiera si ma mémoire défaille). Il arrivait, jeune docteur en droit, de l'université d'Aix-en-Provence que je ne connaissais pas à l'époque et qui devait devenir, quelques années plus tard, ma ville d'accueil ... puis de retraite – à laquelle je n'avais jamais songé.

Ce premier entretien avec Alisaona, qui prenait ses fonctions de Chargé de cours, fut très courtois mais sobre. Ce nouveau jeune collègue affichait, naturellement, une élégante nonchalance qui inspirait une distance respectueuse et qui était surtout le reflet d'une élégance d'esprit et d'une indulgence compréhensive, celle qu'il m'accordera, j'en suis sûr, en lisant ces quelques souvenirs égrenés avec une certaine nostalgie.

*

* *

La Faculté de Droit a fait ses débuts modestement, en 1960-61, en partageant les locaux de l'Ecole des infirmières à Befelatanana. C'est à partir d'octobre 1964, après son transfert à Ankatso, qu'elle confirma véritablement son épanouissement. A cette époque, l'auditoire en 1ère année de Droit ne dépassait pas 70 à 80 étudiant(e)s. Cela devait bien vite évoluer puisqu'il fallut rapidement changer d'amphi, passant de la salle 127 à l'amphi B, puis au "Grand amphi" (partagé avec la capacité en Droit et ... le Cinéma d'Essai Universitaire fondé dès 1963), pour se délocaliser quelques années plus tard dans ce qu'on appellera la "cathédrale", avec plus de mille places.

A Befelatanana, où j'ai débuté l'année universitaire 1962-63, j'ai connu et gardé un très bon souvenir de plusieurs de ces étudiants et étudiantes qui sont devenus de brillants acteurs de la société malgache contemporaine, politique et sociale[1]. Et notamment deux d'entre eux, disparus prématurément : l'un, Sennen ANDRIAMIRADO, devenu l'un des grands journalistes de l'hebdomadaire international *Jeune Afrique* ; l'autre, Francisque RAVONY qui sera un actif Premier ministre sous la RDM.

Alisaona n'a pratiquement pas vécu cette période que l'on peut qualifier de proto-historique de la Fac de Droit. Et pour cause, il était trop jeune....

*

* *

Ce n'est pas à moi d'évoquer la carrière d'Alisaona à la Faculté de Droit, puis à l'EESDEGS[2], dans ses divers enseignements, tous assumés avec le brio intellectuel qui fait sa marque personnelle. Il a régalé son auditoire avec les subtilités du droit international privé (son jardin favori) ; défriché les concepts et les complexités du droit des affaires ; exploré les solutions et les insuffisances du droit du travail ; analysé et commenté la jurisprudence civile ou communautaire.

---

1 En particulier dans la fonction publique et la magistrature. Raymond RANJEVA, que j'eus comme étudiant en droit international en 1963, a été le premier Malgache à être élu à la Cour Internationale de Justice de La Haye, dont il fut le Vice-président.

2 Etablissement d'Enseignement Supérieur de Droit, Economie, Gestion et Sociologie. Aujourd'hui Faculté de Droit, Economie, Gestion et Sociologie (Faculté DEGS).

Autant de domaines, parmi d'autres, qui requièrent la compétence et la rigueur du privatiste.

J'ai un souvenir très précis et assez pittoresque qui renvoie à la petite histoire de la Faculté de Droit de “Tana”, selon l'expression de l'époque. Lorsqu'il enseignait le droit du travail, Alisaona avait un collaborateur-Assistant, M. BERTONE, garçon éminemment sympathique et méritant : autodidacte, il avait réussi à franchir toutes les étapes universitaires de la capacité en Droit à la thèse de doctorat. Il venait à la Fac toujours à pied, refusant à l'occasion de profiter de ma vaillante 2CV pour monter ou descendre la colline d'Ambohitsaina. J'ai connu Bertone avant qu'il soit universitaire, c'est-à-dire lorsqu'il était le très modeste gardien du stade de Mahamasina dans les années 63-67 où, deux fois par semaine en début d'après-midi, s'entraînait “l'équipe des professeurs” de volley-ball sous la direction effective d'entraîneurs-étudiants[3]. A chaque séance, j'étais chargé de récupérer le filet de volley, toujours entreposé dans la loge du gardien. Ce jour-là, je fus très mal reçu par Bertone que j'avais dérangé dans sa sieste... Nous n'en devînmes pas moins amis par la suite.

Je ne pense pas qu'Alisaona ait jamais été au courant de cette anecdote, lui qui n'usait pas ses semelles sur les stades mais se faisait un devoir d'amitié d'assister à la remise officielle de la Coupe par le Recteur de l'Université. Ce qu'il dut faire à son tour lorsqu'il devint, plus tard, Recteur...

Il avait cette même attitude élégante lors de la célébration annuelle de la “Journée du Droit”. Cette journée, à la fois compétitive, sportive, et par-dessus tout festive, s'était pratiquement institutionnalisée au point de susciter quelque envie chez nos voisins littéraires et scientifiques. L'idée et la première réalisation (modeste) d'une journée du Droit avaient été lancées en 1963, à Befelatanana, par Ignace RAKOTO, alors président de l'Association des Etudiants en Droit de Madagascar (AEDM). Il deviendra, comme on sait, Ministre de l'Enseignement supérieur (de longue durée) sous la République Démocratique de Madagascar (RDM).

*

*   *

3 Jeannot RAKOTOBE, dit Baba, étudiant en Sciences économiques, et “Michou”, étudiant en Droit public, actuellement Président de la Haute Cour Constitutionnelle (HCC).

La décennie 1960-70, celle de la Première République malgache, est également celle de l'affirmation de la Faculté de Droit en tant que véritable établissement d'enseignement supérieur dans la lignée et sur le modèle (très fidèlement repris) de l'université française. L'avantage matériel était incomparable : construction et entretien du campus, dotation budgétaire, corps enseignant, tout cela inscrit dans le cadre de la Coopération. L'inconvénient, qui se manifestera lors de la rupture de 1972, était la quasi tutelle de l'ancienne puissance coloniale devenue, avec le temps, insupportable à la frange activiste et "conscientisée" (selon le terme forgé à l'époque) de la nouvelle génération étudiante malgache.

En 1965, le corps enseignant de la Faculté comptait quelque 20 à 22 personnes : professeurs, chargés de cours, assistants. Les 11 professeurs, Agrégés de Droit ou en Sciences économiques, étaient tous français[4] pour un auditoire à 90 % malgache et parfaitement francophone[5]. L'accroissement continu du nombre d'étudiants et les avatars de la malgachisation allaient progressivement bouleverser ce paysage tranquille, resté toujours très convivial.

Je ne puis oublier les collègues malgaches disparus et qui ont servi fidèlement la Faculté dans le respect des valeurs et des (bonnes) traditions universitaires. Ce furent nos amis économistes – RAZAKABONA et Willy LEONARD – également ministres en leur temps, mais aussi (oserai-je dire *surtout*) indispensables piliers de l'équipe-professeurs de volley-ball. Une pensée, bien sûr, pour Justin RAKOTONIAINA, remarquable commercialiste issu de l'Ecole de Nancy, et devenu plus tard le Premier ministre civil du gouvernement RATSIRAKA. J'ai beaucoup apprécié l'intelligence et l'humour de René RARIJAONA, civiliste et directeur du Centre d'Etudes rurales qu'il contribua à lancer. Il fut l'un des organisateurs du fameux colloque de Mantasoa en 1967, sur la commune malgache et les structures agricoles, qui eut un fort retentissement dans le milieu politique. Il est vrai que plusieurs ministres avaient accepté de "plancher" devant un auditoire étudiant attentif et exigeant : BOTOKEKY, Ministre de l'enseignement ; Jacques RABEMANANJARA, alors responsable de l'agriculture ; André

4 Raymond RANJEVA (Droit public) et Alisaona RAHARINARIVONIRINA (Droit privé) ont été par la suite les seuls Malgaches admis au concours d'agrégation de Droit. Une petite cohorte, étudiants et étudiantes, se préparait sérieusement à s'inscrire dans leur sillage, mais les circonstances troublées de 1972 ont dissuadé même les meilleurs d'entre eux.

5 La Faculté accueillait aussi un petit nombre de Français métropolitains, de Réunionnais, de Comoriens et quelques rares Est-Africains. En 1972, pour la première fois, j'eus en 1ère année trois étudiants des Seychelles. Ils ne revinrent jamais.

RESAMPA, Ministre de l'Intérieur, manifestement ému et même un peu tendu devant cet auditoire qu'il savait engagé et volontiers critique à l'égard du régime.

René RARIJAONA m'avait impressionné lorsque j'avais appris qu'à Ankatso, il faisait cours dès 6 h 30 du matin, moi qui avais personnellement souffert à Befelatanana en 1963 de faire cours, par nécessité, de 7 h à 8 h ! Enseigner, à cet horaire douloureux, du droit administratif était pour moi un rude défi intellectuel. Ma chance était alors (et ce fut la seule fois) que ce cours de 4ème année de licence s'adressait à un public restreint de cinq étudiant(e)s, dont trois brillantes jeunes femmes promises à une très belle carrière dans la magistrature malgache.

Une pensée encore pour Jean-Louis CALVET, arrivé à la Faculté en 1971 après l'ENPS[6], solide publiciste qui fut une cheville ouvrière de la Section Droit public lorsque l'Université de Madagascar entra en crise à partir de 1972. Je l'ai accompagné quelque temps dans son enseignement de Droit constitutionnel de 1ère année, qu'il donnait dans la "cathédrale". Un jour d'examen, je l'ai aidé à ramener chez lui, à fin de correction, des soubiques (sobiky) de plusieurs centaines de copies ! Ce jour-là, je constatai que la première décennie de la Fac de Droit était bien achevée.

*

* *

L'Université de Madagascar fonctionnait depuis sa création[7] en 1960 dans le cadre d'une "Fondation Charles de Gaulle" de droit malgache, avec un Conseil effectivement présidé par le Président de la République malgache, Philibert TSIRANANA. Sur le plan normatif, le système reposait sur la règle de "la validité de plein droit des diplômes". Tsiranana y tenait plus que tout. Dans ce Conseil, composé pour moitié de ministres du gouvernement et pour moitié de représentants des diverses Facultés et Ecoles supérieures, je l'entends encore sermonner les ministres et les mettre en garde contre tout relâchement dans l'application de la règle... « sinon nos diplômes ne vaudront plus rien ». Crainte sans doute exagérée, mais

6 Ecole Nationale de Promotion Sociale (1961-1972) fondée par le Professeur Roger GRANGER et installée dans les locaux de Befelatanana.

7 Il existait auparavant une petite Ecole de Droit, animée principalement par des avocats et des magistrats sous contrôle de la Faculté de Droit d'Aix-en-Provence.

avertissement qui, dans les premiers soubresauts universitaires de l'année 1971, prenait figure d'anticipation des difficultés à venir.

Si la règle inscrite dans les accords de coopération d'avril-juin 1960 évitait tout obstacle à l'équivalence des diplômes décernés par l'Université de Madagascar, elle imposait des contraintes pesantes sur le contenu des programmes et leur éventuelle ou nécessaire adaptation. Ainsi pour la Faculté de Droit : il a fallu au Conseil de la Fondation (j'en porte témoignage) combattre les réticences du Président Tsiranana, opposé par principe à la moindre dérogation au programme français. On a tout de même pu obtenir, d'ailleurs sans difficulté de la part du gouvernement français, la substitution d'un semestre de Droit malgache à un semestre de Droit français dans le cours d'Histoire du Droit de 1ère année de licence. Au lieu d'enseigner – non pas les Gaulois – mais les Mérovingiens, puis les Carolingiens et les royaumes de France jusqu'à la révolution française, il apparaissait à tous les enseignants plus important et plus utile d'initier progressivement les étudiants malgaches aux coutumes et institutions de leur pays.

Le Centre des Coutumes de la Faculté, dirigé par l'historienne Annie ROUHETTE et animé avec passion par Ignace RAKOTO, à l'époque Assistant en Droit, s'est alors consacré aux recherches et a participé au développement des connaissances en Histoire des Institutions de Madagascar. Ce fut, je pense, une bonne décision.

Les nouveaux accords de coopération franco-malgaches conclus en 1973 ont complètement changé la donne et tiré un trait sur cette période révolue de la Fac de Droit de Tana.

Coutumes, Personnes et Famille

Egalité des enfants et principe du *masi-mandidy* : heurs et malheurs

Ravaka ANDRIANAIVOTSEHENO

Introduction

1. Les enfants malgaches ne sont pas égaux en droit. Ce constat résulte de l'étude de l'ensemble de la loi en vigueur dans le pays et de la jurisprudence issue des différents Cours et Tribunaux de l'île. Des discriminations existent et minent les droits de l'enfant déjà précaires quand ils ont la chance d'être connus et reconnus et bafoués tout simplement quand leur existence même est ignorée.

Ces discriminations sont décelées dans l'ensemble du système juridico-législatif malgache mais surtout en matière successorale. La succession désigne « le système de transmission, à titre universel, à une ou plusieurs personnes vivantes, du patrimoine (comprenant les biens, les droits et les obligations) laissé par une personne décédée »[1].

La législation malgache applicable en la matière est la loi n° 68-012 du 04 juillet 1968 relative aux « successions, testaments et donations » et elle a retenu deux sortes de successions, la succession *ab intestat* c'est-à-dire en dehors de toute disposition spéciale laissée par le *de cujus* et la succession testamentaire c'est-à-dire suite à un acte juridique unilatéral et volontaire du défunt dans lequel il exprime sa dernière volonté, généralement, sur le moindre de ses aspirations quand il ne sera plus[2], et spécifiquement sur l'affectation de son

1 A. RAHARINARIVONIRINA, « Cours de droit civil II sur les successions », cours polycopié faculté DEGS.

2 La loi elle-même permet un certain nombre d'actions à titre non exhaustif dans son article 47 « Le testateur peut, notamment dans son testament :

patrimoine[3] après l'ouverture de sa succession. En effet, « le Malgache désire par cet acte de dernière volonté, continuer, par delà la mort, à régir sa famille et ses biens »[4].

Evolution

2. Dans l'histoire du droit successoral malgache, la pratique du testament fut surtout répandue en Imerina car dans les autres ethnies, où la cohésion familiale était très puissante, c'est plutôt le partage d'ascendants qui était favorisé. Ainsi, le recours au testament aurait vu le jour suite aux prescriptions du Roi ANDRIANAMPOINIMERINA selon lesquelles les roturiers décédés sans descendance passaient leur patrimoine à l'Etat[5]. Ce système inapplicable aux *andriana*[6] ne fut pas conforme à la mentalité des justiciables qui ont alors trouvé quelques parades pour le détourner : le testament et l'adoption ont été les « armes douces » de cette « révolution ».

La réglementation en matière successorale est très ancienne. « Nous pouvons recenser les textes suivants :

- l'article 45 du Code de 1863 (deuxième code de RASOHERINA),
- l'article 71 du Code des 101 articles de RANAVALONA II (1868) [...],
- l'article 74 des Instructions aux *Sakaizambohitra* (1868),
- l'article 232 du Code des 305 articles (1881).

- instituer un ou plusieurs légataires universels appelés à recueillir l'universalité ou une partie de la succession ; [...]
- constituer une fondation ;
- exhéréder un ou plusieurs de ses héritiers ;
- formuler des prescriptions relatives à ses funérailles et à sa mise au tombeau ; [...]
- confier à un des héritiers ou légataires la charge de veiller à l'exécution du testament ;
- affecter un legs d'une charge ;
- faire toutes autres déclarations de volonté auxquelles la loi attache, après sa mort, des effets juridiques. »

3 Le même article permet diverses affectations dans la liste qu'il dresse :
- faire des legs particuliers ;
- faire à ses enfants et descendants la distribution et le partage de ses biens ; ou à son décès ou si une condition expressément stipulée se réalise, transmettre les biens de la succession à une ou plusieurs autres personnes qui lui seront substituées.

4 E-P. THEBAULT, « Traité de droit civil malgache : les lois et coutumes hovas », fasc. III, « Les successions, les donations, les testaments », R. de COMARMOND Librairie éditeur Tananarive, Jouve & Cie Paris, 1953, n° 478, p. 627.

5 R. P. CALLET par G. S. CHAPUS et E. RATSIMBA, « Histoire des rois, traduction du *tantaran'ny Andriana* », Tome 1, Académie malgache, 1953, n° 329, p. 606 : « Si vous mourrez sans avoir eu d'enfants ni en avoir adopté, puisque vos biens appartiennent à des propriétaires sans enfants, c'est moi, le Maître, qui suis le maître de vos bien ».

6 Litt. Les nobles.

La nouvelle loi de 1968 a apporté à la matière un certain nombre d'innovations tout en s'imprégnant de l'esprit du droit coutumier [...] »[7].

Définitions

3. La filiation désigne « le lien de droit qui unit un individu à son père (filiation paternelle) ou à sa mère (filiation maternelle) »[8]. « La filiation est l'histoire et l'avenir d'une personne et d'une société »[9].
Le droit malgache qui régit la filiation distingue toujours entre la filiation légitime et la filiation illégitime, cette dernière regroupant les filiations désignées par la doctrine comme étant naturelles.

- La filiation est dite légitime lorsque les parents de l'enfant sont unis par le mariage et que l'enfant a été conçu ou est né pendant ce mariage, l'établissement de la paternité déclenche, alors, la présomption de paternité. Ainsi, selon M. A. BERTONE[10], la filiation légitime est caractérisée par trois éléments constitutifs et cumulatifs conditionnant l'accès à cette qualité pour l'enfant :
    - Que ses parents soient ou aient été mariés ;
    - Qu'il soit rattaché au mariage ;
    - Qu'il ait pour père le mari de sa mère.

- La filiation est dite naturelle dans la conception doctrinale, car l'expression n'est pas du droit positif malgache, lorsque l'enfant est issu de deux personnes non mariées l'une à l'autre à l'époque de sa conception ou de sa naissance. La filiation naturelle peut être simple, adultérine ou incestueuse.

- La filiation est dite naturelle simple lorsqu'elle concerne un enfant « dont les deux parents n'étaient pas, à l'époque de la conception, engagés dans les liens du mariage »[11].

- La filiation adultérine est celle d'un enfant dont « au temps de la conception, le père ou la mère était engagé dans les liens du mariage avec une autre personne »[12].

---

7 H. RAKOTOMANANA, « Les successions testamentaires », Bulletin juridique et fiscal de MCI (Madagascar Conseil International), novembre-décembre 2005, n° 26-27, p. 10.
8 Ouvrage collectif sous la direction de J. RUBELLIN-DEVICHI, « Droit de la famille », Dalloz coll. Action, 4e édition, 2007-2008, p. 389.
9 P. MALAURIE & L. AYNES par P. MALAURIE & H. FULCHIRON, « La Famille », 2e édition, Defrénois, 2006, n° 900, p. 353.
10 A. BERTONE, Cours de droit civil I.
11 R. GUILLIEN & J. VINCENT, Lexique des termes juridiques, sous la direction de S. GUINCHARD & G. MONTAGNIER, 9e édition, 1993, p. 254.
12 Code civil, art. 334 ancien régime.

– La filiation est appelée incestueuse « lorsque le mariage des parents est prohibé en raison d'un empêchement tenant à leur lien de parenté ou d'alliance (art. 9 loi n° 2007-022)[13] »[14].

Lors de la rédaction de la loi n° 63-022 du 20 novembre 1963 relative à la filiation, l'adoption, le rejet et la tutelle, « l'enquête préalable sur les coutumes juridiques a révélé que la société traditionnelle malgache n'accorde pas aux problèmes juridiques de la filiation l'importance que les juristes modernes leur donnent : quelle que soit son origine, l'enfant représente une force nouvelle dans la famille et sa venue est toujours accueillie avec joie »[15].

Nous démontrerons au fil de notre analyse que depuis la rédaction de ladite loi, cette affirmation a été quelque peu tronquée et que de nos jours la situation précaire des enfants naturels est tout simplement insoutenable.

– **Le *masi-mandidy*** ou littéralement « saint dans sa dernière volonté » qui est « le principe essentiel, d'une importance primordiale »[16] en matière de succession testamentaire malgache se définit comme « la liberté de disposer de ses biens d'une manière absolue »[17] il peut également être traduit comme étant « le pouvoir absolu du testateur d'exhéréder totalement l'un de ses descendants ou l'ensemble de sa progéniture ou qui il veut »[18].

Pour sa part, M. CAHUZAC utilise « des termes imagés et exacts »[19] en définissant ce principe : « en droit malgache, l'homme et la femme ont la liberté la plus absolue de tester [...], il peut donner ses biens à qui il veut, à un chien [...] »[20]. Quant à M. JULIEN qui, selon ses

13 Selon l'article 9 de la loi n° 2007-022 du 20 août 2007 relative au mariage, au divorce et aux régimes matrimoniaux « Entre parents et alliés légitimes ou naturels, le mariage est prohibé :
1°- en ligne directe à tous les degrés ;
2°- en ligne collatérale, entre frère et sœur, oncle et nièce, tante et neveu. »
14 J. REVEL, « La filiation », collection « *Que sais-je ?* », P.U.F, 1ère édition, 1998, p. 4.
15 Exposé des motifs, loi n° 63-022 du 20 novembre 1963 relative à la filiation, l'adoption, le rejet et la tutelle.
16 E-P. THEBAULT, op. cit., n° 509, p. 675.
17 N. RALAMBONDRAINY RAKOTOBE, « Les modifications essentielles en droit malgache de la famille. Propositions en vue de leur application », Communication à l'occasion de la journée du droit à l'Académie Malgache, jeudi 17 janvier 2008 ; La Revue de MCI, n° 42, 2e trimestre 2008, p. 9.
18 RAMAROLANTO-RATIARAY, « Les garanties accompagnant les échanges économiques », communication lors du colloque de l'association H. CAPITANT sur « les échanges économiques dans la région Océan Indien », Université d'Antananarivo, 13 & 14 mars 2008.
19 E-P. THEBAULT, op. cit., n° 509, p. 675.
20 A. CAHUZAC « Essai sur les Institutions et le droit malgaches », Tome I, A. CHEVALIER-MARESCO & Cie, 1990, p. 340.

propres termes, pour écrire son ouvrage s'est « basé sur des documents authentiques et inédits » décrit ce principe comme suit : « ***masi-mandidi amin'ni azi ni uluna na dia umeni ni taindruniruni (dont l'origine est inconnu ou inavouable) aza*** ».[21]

Les fondements de ce principe étant la cohésion du groupe familial autour du père qui, dans tous les cas, peut exhéréder un ou plusieurs de ses enfants.

– **L'exhérédation** est « l'action par laquelle le testateur prive les héritiers de leurs droits successoraux »[22].

Tout d'abord, elle peut être effectuée de différentes manières :

- Soit par une disposition volontaire, expresse et écrite dans le testament. Il n'y a pas de formule consacrée pour cela mais la clause testamentaire est univoque et signifie l'exclusion d'un ou de plusieurs héritier(s) de la succession du *de cujus*, c'est l'exhérédation formelle ;

- Soit en donnant à (aux) l'héritier(s) qu'il désire évincer un legs particulier infime ou en disposant de la totalité de ses biens au profit de personnes autres que les héritiers naturels qu'il veut écarter de sa succession. On est alors en présence d'une exhérédation implicite.

Ensuite, l'exhérédation peut être nominative, et préciser l'identité exacte de la ou des personne(s) exclue(s) de la succession, ou globale, et concerner un groupe voire la totalité des héritiers naturels.

Enfin, l'exhérédation peut être pure et simple ou conditionnelle et dans ce dernier cas, « elle est souvent prononcée comme une sanction d'un manquement aux volontés du testateur »[23].

– **Testament et partage d'ascendants en droit malgache :** A Madagascar, depuis l'époque royale, en raison du profond respect que l'on voue à la personne humaine, on la laisse libre d'user comme elle l'entend de son vivant de ses biens. Elle en dispose en

21 G. JULIEN, « Institutions politiques et sociales de Madagascar », Tome 2nd, Librairie orientale & américaine E. Guilmoto, 1909, p. 244.
22 R. GUILLIEN & J. VINCENT, op. cit., p. 244.
23 E-P. THEBAULT, op. cit., n° 513, p. 681.

faveur de l'individu qu'elle choisit, individu pouvant être parfaitement étranger à sa propre famille.

L'article 26 de la loi 68-012 précitée qualifie le testament comme étant « un acte personnel de son auteur. Il est la manifestation de sa volonté réelle. L'absence de vice de consentement est présumée. »

Le principe de la « réserve héréditaire » est méconnu du droit successoral malgache. Cette méconnaissance volontaire se traduit par le règne du principe du *masi-mandidy* en matière de succession testamentaire. Principe en vertu duquel la personne dispose de ses biens en manifestant sa volonté avant sa mort et peut faire absolument tout ce qu'elle veut tant qu'elle ne déroge pas à l'ordre public, aux loi et bonnes mœurs.

Le **partage d'ascendants** quant à lui est « un acte par lequel un ascendant procède lui-même au partage de ses biens entre tous ses descendants soit par donation (donation partage) soit par testament (testament partage) »[24]. Un tel acte permet à un individu de régler le sort de ses biens pour après sa mort et d'en disposer uniquement entre les membres de sa famille.

4. Ce qui fait donc la particularité du droit successoral testamentaire malgache c'est le respect de l'autonomie de la volonté du testateur garantie par le principe du *masi-mandidy*. Cette liberté fondamentale et ce « droit illimité »[25] sont le corollaire de l'exercice absolu du droit de propriété. Ce particularisme du droit malgache ferait rougir d'envie bien d'autres systèmes juridiques et des juristes qui aspireraient à moins de contrainte et plus de liberté dans tout mode de transfert du patrimoine et singulièrement en matière successorale.

5. Ce grand principe qui régit la succession testamentaire malgache prévoit donc que l'identité et/ou la qualité de la ou des personne(s) institué(e)s héritière(s) n'ont aucune importance, ce qui compte c'est la volonté du *de cujus* et le respect de celle-ci. Ce faisant, le testament, le testateur et les héritiers sont strictement soumis à des conditions légales rigoureuses pour qu'un tel acte qui risque d'engendrer des conséquences énormes envers toutes les parties concernées soit valable.

24 R. GUILLIEN & J. VINCENT, op. cit., p. 387.
25 Qualificatif utilisé par la Cour d'Appel dans sa décision sur une affaire de succession testamentaire. V. infra note de bas de page n° 26.

6. Tout d'abord, le testament doit remplir les conditions de forme éxigées par la loi dans ses articles 30 à 39 à peine de nullité, sauf quand le *masi-mandidy* est établi et que les vices constatés résultent des manquements de l'officier authentificateur et non de la volonté, de l'acte ou du fait du testateur[26]. En outre, le testament ne doit pas avoir été précédemment révoqué par son auteur[27]. De plus, il ne doit pas être entaché d'un des vices relatés par les articles 70 à 78 de la Théorie Générale des Obligations et sa réalisation doit relever du possible[28]. Le testament ne doit pas non plus porter atteinte à la règle « *paterna paternis, materna maternis* »[29] posée par l'article 20 de la loi relative aux successions, testaments et donations qui signifie les biens paternels aux parents paternels, les biens maternels aux parents maternels[30].

7. Ensuite, en ce qui concerne le testateur et par application conjointe des dispositions des articles 46 et 48 de la loi n° 68-012 suscitée, il peut disposer uniquement de ses biens personnels.

8. Enfin, en ce qui concerne les héritiers, plusieurs conditions sont à remplir. Ils doivent ainsi être capables de succéder[31] c'est-à-dire

26 – Cour d'Appel, n° 56, 24 avril 1941 (E.P. THEBAULT, « Jurisprudence de la Chambre civile du 1er janvier 1940 au 1er janvier 1950, p. 69) : dans cette affaire, le *masi-mandidy* est établi mais le Tribunal a annulé le testament qui n'a pas réuni les conditions formelles exigées par la loi. Les héritiers ont interjeté appel et la Cour d'Appel motive sa décision comme suit : « Attendu que si en vertu du principe de *masi-mandidy* (saint dans sa volonté). Tout malgache, homme ou femme peut disposer de ses biens comme il l'entend, il ne peut cependant pas exercer le droit illimité qui lui est ainsi conféré qu'en observant les formes prescrites à peine de nullité, par la coutume et la loi, pour la régularité des testaments et donations.

Qu'il suit de là que le jugement entrepris a pu, sans violer le principe invoqué, annuler un testament qui ne réunissait pas les conditions de forme exigées par la coutume »

– Cour Suprême, n° 220, 12 décembre 2000 (cité par N. RALAMBONDRAINY RAKOTOBE op. cit.,) « … Le vice qui entache un testament doit être écarté lorsqu'il est le fait du fonctionnaire chargé de le recueillir ». « L'officier public authentificateur, recevant dans son bureau le testateur qui lui remettait son testament aurait dû, comme lui fait obligation l'article 35, dater et signer sur le champ avec le testateur et les témoins, l'enveloppe renfermant le testament, mais ne l'a pas fait ; qu'il suit que le vice qui affectait le testament n'est pas imputable au testateur ».

27 Art. 49 et 50 de la loi n° 68-012.

28 Art. 27 de la loi n° 68-012.

29 Cour Suprême, n° 137, 11 mai 2004, B.A. C.S., 2004, p. 94. « En vertu de la règle *"paterna paternis, materna maternis"* posée par l'article 20 de la loi 68-012 du 04 juillet 1968, en l'absence d'héritier directement successible, les héritiers de la lignée paternelle ne peuvent venir en succession des biens de la lignée maternelle »

30 H. ROLLAND, « Lexique juridique : expressions latines », Litec, Carré droit, 1999, p. 139.

31 Aux termes de l'article 5 de ladite loi : « - Pour succéder, il faut :

1° Exister à l'instant de l'ouverture de la succession ;
2° Ne pas avoir été déclaré indigne de succéder ;
3° Ne pas avoir été déchu du droit de succéder ;
4° Ne pas avoir été rejeté par le défunt, sous réserve des dispositions de l'article 46. »

remplir les « qualités requises pour succéder »[32]. Le droit d'accepter ou de refuser la succession est une prérogative exclusivement attachée à la personne de l'héritier ou du légataire. Les héritiers qui désirent recueillir le patrimoine de leur auteur doivent préalablement l'accepter et pour ce faire, soit déclarer formellement leur accord en la forme authentique ou authentifiée soit par le biais d'un acte volontaire non équivoque impliquant l'intention d'accepter la succession ou le legs[33].

9. Dans son arrêt en date du 14 mai 2002[34], la Cour Suprême de Madagascar casse l'arrêt de la Cour d'Appel qui énonçait que « conformément à l'article 46 de la loi susvisée (loi n° 68-012 du

32 A. RAHARINARIVONIRINA, op. cit.
33 Art. 59 de la de la loi n° 68-012.
34 Cour Suprême, n° 18, 14 mai 2002, B.A. C.S. 2002, p. 62.

La cour,
Après en avoir délibéré conformément à la loi ;
Statuant sur le pourvoi de X et consorts demeurant au lot ... – Antananarivo ayant pour conseil Maître L. S., Avocat, contre l'arrêt n° 1170 rendu par la chambre Civil de la Cour d'Appel d'Antananarivo, le 28 septembre 1994 dans le litige les opposant à Y et consorts ;
Vu le mémoire ampliatif déposé par Maître L. S. ;
Sur le moyen unique de cassation pris de la violation de l'article 22 de la loi n° 63.022 du 20 novembre 1963 et de l'article 28 de la loi n° 68.012 du 4 juillet 1968, contradiction de motifs, dénaturation des faits et d'éléments constants du dossier, non réponse aux conclusions, violation de l'article 180 du Code de Procédure Civile ;
En ce que la Cour d'Appel a déclaré le testament valable par application du principe de « *masi-mandidy* » établi par l'article 46 de la loi n° 68.012 alors que les dispositions des articles 22 et 26 de la même loi sont claires et précises en posant ledit principe à condition que les disposition testamentaires ne soient pas contraires à la loi, à l'ordre public et aux bonnes mœurs ;
Vu lesdits textes de loi ;
Attendu que X et consorts, épouse et enfants légitimes de Z ont attrait en justice X et consorts, concubine et enfants reconnus du même, pour entendre dire et juger que la maison lot ... sise à *Andravoahangy* leur appartient, s'entendre condamner à différentes sommes jusqu'à déguerpissement des lieux, et s'entendre annuler le testament de Z en date du 6 décembre 1984 désignant comme ses seuls héritiers les enfants qu'il a reconnus ; sur appel interjeté par les consorts Y contre le jugement qui a déclaré fondée la demande en annulation dudit testament, la Cour d'appel a débouté les consorts X de leurs demandes et dit que le testament sortira son plein et entier effet ;
Attendu que pour statuer ainsi l'arrêt attaqué énonce que « conformément à l'article 46 de la loi susvisée (loi n° 68.012 du 4 juillet 1968) toute personne en vertu du *masi-mandidy*, est libre de disposer par testament de ses biens au profit de la personne de son choix ; que testateur ayant disposé uniquement de ses biens propres, le testament contrairement aux prétentions des intimés est valable et ne peut que produire effet »
Attendu que certes l'article 46 de la loi n° 68.012 du 4 juillet 1968 consacre le principe du *masi-mandidy*, que toutefois l'article 28 du même loi dispose que les dispositions testamentaires dont l'objet est contraire à l'ordre public, à la loi ou aux mœurs sont nulles, et que l'article 20 de la Constitution déclare que l'Etat protège la famille, élément naturel et fondamental de la société ;
Attendu en l'espèce que le testateur, en désignant comme ses seuls héritiers, les enfants qu'il a reconnus au détriment de ses enfants légitimes, visait à protéger et perpétuer les fruits de la situation d'adultère dans laquelle il se trouvait ;
Que l'ordre public familial, la loi et les bonnes mœurs s'oppose à la validation d'un tel testament ;
Qu'il s'ensuit que le moyen est fondé et la cassation encourue ;

04 juillet 1968) toute personne en vertu du *masi-mandidy,* est libre de disposer par testament de ses biens au profit de la personne de son choix ; que le testateur ayant disposé uniquement de ses biens propres, le testament contrairement aux prétentions des intimés est valable et ne peut que produire effet ». La Cour Suprême, pour justifier sa décision se retranche derrière l'article 28 de la même loi selon lequel les dispositions testamentaires dont l'objet est contraire à l'ordre public, à la loi ou aux bonnes mœurs sont nulles et que l'article 20 de la Constitution déclare que l'Etat protège la famille, élément naturel et fondamental de la société.

10. Au premier abord, cette décision semble conforme à la protection de la famille légitime, seule reconnue par la loi. Cependant, quand on l'analyse plus en détail, on se rend compte que la Cour Surpême prend position en faveur du traitement discriminatoire dont font objet les enfants adultérins. Pour ce faire, le juge de droit n'hésite pas à anéantir le principe du *masi-mandidy.* Notre réflexion tournera principalement autour de ces deux constatations et mettra en exergue, dans une première partie la prétendue protection de l'enfant légitime[35] par le rejet du principe du *masi-mandidy* opérée par la Cour Suprême pour fonder sa décision (I). Partant de là, nous étudierons dans une seconde partie les véritables raisons ayant nécessité ce démantèlement du principe du *masi-mandidy* (II).

I – LA PRÉTENDUE PROTECTION DE L'ENFANT LÉGITIME PAR LE REJET DU *MASI-MANDIDY*

11. Pour valider sa décision de rejet du *masi-mandidy*, la Cour Suprême se retranche derrière les dispositions de la loi (civile et constitutionnelle) ainsi que de l'ordre public et des bonnes mœurs (A). Pourtant, nous essayerons de prouver qu'adopter une telle position est inutile et inopportun (B).

Par ces motifs,

CASSE ET ANNULE en toutes ses dispositions l'arrêt n° 17770 de la Chambre Civil de la Cour d'Appel d'Antananarivo, en date du 28 septembre 1994 ;

35 Nous insistons sur ce fait car si la Cour Suprême, dans sa décision, mentionne qu'elle fait application de l'article 20 de la Constitution portant protection de la famille (entendre légitime). La Cour d'Appel, dans ses motifs précise qu'il s'agit des biens propres du *de cujus* qui doivent donc revenir à ses enfants en cas d'annulation de son testament. C'est donc bien les intérêts des enfants légitimes qui sont concernés et non ceux de la famille légitime comme le prétend cet Arrêt de la Cour Suprême.

A – De la nullité des dispositions testamentaires en faveur des enfants adultérins

12. Il est indéniable que la famille légitime, la seule admise et reconnue par l'ensemble du système législatif et juridique malgache actuel, mérite une protection et une protection accrue. Ce choix est légitime et le contraire aurait amené à des interrogations quant aux fondements idéologiques de l'Etat et de la société malgache. « Reste la question de savoir, pour ce qui est des moyens employés, si l'instauration d'une différence de traitement entre enfants adultérins et enfants légitimes ou naturels, quant à la succession de leur auteur, apparaît proportionnée et adéquate par rapport au but poursuivi »[36].

13. Pour ce faire, nous allons approfondir la décision en nous basant sur ses fondements c'est-à-dire l'irrespect de l'ordre public et de la loi (1) ainsi que des bonnes mœurs (2) par les dispositions testamentaires.

1) L'ordre public et la loi

a) L'ordre public

14. A Madagascar, malgré le fort enracinement des coutumes dans la société moderne, divers facteurs endogènes et exogènes sont parvenus, avec l'assentiment ou le dissentiment tacite ou exprès de la population, à infiltrer les habitudes, pratiques et mœurs établies. L'influence de cette évolution n'a pas manqué d'atteindre la famille malgache et la conception générale qui prévalait en la matière[37].

15. En effet, il ne faut pas perdre de vue que l'institution familiale n'est pas figée. Elle évolue et change au fil du temps qui passe. Ainsi, une vision plus dynamique et plus ouverte de la famille devrait primer sur un conservatisme stérile qui ne saurait limiter les changements sociologiques et économiques ni contenir plus longuement les réformes juridiques et législatives nécessaires.

---

36 S. DOLLE, Greffière de section à la Cour Européenne des Droits de l'Homme (CEDH), note sur l'arrêt rendu par cette instance dans l'affaire MAZUREK contre Etat français, 01 janvier 2000.

37 F. B. GIROU de BUZAREINGUES, lors de son intervention à la conférence donnée à l'Académie des Sciences et Lettres de Montpellier le 09 janvier 2006 a soulevé que « le droit de la famille aujourd'hui est fortement marqué par les idées de liberté, d'égalité et de solidarité qui ont pour résultat la co-existence dans la société actuelle de différents modèles de familles : la famille légitime, la famille naturelle, la famille adoptive, la famille monoparentale, la famille recomposée, la famille homosexuelle ». Ces réalités familiales françaises et occidentales tendent également à devenir malgaches malgré que la loi malgache refuse d'en reconnaître certaines.

16. Ainsi, l'ordre public désigne en droit civil le caractère des règles juridiques qui s'imposent pour des raisons de moralité ou de sécurité impératives dans les rapports sociaux[38]. L'ordre public familial pourrait ainsi être défini comme étant les règles s'imposant en matière de droit de la famille pour les mêmes motifs. La loi elle-même a préféré la continuité de la pratique coutumière du *masi-mandidy* qui, non seulement de par le respect de la volonté et de l'autonomie de celle-ci, est conforme à l'aspiration des Malgaches mais surtout qui est cautionné par la loi qui la prévoit dans ses colonnes réservées à la succession.

17. En l'espèce, le fait de s'être basé sur l'ordre public familial cantonné à la sauvegarde des seuls intérêts des enfants légitimes semble ainsi contraire à la notion même d'ordre public. Surtout que « l'ordre public est à la croisée des chemins, entre la liberté et la contrainte, entre la restriction et la promotion des libertés, entre la stabilité et le changement, entre une logique rigoureuse et un flou mystérieux »[39].

18. Il importe de rappeler qu'en droit malgache, il n'y a pas de cause péremptoire du divorce. Ainsi, l'adultère même consommé et prouvé n'entraîne pas systématiquement le divorce[40] « car il peut le cas échéant être parfaitement explicable ou même excusable par l'attitude ou le comportement d'un conjoint »[41]. Mais cette voie que nous avons empruntée est justement la mauvaise. Et c'était la bifurcation qu'il ne fallait surtout pas prendre. En effet, la demande soumise à la Cour Suprême concernait l'applicabilité ou non du testament valablement établi par le testateur et non pas de l'adultère, sa moralité ou son immoralité. Car les personnes (les enfants adultérins du testateur) qui demandent l'avis de la Cour ne sont pas responsables de la relation adultère entretenue par leurs auteurs.

19. Certes l'adultère est illicite et c'est là que la protection de la famille légitime trouve sa place. Mais « si l'adultère est répréhensible, c'est uniquement dans les relations entre époux. L'adultère ne produit pas

38 R. GUILLIEN & J. VINCENT, op. cit., p. 378.

39 F. NIBOYET, « L'ordre public matrimonial », thèse 2008, éditions LGDJ, collection Bibliothèque de droit privé.

40 L'article 67 de la loi 2007-022 suscité précise dans son alinéa 2 que « s'il est prouvé par le conjoint défendeur que ces motifs (l'adultère et la condamnation à une peine afflictive et infamante) n'ont pas rendu intolérables le maintien de la vie commune, le juge appréciera souverainement s'il convient ou non de retirer le grief allégué ».

41 F. B. GIROU de BUZAREINGUES, op. cit.

d'effet à l'égard des tiers y compris le concubin de l'époux »[42] et donc à plus forte raison les enfants de son concubin.

20. En effet, et la situation interpelle, derrière ce refuge systématique à l'ordre public, il y a une certaine volonté de faire porter aux enfants adultérins la responsabilité de la désagrégation générale de la famille et surtout de la leur faire payer. Pourtant, souvent lorsqu'on parle des enfants et de leur venue, les Malgaches parlent de « *zaza tsy manan-tsiny* »[43] pour dire que quand on naît, jamais on ne choisit ni ses parents ni sa famille ni sa situation. De plus, tout le monde le reconnaît et il est généralement admis que la désagrégation de la famille a toujours été une réalité bien ancrée dans la société, ici[44] comme

42 C. LARROUMET, Chronique « La libéralité consentie par un concubin adultère », DALLOZ, 1999, n° 351-352.

43 Litt. Enfants innocents.

44 Ainsi par exemple,

– H. RAHARIJAONA dans son article intitulé « Le droit de la famille à Madagascar » (sous la direction de K. M'BAYE, « Le droit de la famille en Afrique noire et à Madagascar », 1970) écrivait qu'« en milieu urbain, le sort de l'enfant est encore plus vulnérable en raison des menaces qui pèsent sur la cohésion du ménage. Le nombre des divorces est plus élevé. Les unions libres sont plus précaires, le contrôle de la grande famille est inefficace car notamment pour les jeunes, la ville constitue un milieu plus aéré où la contrainte sociale se relâche et les obligations familiales sont moins nombreuses ». (n° 24, p. 34). Il donne plus de détail sur les réalités en les ventilant comme suit « A Madagascar, en 1966, 830 ordonnances avaient été rendues en matière de conciliation précédent le divorce. Ce chiffre est passé à 1.200 en 1967- Les interventions judiciaires révélatrices des troubles du ménage (ordonnances de saisie-arrêt sur ordonnance, ordonnance sur requête aux fins de contribution aux charges du ménage, juridiction des référés...) s'élèvent en moyenne pas an à 3.000, tandis que le nombre de divorces par an est d'environ 1.500. La ville de Tananarive par l'ampleur de sa population a une place à part dans ces statistiques, environ 500 divorces par an y sont prononcés. Près de 200 requêtes aux fins de contribution aux charges du ménage sont introduites auprès du tribunal de 1ère instance de Tananarive par an, chiffre qui n'a d'ailleurs cessé d'augmenter depuis 1963 sans que l'on sache si cette est due à une instabilité plus grande des ménages ou à une meilleure connaissance de la loi par les citoyens (ou plus précisément par les citoyennes) » (n° 24, p. 35).

– N. RALAMBONDRAINY RAKOTOBE, op. cit., p. 12.

Quelques données chiffrées concernant les procédures de « divorce »

Demande de divorce devant le Tribunal de Première Instance d'Antananarivo

Année 1997 :	Homme....	407	(beaucoup plus de demandes déposées par les maris)
	Femme....	342	
	Total....	749	
Moyenne par mois		62	
Remarques : majorité (H)			
Différene H/F...............		65	dossiers
Année 2007 :	Homme...	666	
	Femme....	726	(beaucoup plus de demandes déposées par les femmes)
	Total......	1392	
Moyenne par mois		116	
Remarques : majorité (F)			
Différene H/F................		60	dossiers

ailleurs. Et « l'enfant adultérin ne saurait se voir reprocher des faits qui ne lui sont pas imputables »[45].

b) La loi

21. Selon cette décision de la Cour Suprême la validation du testament violerait les dispositions des articles 28[46] de la loi 68-012 et 20[47] de la Constitution de la République de Madagascar[48]. Tout d'abord, il semble qu'en l'espèce subsiste une certaine confusion qu'il convient de relever précisément suite au constat qui vient d'être effectué.

22. D'emblée et au risque de répétition, il importe de relever cette confusion que fait la Cour Suprême sur la question à elle posée. La loi relative au mariage prévoit[49], en effet, l'obligation mutuelle de fidélité dont l'adultère est la première forme de violation. Mais qu'on ne se trompe pas de cible : c'est l'adultère qui est illicite et non le fait de tester librement pour l'ensemble de son patrimoine. Cette mauvaise interprétation entraîne une mauvaise application de la loi, en l'occurrence le rejet du principe du *masi-mandidy* et donc l'application volontaire d'une réserve successorale[50]. Or « là où la loi privilégie la succession légale, le droit reposera sur les devoirs familiaux et participera à la protection de l'ordre public. Là où elle préfèrera la

---

Comparaison : nombre de dossiers de divorce en :
1997 :........ 749
2007 :...... 1392
Différence : 613

– T.A. NIVO, « Plus d'une centaine de divorce par mois », L'express de Madagascar, mercredi 30 avril 2008
« [...] Plus d'une centaine de demandes de divorce sont enregistrées chaque mois au Tribunal de première Instance d'Antananarivo. Cela représente en général 23 à 30 % des affaires délibérées auprès de cette juridiction. [...] Les mariés depuis 1999 sont les plus enclins au divorce. [...] Les chiffres relatifs aux demandeurs s'avèrent égalitaires pour les personnes du sexe masculin et celles relevantdu sexe féminin. [...] Des époux n'ayant dépassé même pas deux mois de mariage n'hésitent pas à demander un... divorce [...] Si auparavant, la plupart des cas de divorce ne concernaient que des époux dépassant la quarantaine, c'est-à-dire environ 15 à 20 ans de mariage. Acruellement ce n'est plus le cas. Deux mois à un an ou au maximum 8 ans de mariage seulement, le divorce frappe de plein fouet certains foyers conjugaux pour des causes qu'il serait fastidieux d'énumérer ici. »

45 Cour Européenne des Droits de l'Homme (CEDH), arrêt rendu dans l'affaire MAZUREK contre Etat français, 01 janvier 2000.

46 « Des dispositions testamentaires dont l'exécution est impossible ou qui ne permettent pas de déterminer leur bénéficiaire ou leur objet ou encore dont l'objet est contraire à l'ordre public, à la loi ou aux bonnes mœurs, sont nulles. »

47 « La famille, élément naturel et fondamental de la société est protégée par l'Etat. Tout individu a le droit de fonder une famille et de transmettre en héritage ses biens personnels. »

48 Que ce soit la Constitution du 18 septembre 1992 ou celle du 27 avril 2007.

49 Art. 55 de la loi 2007-022 suscité.

50 V. supra n° 24, p. 15.

succession testamentaire, le droit reposera sur la volonté du défunt et nulle réserve ne résistera à la volonté contraire de ce dernier »[51].

23. Quant à la Constitution, dans son article 20, elle exprime la nécessité légitime de protéger la famille, sous réserve de ce qui est précédemment développé[52]. Mais parallèlement à cela, la deuxième partie de la deuxième phrase du même article (« tout individu a le droit de transmettre en héritage ses biens personnels ») semble conforter justement les dispositions légales se rapportant au *masi-mandidy*. Dans l'arrêt objet de notre analyse, les faits résultant de la décision de la Cour d'Appel précisent que le *de cujus* « ayant disposé uniquement de ses biens propres ». En outre, le préambule de la Constitution dispose : « considérant que l'épanouissement de la personnalité et de l'identité de tout un chacun, s'avère le facteur opérant du développement intégré harmonieux et durable, dont les modalités requises sont reconnues comme étant : [...] la lutte contre l'injustice, les inégalités et la discrimination sous toutes ses formes ». Aussi, même dans le cas impossible où l'on considèrerait que les intérêts de l'enfant adultérin ne méritent aucune protection, « la volonté sacrée » du testateur, protégée et garantie par la Constitution, devrait primer sur toute autre considération à chaque fois qu'il sera question de dévolution successorale.

24. Tout raisonnement contraire viole les dispositions coutumières et législatives prescrivant le principe du *masi-mandidy* et décuple la discrimination à peine voilée dont sont victimes les enfants adultérins mais surtout fait entrer dans le droit malgache une notion qu'il a toujours occultée et rejetée[53] : la réserve héréditaire au profit des successibles légitimes. Effectivement, rappelons-le : le droit malgache refuse de reconnaître et écarte toute notion de réserve héréditaire et de quotité disponible[54]. Le testateur ayant une latitude et un pouvoir absolus de disposer de ses biens comme il le désire.

---

51 C. GUEDON, « Le rôle de la volonté privée dans la dévolution successorale », mémoire de DEA Droit privé, Université de Droit d'Economie et des Sciences d'Aix Marseille 2001-2002, p. 37.

52 V. supra n° 9.

53 V. supra n° 3, p. 4 et suivants.

54 A.– CAHUZAC « Comme conséquence du droit illimité de disposer des biens, la loi malgache n'admet pas de réserve légale en faveur des descendants ou des ascendants. La volonté du testateur est supérieur aux liens du sang », op. cit., p. 343.

– « Si l'on s'accorde généralement pour reconnaître qu'en France, le droit successoral *ab intestat* se rattache à la communauté de famille dont il n'est que le prolongement, il semble bien que l'idée ne soit exacte en droit malgache, [...], le principe essentiel du droit successoral malgache, c'est la liberté absolue pour le défunt de disposer de ses biens comme il l'entend ; cette liberté totale – le *masi-mandidy* – n'est limitée par aucune réserve héréditaire. [...] Il semble que le souci de maintenir l'unité morale de la famille

25. Enfin, la loi constitutionnelle malgache consacre et garantit la protection du droit de propriété[55] et l'exercice de celui-ci. Lequel s'analyse comme la réunion des trois éléments désignés par abusus (pouvoir de disposition), usus (droit d'usage) et fructus (droit aux fruits). En l'espèce, il est pour le moins surprenant de constater que le juge s'autorise à remettre en cause la suprématie absolue de la loi fondamentale en décidant d'apporter une limite à l'*abusus* qui est l'élément le plus important du droit de propriété.

2) Les bonnes mœurs

26. Elles se définissent comme étant les règles imposées par la morale sociale à une époque donnée et dont la violation, éventuellement constitutive d'infractions pénales, est susceptible de provoquer l'annulation d'une convention[56].

27. Elles désignent également « la somme ou l'expression de ce que peuvent avoir de communes les différentes morales individuelles »[57], « il ne serait donc plus contraire à celles-ci de gratifier celui avec lequel on entretiendrait une liaison, fût-elle adultère »[58]. Dans la même logique, dans quel sens laisser ses biens personnels à sa postérité serait-il contraire aux bonnes mœurs ?

---

hova par le renforcement de l'autorité du père de famille, auquel on accorde des pouvoirs illimités pour disposer de ses biens, et en priver ceux de ses enfants qui manquent à leurs devoirs familiaux, ait été considéré par le législateur *hova* comme devant passer avant cette sorte de co-propriété collective familiale donnant droit à "une réserve héréditaire" » E-P. THEBAULT, op. cit., n° 376, p. 479.

- « *Amin'ny fomban-tany sy ny làlana malagasy, tsy mba manaiky ny hisian'ny karazan'ny mpandova ilay atao hoe* héritiers réservataires *(mpandova efa manana ny sori-dohan-karena tsy maintsy lovany, na dia tsy misy didin'ilay tompon-karena aza) ; izany hoe : amin'ny fomban-tany, na ny lalàna malagasy, dia tsy mba misy izay harena, na dia kely aza, tsy azon'ny tompony zakaina malalaka tsara, araka ny itiavany azy. Amin'ny lalàna frantsay anefa misy harena voatonon-doha mihitsy, tsy azon'ny tompony didiana amin'ny tombam-pananana ataony. Tahaka izany ihany koa ny amin'ny tsy fisian'ny harena hany maha-masi-mandidy ny tompony* (quotité disponible), *izay tsy misy amin'ny fomban-tany sy lalàna malagasy, fa masi-mandidy amin'ny harenany manontolo ny tompony* ». H. BERTHIER, « *Lalàna velona sy fomban-tany mbola arahina eto Madagasikara* », Tananarive Imprimerie officielle, 1933, p. 54.
- E-P. THEBAULT, op. cit. n° 509, p. 675 « masi-mandidy », liberté absolue, sans aucune réserve au profit des héritiers les plus « proches » ; aucune quotité disponible pour la limiter.

55 Art. 35 de la Constitution de la république de Madagascar op. cit.

56 R. GUILLIEN & J. VINCENT, op. cit., p. 72.

57 R. SAVATIER « Le droit, l'amour et la liberté », cité par, H. CAPITANT, F. TERRE / Y. LEQUETTE, « Les grands arrêts de la jurisprudence civile », Tome 1, 11e édition, DALLOZ, n° 25, p. 145.

58 Id.

28. Il n'existe aucune définition légale des bonnes mœurs. Les juges exercent donc leur pouvoir souverain d'appréciation en la matière. A priori, cette situation semble tout à fait logique et équitable car « il appartient aux Tribunaux de lutter contre la faiblesse humaine et le courant de facilité qui, s'il n'était pas endigué, mènerait à la ruine de la famille et de la société »[59]. Cependant, il est également dans « la faiblesse humaine » d'autres « courants » tels l'erreur, la subjectivité, l'irrationalité, l'arbitraire... Et personne n'est à l'abri de telles possibilités.

29. « Les bonnes mœurs sont une notion juridique. Leur contenu relève donc du contrôle de la Cour de Cassation. Mais cette notion n'est pas figée, elle évolue au rythme de l'évolution de la société [...]. La loi ne définit pas les bonnes mœurs. La Cour de Cassation doit donner un contenu à la notion de bonnes mœurs »[60].

30. Ne désirant, sans doute pas, assumer les conséquences pouvant découler d'une décision qui risque de déranger voire de choquer, la Cour Suprême a raté l'occasion de rectifier le tir de 1989 et choisit encore la solution de facilité en sortant un arrêt politiquement correct mais qui nous paraît fuyant et surtout moralisateur. Là n'est pourtant pas son rôle.

31. Certes, il n'est pas aisé de gérer le dilemme résultant d'une telle situation mettant face-à-face deux intérêts contradictoires et inconciliables. Cependant « il faut aller au-delà de ces difficultés qui, dans le fond, sont beaucoup plus le fruit de la morale trop hypocrite, malheureusement »[61].

32. Surtout que la Cour Suprême semble ne pas être logique avec elle-même. En effet, elle prétend protéger l'intérêt de l'enfant légitime, et nous avons maintes fois affirmé que cela relevait de la légitimité malgré tout. Là où l'on ne suit plus sa logique c'est quand elle refuse à l'enfant adultérin la qualité de successeur même en l'absence

---

59 Cour Suprême n° 92 du 12 septembre 1989 ; Cour Suprême, n° 17, 08 août 2003, B.A. C.S. 2003, p. 43 dans des affaires similaires.

60 G. CARNOY, « L'adultère n'est pas contraire aux bonnes mœurs », article interprétant la décision de l'Assemblée plénière de la Cour de Cassation française du 29 octobre 2004 relative à « une pittoresque affaire d'adultère qui donne à la Cour de Cassation française l'occasion de marquer sérieusement l'évolution de la notion de bonnes mœurs ».

61 J. HOUNKPE, « Problématique de l'égalité de droit des enfant légitimes et naturel dans le nouveau régime des successions du Bénin », mémoire de maîtrise en droit, Université d'A. CALAVI, Bénin, http://www.meoireonline.com/08/07/572/m_problematique-egalite-droits-enfant-legitime-naturel-successions-benin21.html

d'enfant légitime[62]. Cette situation discrédite la théorie de la protection de la famille « bafouée » et met en évidence la volonté réelle d'éliminer à tout prix l'enfant adultérin.

33. Sauf si à Madagascar, il y a des bonnes mœurs, un ordre public familial, une loi et une justice à double vitesse (selon l'origine et la filiation) et à deux visages (pour les familles légitimes et les autres) ?

B – L'inutilité et l'inopportunité du rejet du principe du *masi-mandidy*

34. La dénaturation du contenu du principe du *masi-mandidy*, opérée par la Cour Suprême met en exergue l'incapacité de cette dernière, du moins en la matière, à remplir véritablement son rôle de juge de droit. Cette situation montre plus cette juridiction sous sa facette de « commission sociologique » plutôt qu'une Cour de justice chargée d'appliquer la loi et rien que la loi.

Justement, le législateur précise[63] : « soucieux de préserver en cette matière un grand nombre de règles anciennes, traditionnellement reçues, et conscients de la nécessité d'élaborer une législation qui ne heurtât point la conscience familiale malgache, les membres de la commission ont eu comme souci constant de conserver les dispositions originales de la coutume du moins lorsque celle-ci, en raison de son ancienneté, ne se trouvait pas en contradiction avec certaines règles du droit positif actuel. C'est ainsi qu'a été conservé et affirmé le principe du masi-mandidy, formulé dès avant ANDRIANAMPOINIMERINA et au respect duquel tout citoyen malgache reste fortement attaché, comme constituant le fondement de la solidité et de la solidarité du groupe familial ». Dans sa décision, la Cour Suprême n'a malheureusement point tenu compte de cet attachement.

35. Telle réalité qui met à mal la situation déjà désastreuse des enfants adultérins est pourtant dépourvue de tout intérêt positif pour l'ensemble des personnes et institutions concernées. En effet, non seulement elle malmène l'ensemble de la législation malgache

---

62 Une autre décision de la Cour Suprême dispose qu'« encourt la cassation l'arrêt qui a reconnu une vocation successorale à l'enfant adultérin dès lors qu'il n'y a pas d'enfant légitime » « Attendu qu'il est reproché à l'arrêt attaqué de reconnaître une vocation successorale à l'enfant adultérin le droit de succéder, l'arrêt a méconnu le sens et la portée de l'article 22 de la loi 63-022 ; qu'il y a lieu en conséquence de casser ledit arrêt ». Cour Suprême, n° 84, 1er avril 2004, B.A. C.S. 2004, p. 47.

63 Dans l'exposé des motifs de la loi n° 68-012 suscitée.

(constitutionnelle et civile) mais surtout elle discrédite lamentablement la justice qui se cherche péniblement une reconnaissance.

36. Mais la portée de cette décision de la Cour Suprême est très réduite. Dorénavant, les couples adultérins recourront à d'autres mécanismes juridiques pour contourner pareille décision (par exemple : en empruntant des dispositions à titre gratuit entre vifs, en passant des actes de vente de complaisance...).

37. De plus, à supposer que le principe de cet arrêt soit maintenu, il semble que cela ne présente aucune utilité dans la mesure où il risque d'entraîner plus de désordre qu'il n'en résout. Si l'objectif est d'endiguer la multiplication des relations adultères, c'est en amont qu'il faut agir. En l'espèce, le remède est pire que le mal en ce sens que cette décision aboutit à une accumulation de victimes.

38. De surcroît, l'opportunité de la décision reste à établir. Comment accepter qu'une personne frappée d'exhérédation tacite par le testateur soit appelée à recueillir la succession de ce dernier par décision judiciaire au simple motif du lien légitime de filiation entre eux ?[64]

39. L'on est en droit de se poser la question de savoir si le principe sacro-saint de l'autonomie de la volonté ne peut trouver application en matière successorale qu'uniquement en cas de concurrence entre descendants légitimes et à l'exclusion de tout fruit d'une relation adultère. L'arrêt d'espèce anéantit totalement les acquis des dispositions légales sur ce point et opère un retour en arrière à la manière des seigneurs féodaux qui décidaient du sort des corps et biens de leurs vassaux. Ce qui est tout à fait contraire à l'esprit, au sens véritable et au contenu dudit principe selon la conception malgache[65].

40. Dans le même ordre d'idées, si la déchéance se définit comme la perte d'un droit, soit à titre de sanction, soit en raison du non respect de ses conditions d'exercice[66], quelles fautes les enfants adultérins ont-ils commis ou quelles conditions ont-ils omis de respecter pour se voir déchus de leur droit à hériter de leurs auteurs ?

64 Cour d'Appel, n° 40, 20 mars 1947 : « [...] il y a lieu de rappeler que la loi malgache donne toute liberté à un individu de disposer de ses biens comme il l'entend et sans restriction, que le fait d'avantager certains de ses enfants au préjudice des autres n'a donc a priori rien d'anormal » (E.P. THEBAULT, op. cit., p. 307).

65 V. supra n° 3, p. 4 et suivants.

66 R. GUILLIEN & J. VINCENT, op. cit., p. 173.

41. Sur un tout autre registre, la décision en question instaurerait la légitimité comme une arme offensive redoutable entre les mains des enfants légitimes contre les autres catégories d'enfants, qui à chaque fois vaudrait aux premiers d'être protégés et aux derniers plus d'injustice et de discrimination.

42. Certes, ne pourrions-nous pas, ou du moins pas encore, à Madagascar affirmer avec conviction comme le Bâtonnier F. B. GIROU de BUZAREINGUES[67] que « adultère et immoralité ne sont plus corrélatifs » et chacun pourra y aller avec les raisons qui fondent ses pensées. Malgré cela, cependant, il est hors de question que l'enfant doive porter le fardeau des « immoralités » ou des « inconduites » de leurs parents.

43. Enfin, il y a une remarque générale à faire dans les rôles des Cours et Tribunaux. En effet « il appartient à la jurisprudence de corriger par une interprétation raisonnable, l'incohérence des dispositions légales »[68]. En l'espèce, c'est tout à fait le contraire qui arrive car la loi est tout à fait claire et cohérente. Par contre la décision de la haute juridiction pêche par excès de moralisme. Il n'appartient pas à ces instances de s'ériger grands justiciers à l'égard des femmes trompées et enfants abandonnés même si cela est humain. L'on est en droit de se demander, au vu de l'arrêt d'espèce, si la justice est la même à Madagascar ou si elle diffère selon l'origine et la filiation de chacun.

II – LES VÉRITABLES RAISONS AYANT ENTRAÎNÉ LE REJET DU *MASI-MANDIDY*

44. Suite aux analyses précédemment menées dans le cadre de cette réflexion, on aura surtout noté que l'altération du sens du principe de *masi-mandidy* résulte de l'imperfection des dispositions légales destinées à protéger les enfants. Ces dispositions sont alors mal interprétées et cet état de chose amène la personne qui les interprète à une improvisation qui mène forcément à une décision contestable. Mais la perversion des effets d'une décision mal fondée aboutit également à l'imperfection du système de protection de l'enfant. Il faudrait pour sauvegarder le *masi-mandidy*, aplanir les contradictions

67 F. B. GIROU de BUZAREINGUES, op. cit.
68 G. RIPERT & J. BOULANGER, Traité de droit civil, Tome 1, Paris, LGDJ.

des dispositions portant protection de l'enfant (A). Véritablement, si on appliquait les principes basiques d'égalité, on n'en serait pas là (B).

A – De l'imperfection et de l'incohérence des institutions de protection des enfants en droit malgache

45. Dès le départ, il est à noter que ces dernières années, la question des droits de l'enfant est au centre des débats. Cela prouve que les enfants commencent à retenir un peu l'attention de tous. Pourtant, beaucoup reste encore à faire.

46. La première chose que nous avons pu remarquer lors de cette analyse c'est qu'entre les descendants d'un même individu le droit malgache accorde des traitements inégalitaires pouvant parfois aller très loin dans le sens de la discrimination en défaveur des enfants non légitimes.

47. Cela interpelle parce que tout d'abord, Madagascar a adhéré à différents accords et traités internationaux qui ont été régulièrement ratifiés ou approuvés et qui ont dès lors, en vertu du principe de la hiérarchie des normes, une autorité supérieure à celle des lois nationales[69].

48. L'adhésion de Madagascar à des accords et traités qui prônent généralement la non-discrimination (la Déclaration Universelle des Droits de l'Homme[70], la Charte Africaine des Droits de l'Homme et des Peuples[71]) montre une volonté politique réelle d'avancer dans les engagements envers les enfants. Les plus importants sont la

---

69 Art. 132 al. 2 Constitution de la République de Madagascar, op. cit.

70 – Art.1 : Tous les êtres humains naissent libres et égaux en dignité et en droits. Ils sont doués de raison et de conscience et doivent agir les uns envers les autres dans un esprit de fraternité.
– Art. 2 al. 1 « 1. Chacun peut se prévaloir de tous les droits et de toutes les libertés proclamés dans la présente Déclaration, sans distinction aucune, notamment de race, de couleur, de sexe, de langue, de religion, d'opinion politique ou de toute autre opinion, d'origine nationale ou sociale, de fortune, de naissance ou de toute autre situation. »

71 – Art. 2 « Toute personne a droit à la jouissance des droits et libertés reconnus et garantis dans la présente Charte sans distinction aucune, notamment de race, d'ethnie, de couleur, de sexe, de langue, de religion, d'opinion politique ou de toute autre opinion, d'origine nationale ou sociale, de fortune, de naissance ou de toute autre situation. »
- Art. 3 al. 1 « Toutes les personnes bénéficient d'une totale égalité devant la loi. »

Convention relative aux Droits De L'enfant[72] et la Charte Africaine des Droits et du Bien-être de l'enfant[73].

49. Ces engagements de l'Etat malgache dans le concert des Nations, ont conduit à la mise en conformité de l'ensemble de la législation malgache relative à la protection des enfants à ces normes internationales. Ainsi, sont nées les lois nationales phares en matière de protection de l'enfant : la loi n° 2007-023 du 20 août 2007 sur les droits et la protection des enfants qui reprend la plupart des dispositions anti-discrimination prônées par les accords internationaux suscités[74] et la Loi n° 2005-014 du 7 septembre 2005 relative à l'adoption[75].

50. Si on a longtemps véhiculé la notion d'intérêt supérieur de l'enfant, on a oublié le plus important. En effet, de cet état des lieux ressort le manquement le plus évident de la loi malgache : l'inégalité des

---

72 Art.2 « 1. Les Etats parties s'engagent à respecter les droits qui sont énoncés dans la présente Convention et à les garantir à tout enfant relevant de leur juridiction, sans distinction aucune, indépendamment de toute considération de race, de couleur, de sexe, de religion, d'opinion politique ou autre de l'enfant ou de ses parents ou représentants légaux, de leur origine nationale, ethnique ou sociale, de leur situation fortune, de leur incapacité, de leur naissance ou de toute autre situation.
2. Les Etats parties prennent toutes les mesures appropriées pour que l'enfant soit effectivement protégé contre toutes formes de discrimination ou de sanction motivées par la situation juridique, les activités, les opinions déclarées ou les convictions de ses parents, de ses représentants légaux ou des membres de sa famille. »

73 – Art 3 « Tout enfant a droit de jouir de tous les droits et libertés reconnus et garantis par la présente Charte, sans distinction de race, de groupe ethnique, de couleur, de sexe, de langue, de religion, d'appartenance politique ou autre opinion, d'origine nationale et sociale, de fortune, de naissance ou autre statut, et sans distinction du même ordre pour ses parents ou son tuteur légal. »
– Art 4 al.1 « Dans toute action concernant un enfant, entreprise par une quelconque personne ou autorité, l'intérêt de supérieur l'enfant sera la considération primordiale. »

74 Art. 3. – Tout enfant bénéficie des mêmes droits sans distinction aucune, indépendamment de toute considération fondée sur la race, la couleur, le sexe, la langue, la religion, l'opinion politique ou autre de l'enfant ou de ses parents ou représentants légaux, l'origine nationale, ethnique ou sociale, l'incapacité, la situation de fortune, la naissance ou toute autre situation.
Art. 4. – Aucun enfant ne doit faire l'objet de quelque forme que ce soit de négligence, de discrimination, d'exploitation, de violence, de cruauté et d'oppression.
Art. 8. – Aucun enfant ne peut être soumis à une ingérence arbitraire ou illégale dans sa vie privée, sa famille, son foyer ou sa correspondance, ni à des atteintes à son honneur ou à sa réputation.
Art. 9. – L'enfant occupe au sein de la famille une place privilégiée : il a droit à une sécurité matérielle et morale aussi complète que possible.

75 Art. 3. – Tout enfant bénéficie des même droits sans distinction aucune, indépendamment de toute considération fondée sur la race, la couleur, le sexe, la langue, la religion, l'opinion politique ou autre de l'enfant ou de ses parents ou représentants légaux, l'origine nationale, ethnique ou sociale, l'incapacité, la situation de fortune, la naissance ou toute autre situation.
Art. 4. – Dans toute décision concernant l'enfant, l'intérêt supérieur de l'enfant doit être la considération primordiale.

enfants. L'arrêt d'espèce que nous venons d'analyser ne fait d'ailleurs que retranscrire cette inégalité qui existe déjà dans les lois.

51. Dès leur naissance, les enfants adultérins[76], sont privés de leur lien de filiation. L'article 22 de la loi malgache sur la filiation[77] dispose que « la reconnaissance de paternité faite pendant le mariage de l'enfant que le mari aurait eu durant ce mariage d'une femme non mariée a pour seul effet de créer à la charge du père, et au profit de l'enfant, une obligation alimentaire ».

52. En l'espèce, il est spécifié que les enfants adultérins, partie au procès, étaient reconnus du *de cujus.* Or comme le souligne cette disposition légale, en la matière, la reconnaissance ne met qu'une charge alimentaire à l'égard du père et au profit de l'enfant reconnu, ni plus ni moins.

53. Cette reconnaissance incomplète vaut ainsi une double exclusion opérée par la loi à l'égard de cette catégorie d'enfants : et à l'accès à la légitimité et, surtout, à la qualité d'héritier. « A noter que c'est l'établissement même de la filiation qui est prohibé à leur égard, c'est-à-dire le critère fondamental de successibilité »[78]. Ces personnes sont donc victimes d'un *capitis deminutio*[79] et ainsi sont réduits à ne jamais pouvoir hériter de leur auteur de manière *ab intestat*, en présence ou non d'enfants légitimes car la loi ne retient que la légitimité en la matière[80].

54. L'arrêt d'espèce démontre bien le traitement dont ces mêmes « enfants » sont victimes en matière de succession testamentaire. Cependant, dans ce cas, non seulement, la loi leur a refusé « le critère fondamental de successibilité » mais surtout, la Cour leur impute les liens adultères perpétrés par leurs parents et les considère à travers

---

76 Qui ne sont d'ailleurs pas les seuls enfants naturels victimes de discrimination en droit malgache, il y a également les enfants incestueux qui partagent avec eux leur sort.

77 Loi n° 63-022 du 20 novembre 1963 sur la filiation, l'adoption, le rejet et la tutelle.

78 A. RAHARINARIVONIRINA, cours, op. cit.

79 Selon une décision de la Cour Suprême « Les enfants issus d'une union libre ne peuvent prétendre au statut d'enfants légitimes et ne pourraient donc venir à la succession de leur père ». Il importe de noter que dans ce cas d'espèce, le père est décédé en laissant six enfants naturels non reconnus. Sa concubine voulant établir la qualité de successeurs de ses enfants issus des œuvres du *de cujus* et reconnus comme tel par les collatéraux du défunt qui en réclament la succession par absence d'enfants légitimes. La Cour d'Appel rejette la voie de recours en affirmant que la dame « ne saurait se prévaloir d'une possession d'état laquelle suppose l'inexistence d'un acte de naissance ». La Cour Suprême rejette le pourvoi formé par la même personne et les enfants du défunt sont supplantés par ses frères et sœurs. Cour Suprême, n° 27, 06 octobre 2003, B.A. C.S. 2003, p. 69.

80 V. supra n° 48, p. 20.

ces liens. Cela équivaut à « une ingérence arbitraire ou illégale dans leur vie privée, leur famille, leur foyer [...] » voire à « des atteintes à leur honneur et à leur réputation ». Ingérences interdites par la loi malgache[81].

55. Il n'y a point de confusion entre notion d'enfant[82] et de descendant[83] dans notre conception. Les deux notions sont, cependant, intimement liées car les enfants descendent nécessairement d'une personne et les descendants d'un individu, qu'ils soient légitimes, naturels simples, adultérins ou incestueux, doivent passer obligatoirement par cette étape qu'est l'enfance.

56. Si tout le monde bénéficie des mêmes mesures protectrices dès sa naissance, cette discrimination qu'il importe ici d'être démontrée n'existerait pas, et la Cour Suprême n'aurait pas eu à y recourir dans le cas d'espèce.

57. Ainsi, le plus important du contenu de toutes ces dispositions légales n'a pas été respecté. Et l'on ne pourra pas prétendre que cela est dû au fait que l'arrêt d'espèce, par exemple, date d'avant 2005-2007 où « le droit en général et le droit de la famille en particulier ont franchi des pas décisifs »[84], car dès avant ces dates, diverses dispositions légales contenaient déjà[85] cette notion d'égalité de tous devant la loi sans distinction aucune.

58. Sur ce point, il importe de relever que si la Constitution de la République a toujours prôné les principes de non discrimination à cause de la naissance, la loi même qui régit la filiation et qui date de 1963, instaure une discrimination en défaveur des enfants naturels sans que cela n'interpelle ou ne fasse réagir. Cette « infériorité

81 V supra, note de bas de page n° 69 à 73.

82 L'ensemble des normes nationales et internationales définit l'enfant comme étant « tout être humain âgé de moins de 18 ans ».

83 Selon R. GUILLIEN & J. VINCENT, op. cit., p. 195, ce terme désigne « un individu qui tient sa filiation d'une personne qui l'a précédée dans la suite des générations. Cette parenté en ligne directe fait naître une vocation successorale privilégiée et engendre des rapports d'obligation ou des empêchements réciproques (aliments, témoignage, mariage...) ».

84 N. RALAMBONDRAINY RAKOTOBE, op. cit., p. 5.

85 Constitution de la République de Madagascar de 1992

- Dans son préambule : « Considérant sa situation géopolitique dans la région et sa participation engagée dans le concert des nations et faisant siennes : [...] la lutte contre l'injustice, les, inégalités et la discrimination sous toutes ses formes »
- Art. 8 – Les nationaux sont égaux en droit et jouissent des mêmes libertés fondamentales protégées par la loi sans discrimination fondée sur le sexe, le degré d'instruction, la fortune, l'origine, la race, la croyance religieuse ou l'opinion.

congénitale »[86] étant incompatible avec la philosophie et les valeurs malgaches prônées par le législateur lui-même[87].

59. Ladite loi certes permet à un enfant adultérin *a patre* d'intégrer la qualité d'enfant légitime mais les conditions pour y accéder semblent irréalisables[88]. « Si l'épouse trompée dans sa foi accueillait en toute indépendance l'enfant adultérin dans son foyer, si elle acceptait sans contrainte aucune et par grandeur d'âme d'effacer la faute commise par le mari, alors la disposition n'appellerait aucune réserve. Bien mieux, en évitant le divorce, elle serait conforme à la morale du pardon et de la charité. Le risque justement est qu'il n'en soit pas ainsi ; que le mari pour amener sa femme à consentir, n'use et n'abuse de menaces, de moyens de pression, voire de contraintes. L'article 22 alinéa 2 pourrait à ce titre et peut donc engendrer de graves atteintes à la liberté de l'épouse »[89]. La situation risque de se corser surtout dans le cas où l'enfant serait mineur, car d'autres cas de figure peuvent être envisagés mais éludés par la loi et la doctrine : que l'épouse refuse tout simplement, qu'elle accepte par ruse et se comporte en véritable marâtre avec l'enfant...

60. Or, dans toute décision le concernant, l'enfant devrait être la base. Dans ce cas précis, ce n'est pas l'épouse et/ou la mère mais bien l'enfant qui doit être le fondement de la reconnaissance et son intérêt supérieur devrait être la considération primordiale et déterminante.

61. Toujours dans la même optique et comme indiqué plus haut[90], la loi sur la filiation a significativement évolué en 2005 et en 2007. Des modifications ont été apportées, d'une part, par la loi n° 2005-014 du 7 septembre 2005 relative à l'adoption[91] et, d'autre part, par la loi n° 2007-023 du 20 août 2007 sur les droits et la protection des enfants[92].

62. Dans ces réformes législatives importantes qui méritent d'être saluées, aucune allusion au plus grand chantier qui était et reste la loi

---

86 P. MALAURIE & L. AYNES par P. MALAURIE & H. FULCHIRON, op. cit., n° 943, p. 370.
87 V. supra p. 4 et note de bas de page n° 14.
88 Art. 22 – al. 2 « Toutefois, l'enfant (que le mari aurait eu durant pendant le mariage d'une femme non mariée) sera considéré comme légitime si l'épouse concourt personnellement à l'acte de reconnaissance ou le ratifié expressément et par écrit, et si en outre, l'enfant étant mineur, la mère acquiesce dans la même forme à cette reconnaissance. »
89 M. PEDAMON, « Les grandes tendances du droit de la famille à Madagascar », Annales de l'Université de Madagascar – Droit, 1965, p. 12.
90 V. supra, n° 54, p. 19.
91 J.O. n° 3022 du 03/04/2006 p. 1917.
92 J.O. n° 3163 du 28/01/2008 p. 158.

relative à la filiation n'a été faite. Cela semble dû au fait que personne ne désire prendre le risque d'assumer une décision qui serait politiquement incorrecte. Il apparaît que la protection des enfants adultérins est inversement proportionnelle au développement et à l'évolution du système législatif et juridique à Madagascar.

63. Partant de ce constat, il faut agir pour éviter d'autres situations amenant au démantèlement de tout un principe juridique original qui a toujours fait la particularité et la base de notre système successoral testamentaire. Il importe cependant de déculpabiliser les dirigeants, les responsables à tous les niveaux ainsi que l'opinion publique et arrêter de penser qu'à chaque fois qu'on soulève la situation désastreuse des enfants adultérins, on fait la promotion de la dégénérescence des moeurs et en particulier l'adultère, voire qu'on trempe dedans. Mais même de telles considérations ne devraient jamais faire obstacle aux prises de responsabilité.

64. Il apparaît que l'ensemble des problèmes soulevés dans le cadre des heurs et malheurs du principe du *masi-mandidy* relève essentiellement du très peu d'égard accordé par l'ensemble du système juridico-législatif malgache au cas des enfants naturels. A notre sens, l'introduction, en droit malgache du principe d'égalité des enfants est une solution envisageable.

B – En faveur de l'introduction du principe d'égalité des enfants en droit malgache

65. Pour ce faire, il convient juste d'être cohérent avec soi et de mettre définitivement en œuvre la lettre des conventions et traités internationaux signés par Madagascar.

66. Pour ce faire, il suffit d'appliquer les textes malgaches de 2005-2007 qui portent application de ces normes internationales auxquelles Madagascar a adhéré.

67. Pour ce faire, il suffit de mettre à jour et d'aligner les différents textes qui sont encore restés en arrière (notamment la loi relative à la filiation qui est la base de tout).

68. Pour ce faire, il faut et il suffit d'être en phase avec son temps, de voir et d'accepter les réalités sociales vécues par la population actuellement. Cette observation de la vie sociale devrait être suivie d'une reforme plus poussée du droit malgache de la famille.

69. Et surtout, pour ce faire, si la Constitution avait toute sa place, si chaque citoyen pouvait se voir accorder les libertés offertes et protégées par cette loi suprême, nous n'en serions pas là où nous en sommes aujourd'hui.

70. Mais quelle est la signification de ce principe d'égalité des enfants (1) et quels apports supplémentaires pourrait-il offrir aux enfants malgaches (2) ?

1) Le principe de l'égalité des enfants

71. Le principe d'égalité des enfants connu du droit français depuis seulement l'ordonnance de 2005[93] « modifia la rédaction (des textes relatifs à la filiation) afin de faire disparaître toute allusion à la qualité de la filiation »[94]. « Faisant table rase du droit antérieur, le texte reconstruit le droit de la filiation sur trois grands principes qui se complètent et s'équilibrent [...] : l'égalité, la vérité et la stabilité »[95].

72. Le principe d'égalité des enfants pose d'abord comme fondement l'égalité des droits et l'égalité des obligations de tous les enfants, sans considération aucune de leur origine et de leur filiation. Les enfants privés de filiation et de famille (généralement il s'agit des enfants naturels : simples, adultérins et incestueux[96]) seront ainsi traités sur le même pied d'égalité que les autres ayant toujours reçu la bénédiction de la loi. L'« égalité des statuts » des enfants serait ainsi « parfaite »[97].

73. Ensuite, le principe d'égalité des enfants instaure la vérité relative à la filiation. Vérité strictement encadrée par la loi car *quieta non movere* importe. Et surtout vérité tenant compte des diverses réalités. Car « d'autres vérités réalités, personnelle et familiale, d'autres nécessités, individuelles et sociales, viennent tempérer, parfois même écarter, la recherche de vérité biologique »[98].

74. Et enfin la stabilité de la filiation qui apporterait la paix dans les familles et surtout la sécurité dans la situation et l'état des personnes.

---

93 Ordonnance n° 2005-759, réforme de la filiation, art. 309 à 342-8 du code civil français.
94 P. MALAURIE & L. AYNES par P. MALAURIE & H. FULCHIRON, op. cit., n° 944, p. 371.
95 P. MALAURIE & L. AYNES par P. MALAURIE & H. FULCHIRON, op. cit., n° 940, p. 369.
96 En ce qui concerne les enfants incestueux absolus, cette égalité totale et complète serait inenvisageable par mesure de protection de leur intimité et notamment sur l'établissement du lien de filiation qui ne serait ainsi établie qu'envers la mère (car en droit malgache, et par application de l'article 1er de la loi n° 63-022 « La filiation maternelle résulte du fait de l'accouchement »).
97 P. MALAURIE & L. AYNES par P. MALAURIE & H. FULCHIRON, op. cit., n° 944, p. 371.
98 P. MALAURIE & L. AYNES par P. MALAURIE & H. FULCHIRON, op. cit., n° 948, p. 372.

75. Evidemment, le droit français est passé par différents stades[99] par lesquels le droit malgache devrait nécessairement passer avant d'arriver à cet idéal qu'est l'égalité des enfants. En effet, nombre de circonstances, essentiellement sociales et juridiques, dictent en matière de droit de la famille de ne pas se précipiter et d'avancer judicieusement et par étape, par exemple en avançant par branche (ex : droit de la filiation, droit successoral, droit alimentaire, accès dans la famille légitime de l'auteur, reconnaissance du concubinage...).

76. D'un autre point de vue, il est tout à fait normal que nous n'en soyons pas au même point que le droit français car malgré les liens historiques liant les deux pays et le fait que la majeure partie de notre système juridico-législatif actuel soit issu du système francophone, l'évolution socioculturelle de la France et des pays occidentaux en général n'est pas semblable à celle de notre pays et de notre continent. Pourtant, force est de reconnaître que la situation discriminatoire actuellement vécue par les enfants naturels ne peut plus durer.

77. Il importe donc de trouver les moyens pour combattre les différences de traitement pour parvenir à une égalité des enfants.

78. Les débats stériles consistant à ressasser les problèmes de dégénérescence des mœurs n'ont pas leur place dans l'instauration de l'égalité de l'enfant. Ce n'est pas l'enfant qui fait les mœurs et il ne lui appartient pas de supporter ce qu'il n'a pas créé.

79. Lorsque le principe de l'égalité des enfants sera établi dans le droit malgache, toute discrimination tendra à disparaître et les auteurs devront assumer au même titre l'ensemble de leur progéniture, quelle que soit leur filiation. Ce système de « responsabilisation » réduira d'autant le nombre de candidats à la procréation hors mariage.

80. Il faut beaucoup de finesse et de subtilité, ce faisant, pour éviter que le remède soit pire que la maladie, que le désordre socio-familial occasionné soit plus grand que celui existant actuellement. En même temps, il faut aussi du courage et de l'audace car combattre des pratiques et des réalités aussi enracinées demande une sacrée volonté, un certain tempérament et une volonté infaillible d'apporter un peu plus de justice à des victimes innocentes, mais cela n'est pas facile.

---

99 Par exemple la reconnaissance du concubinage et des différentes sortes de famille...

81. Il convient de s'en remettre, à ce niveau, à la sagesse du législateur qui devra équilibrer la balance et trouver le consensus nécessaire.

2) Les conséquences du principe d'égalité enfants

82. La principale répercussion de l'admission de ce principe serait la cessation immédiate et effective des discriminations diverses dont font l'objet les enfants naturels. Cette conséquence à elle seule, conforme à l'intérêt supérieur de l'enfant, vaut, à notre sens, tous les sacrifices et les réformes.

83. D'autres résultats plus ou moins importants sont néanmoins attendus et principalement : le changement de mentalité et de perception particulièrement envers les enfants adultérins particulièrement et les enfants naturels généralement, l'évolution de la protection et du respect des droits humains…

84. Quand ce principe sera intégré dans le droit positif malgache, l'amélioration du traitement de ces enfants au niveau des pratiques judiciaires est plus qu'attendue et par ricochet la violation des institutions malgaches telle le *masi-mandidy* sera évitée.

85. La société est en perpétuelle évolution, il importe que le droit et la loi soient en phase avec la société, son histoire et ses mutations tout en gardant les valeurs coutumières fortement ancrée dans nos pratiques (ex : le *masi-mandidy*).

Conclusion

86. Sous d'autres cieux, on a pu relever des libéralités entre concubins et la jurisprudence rendue à propos : « sentimentalité complexe dont les tribunaux ont beau jeu de tirer l'arbitraire, en réalité souverain. Puisqu'il y a de tout dans la cause de la libéralité, il leur revient selon la conception qu'ils se font de la morale et selon la sympathie plus ou moins grande que leur inspire l'héroïne du procès, d'en tirer pour celle-ci bonheur ou malheur »[100]. Chez nous, peut-on retranscrire cette

---

100 R. SAVATIER « Le droit, l'amour et la liberté », cité par, H. CAPITANT, F. TERRE / Y. LEQUETTE, « Les grands arrêts de la jurisprudence civile », Tome 1, 11e édition, DALLOZ, n° 25, p. 154.

affirmation en matière de succession testamentaire en faveur des enfants adultérins et de la jurisprudence y afférente ?

87. Le principe du *masi-mandidy* est le dernier rempart pour les enfants adultérins d'être reconnus par leur auteur et pour le testateur d'être encore maître de ses biens et de ses effets, à l'aune de la mort invincible et irrémédiable. Plus que jamais justice et humanité devraient rimer sous la bienveillance des coutumes et de la loi, du moins, selon le point de vue où l'on se place.

88. En tout état de cause, selon le doyen CARBONNIER[101] « le XXème siècle est celui de l'enfant ». Nous sommes au XXI siècle et à Madagascar, l'horizon est encore sombre pour l'enfant. Au contraire, le slogan adopté par le Ministère de la Justice « *les enfants d'abord* » sonne creux et ne reçoit d'échos nul part.

89. Nous avions relevé dès le début de notre analyse[102] qu'à la rédaction de la loi n° 63-022 relative à la filiation, le législateur affirmait que les problèmes juridiques du droit moderne ne concernaient pas notre système basé sur la perception traditionnelle de l'enfant. L'arrêt d'espèce que nous avons approfondi dans cette étude démontre certainement qu'actuellement c'est devenu une urgence de s'attarder sur ces problèmes juridiques. Cela dans un double objectif précis de sauvegarde d'une institution aussi précieuse que le *masi-mandidy* et surtout d'instauration de l'égalité réelle des enfants.

---

101 J. CARBONNIER, « Terre et Ciel dans le droit français du mariage », in études RIPERT, Tome 1, 1950, p. 335.
102 V. supra p. 3.

Conventions internationales et réalités malagasy dans la loi n° 2007-022[1] relative au mariage

Faratiana ESOAVELOMANDROSO

Dans les *Lettres Persanes*, Montesquieu écrit : « Il est quelquefois nécessaire de changer certaines lois, mais le cas est rare et, lorsqu'il arrive, il faut le faire d'une main tremblante ». Cela est tellement vrai et tout particulièrement dans le cadre du droit de la famille qui est un droit profondément national puisque la famille est un des piliers d'une société donnée. Toute réforme du droit de la famille doit dès lors tenir compte des modifications des valeurs de la société, de l'évolution des mœurs, des choix politiques, ce qui parfois peut aboutir à une révolution législative. Ces dernières années, différentes réformes législatives dans le cadre du droit de la famille et du droit de l'enfant ont été menées[2] principalement dans l'objectif de mettre en harmonie la législation malgache avec les différents instruments ratifiés par Madagascar[3]. La loi n° 2007-022 du 20 août 2007 relative au mariage et régimes matrimoniaux est issue de cette œuvre de mise en conformité. Le droit malgache de la famille, et particulièrement les dispositions relatives au mariage, résulte depuis l'Indépendance de la Grande Ile de l'Ordonnance n° 62-089 du 1er octobre 1962. La

---

1 La loi n° 2007-022 du 20 août 2007 se déclare relative « au mariage et aux régimes matrimoniaux », toutefois nous n'envisageons ici que les dispositions qui touchent au mariage et particulièrement celles qui font référence aux coutumes et aux Conventions Internationales dont la Convention sur l'Elimination de toutes formes de Discriminations à l'Egard des Femmes du 18 décembre 1979, ratifiée par Madagascar le 17 mars 1989 (CEDEF) et la Convention sur les Droits de l'Enfant du 20 novembre 1989, ratifiée par Madagascar le 19 mars 1991 (CDE).

2 Dont la loi n° 2005-040 du 7 septembre 2005 sur l'adoption, la loi n° 2007-023 du 20 août 2007 sur les droits et la protection des enfants.

3 En vertu du préambule de la Constitution du 18 septembre 1992, les Conventions relatives aux droits de la Femme et de l'Enfant sont considérées comme faisant partie intégrante du droit positif malgache. Cette disposition a toujours été maintenue malgré les différentes révisions de la Constitution.

première retouche, issue de la loi n° 90-013 du 20 juillet 1990 qui tend vers une recherche d'égalité entre l'homme et la femme a, d'une part supprimé la prépondérance auparavant accordée exclusivement à l'époux quant à la fixation de la résidence commune[4] et a d'autre part institué comme régime matrimonial de droit commun celui de la communauté par moitié ou *« zara mira »*[5]. Toutefois dans la mesure où l'objectif d'égalité de droit et de fait n'est pas complètement atteint malgré la réforme de 1990, le législateur malgache a voulu davantage aller plus loin à travers la loi de 2007 en intégrant un peu plus les grandes lignes de la Convention sur l'Elimination des Discriminations à l'Egard des Femmes (CEDEF) et subsidiairement celles de la Convention sur les Droits de l'Enfant (CDE). Il a paru important de promouvoir dans les textes l'égalité des droits, d'obligations et de responsabilités des époux et d'assurer en même temps une meilleure protection des enfants. De plus, Madagascar se devait de faire face à la mondialisation qui, inévitablement, entraîne la diffusion de certaines pratiques. Néanmoins, même si la mondialisation est incontournable, « (...) elle ne saurait entraîner nécessairement un alignement des droits nationaux sur celui qui est le plus permissif »[6]. C'est ainsi que pour mener à bien la réforme ayant abouti à cette nouvelle loi, « (...) des consultations publiques ont été initiées (...) pour une participation active et effective de toute la population elle-même »[7], le but étant à terme d'arriver à une appropriation de la loi par la population. Sans conteste, l'initiative est louable. Malheureusement, les participants sont loin d'être représentatifs de « toute la population » puisqu'ils sont principalement issus du milieu urbain et des organisations de la société civile[8]. La population rurale[9], celle des zones enclavées, celle qui est profondément attachée aux traditions et à la coutume ainsi que

4 Article 54 de l'Ordonnance de 1960 qui dispose : « Les époux sont tenus de vivre ensemble et c'est le mari qui fixe la résidence commune » devenu dans la loi de 1990 : « Les époux sont tenus de vivre ensemble. Ils fixent d'un commun accord la résidence commune. Toutefois, en cas de survenance, au cours du mariage, de désaccord entre les époux, sur le choix d'une résidence commune, l'époux le plus diligent peut saisir du différend le Juge des référés ».

5 Dans l'Ordonnance de 1962, le régime matrimonial de droit commun est le « *kitay telo an-dalana* » d'origine coutumière dans lequel un tiers des biens des conjoints revient à la femme et deux tiers au mari.

6 P. BLOCHE et V. PECRESSE, Rapport au nom de la mission d'information sur la famille et les droits des enfants sous le titre « L'enfant d'abord, 100 propositions pour placer l'intérêt de l'enfant au centre du droit de la famille », La documentation française, février 2006, p. 43.

7 Exposé des motifs de la loi n° 2007-022.

8 Les participants sont issus des grandes villes et membres d'associations (issus des Organisations de la Société Civile). Dans les 6 provinces où les consultations ont eu lieu, seules 2 femmes au foyer (à Antananarivo) ont été consultées (*cf* liste des participants aux ateliers de consultation pp 1-11, Rapport final des consultations publiques sur les Droits de la Famille, Ministère de la Justice, USAID, Women's Legal Rights Initiative).

9 78 % de la population résident en milieu rural contre 22 % en milieu urbain (source : Rapport national de suivi des OMD, 2007, p. 19).

la majorité analphabète[10] ont été écartées, ce qui est déplorable. En effet, cette population « exclue » des consultations publiques avait son mot à dire d'autant que la réforme de la loi sur le mariage cherchait à « présenter les règles relatives au mariage conformément (...) à l'article 16 de la Convention sur l'Elimination de toutes les formes de Discrimination à l'Egard des Femmes[11] (...) tout en tenant compte de la réalité malagasy ». Qui mieux que ceux qui sont attachés aux coutumes et qui ne sont pas soumis aux influences occidentales pourraient refléter de la meilleure façon les traditions malgaches et leur poids ? Par conséquent, malgré les consultations publiques dans les provinces, la démarche entreprise dans le cadre de cette réforme s'avère, à notre avis, insuffisante dès lors que cette frange non négligeable de la population n'a pas été représentée et donc écoutée. « La minorité instruite et évoluée est en général intégrée dans le secteur moderne d'activité et a donc à la fois l'occasion et le désir de connaître et d'appliquer le droit moderne. Les masses véritablement sous-développées du pays ont moins ce désir et cette occasion »[12]. À défaut de mener des enquêtes coutumières tel que c'était le cas pour les lois des années 1960 au lendemain de l'Indépendance de l'Ile, il aurait été judicieux de tenir compte de l'avis des populations des zones rurales, de leur expliquer les raisons et objectifs de la réforme, de mettre en évidence les mesures discriminatoires dans les anciens textes tant il est vrai que le sentiment de discrimination est souvent très subjectif. Ces consultations publiques menées par le Ministère de la Justice et le Ministère en charge de la Protection Sociale dans les Chefs lieux de Faritany[13] cherchaient à « informer le public des distorsions entre les conventions Internationales et le droit positif malagasy, particulièrement concernant le droit de la famille, de recueillir les propositions et attentes du public concernant le mariage, en particulier l'égalité des droits et responsabilité des époux »[14]. Au vu de ses objectifs, la loi n° 2007-022 se veut intégrer à la fois les conventions internationales ratifiées par Madagascar et les réalités de

---

10 50 % de la population âgée de 15 ans et plus sont analphabètes (source : MAP, p. 59).

11 Article 16 de la CEDEF particulièrement alinéa 1er,a : « même droit de contracter mariage », alinéa 1er,b : « même droit de choisir librement son conjoint », alinéa 1er,c : « mêmes droits et mêmes responsabilités au cours du mariage et lors de sa dissolution », alinéa 1er, d : « mêmes droits et responsabilités en tant que parents ».

12 Roger GRANGER « Problèmes d'application du droit moderne dans les pays en voie de développement », Annales Malgaches, n° 2, 1965, p. 116.

13 A savoir Taolagnaro, Antananarivo, Antsiranana, Toamasina, Fianarantsoa, Mahajanga c'est-à-dire les chefs lieux de province. Il est étonnant que pour le Sud, Taolagnaro ait été choisi alors que le chef lieu de province est Toliara.

14 Discours de Madame Lala RATSIHAROVALA, Garde des Sceaux, Ministre de la Justice le 11 avril 2006, *in* Annexe 1 du « Rapport final des consultations publiques sur les Droits de la Famille ».

la société malagasy, à savoir ses spécificités, ses coutumes, ses traditions...ce qui nécessairement aboutit à une recherche de consensus. Le compromis porte alors entre ce qui devrait être fait (la conformité aux conventions internationales), ce qui se fait (la coutume) ainsi que le sentiment de devoir satisfaire ceux qui financent les réformes. Tout cela n'est pas sans danger et peut aboutir à « (une) réglementation à tout va, (...), dans les agitations ambiantes en espérant non pas "*qu'on a fait une bonne loi*", mais qu'aux yeux des regards extérieurs, *"on a fait ce que l'on attendait que l'on fasse..."* »[15]. La prise en compte de ces deux impératifs, conventions internationales et réalités malagasy, afin d'arriver à une égalité des droits et responsabilités des époux, est certes manifeste dans la nouvelle loi et concerne à la fois la formation du mariage (I) et ses effets (II). Malheureusement, cette quête de compromis semble parfois mener à des dispositions discutables qui finalement font apparaître la Loi n° 2007-022 comme une loi de compromission.

I – LA FORMATION DU MARIAGE

L'entrée en mariage[16] nécessite la réunion de certaines conditions relatives à la capacité à contracter mariage et à la célébration du mariage.

A – La capacité à contracter mariage

L'article 16 alinéa a) de la CEDEF prévoit sur la base de l'égalité de l'homme et de la femme « le même droit de contracter mariage ». Cette disposition de la CEDEF trouve écho dans l'article 3 de la loi n° 2007-022 qui fixe à 18 ans l'âge matrimonial aussi bien pour l'homme que pour la femme, alors que l'ancienne disposition de l'Ordonnance n° 62-089 a institué un âge minimum légal différent selon le sexe et qui correspond à la puberté[17]. Puisque la capacité des époux à contracter mariage dépend plus de la maturité psychologique que de l'aptitude aux rapports conjugaux, cette uniformisation de l'âge matrimonial permet non seulement d'éviter toute discrimination au

15 RAMAROLANTO-RATIARAY, « Les mutations du droit privé à Madagascar », APOI, vol XV, p. 83.

16 Formule empruntée au plan du manuel de « Droit civil, tome II » du Doyen Carbonnier, PUF, 2002.

17 Article 3 de l'Ordonnance 62-089 : « Sauf dispense d'âge accordée pour des motifs graves par le président du tribunal du lieu de la célébration du mariage, l'homme avant dix-sept ans révolus, la femme avant quatorze ans révolus, ne peuvent contracter mariage ».

sens de la CEDEF, mais surtout elle garantit le libre choix des intéressés et les libère de la pression familiale dans la mesure où les futurs mariés ne peuvent être que des majeurs ayant la pleine capacité d'exercer leurs droits. La loi n° 2007-022 fait ainsi implicitement référence à la CDE en protégeant l'enfant, toute personne âgée de moins de 18 ans, de tout mariage forcé et en rappelant aux parents leurs responsabilités vis-à-vis de l'enfant.

L'alinéa 2 du même article 3 de la loi n° 2007-022 prévoit de façon exceptionnelle que le Président du Tribunal de Première Instance peut autoriser le mariage du mineur, pour des motifs graves et sans préjudice des poursuites pénales relatives aux infractions aux mœurs. La loi n° 2007-022, dans l'objectif de lutter contre les mariages forcés et conformément à la CDE a posé de nouvelles conditions quant au mariage du mineur. Désormais, l'autorisation requise devient judiciaire et le consentement de l'enfant doit être pris en compte, conformément à l'article 12 de la CDE[18]. Ce consentement sera recueilli devant le Président du Tribunal de Première Instance qui vérifiera son caractère libre et éclairé et le constatera dans la décision judiciaire autorisant le mariage. Cela permettra d'éviter les mariages forcés de mineurs, principalement des jeunes filles, qui se pratiquent encore dans certaines régions de Madagascar. Il appartient au Président du Tribunal de Première Instance d'apprécier le caractère « grave » du motif pouvant entraîner le mariage du mineur. Il pourra, soit rejeter la demande d'autorisation[19], soit rendre une décision judiciaire d'autorisation, pièce exigée permettant à l'Officier d'Etat Civil de célébrer le mariage[20]. De façon générale, le motif grave évoqué est la grossesse de la fille[21] mais il ne faut pas perdre de vue que le garçon,

18 Article 12.1 CDE : « Les Etats parties garantissent à l'enfant qui est capable de discernement le droit d'exprimer librement son opinion sur toute question l'intéressant, les opinions de l'enfant étant dûment prises en considération eu égard à son âge et à son degré de maturité ».

19 A titre d'exemple, l'ordonnance n° 317 du Tribunal de Première Instance d'Ambatolampy en date du 23 juin 2008 qui rejette la demande d'autorisation formée par la mère suivie du consentement de la jeune fille au motif que « (...) les motifs avancés par la requérante selon lesquels elle est une « Diakona » (*ie* Diacre) et que sa fille est déjà enceinte sans en rapporter la preuve ne constituent pas des motifs graves pouvant entraîner l'autorisation de contracter mariage ».

20 Article 26 alinéa 3 de la loi n° 2007-022 : « Si l'un des époux est mineur, l'Officier d'état civil interpelle les parents dont le consentement est requis et fait lecture de la décision du Président du Tribunal de Première Instance autorisant le mariage ».

21 A titre d'exemple, l'ordonnance n° 318 du Tribunal de Première Instance d'Ambatolampy en date du 23 juin 2008 : « Attendu que Ravel... et Razaf..., parents de R.M.S, ont consenti verbalement, devant nous, au mariage de cette dernière avec R.H., bien qu'elle n'ait pas atteint l'âge matrimonial ; Attendu, également, que R.M.S a donné son consentement au dit mariage ; Attendu que la grossesse de R.M.S suivant certificat médical n°...en date du 20 juin 2008, constitue un motif grave justifiant ainsi l'autorisation de mariage prévue à l'article 3 de la loi n° 2007-022 du 20 août 2007. En conséquence, autorisons R.M.S à contracter mariage avec R.H ».

père présumé, peut aussi être mineur. En tant que mineur, il ne peut se marier que sous les mêmes conditions c'est-à-dire, suite à une demande d'autorisation formulée par ses parents et à condition de donner lui-même son consentement au mariage devant le Président du Tribunal de Première Instance. Le père présumé qui est mineur et dont l'avis doit être recueilli pour toute décision le concernant peut ne pas donner son consentement et donc refuser de se marier. Si de tels cas se présentent, la loi n° 2007-023 sur les droits et la protection des enfants prévoit une responsabilité qui pèse sur les parents du garçon mineur : payer toutes les dépenses afférentes à la grossesse et une pension alimentaire[22]. Certes la CDE, qui est le texte de base de la loi n° 2007-023, ne prévoit pas le dommage causé par l'enfant et sa responsabilité civile, mais le législateur malgache a semble-t-il voulu rechercher comment le dommage subi par la jeune mère abandonnée pourrait être réparé tout en protégeant le père présumé, qui est mineur, contre les mariages forcés. Pour ce faire, la loi n° 2007-023 engage la responsabilité des parents dans le processus de réparation et dépasse le cadre classique de la responsabilité civile qui dispose à l'article 222 de la Loi sur la Théorie Générale des Obligations (LTGO) que « Le père ou la mère, lorsqu'elle a la qualité de chef de famille, répond des dommages causés par ses enfants mineurs ». Désormais la responsabilité des parents est liée à l'exercice de l'autorité parentale.

Dans la même optique d'une égalité concernant le droit de contracter mariage, le législateur malgache a apporté des réformes quant à la disposition relative au délai de viduité[23]. Si l'on peut considérer le respect du délai de viduité comme étant discriminatoire parce qu'il ne concerne que la femme, la nouvelle disposition est tout simplement aberrante. En effet, l'article 6 de la loi n° 2007-022 dispose : « L'homme ou la femme ne peut contracter une nouvelle union avant l'expiration d'un délai de viduité de 180 jours à compter de la dissolution de l'union précédente » alors que l'article 8 de l'Ordonnance n° 62-089 disposait « La femme ne peut contracter une nouvelle union avant l'expiration d'un délai de cent quatre vingt jours

22 Article 68 de la loi n° 2007-023 sur les droits et la protection des enfants : « Sans préjudice de l'application des peines prévues par le Code Pénal réprimant les infractions sur les mœurs commises sur les mineurs, les parents ou les représentants légaux ou toute personne ayant autorité sur une adolescente de moins de 18 ans qui se trouve en état de grossesse et abandonnée par le présumé père sont habilités à ester en justice afin d'obtenir la condamnation de ce dernier à payer les dépenses y afférentes ainsi qu'une pension alimentaire. Si le condamné est un mineur, ses parents ou ses représentants légaux ou toute personne ayant autorité sur lui sont solidairement tenus à payer la condamnation prononcée ».

23 En droit français, la réforme du 26 mai 2004 a fait disparaître du Code civil français toutes les dispositions relatives au délai de viduité puisque les progrès scientifiques permettent d'avoir des certitudes en matière de preuve de la paternité.

à compter de la dissolution de l'union précédente ». La nouvelle rédaction issue de la loi n° 2007-022 met à jour les lacunes des consultations publiques, principalement les questions posées « hors contexte ». A la lecture de la loi n° 2007-022, il semble que lors des consultations publiques, les dispositions de l'Ordonnance n° 62-089 dans lesquelles l'on retrouvait les termes « hommes » ou « femmes » ont été mises en exergue afin de voir le caractère discriminatoire du texte. A l'issue de la réforme, la plupart de ces termes « hommes » ou « femmes » ont été remplacés par « l'homme et la femme » ou « les époux »[24]. Pour le délai de viduité, le terme « femme » a été remplacé par « l'homme ou la femme » ce qui exclurait toute discrimination ! Il est permis de penser que cette disposition absurde aurait pu être évitée si le sens même du respect du délai de 180 jours prévu par l'article 8 de l'Ordonnance n° 62-089, délai que seule une femme qui se remarie doit respecter, avait fait l'objet d'une explication quant à son objectif d'éviter une confusion de paternité[25]. Le rapport final des consultations publiques sur les droits de la famille énonce que la tendance générale des participants est de réclamer l'uniformisation de traitement de la femme et de l'homme et que trois possibilités ont été proposées : « suppression du délai de viduité, aspiration des participants de Mahajanga ; maintien d'un délai (sans précision) mais avec une égalité d'application pour la femme et pour l'homme, demandent les participants de Fianarantsoa, Antananarivo et Toamasina ; observation du délai de 180 jours également pour l'homme, requièrent les populations d'Antsiranana et Taolagnaro »[26]. Il est dommage que la proposition de suppression du délai de viduité formulée par les participants de Mahajanga, proposition motivée sur l'existence des procédures en reconnaissance ou désaveu de paternité n'ait pas été retenue d'autant plus que l'inobservation du délai de viduité ne constitue qu'un empêchement prohibitif et n'entraîne pas la nullité du mariage. Récemment[27], le Comité pour l'élimination de la discrimination à l'égard des femmes a demandé à

---

24 Art 9 Ordonnance 1962 : « En cas d'annulation du mariage, de divorce, ou du décès du mari intervenant au cours d'une instance en divorce (...) », devenu art 7 de la Loi n° 2007-022 : « En cas d'annulation du mariage (...) ou du décès de l'un des époux (...) ». ; Art 53 al. 2 Ordonnance 62-089 : « Si le mari est indigne, incapable ou empêché... », devenu dans l'article 56 de la Loi n° 2007-022 : « Si l'un des époux est indigne... ».

25 L'Ordonnance de 1962 fait référence au délai de 180 jours sans préciser expressément qu'il s'agit du délai de viduité. Il appartenait aux responsables au cours des ateliers de consultations publiques d'expliquer aux participants à quoi correspondent ces 180 jours et ce que le délai de viduité signifie.

26 Focus Development Association : « Rapport final des consultations publiques sur les Droits de la Famille », Ministère de la Justice, USAID, Women's Legal Rights Initiative, p. 41.

27 novembre 2008, largement rapporté par la presse malgache, pour ne citer que *La Gazette de la grande Ile* du 27 novembre 2008.

l'Etat malgache d'abroger le délai de viduité dans le cadre de l'harmonisation du droit positif avec les dispositions de la CEDEF. La prise en compte de cette recommandation permettrait d'annuler cette disposition de la loi n° 2007-022 largement critiquée dans le milieu judiciaire.

B – La célébration du mariage

Les deux formes de mariage déjà prévues par l'Ordonnance n° 62-089 du 1er octobre 1962 sont maintenues dans la nouvelle loi n° 2007-022. Il s'agit du mariage célébré devant l'Officier d'Etat Civil et celui célébré suivant les traditions et enregistré par la suite à l'état civil.
Le mariage célébré suivant les traditions correspond en réalité au mariage coutumier qui, pour la population rurale et celle des zones enclavées n'exige que la présence et l'intervention des aïeux. Puisque les coutumes, appelées d'ailleurs *fomban-drazana,* sont considérées à Madagascar comme « un usage que les Ancêtres et le respect des Ancêtres ont modelé et rendu obligatoire »[28], il est dès lors compréhensible que dans le cadre du mariage coutumier seules la présence et la bénédiction donnée par l'aîné du groupe familial importent. En effet, « (...) si l'autorité première est reconnue aux défunts, aux ancêtres morts, dans le monde des vivants elle l'est au plus âgé (...). L'aïeule ou l'aïeul est (...) l'intermédiaire tout désigné pour exprimer avec le maximum d'authenticité la volonté des ancêtres »[29]. Par conséquent, l'intervention d'une quelconque autorité étatique est inutile au cours de ces cérémonies traditionnelles qui excluent tout formalisme administratif. Or, la loi n° 2007-022 met l'accent sur le rôle important joué par le Chef Fokontany[30] dans les deux formes de mariage. Selon l'article 33 de la loi n° 2007-022, il revient au Chef Fokontany de délivrer le certificat de célibat dans le cadre d'un mariage célébré par l'Officier d'état civil. Dans le cas d'un mariage célébré suivant les traditions, il lui appartient de rappeler aux futurs époux certaines règles relatives au mariage, de constater l'accomplissement des cérémonies traditionnelles ainsi que de remettre le procès verbal de déroulement des cérémonies à l'Officier d'état civil compétent dans un délai de 12 jours sous peine de

---

28 Annie ROUHETTE : « Le rôle des coutumes dans le droit des personnes », Annales Malgaches, n° 2, 1965, p. 35.
29 Pierre CHEVALLIER : « Introduction à l'étude du droit coutumier malgache », Annales Malgaches, n° 1, 1963, p. 100.
30 Le Chef Fokontany est un agent de l'Etat qui sert de relais de l'Administration centrale au niveau de la commune.

sanctions prévues à l'article 473 du Code Pénal[31]. Le Chef Fokontany doit rappeler aux futurs époux que la bigamie est interdite et punie par la loi. En effet, dans certaines régions de Madagascar la polygamie existe encore[32] bien qu'elle soit prohibée depuis 1878 à travers l'article 38 des *Instructions au Sakaizambohitra.* L'interdiction de la polygamie a été réaffirmée par l'article 50 du Code des 305 Articles du 29 mars 1881. Et c'est principalement dans le cadre des mariages coutumiers que l'on retrouve la survivance de cette pratique[33]. Désormais, l'intervention du Chef Fokontany en tant que représentant de l'Etat devrait d'une part permettre de lutter efficacement contre toutes les pratiques illégales dont la polygamie, et d'autre part permettre de quitter le domaine du non droit pour aller vers un renforcement du droit républicain et atteindre peut-être, mais rien n'est moins sûr, l'objectif de cohésion du ménage recherché à travers cette réforme. Seul l'Etat, à travers la présence du Chef Fokontany, peut conférer la légalité du mariage traditionnel. Encore faut-il que ces représentants de l'Etat donnent l'exemple en étant les premiers à respecter la loi, ce qui n'est pas toujours le cas dans les zones rurales[34]. Le Chef Fokontany doit-il aussi vérifier les conditions relatives au mariage dont le respect de l'âge matrimonial ? Le texte ne le prévoit pas expressément, mais on peut déduire que cette responsabilité lui incombe puisque le procès-verbal contient entre autre la date et le lieu de naissance des époux et porte la signature des époux, des témoins et du Chef Fokontany. Dans l'Ordonnance de 1962, ce rôle de constater l'accomplissement des cérémonies traditionnelles et de dresser par la suite un procès-verbal revenait à « un représentant de l'autorité désigné dans les conditions prévues par décret ». Il s'agissait du chef de village ou chef quartier ou toute personne de plus de 40 ans désignée par le Sous Préfet[35]. Le fait que la nouvelle loi apporte plus de précision quant à l'autorité compétente va-t-il changer les choses ? Dans la pratique, les couples qui se marient selon les traditions se passent de la présence de représentants de l'Administration. Le plus important est la présence des deux familles, la bénédiction et le consentement des aînés quant

31 Particulièrement l'article 473-3 du Code Pénal : « Seront punis d'une amende depuis 2 000 Ariary jusqu'à 100 000 Ariary et pourront l'être en outre de l'emprisonnement jusqu'à vingt-neuf jours au plus (...) Ceux qui, sans raison valable, n'auront pas procédé aux déclarations obligatoires à l'état civil, dans le délai imparti ».

32 Bulletin d'information sur la Population de Madagascar : « Femmes, hommes et mariages à Madagascar », numéro 4, avril 2005.

33 Ministère de la Population et FNUAP : « Recherche et Etude dans le Sud et le Sud-est sur la violence et les pratiques discriminatoires envers les femmes et les enfants », Juin 2006, p. 37.

34 Dans certaines Régions de Madagascar, des responsables communaux ou villageois par ignorance ou en toute connaissance de cause violent les lois, tel est le cas de la pratique de la bigamie par exemple.

35 Article 2 du Décret n° 63-022 (décret d'application de l'Ordonnance de 1962).

à leur union ainsi que l'accomplissement des rites traditionnels. Ce n'est donc pas l'autorité étatique, qui qu'elle puisse être et en l'occurrence désormais le Chef Fokontany, qui donne une solennité au mariage coutumier.
Les mariages célébrés conformément aux traditions sont nombreux. Selon le Rapport périodique de Madagascar, couvrant les années 2003-2008, sur l'application de la Convention relative aux droits de l'enfant, le mariage coutumier atteint un taux de 43,3 % contre 32,4 % de mariage légal. Par contre les mariages célébrés conformément aux traditions et suivis d'enregistrement sont rarissimes pour ne pas dire inexistants[36]. Dans l'Ordonnance de 1962, cette forme de mariage était prévue uniquement en dehors des communes urbaines alors que dans la nouvelle loi de 2007, le législateur ne fait plus de distinction entre les communes urbaines et rurales et énonce simplement la possibilité de mariage célébré suivant les traditions suivi d'enregistrement. Le rapport final des consultations publiques mentionne clairement que l'objectif des consultations et donc de la réforme est de promouvoir le mariage civil et de protéger la cohésion du ménage[37]. A ce titre, cette nouvelle disposition ne cherche pas à éviter toute forme de discrimination au niveau géographique mais vise plutôt à donner davantage de formalisme au mariage coutumier et accorder des droits égaux aux époux : les mariages coutumiers sont rarement favorables aux femmes[38]. L'engagement conjugal contracté aussi bien dans les communes urbaines que rurales qui verra la présence d'un représentant de l'Etat va conférer au mariage une portée sociale assortie de droits et devoirs réciproques. En effet, le Chef Fokontany représente la société, donc l'Etat et non la communauté. Le législateur ne pouvait pas ignorer dans cette réforme de la loi sur le mariage que les malgaches en général, et ceux des zones rurales en particulier, sont fortement attachés à ces cérémonies traditionnelles et accordent une importance particulière à la communauté. La cérémonie traditionnelle est vécue comme une perpétuation de la coutume et permet l'adhésion à la communauté. Les futurs époux désirent-ils rester en dehors du cadre juridique ou est-ce par ignorance de la portée et du caractère plus rigoureux du mariage civil qu'ils restent en

---

36 *Cf* la contribution aux présents Mélanges de Madame Nelly RAKOTOBE : « Les modifications essentielles en droit malgache de la famille et propositions en vue de leur application » sur l'inexistence de statistiques concernant le nombre de mariages célébrés selon les traditions suivis d'enregistrement et l'inexistence auprès des tribunaux de demande de divorce relative à ces mariages.
37 Focus Development Association : « Rapport final des consultations publiques sur les Droits de la Famille », Ministère de la Justice, USAID, Women's Legal Rights Initiative, p. 15.
38 *cf* Bulletin d'information sur la Population de Madagascar : « L'Etat civil à Madagascar », numéro 5, mai 2005.

dehors du cadre juridique ? La nouvelle disposition tend à rapprocher le plus possible le mariage coutumier du mariage civil républicain et de ce fait va permettre à un bon nombre de couples d'entrer dans une situation véritablement créatrice de droits et obligations et d'être protégés par la loi. Est-ce vraiment cela le souhait de la population rurale, celle des zones enclavées ? L'avenir nous le dira. Dans tous les cas, il s'avère important que le Chef Fokontany fasse un travail de sensibilisation pour une meilleure connaissance de la loi par les jeunes surtout dans les milieux ruraux. En effet, les couples des zones enclavées auront plus de chance de recourir aux mariages coutumiers suivis d'enregistrement étant donné l'enclavement de la zone et l'éloignement des centres d'état civil.

II – LES EFFETS DU MARIAGE

Le mariage fait naître des droits et obligations qui pèsent réciproquement sur les époux ainsi que des responsabilités en tant que parents. La CEDEF prévoit d'ailleurs en son article 16 alinéa c) des « mêmes droits et mêmes responsabilités au cours du mariage et lors de sa dissolution » et « mêmes droits et mêmes responsabilités en tant que parents » en son article 16 alinéa d).

A – Les devoirs réciproques

La loi n° 2007-022 apporte une nouveauté en ajoutant à côté des classiques devoirs de fidélité, secours et assistance, le devoir de « respect ». Malgré l'absence de toute définition légale et jurisprudentielle, on peut supposer que ce devoir de respect recouvre plusieurs aspects, allant du respect de l'intégrité physique jusqu'au respect des convictions idéologiques ou religieuses de son conjoint. C'est ainsi que l'on peut considérer que tout comportement violent et avilissant à l'égard de son conjoint constitue une violation du devoir de respect. Si l'on se réfère au droit français, la loi n° 2006-399 du 4 avril 2006[39] a aligné l'âge matrimonial à dix-huit ans et a ajouté le devoir de respect en tête des droits et devoirs respectifs des époux prévus par l'article 212 du code civil. Le législateur malgache, dans la loi n° 2007-022, a aussi pris conscience de l'existence récurrente au sein de la société malgache de violences au sein du couple ou violences

39 Loi renforçant la prévention et la répression des violences au sein du couple ou commises contre les mineurs.

conjugales[40]. Ces violences sont la plupart du temps liées à la relation de dépendance matérielle ou psychologique et donc à une forme d'inégalité dans le couple. Il s'avérait important dans le cadre d'une réforme relative au mariage de tenir compte des violences subies par les femmes dans le ménage et il est permis de penser que c'est aussi la raison de l'insertion par le législateur de 2007 du devoir de « respect » parmi les devoirs issus du mariage. D'ailleurs, au cours des consultations publiques, le thème des violences conjugales a fait l'objet de discussions et débats entre les participants particulièrement en ce qui concerne le souhait d'une simplification des modalités de signalement des cas de violences auprès des autorités compétentes[41]. Pour lutter efficacement contre les violences au sein du couple, l'insertion du devoir de respect ne suffit pas et doit s'accompagner de dispositifs juridiques efficaces visant à prévenir et réprimer ces différentes formes de violence. La loi malgache n° 2000-021 du 28 novembre 2000 en a déjà tenu compte en introduisant d'une part dans l'article 312 du code pénal le « conjoint »[42] comme étant aussi susceptible d'être coupable de blessures et coups volontaires et en insérant d'autre part un nouvel article 312 bis qui condamne les blessures et coups portés à une femme enceinte en état de grossesse apparente ou connue de l'auteur qui peut être le conjoint[43]. Ces dispositions permettent d'avancer que les violences conjugales sont réprimées pénalement.

A côté des obligations de fidélité, secours, assistance et respect, l'article 50 de la loi n° 2007-022 précise que les époux sont tenus de vivre ensemble. Cette communauté de vie résulte de la résidence commune que les époux fixent désormais d'un commun accord depuis 1990. Le législateur de 2007 a tenu compte d'une réalité malagasy et maintenu l'institution coutumière qu'est *le droit de misintaka* exercé principalement par la femme entraînant une interruption momentanée de la vie commune. Ce droit reconnu dans tous les groupes ethniques

---

40 Plusieurs associations et ONG prennent d'ailleurs en charge les femmes victimes de violence pour ne citer que l'ONG Life Giving Water, l'ONG SOS aux victimes du Non Droit. *L'Express de Madagascar* du 22 juillet 2009 : « Les violences conjugales font rage » par Fanja Saholiarisoa qui cite l'enquête publiée par l'ONG Enda Océan Indien avançant que 65 % des femmes malgaches sont victimes de violences conjugales.

41 Focus Development Association : « Rapport final des consultations publiques sur les Droits de la Famille », Ministère de la Justice, USAID, Women's Legal Rights Initiative, p. 46.

42 Ancien article 312 du code pénal : « L'individu qui aura volontairement fait des blessures ou porté des coups à ses père ou mère légitimes, naturels ou adoptifs, ou autres ascendants légitimes, sera puni ainsi qu'il suit (...) ». L'article 312 du code pénal issu de la loi n° 2001-021 : « Quiconque aura volontairement fait des blessures ou porté des coups à ses père ou mère légitimes, naturels ou adoptifs, ou autres ascendants légitimes, ou **à son conjoint**, sera puni (...) »

43 Article 312 bis.4 du code pénal (issu de la loi n° 2001-021) : « Si en outre, le coupable est le **conjoint** de la victime (...) ».

malgaches[44] est défini par un arrêt de la Cour d'Appel de Tananarive n° 171 du 28 avril 1960 comme une « faculté donnée à l'épouse, malheureuse en ménage qui, sans avoir à se reprocher la moindre faute peut au contraire invoquer des griefs à l'encontre de son mari, de se retirer chez ses parents pour mettre fin momentanément à une existence douloureuse, dans l'attente du retour à de meilleurs sentiments d'un mari repentant »[45]. L'article 55 de l'ordonnance de 1962 énonce que la femme peut exercer son droit de *misintaka* dans les formes et conditions prévues par la coutume pour des motifs graves. La loi n° 2007-022 va plus loin et réglemente strictement le *misintaka*[46] en donnant entre autre plus de précisions sur ce qui pourraient être considérés comme « motifs graves » justifiant l'exercice de ce droit. Conformément à l'article 52 de la loi de 2007, la femme peut exercer le droit du *misintaka* lorsque le mari a gravement manqué aux obligations et devoirs résultant du mariage. Cette précision permet d'éviter certains abus relatifs à l'exercice du *misintaka* dans la pratique coutumière, abus qui se manifestent aussi lors du *fampodiana*[47]. Comme le *misintaka* n'a pas pour but d'aboutir à une rupture définitive, l'article 53 de la loi n° 2007-022 précise que les obligations des époux résultant du mariage sont maintenues pendant cette période. De plus, la loi n° 2007-022 énonce que la femme qui exerce le droit du *misintaka* doit résider auprès des parents, proches parents, centres d'accueil pour victimes de violence, personne de bonne moralité, alors que l'ancien texte ne donnait aucune précision quant à ce lieu de résidence. Puisque le *misintaka* est en principe une situation provisoire[48], la loi n° 2007-022 a prévu une période de deux

---

44 *cf* Henri RAHARIJAONA : « La femme, la société et le droit malgache », Annales Malgaches, n° 4, p. 20 et s. qui rappelle d'ailleurs que ce droit était auparavant réservé à la femme de statut traditionnel mais a ensuite été étendu à l'ensemble des femmes malgaches.

45 Arrêt cité par Henri RAHARIJAONA et Norbert RATSIRAHONANA : « Le droit malagasy de la famille. Bilan-Perspectives », Penant n° 722, p. 447.

46 Article 52 de la loi 2007-022 : « La jouissance du droit du *misintaka* lui est accordée lorsque le mari a gravement manqué aux obligations et devoirs résultant du mariage. A cet effet, elle doit résider chez ses parents ou ses proches parents, ou à défaut, dans un centre d'accueil pour victimes de violences ou toute autre personne de bonne moralité pour une durée qui ne peut excéder deux (2) mois. Avant l'expiration de ce délai, le mari a l'obligation de procéder au « Fampodiana » accompagné de ses parents ou de proches parents ou à défaut, de notables ».Toutefois, la femme peut, à tout moment, réintégrer le domicile conjugal de son plein gré ».

47 Dans certaines pratiques coutumières, le *fampodiana* consiste en la remise d'un certain nombre de bovidés aux parents de l'épouse et finalement cette dernière exerce parfois le *misintaka* à plusieurs reprises pour des raisons non liées au non respect par son conjoint des devoirs et obligations résultant du mariage en comptant sur les bovidés que son conjoint remettra à ses parents pour la faire revenir au domicile conjugal.

48 Arrêt de 1945 de la Cour d'Appel de Tananarive, cité par Prosper RABIAZA *in* « Le mariage malgache », Penant 1970, p 149 : « Le *misintaka* est le droit pour la femme mariée de quitter momentanément le domicile conjugal pour demeurer avec ses parents sans demander l'avis de

mois maximum au cours de laquelle le mari a l'obligation de procéder au *fampodiana* qui consiste à accomplir des démarches et formalités pour ramener sa femme sous le toit conjugal. La question qui mérite d'être posée est de savoir les conséquences juridiques si le mari ne procède pas au *fampodiana* ou si la femme refuse de réintégrer le domicile conjugal suite au *fampodiana* opéré par le mari. Ces cas constituent-ils une « faute, cause de divorce » ?[49] Y apporter une réponse n'aurait pas été superflu. « Selon une jurisprudence constante ce refus de la femme sans motifs légitimes constitue envers le mari une injure grave susceptible d'être retenue comme un motif de divorce. Si, au contraire, le mari s'abstient de faire ces démarches coutumières le refus par la femme de réintégrer le domicile conjugal n'a pas le caractère injurieux et l'abstention du mari, qui rend la vie commune impossible, peut être retenue par la femme comme un motif de divorce »[50]. Cette application jurisprudentielle peut être retenue tant que le législateur n'a pas fixé de limite à l'exercice du droit de *misintaka*. La solution devra-t-elle être la même avec la durée légale de 2 mois prévue par la loi n° 2007-022 ? Le doute est permis. Le délai de deux mois ne nous paraît pas constituer un « délai raisonnable ». En effet, si l'on fait un parallèle avec la procédure de divorce, à la suite de la conciliation, soit le juge rend une ordonnance de non conciliation, soit il dresse un procès-verbal de réconciliation[51]. Mais le juge peut aussi décider d'un ajournement et octroie dans ce cas 3 mois voire 6 mois pour donner aux époux le temps de réfléchir et de revenir ou non devant lui selon l'issue de cette période de réflexion. L'idée d'instaurer un délai légal pour procéder au *fampodiana* nous semble judicieuse, mais il convient de déterminer un délai plus réaliste que celui de 2 mois.

Il n'est pas inutile de rappeler que le *misintaka* est un droit reconnu à la femme et non à l'homme sans que cela ne s'apparente à une discrimination contrairement à la présentation qui en a été faite lors des consultations publiques mettant une fois de plus l'institution hors

---

son mari ; la situation de la femme résultant de ce fait purement provisoire ; elle n'est tolérée et ne peut durer que le temps de faire réfléchir les deux époux, de régler les questions qui les ont divisés et qui ont causé la séparation, et de permettre au mari d'inviter son épouse à reprendre la vie commune sous le toit conjugal, ou de décider, en cas de désaccord, la procédure de divorce ».

49 Les articles relatifs au divorce prévoient clairement que le divorce ne peut être prononcé que pour faute ayant rendu intolérable le maintien de la vie commune, et pour cause suffisante à savoir l'adultère ou la condamnation à une peine afflictive et infamante. La faute étant le manquement aux obligations et devoirs réciproques des époux résultant du mariage, dont bien entendu le devoir de communauté de vie.

50 Arrêts de la Cour d'Appel de Tananarive du 3 janvier 1946 et 17 juillet 1947 cités par Prosper RABIAZA : « Le mariage malgache », Penant 1970, p. 149.

51 Articles 86 et 87 de la loi 2007-022.

contexte. C'est la raison pour laquelle au cours des consultations publiques, il y a eu des propositions d'extension de l'exercice du *misintaka* à l'homme au nom de l'égalité des sexes. En effet, dans la pratique coutumière malgache au moment du mariage, la femme quitte le domicile de ses parents et va vivre chez son mari ou avec son mari chez les parents de ce dernier. En cas de crise suite au manquement par le mari aux obligations et devoirs issus du mariage, il est permis à la femme de quitter le domicile conjugal et retourner momentanément chez ses parents, proches etc.

B – Les fonction conjointes

En ce qui concerne les obligations conjointes des époux relatives à la direction de la famille, l'article 54 de la loi de 2007 qui est une reprise de l'article 53 de l'Ordonnance de 1962 dispose : « Le mari est le Chef de famille. Toutefois, les époux concourent ensemble à l'administration matérielle et morale de la famille et à élever les enfants »[52]. Le maintien de la disposition octroyant au mari la qualité de « chef de famille » est celle qui a le plus donné lieu à des débats passionnés[53]. Reconnaître au mari la qualité de chef de famille est présenté comme contraire à l'article 16 de la CEDEF en ce sens où cela signifierait admettre que la femme n'est pas l'égal de l'homme ce qui continue d'engendrer une discrimination. En réalité, c'est l'interprétation du concept et les abus que les maris en font qui amplifient le problème. Les participants des divers chefs lieux de Faritany étaient unanimes pour demander la suppression de cette référence au mari chef de famille sur la base de différents motifs : pour les participants de Mahajanga, « cela institue une hiérarchie entre les époux » ; ceux de Fianarantsoa considèrent que « le titre de « chef de famille » n'est qu'une dénomination ; les responsabilités sont les mêmes dans le mariage ». Les participants de Toamasina quant à eux ont proposé une nouvelle formulation : « Les époux décident d'accord partie lequel d'entre eux est le chef de famille ; le plus apte des deux époux sera désigné chef de famille ». Lors de l'atelier final de validation, les souhaits formulés au cours des consultations publiques ont été pris en compte, la qualité de chef de famille a été retirée au

---

52 Dans l'Ordonnance de 1962, le texte dispose « (…) la femme concourt avec lui à assurer la direction morale… ». Dans la loi de 2007, le terme « la femme » a été remplacé par le terme « les époux ».

53 Le maintien ou non de la même disposition a aussi fait l'objet de vives discussions en France devant la commission de réforme du Code civil de 1950 jusqu'à sa suppression dans la loi du 4 juin 1970 sur l'autorité parentale. Voir à ce propos Henri MAZEAUD : « Une famille sans chef » D 1951, chron.141.

mari et seule la codirection a été retenue impliquant ainsi l'égalité des droits et responsabilités des époux tant recherchée. Mais, dans sa rédaction finale après passage devant l'Assemblée Nationale et le Sénat, la loi n° 2007-022 est revenue en arrière en maintenant la notion de « mari chef de famille », considérée semble-t-il comme étant une notion coutumière. Le regroupement des pouvoirs du ménage entre les seules mains du mari est l'exemple même de résistance de la coutume face à l'évolution du droit. Se retrancher derrière la notion coutumière fait obstacle aux débats et permet de perpétuer un déséquilibre en défaveur de l'épouse qui se retrouve ainsi dans une position d'infériorité consacrée par le droit positif. En droit français, la loi du 4 juin 1970 a tranché en supprimant la notion de mari chef de famille[54]. Au cours des débats parlementaires de l'époque, le Garde des Sceaux Jean Foyer a cité un texte du Doyen Julliot de la Morandière : « l'autorité d'un chef se justifie si la famille a à se défendre par les armes ; elle s'explique encore si, en raison de l'ordre social ou économique, l'homme est plus fort socialement ou seul à agir dans la vie, si l'épouse est plus faible que lui. Or, il n'en est pas ou plus ainsi ; ce n'est plus l'homme seul qui gagne la vie du ménage ; la femme a généralement une instruction équivalente à la sienne, elle a les mêmes droits politiques »[55]. A Madagascar, cette explication peut emporter l'adhésion dans les zones urbaines puisqu'elle reflète plus ou moins la réalité d'aujourd'hui. Par contre dans les zones rurales, force est de reconnaître que aussi bien les femmes que les hommes n'ont pas encore une instruction suffisante : 75 % de la population rurale est analphabète et c'est encore la coutume qui prime. La loi n° 2007-022 a finalement gardé la disposition de l'ordonnance de 1962 qui d'une part reconnaît au mari la qualité de chef de famille et d'autre part prévoit une codirection ou une direction conjointe de la famille par les deux époux. Il appartient aux époux d'échanger leurs points de vue sur toutes les questions importantes relatives aussi bien au couple parental que conjugal et de prendre toutes les décisions en commun. Compte tenu du nombre encore élevé d'illettrés dans les communes rurales, il paraît difficile de croire à l'effectivité de cette codirection, et dans les régions reculées malgré le caractère très discriminatoire de certaines coutumes à l'égard des femmes, sans se plaindre les femmes s'en accommodent par ignorance et par résignation. Certes, la survivance d'un certain nombre de traditions et la résistance à la modernité constituent véritablement un obstacle à

---

54 Article 213 c.civ : « Les époux assurent, ensemble, la direction morale et matérielle de la famille ».

55 Claude COLOMBET : « Commentaire de la loi du 4 juin 1970 sur l'autorité parentale », D 1971, Chron. 1 n° 20.

l'évolution du pays, mais il n'est pas inutile de rappeler que cet état de fait n'est pas toujours volontaire dans la mesure où plusieurs régions sont complètement enclavées et délaissées par le pouvoir central[56], la population est entièrement livrée à elle-même, les lois sont méconnues et c'est la coutume qui domine.

Concernant les obligations et devoirs parentaux, l'Ordonnance de 1962 prévoit en son article 62 que « Les époux contractent ensemble par le seul fait du mariage, l'obligation de nourrir, entretenir, élever et instruire leurs enfants ». L'article 55 alinéa 2 de la loi de 2007 maintient ces obligations qui pèsent sur les époux à l'égard des enfants et rajoute « Ils ont les mêmes droits parentaux et subviennent ainsi à l'éducation des enfants et préparent leur avenir ». Les époux exercent conjointement l'autorité parentale et sont tenus de ces différentes obligations relatives à l'entretien des enfants. Dire que les parents ont des devoirs à l'égard des enfants c'est reconnaître que les enfants ont des droits, or entre les textes et le vécu des enfants malgaches quant à l'effectivité de leurs droits, il y a un écart encore considérable[57]. L'exercice conjoint des devoirs parentaux signifie aussi que les décisions concernant les enfants soient prises d'un commun accord et par conséquent, aucune décision n'est a priori valable que si elle réunit l'accord du mari et de la femme. Ainsi, dans le cadre du mariage du mineur, la nouvelle loi exige une demande d'autorisation formulée conjointement par le père ET la mère ou la personne qui exerce l'autorité sur l'enfant avec leur consentement exprès et le consentement de l'enfant, alors que dans l'ancien texte l'autorisation verbale du père ou de la mère donnée au moment de la célébration du mariage suffisait[58]. Cette demande conjointe répond à un triple objectif : d'abord lutter contre les mariages précoces lorsque l'un des parents pour des raisons souvent purement matérielles pousse l'enfant à se marier, ensuite atteindre l'égalité entre l'homme et la femme en tant que parents puisque « le droit de donner autorisation est un attribut de l'autorité parentale »[59] et enfin respecter le caractère conjoint des droits parentaux tel que prévu à l'article 16 alinéa d) de la CEDEF qui institue « les mêmes droits et les mêmes responsabilités en tant que parents, quel que soit leur état matrimonial, pour les

56 Inaccessibles par la route, sans infrastructures sociales (écoles, centre de santé...), appelées à juste titre « *tany lavitr'Andriana* ».

57 A ce propos, la recherche menée par le Laboratoire des droits de la personne et de la famille du Centre d'Etudes et de Recherches Juridiques du département droit de la Faculté DEGS, Université d'Antananarivo (CEReJ) en 2009 portant sur « L'Enfant et sa Famille ».

58 Article 5 de l'ordonnance 62-089 qui pour le mariage d'un mineur exige l'autorisation de son père OU de sa mère, ou à leur défaut, de la personne qui selon l'usage ou la loi a autorité sur lui.

59 Patrick COURBE : « Droit de la famille », 4e édition, 2005, Armand Colin, p. 27.

questions se rapportant à leurs enfants ». Toutefois l'application de la disposition sur l'exercice conjoint de l'autorité parentale doit impérativement se faire en parallèle avec la loi n° 2007-023 relative aux droits et protection des enfants qui détermine l'exercice de l'autorité parentale selon la situation familiale du mineur. L'exercice de l'autorité parentale est conjoint si la filiation est établie à l'égard des deux parents dans la famille naturelle ; il est conjoint dans la famille légitime et l'exercice revient de plein droit à la mère si la famille est monoparentale.

Une dernière nouveauté a été apportée par la loi n° 2007-022 concernant les droits des époux au moment de la dissolution du mariage. Dans l'Ordonnance de 1962, lorsque le mariage a été célébré par l'Officier d'état civil, la demande de divorce devait être introduite au Tribunal du domicile du mari ou du Tribunal du lieu de résidence effective de la femme défenderesse en état de *misintaka*. Dans l'optique de la CEDEF qui proscrit toute forme de discrimination, l'article 80 de la loi de 2007 reconnaît en cas de divorce la compétence du Tribunal du lieu de résidence de l'un ou l'autre des époux ou le lieu de leur dernier domicile ou du Tribunal du lieu de résidence effective de la femme défenderesse en état de *misintaka*.

Conclusion

Par petites touches, l'ensemble du droit de la famille fait l'objet de réformes, délicates, puisqu'il n'est jamais facile de vouloir d'une part, satisfaire les bailleurs qui financent les réformes et d'autre part, espérer une véritable appropriation par les individus premiers concernés par la loi. En réalité la réforme ayant donné naissance à la loi n° 2007-022 poursuit plusieurs objectifs : arriver à atteindre une mise en conformité du droit positif malgache avec les conventions internationales, en particulier la CEDEF, tout en essayant de tenir compte des réalités malagasy et inciter au mariage civil pour assurer une cohésion de la famille. Ces objectifs sans être contradictoires sont parfois difficilement conciliables. Il est indéniable que la ratification d'une convention, en l'occurrence la CEDEF, exige une mise en conformité du droit positif avec les normes internationales ; toutefois cela ne doit pas faire oublier l'identité culturelle d'un pays dans la mesure où l'objectif à terme est que la population fasse sienne la loi promulguée. L'identité culturelle s'apparente souvent à l'attachement à des pratiques traditionnelles néfastes et le respect de la loi peut exiger l'abandon de ces pratiques. Pour ce faire, la principale solution reste l'éducation et la même accessibilité de tous aux informations. La population dans les zones reculées qui reste attachée aux coutumes ne se sentira pas forcément concernée par la loi, d'autant plus que dans ces zones, ceux censés faire connaître la loi, ceux dont le rôle est de les appliquer restent passifs face aux différentes coutumes encore vivaces et pourtant très souvent contraires au droit positif[60]. Dans les pays en développement et encore plus à Madagascar, il y a une rupture, un décalage entre le monde rural et le monde citadin. Le monde citadin est celui du droit, alors que le monde rural est celui de la coutume. Autant le droit se veut être une règle de conduite sociale obligatoire, autant la coutume cherche à « maintenir les bons rapports, la cohésion et l'harmonie dans la communauté. (...) les juges sont les anciens du village, les parents et amis des parties qui s'opposent »[61]. Mais la loi est avant tout une règle générale qui s'applique à tous et qui ne doit pas ignorer la réalité puisque « s'il (le droit) n'est plus en prise avec la réalité, il n'a plus de prise sur elle et ne joue plus son rôle normatif. Pour autant, le droit n'a pas pour fonction de suivre les mœurs : il n'est pas une simple chambre d'enregistrement du réel »[62]. En cela, il est toujours difficile de mener des réformes et particulièrement lorsqu'elles portent sur les rapports familiaux qui manifestent une intrusion de l'Etat dans un domaine qui est privé.

A priori, la poursuite d'une égalité entre homme et femme dans le cadre du mariage semble être sur de bons rails mis à part quelques dispositions pour ne citer que la référence à la notion de « mari chef de famille » interprétée comme mettant en avant une puissance maritale. Toutefois, plusieurs dispositions de l'ensemble du droit positif malgache continuent d'être source de discrimination à l'égard de la femme et exigent une réforme en profondeur. Tel le code de la nationalité qui ne permet pas à la femme malgache mariée à un étranger de transmettre d'office la nationalité à son enfant. Une demande de nationalité doit alors être adressée aux autorités afin que l'enfant puisse acquérir la nationalité malagasy – ou une demande de naturalisation lorsque l'enfant a atteint l'âge adulte. Or la nationalité

60 Pour ne citer que la polygamie autorisée par la coutume ; le « *moletry* » dans le Nord-ouest (qui est une forme de mariage arrangé par lequel un homme donne des zébus et une somme d'argent aux parents d'une jeune fille mineur pour que cette dernière devienne son épouse), le « *tsenan'ampela* » dans le Sud (qui consiste pour les parents à pousser leurs jeunes filles mineurs à se faire connaître du public lors des marchés aux zébus), l'exclusion à la succession pour les femmes dans le Sud-est etc. coutumes largement dénoncées mais encore pratiquées.
61 René DAVID : « La refonte du code civil dans les états africains », Penant n° 692 (juin-juillet-août 1962), p. 354.
62 Philippe MALAURIE, Hugues FULCHIRON : « La famille », coll. Droit Civil, éd° Défrenois, 2006, p. 26.

malgache est une nationalité de filiation, ce qui signifie que la loi attribue la nationalité malgache aux personnes ayant un parent malgache. D'ailleurs, la règle issue de l'article 1er de la loi 63-022 relative à la filiation, l'adoption et le rejet indique que la filiation maternelle résulte du fait de l'accouchement donc la filiation est toujours établie à l'égard de la femme. Dans tous les cas, réformer le droit de la famille en tenant compte d'une revendication « à la mode » sur le droit des femmes dépend véritablement de la place de la femme dans une société donnée et n'est donc pas toujours chose aisée. De façon générale, une sorte d'inégalité patente s'exerce au sein de la famille, inégalité qui se manifeste par certains comportements familiaux. Sur le plan du droit de la famille, il est difficile d'arriver à une égalité des sexes, elle paraît même impossible sinon impensable[63] si l'on ne se base que sur l'établissement de la filiation. Lorsque le père et la mère sont mariés, la filiation maternelle résulte de l'accouchement, celle paternelle résulte de la présomption qui désigne automatiquement le mari comme père de l'enfant. Les choses se compliquent dès lors que les parents ne sont pas unis par le mariage. La règle relative à la filiation maternelle ne change pas, quant à la filiation paternelle plusieurs possibilités sont ouvertes allant de la reconnaissance au désaveu de paternité.

En tout état de cause, malgré ses incohérences, la loi n° 2007-022 a le mérite de tendre vers une codification du droit de la famille. Seulement, cette loi sera-t-elle une réalité socialement vécue par la population malgache ? Obtiendra-t-elle l'adhésion de toute la population de l'île sans distinction aucune ? Rien n'est moins sûr. Pour l'ancien Premier Président de la Cour Suprême : « L'application de la loi pourrait ne pas être effective, car en fin de compte la loi est inaccessible, beaucoup de juridictions n'en disposent pas, et encore moins les citoyens. (...) il ne suffit pas de réviser ou faire des lois, encore faut-il que ces lois soient suffisamment accessibles à tous, et surtout à ceux qui sont emmenés à les faire appliquer »[64]. Cette question de l'application réelle de la loi ainsi que de sa réception par la population était déjà posée avec acuité à la suite des réformes entreprises au lendemain de l'indépendance de Madagascar[65], force

---

63 *cf* Françoise DEKEUWER-DEFOSSEZ : « Les « droits des femmes » face aux réformes récentes du droit de la famille », L'Année sociologique 2003/1, Vol. 51 (pp 175-195).

64 Op. cit. Nelly RAKOTOBE : « Les modifications essentielles en droit malgache de la famille et propositions en vue de leur application ».

65 *cf* à ce propos Roger GRANGER : « Problèmes d'application du droit moderne dans les pays en voie de développement », Annales Malgaches n° 2, 1965 (pp. 113-128) ; Henri RAHARIJAONA : « La femme, la société et le droit malgache », Annales Malgaches, n° 4, 1967 (pp. 1-23) ; A. RAMANGASOAVINA : « Du droit coutumier aux codes modernes malgaches », Penant n° 692, juin-juillet-août 1962 (pp. 327-347).

est de constater que plus de quarante ans après, le problème reste le même quant à la vulgarisation des lois, quasi-inexistante dans les zones enclavées de l'île. En effet, Madagascar ne dispose que de 36 tribunaux de première instance qui couvrent les 119 districts que compte la Grande Ile. Au-delà du problème de la vulgarisation des lois, subsiste celui de leur réception pour atteindre une application effective. A juste titre, le Doyen Carbonnier a écrit : « La réception approchera de la perfection lorsque l'application de la règle sera devenue mécanique, du moins usuel. Et la passion peu à peu s'éteindra. Le droit, dit-on alors, est entré dans les mœurs, la loi s'est transformée en coutume et c'est sa réussite »[66]. En effet, l'essentiel du Droit reste son application. Mais pour espérer atteindre cette application réelle de la loi, il est important d'agir et de mener toute réforme « d'une main tremblante », avec prudence.

S'il est une qualité que l'ancien enseignant, collègue et ami, à qui ces quelques lignes sont dédiées, a su inculquer à ses nombreux étudiants, et dont les législateurs et les dirigeants politiques malgaches devraient s'en inspirer, c'est une grande circonspection : réfléchir avec prudence pour arriver à extraire le meilleur de soi... Qu'à travers ces quelques lignes, il veuille bien trouver le témoignage de notre profonde reconnaissance pour tout ce qu'il nous a transmis.

66 Jean CARBONNIER : « Droit et passion du droit sous la Ve République », éd° Flammarion, coll. Champs essais, 2008, p. 104.

L'intégration des coutumes dans le droit moderne à Madagascar

Ernest NJARA

Le droit malgache n'est pas un droit désincarné[1]. C'est un droit fortement marqué par le système romano-germanique d'une manière générale, le droit français en particulier, à un degré très relatif, par le système coutumier. C'est dire que l'ossature de notre droit est étrangère. La plupart de nos Codes rédigés en français, ont été inspirés des Codes français, ou en sont une transposition pure et simple. Il en est ainsi du Code Pénal, du Code Civil, le dernier en date étant la loi 2001-2002 du 9 avril 2003 modifiant et complétant le Code de Procédure Civile, une transposition maladroite du Code de Procédure Civile français. L'innovation, apparemment, a été mue par un souci de célérité, mais en réalité, par celui de donner entière satisfaction aux exigences des bailleurs de fonds qui entendent voir les législations des pays assistés alignées sur les leurs. Cette marque qui n'est pas prête de s'effacer, est l'une des conséquences de plus de soixante ans de colonisation française.

---

1 Hans KEISEN, un juriste autrichien, dans sa « théorie pure du droit », a soutenu l'idée d'un droit épuré de tous éléments étrangers tels que, entre autres, les facteurs politiques et sociaux, Cf. Hans KELSEN, Théorie pure du droit, traduction française de la deuxième « Reine Rechtslehre » par Charles EISENMAN, Dalloz 1962, p. VII.
D'autres auteurs, aussi positivistes que Hans KEISEN, sont partisans d'un positivisme non pas juridique, mais sociologique (Spencer, Durkheim, sociologues, et Duguit, juriste, Cf. Jean CHEVALIER, Droit Civil, Introduction à l'étude du droit, tome 1, 12e édition, Sirey, 1995, p. 14) ou génétique (Bernard CUBERTAFOND, Cf. Le Droit en question, la création du droit, éditions ellipses 1999, p.p. 7 et ss).
Le positivisme sociologique voit dans le droit « un produit social résultant seulement de l'évolution des mœurs et des coutumes » alors que le positivisme juridique le voit comme étant une expression de la volonté des gouvernants, de l'Etat, si le positivisme génétique entend considérer les nombreux facteurs, historiques, politiques, sociaux etc.

Il faut cependant retenir que les structures coloniales, bien que basées sur un système de contrainte, mercantile et impérialiste, n'ont pas tenu à effacer totalement les coutumes malgaches. Au contraire, la Métropole, tout en instituant de nouveaux systèmes juridiques, a gardé les coutumes non contraires à l'esprit du droit français. Autrement dit, les coutumes malgaches conformes aux intérêts de la colonisation n'ont pas été touchées et ont continué à être appliquées.

En 1960, Madagascar, colonie française depuis 1896[2], a recouvré son indépendance. En 1962, suivant ordonnance n° 62-058 du 24 septembre 1962, un nouveau Code de Procédure Civile a été édité après de longues enquêtes sur les coutumes malgaches disparates. Celles-ci ont été unifiées pour être codifiées[3]. Une série de textes a constitué le Code Civil malgache[4]. Le Code a consacré, dans ses dispositions, la place et la valeur des coutumes ; il n'est pas le seul texte à avoir mis en valeur les normes coutumières : d'autres textes

2 a) Article 116 du décret du 9 mai 1909 : « Les tribunaux indigènes appliquent en matière répressive :

- les lois et coutumes indigènes en tout ce qu'elles n'ont pas de contraire au principe de la civilisation française » ;
- la loi française en tout ce qui n'est pas prévu par la loi malgache et dans le cas où celle-ci serait contraire aux principes de la civilisation » ;

b) De nombreux décrets, notamment ceux du 8 juin 1896, du 25 novembre 1898 et du 9 mai 1909 ont institué, à Madagascar, deux ordres de juridictions, des juridictions indigènes et des juridictions françaises.

Les juridictions indigènes connaissent des affaires concernant les indigènes. Elles appliquent les lois malgaches, le Code des 305 articles par exemple, et les coutumes malgaches alors que les juridictions françaises, compétentes pour statuer sur des affaires impliquant un national français ou un assimilé, appliquent les lois françaises.

c) « Les Codes des 101 et 305 articles ainsi que les coutumes locales continuèrent à être les sources du droit. La construction des premières prisons amena la suppression de la peine de « gadralava » (consistant à supporter une longue chaîne). L'organisation judiciaire fut réalisée en deux temps : une première fois en 1896 lorsqu'on créa la justice indigène à deux degrés, territorialement étendue au rythme de l'occupation, une seconde fois avec la grande réforme de 1904 qui institua le système définitif à trois degrés : premier degré par un chef de district ;
second degré par un chef de province ; troisième degré, une Cour d'Appel commune aux indigènes et aux Européens », Cf. Edouard RALAIMIHOATRA, Histoire de Madagascar, II, le XXe siècle, Tananarive 1966, p. 28.

Madagascar a été annexé à la France en 1896. Il s'en est suivi l'abolition de l'esclavage le 26 septembre 1896, l'arrivée du Gouverneur Général GALLIENI à Antananarivo le 27 septembre 1896 et le départ à Alger de la dernière Reine malgache RANAVALONA III, Cf. Ibid., in chronologie p. 99.

3 *cf.* Exposé des motifs de l'ordonnance 62-058, portant promulgation du Code de Procédure Civile malgache.

4 Les textes les plus importants, ossature du Code Civil malgache sont : la loi 61-025 du 9 octobre 1961 relative aux actes de l'état civil ; l'ordonnance 62-003 du 24 juillet 1962 sur le nom, le domicile et l'absence ; l'ordonnance 62-089 du 1er octobre 1962 relative au mariage ; la loi n° 63-022 du 20 novembre 1962 relative à la filiation, l'adoption, le rejet et la tutelle ; la loi n° 67-03 du 18 décembre 1967 relatif aux régimes matrimoniaux et à la forme des testaments.

législatifs n'ont pas manqué d'apporter leur contribution dans la valorisation des coutumes en les érigeant au même rang que la loi[5]. Les législations coloniales et les législations post-coloniales ont des visées différentes sinon contradictoires, et l'on se demande les raisons du maintien puis de l'intégration des coutumes dans le droit malgache. En effet, le législateur de l'époque coloniale avait des visées de domination et notamment économiques, celui de l'après indépendance avait un souci de modernisation et pourquoi a-t-on trouvé nécessaire de maintenir et d'intégrer dans les nouvelles normes juridiques, les dispositions coutumières ?

En outre, toutes les coutumes intégrées n'ont pas pu s'adapter dans leur nouvel environnement. Certaines n'ont pu jouer qu'un rôle de figurant, de décoration, d'autres ont pu évoluer et connaître des applications jurisprudentielles. Elles n'exercent pas moins leurs fonctions supplétives. Les coutumes ainsi décrites sont dites *praeter legem*. Enfin, d'autres n'ayant pu être consacrées dans les nouvelles normes en raison de leurs valeurs purement sociales, dépourvues d'aspect modernisant, ont pu tout de même briller dans la jurisprudence et uniquement de cette façon.

En résumé, la présente étude portera sur deux points :

- Les raisons de l'intégration des coutumes dans le droit moderne ;
- Les quelques applications jurisprudentielles des coutumes intégrées dans le droit moderne.

Section 1

LES RAISONS DE L'INTEGRATION DES COUTUMES DANS LE DROIT MODERNE

Deux raisons majeures militent en faveur de l'intégration des coutumes dans le droit moderne malgache, la facilitation du commerce juridique et l'enrichissement du droit moderne.

5 En dehors du Code, on doit citer notamment, la loi 61-013 du 19 juillet 1961, portant création de la Cour Suprême.

§1 – LA FACILITATION DU COMMERCE JURIDIQUE

Le droit, en tant que moyen de gestion d'une société humaine, doit être ouvert à tout, à même de répondre à toute attente, par conséquent, doté d'une flexibilité, d'une malléabilité certaine. Pour pouvoir assurer ces missions, il doit être créé de façon à assurer une symbiose entre lui et les coutumes, expression ou émanation du vécu populaire. L'imbrication du droit dans le vécu quotidien lui permet une plus grande vivacité. Les coutumes sont les réalités permanentes, le droit une courroie de transmission vers la modernité, une ouverture vers le monde extérieur.

Le législateur malgache, pour ne pas être en porte à faux par rapport aux réalités, doit se soucier de la préservation des spécificités de la culture de son peuple qui, faute d'incrustation dans le droit, risquerait d'être phagocyté par l'attrait de la modernisation.

I – LE SOUCI DE PRÉSERVATION DES SPÉCIFICITÉS MALGACHES

Comme toute population, la population malgache est un tout. On ne peut pas, par conséquent, mettre en relief un trait particulier qui la distingue des autres populations. Quoi qu'il en soit, quelques caractéristiques sautent aux yeux :
- Le respect dû aux aînés ;
- La croyance en l'existence et en la possibilité d'intervention divine et des ancêtres ;
- L'attachement à la solidarité *fihavanana*.

A – Le respect dû aux aînés

Le terme est pris dans son sens le plus large : l'aîné est celui qui est plus âgé que soi. Ainsi, font partie des aînés, les parents, de même que les frères dont la naissance est antérieure à la sienne. La primauté reconnue aux aînés résulte du caractère patriarcal de la société malgache qui réserve un privilège certain aux parents, considéré dans toutes les occasions de la vie sociale. Dans les réunions de famille, l'aîné prend la place qui lui est réservée, généralement à l'est, au moins au nord du foyer, l'ouest étant destiné aux jeunes, le sud près de l'âtre, aux femmes responsables de la cuisson du repas.

S'il prend la parole le premier, le dernier mot lui revient de facto : *ny vodihena tsy miainga aloha* (mot à mot : l'arrière train d'un animal n'a pas à être offert le premier) : la prise de parole avant l'aîné doit être précédée d'une demande d'excuse. Même dans les transports en commun, le privilège de l'aîné est généralement respecté : le jeune déjà assis se lève pour céder la place à l'aîné qui vient d'arriver. Pendant les cérémonies où un repas doit être servi, la primauté revient toujours à l'aîné. Si du poulet doit être servi, le croupion lui échoit de droit mais si de la viande d'animal doit être répartie, l'arrière train, comme précité, doit être offert à l'aîné[6], toujours au nom de la règle : *ny vodihena tsy miainga aloha.*

Le privilège de l'aîné ne va pas cependant à sens unique. Il appelle des devoirs. Lorsqu'il est question de prendre la parole au nom du groupe, c'est l'aîné qui doit être désigné pour s'acquitter du devoir de parole, d'où l'adage : *Manan-jandry, afaka olan'entana, manan-joky, afaka olan-teny* mot à mot, en cas de problème de port de faix, le cadet est là, en cas de problème de parole, la solution revient à l'aîné. En outre, la gestion de la maison familiale (*tranobe*) et du tombeau familial, ne peut échoir qu'à l'aîné. Enfin, la succession au trône, dans le cadre d'un pouvoir clanique, est l'apanage de l'aîné, à moins d'une délégation de pouvoir au profit d'une autre personne.
L'on pourrait se demander d'où vient ce privilège de l'aîné ? Il résulte d'une croyance ancienne arrimée autour d'un mythe dont est revenu le père de famille, détenteur du pouvoir domestique découlant de son savoir empirique. Pour avoir vécu longtemps, il a accumulé des expériences transmises de père en fils ou de mère en fille. Son savoir, associé à la possession de patrimoine immobilier et renforcé par un pouvoir d'exhérédation, fonde le privilège du père, de même que celui de l'aîné[7]. Ce pouvoir spécial partiellement consacré par la législation malgache, le texte sur la filiation, manque cependant de solidité : seule la possibilité de rejet est reconnu au parent le droit d'aînesse étant méconnu par le droit positif malgache, mais ce privilège a tout de même son importance au regard des coutumes dans la société malgache.

---

6 NJARA Ernest, Le nom de personne chez les Malgaches de religion traditionnelle, Droit et Cultures n° 28, éditions l'Harmattan 1994, pp. 218 et ss et Histoire des Rois, traduction du *tantaran'Andriana* du RP Callet par MM. G.S Chapus et Emmanuel RATSIMBA, Académie Malgache, Tananarive 1958 p. 317. « RALAMBO avait dit : il est à moi le *vodihena* et je réduirai à l'esclavage la femme et les enfants de ceux qui le prendront… » op.cit ; p. 316.

7 NJARA Ernest, La profanation de sépultures, Revue de Droit et de Jurisprudence de Madagascar, n° 2, décembre 2000, p. 57 : « L'oralité est la caractéristique dominante des traditions malgaches. Cette culture fonctionne grâce à un système de « colportage des informations de bouche à oreille, transmises de père en fils ».

B – La hantise des sanctions divines

Les Malgaches croient en Dieu et en même temps à des dieux qu'ils appellent les Ancêtres ou *Razana*. Les divinités, présumées être en contact permanent avec eux, sont perçues comme détentrices d'une autorité à laquelle il faudrait se soumettre. La peur des sanctions divines recommande aux Malgaches un comportement et une attitude toujours conformes aux prescriptions coutumières. Du point de vue de leur affectivité, les sanctions divines sont plus considérées que celles susceptibles d'être infligées par la Justice en raison du fait que les premières, si elles devaient s'imposer, seraient incontournables : décrétées par des puissances invisibles, partant incorruptibles. Les sanctions divines, non susceptibles de voies de recours, constituent une hantise chez les Malgaches.

Les événements malheureux ou heureux sont imputés à Dieu ou aux ancêtres, à tel point que tout un chacun a intérêt à faire du bien, autrement, le mal commis se retournera tôt ou tard, contre son auteur. C'est le principe du *tody*. A défaut du *tody*, un simple reproche ou blâme de Dieu ou des ancêtres une autre sanction, pourrait intervenir. C'est le *tsiny*. La croyance en ces deux types de sanctions divines entraîne une autre croyance, l'absence de génération spontanée : tout acte a un répondant, d'où *ny tody tsy misy fa ny atao no miverina* littéralement, le *tody* n'existe, c'est le mal commis qui se retourne contre son auteur. En d'autres termes, en cas d'événement heureux ou malheureux, on n'aura pas à s'étonner car, tout compte fait, c'est le résultat de ce qu'on avait fait. Cet état d'esprit pourrait être un bien en ce sens qu'il préserve de toute velléité de commettre un péché mais son revers inévitable est l'absence d'un esprit d'entreprise, du goût du risque, alors que « celui qui ne risque rien, ne gagne rien ». Cette vision du monde chez les Malgaches serait-elle l'une des raisons de l'appauvrissement chronique de Madagascar ? Les Malgaches n'osent pas prendre de risques !

C – L'attachement à la solidarité sociale (*fihavanana*)

Des écrits concernant cette solidarité malgache ou *fihavanana* ont été consacrés. Presque aucun Malgache n'ignore cette forme de perception du monde[8]. Le *fihavanana* est fortement incrusté dans l'esprit de tout Malgache, vécu dans toutes les occasions à Madagascar, présent dans toutes les circonstances et justifie tout,

8 NJARA Ernest, Le *fihavanana*, Droit et Cultures n° 24, 1992, pp. 152-159.

sauf le mal qui en est d'ailleurs l'antipode.(11 bis). En effet, le *fihavanana* a interdit la commission du mal, recommande le modus vivendi, le *marimaritra iraisana* en cas de conflit, ce qui devrait éviter le recours aux autorités judiciaires qui, d'ailleurs, dans bien des cas, résout un différend mais n'entretient pas l'amitié, la concorde, l'harmonie sociale.
Bien valeureux, inestimable, le *fihavanana* est préféré à toute autre valeur d'où, *aleo very tsikalakalam-bola toy izay very tsikalakalam-pihavanana*, c'est-à-dire, vaut mieux perdre de l'argent que la bonne entente dans la société. Bien apprécié et vanté, à la limite vénéré, le *fihavanana* n'est pas indemne de reproche ; le grief qu'on lui reconnaît est qu'il est facteur de corruption, autrement dit, il est antiéconomique. Cela n'est cependant vrai qu'au regard des sociétés modernes érigeant le profit, l'argent au premier plan. Dans le milieu paysan, le *valitanana* ou l'entraide, s'effectue dans le cadre du *fihavanana*. En tout cas, le reproche fait au *fihavanana* n'entame en rien sa quintessence, et le législateur malgache, ainsi que la jurisprudence, ne lui ont pas moins réservé une place de premier plan, du moins sur le plan civil, son importance étant réduite au strict minimum sur le plan pénal.

1) Sur le plan pénal

L'article 380 du Code Pénal ne punit qu'en tant que faute civile les infractions acquisitives, commises entre conjoints, parents et alliés. Mais l'immunité ne profite pas aux receleurs et aux complices : ils seront poursuivis comme de vrais délinquants[9]. Les articles 336 et suivants du même Code accordent toute latitude aux conjoints victimes de l'adultère commis par leur mari ou leur femme, Ils sont en

[11 bis] La crise politique de ces derniers temps à Madagascar, avec la confection de bombes artisanales pour commettre du mal contre les gens de la capitale ne remet-elle pas en cause l'essence même du *fihavanana* ? A ce sujet, *cf* Madagascar matin n° 020 du 20 juillet 2009 : les forces de l'ordre, cibles des terroristes pp.1 et 3. *Malaza* n° 1398 du 20 juillet 2009 : Attentat contre VIVA et le CNME pp. 1 et 2 ; La Vérité n° 0356 du 20 juillet 2009, Attentat terroriste, des bombes artisanales commanditées pp. 1,3,7,8, et 9.

9 Article 380 : Ne pourront donner lieu qu'à des réparations civiles les soustractions commises :
- Par les maris au préjudice de leurs femmes, par des femmes au préjudice de leur maris, par un veuf ou une veuve quant aux choses qui avaient appartenu à l'époux décédé ;
- Par les enfants ou autres descendants au préjudice de leurs pères ou mères, par des pères ou mères ou autres ascendants au préjudice de leurs enfants ou autres descendants ;
- Par les alliés aux mêmes degrés, à condition que les soustractions soient commises pendant la durée du mariage et en dehors d'une période pendant laquelle les époux sont autorisés à vivre séparément ;

A l'égard de tous les autres individus qui auraient recelé ou appliqué à leur profit tout ou partie de, objets volés, ils seront punis comme coupable de recel, conformément aux articles 460 et 461.

droit de poursuivre ou de ne pas poursuivre. A tous les stades de la procédure, ils peuvent demander la cessation de la poursuite. Ils peuvent demander la suspension de l'exécution des peines prononcées contre le conjoint coupable. C'est dire que toute immixtion de tierces personnes dans les affaires ou la vie conjugales est écartée pour favoriser le recours au *fihavanana*.

2) Sur le plan civil

L'ancien Code des 305 articles, au temps de la royauté, en 1881, en son article 218, faisait défense aux sujets, l'usage de la violence (*heriny*), présumé antinomique au *fihavanana*, la primauté étant accordée à la justice pour résoudre les conflits.

A l'heure actuelle, les textes sur le mariage et la filiation, en cas d'action en désaveu de paternité, aux fins de rejet, énoncent le caractère obligatoire de la tentative de conciliation par le juge. Concernant spécialement le divorce, les causes péremptoires ont été écartées : le juge aux affaires matrimoniales exerce un pouvoir souverain d'appréciation pour accueillir ou rejeter une requête en divorce. Il apprécie souverainement le bien-fondé des griefs allégués à l'appui d'une demande en divorce[10]. Seules les fautes susceptibles de rendre intolérable le maintien de la vie commune justifie une demande en divorce : toutes fautes, dès lors qu'elles ne constituent pas un obstacle majeur au maintien de la cohabitation, pourraient ne pas être considérées par le juge qui peut ordonner la reprise de la vie commune. Il en est ainsi en matière d'adultère.

Le mariage crée une nouvelle famille, nucléaire ou élargie. Cette nouvelle union ne doit tout de même pas souffrir d'une dissolution consécutivement à une mésentente conjugale. D'ailleurs, même en cas de divorce, les liens d'alliance persistent. Pour ce qui est du texte sur la filiation, la reconnaissance d'un enfant adultérin par son auteur n'ouvre droit qu'à des aliments, mais si le conjoint bafoué participe à la reconnaissance, l'enfant reconnu a les mêmes droits que les

---

10 Le droit malgache ne reconnaît que le divorce pour fautes, alors que le droit français en connaît quatre : le divorce pour faute, le divorce pour rupture de la vie commune, le divorce sur demande accepté et le divorce sur requête conjointe. Il reconnaît également les causes péremptoires de divorce, à savoir la condamnation pénale à une peine afflictive et infamante (cf Droit de la famille, Dalloz et action 2001 / 2002, pp. 189 et ss.
Mais à l'inverse, ce même droit malgache reconnaît aux femmes, le droit de suspendre à tout moment la cohabitation : le *misintaka*, un droit, ne requiert pas l'autorisation du juge aux affaires matrimoniales.

enfants légitimes : la reconnaissance conjointe légitime par conséquent l'enfant[11]. C'est la règle de la légitimation prévue par l'article 7 de la loi sur la filiation qui met tout en œuvre pour qu'un enfant ne soit pas écarté du cercle familial : tout enfant doit avoir une famille.
Au sujet de la jurisprudence, elle ne consacre pas moins l'incidence du *fihavanana* dans le commerce du droit : des arrêts concernent la clause *tsatoka*, l'usage de *l'an-keriny*, le *ko-drazana* au temps de la colonisation, le *miandry teza ho lavo*, le mariage coutumier, les griefs invoqués à l'appui d'une requête en divorce, à l'époque de l'indépendance[12]. De ce fait, le droit matériel et le droit éprouvé réservent chacun dans son domaine, les vertus coutumières.

II – L'INTÉRESSEMENT DE LA POPULATION AU DROIT MODERNE ET LA PÉRENNISATION DES COUTUMES PAR LA CODIFICATION

Nous rappelons la coexistence de deux systèmes judiciaires au XIXe siècle, au temps des colonies, les tribunaux indigènes pour les Malgaches et les tribunaux français pour les ressortissants de la Métropole et assimilés ; les tribunaux indigènes appliquaient les coutumes pour la solution des litiges, les tribunaux français, le droit et les Codes français. Si le législateur colonial n'a pas cru devoir supprimer les coutumes malgaches dans la gestion de la colonie et pour faciliter la tâche, ils étaient autorisés à se servir des coutumes comme instrument de gestion, et du malgache, comme langue du palais. Mais il fallait faire appel à des assesseurs pour expliquer les coutumes et à des interprètes pour traduire la langue malgache.

Ce souci d'intéressement des nationaux prédominait jusqu'en 1962, l'année de promulgation d'un nouveau Code de Procédure Civile. Même après l'indépendance en 1960, la coexistence de deux systèmes judiciaires a été maintenue. L'ordonnance 60-131 du 3 octobre 1960 a déterminé la procédure à suivre devant les juridictions de droit traditionnel si l'ordonnance 60-171 a énoncé le partage de compétence entre les juridictions de droit moderne et les juridictions de traditionnel. En quelque sorte, tout au long de son histoire, le pays a toujours été doté d'une institution judiciaire

11 Cf. article 22 de la loi 63-022 de 20 novembre 1963 sur la filiation, l'adoption, le rejet et la tutelle.
12 Tout ceci sera analysé en détail un peu plus tard.

composée de Malgaches attachés à leurs coutumes. Cet attachement aux coutumes n'a pas disparu à la suite de l'édiction d'un nouveau Code de Procédure Civile et d'un Code Civil.

Le Code de Procédure Civile, dans son exposé des motifs, a entre autres souligné : « la Commission a analysé les traditions anciennes avec une vision rajeunie, fait appel aux techniques nouvelles tout en évitant de jeter le trouble dans les habitudes efficaces… », si la loi 63-022 du 20 novembre 1963 relative à la filiation, adoption, au rejet et à la tutelle, plus explicite, encore a précisé : « les rédacteurs de ce projet ont été constamment guidés par le souci de se conformer le plus fidèlement possible aux coutumes et aux institutions traditionnelles malgaches, dans la mesure cependant où celles-ci n'étaient contraires, ni à la volonté de progrès du peuple malgache, ni à l'unité de notre droit, ni surtout à ce qui constitue le fondement même du projet : l'intérêt de l'enfant ». Ces deux textes ont insisté sur la nécessité d'intégrer les coutumes dans le droit moderne dans un souci d'intéressement et l'on pourrait se demander en quoi cela se traduit ? En effet, les coutumes sont l'expression des réalités sociales, de ce que vit le peuple. Les lois sont l'une des manifestations suprêmes de sa volonté. Il va sans dire qu'il l'apprécie plus que les normes soi-disant modernes dont il ignore la provenance et quelquefois, le sens et la portée. L'application de ces lois par les tribunaux est pour le peuple, une source de motivation supplémentaire si ce n'est un honneur. Il voit dans les coutumes sa propre personnalité, son identité revalorisée, rehaussée. Cette sorte de narcissisme juridique vécu n'est pas en soi suffisant pour constituer une source de satisfaction. Les coutumes, sans base écrite, ne vivant que par leur application effective, pourraient être ébranlées par l'intrusion d'une nouvelle norme juridique. Pour résister à l'effet du temps et du modernisme, les coutumes doivent être codifiées au même titre que le droit moderne. Leur intégration dans celui-ci leur assurera une longue vie, une pérennité certaine. Une fois codifiée, une coutume, même sans application, reste telle quelle tout autant qu'une loi qui ne meurt pas par désuétude.

A – L'enrichissement du droit moderne

Parmi les vestiges de la colonisation française, sur le plan juridique, figure le fonds romano-germanique du système juridique malgache. C'est ainsi qu'il se fonde sur un droit écrit et codifié. Ses sources principales sont les textes écrits hiérarchisés, ses sources secondaires ou supplétives, les coutumes essentiellement. Ce même héritage a légué le principe de la séparation des pouvoirs, un droit individualiste arrimé autour du respect des droits fondamentaux de l'individu et de la propriété privée[13]. Le chacun pour soi, Dieu pour tous, est dans la pratique, l'héritage substantiel laissé par la Métropole. Ses vertus sont indéniables mais ses faiblesses ne sont pas des moindres au regard des coutumes et philosophie malgaches.

Si l'on définit le droit comme étant un ensemble de règle destinées à régir la vie en société, il en résulte que le droit importé n'embrasse pas suffisamment les réalités malgaches ; d'autres aspects de la vie des Malgaches se trouvent en marge de la législation moderne. Il faudrait alors combler les lacunes d'une législation à certains égards désincarnée, matérialiste. Quatre aspects non moins importants de la vie dans la société malgache n'ont pas pu être occultés, les questions de propriété, de succession, de mariage ainsi que la structure patriarcale de cette société.

B – La question de propriété invite à examiner *le heriny* ou l'usage de la violence

Le Code de Procédure Civile de 1962 a déclaré sans intérêt la distinction entre le pétitoire et le possessoire, la suppression des juridictions de paix était à la base de cette suppression. Il se trouve cependant que, malgré cette volonté du législateur, le *heriny* a pu survivre en tant qu'action possessoire. Il ressemble à l'action en réintégration (réintégrande) du droit français qui tend à la réparation d'un déséquilibre consécutif à l'usage de la violence : tout ce qui a été pris par la violence doit être restitué au détenteur (Spoliatus ante omnia restituendus). La dépossession violente est la caractéristique principale de la réintégrande. Or, le *heriny* a d'autres caractéristiques, celle consistant en une dépossession avant le procès, le recours à la justice. Il s'agissait, à l'époque de la monarchie merina, de faire défense à tout usage de la violence jugée comme attentatoire aux privilèges et pouvoirs royaux. C'était même le balbutiement du principe de l'Etat de droit.
Le *heriny*, éclipsé par le texte de 1962, a pu ressurgir grâce à l'œuvre de la jurisprudence. Le caractère lacunaire du texte aurait été patent

13 Roland Séroussi, Introduction au droit comparé, édition DUNOD, 2000, p. 26.

sans les activités jurisprudentielles. En effet, toutes les situations ne sont pas forcément juridiques, des situations peuvent être de fait. Des personnes peuvent ne pas être propriétaires, elles peuvent être de simples possesseurs qui, comme les premiers, méritent également une protection de la loi.

C – Concernant la question de succession, émerge du lot, le principe du *masi-mandidy*

Le principe se trouve être consacré par les articles 15, 46 à 57 de la loi n°68 012 du 04 juillet 1968 relative aux successions, testaments et donations :

- Article 15 : « L'héritier peut être déchu par testament de tout droit successoral ainsi qu'il est prévu à l'article 47 ».
- Article 46 : « En vertu du principe du *masi-mandidy*, et sous les réserves énoncées aux articles 54 à 57 toute personne peut, par testament, disposer librement de ses biens, soit au profit d'un ou plusieurs enfants, descendants ou membres de la famille, soit au profit d'autres personnes physiques ou morales, soit même au profit d'un enfant rejeté ».

L'article 47 apporte une précision concernant l'étendue du principe du *masi-mandidy*. Le caractère absolu du droit de propriété est reconnu presque universellement dans tout pays, à l'exception de ceux qui continuent à adopter le système communiste où, théoriquement, l'intérêt général prime les petits intérêts particuliers. La souveraineté du propriétaire sur ses biens se fonde sur une vision individualiste de l'acquisition d'un bien ou de la transmission de la propriété : un bien régulièrement acquis appartiendra en totalité à l'acquéreur qui pourra en disposer sans aucune restriction (16bis).

L'explication apparaît insuffisante pour faire comprendre le principe du *masi-mandidy*, lequel se base moins sur une conception individualiste que sur une vision patriarcale que pourrait exercer un père sur ses enfants. C'est une arme mise à la disposition des parents, destinée à prévenir toute velléité de désobéissance de la part des enfants ; toute insoumission ou ingratitude pourrait être sanctionnée par une exhérédation et même à la limite, par un rejet du tombeau familial, ou un rejet pur et simple, disposition spéciale consacrée par le droit malgache. De ce fait, le *masi-mandidy* a une fin directement sociale et en même temps économique dans une société où l'expatriation demeure une pratique peu usitée. Il continue à garder son importance dans les milieux paysans mais commence à perdre de sa valeur chez les jeunes diplômés obligés de quitter les villages pour des raisons économiques ; l'expatriation se trouve être le seul remède au chômage. Les jeunes libérés de la tutelle de leurs parents, ne voient plus la nécessité d'une libéralité de la part de ces derniers.

III – POUR CE QUI EST DU MARIAGE, LA LÉGISLATION MODERNE NE PEUT NON PLUS LE RÉGIR DANS TOUTES SES COUTURES

L'une des raisons en est que le mariage, à la fois une institution et un contrat au regard du droit importé, est plutôt un contrat vis-à-vis des coutumes malgaches. Le proverbe ci-après est éloquent à ce sujet : *Ny fanambadiana tsy nafehy fa nahandrotra*, autrement dit, le mariage est un nœud coulant et non pas un nœud définitif, ce qui signifie qu'à tout moment, les deux époux peuvent rompre l'union à titre temporaire, quitte à la renouer en cas de réconciliation, ceci sans aucune formalité alors qu'au regard du droit français la cessation momentanée de la cohabitation doit être autorisé par les juges aux affaires matrimoniales[14]. La flexibilité de l'union conjugale devait être consacrée par le législateur pour ne pas contrarier les dispositions coutumières, la décision était d'autant plus sage que le divorce par consentement n'existe pas à Madagascar : il fallait une faute grave rendant intolérable le maintien de la vie commune, déclare l'article 66 de la nouvelle loi de 2007.
Le *misintaka* a donc été consacré comme étant un droit pour une femme malgache de suspendre l'obligation de cohabitation.(cf. articles 52 et 53 de la nouvelle loi de 2007 précitée).

- Une femme en état de *misintaka* peut-elle aller résider là où elle veut, ou bien le lieu de résidence est-il déterminé par la loi ?
- Une femme en état de *misintaka* peut-telle revenir sur sa décision pour réintégrer la vie commune. Ou bien, comment une cohabitation suspendue pourra-t-elle être reprise ?

Concernant la première question, en raison du fait que le *misintaka* n'étant pas synonyme de divorce qu'il ne faudrait pas favoriser, la jurisprudence, en raison du silence de la loi, a dû préciser que : « Le droit reconnu par la coutume malgache à l'épouse, qui, sans avoir à

14 Le mariage est plutôt une ceinture qu'un nœud, Cf. EP. THEBAULT, Traité du droit civil malgache moderne, t.1 fascicule 2, mariage et divorce, Les codes bleus, éditions de la Librairie de Madagascar 1964, p. 149.et cf. et également Histoires des Rois op. cit., p. 481.

se reprocher une faute, peut au contraire invoquer des griefs à l'encontre de son conjoint, quitter le domicile conjugal pour se retirer dans sa famille, en attendant que, par les démarches du *fampodiana*, le mari repentant, regrettant sa conduite, vienne la chercher pour la ramener au foyer »[15]. L'interprétation de la citation autorise à admettre que le *misintaka* ne peut se concevoir que s'il est exercé dans un endroit décent et digne et chez une personne de bonnes mœurs. Généralement et dans la pratique, la famille est le lieu d'exercice admissible du *misintaka*. La nouvelle loi de 2007 oblige la femme à « résider chez ses parents ou ses proches parents, à défaut, dans un centre d'accueil pour victimes de violences ou toute autre personne de bonne moralité pour une durée qui ne peut pas excéder deux mois[16].

Pour la deuxième question, possibilité est reconnue à la femme de réintégrer le toit conjugal de son propre chef, mais la pratique est que la réintégration est précédée par une démarche effectuée par le mari appelée le *fampodiana*[17]. Nous ne pouvons clore ces pages sur le mariage, sans parler de la possibilité de célébrer le mariage et de demander la dissolution de l'union devant l'autorité traditionnelle. Ces procédures se déroulent de la façon suivante :

A – La célébration du mariage coutumier

Elle est prévue par les articles 31 à 36 de l'ordonnance sur le mariage. Aux termes du décret n° 63-022 du 16 janvier 1963 désignant les agents chargés de constater l'accomplissement des cérémonies traditionnelles, sont habilités à célébrer le mariage coutumier :
- les chefs de village et les chefs de quartier (les présidents de la collectivité décentralisée ou *fokontany* à l'heure actuelle) ;
- toute personne âgée de plus de quarante ans, désignée pour une période de deux ans par le Sous-Préfet sur proposition du Chef de canton (délégué administratif) après avis du conseil communal.

L'accomplissement de la célébration du mariage est constaté par un procès-verbal établi en double exemplaire dont l'un doit être adressé à l'officier de l'état civil dont dépend la collectivité dans laquelle a été célébré le mariage. Il revient à cet officier seul de dresser par la suite l'acte de mariage et d'en délivrer copie.

15 Cf. Cass. malg, 14 avril 1964, aff. *Rafanoharana*, Cf dame *Razafindrafara*, arrêt, n° 30.
16 Article 52 nouvelle loi de 2007.
17 E.P.THEBAULT op.cit., pp. 133 et ss. et pp. 134 et ss.

B – La dissolution du mariage coutumier

Le mariage coutumier, à la différence des mariages traditionnels conclus à la suite d'un échange de volontés, n'étant que de simples contrats, est un véritable mariage au même titre que le mariage célébré devant l'officier de l'état civil car il est enregistré devant ce dernier. Il ne revêt le caractère d'union matrimoniale qu'après son enregistrement. Acte régulièrement publié, authentique, le mariage coutumier ne peut être dissous que par une autorité judiciaire. Seulement, cette autorité n'est pas la juridiction étatique dirigée par un technicien du droit.

Suivant les dispositions de l'article 95 de l'ordonnance sur le mariage, la requête en divorce est portée devant une « juridiction traditionnelle composée d'un fonctionnaire désigné par le Sous-Préfet ou le Chef d'Arrondissement, du maire de la commune ou son adjoint et de deux membres du fokonolona du lieu de la dernière résidence des époux. Cette juridiction siège au chef-lieu de la Commune Rurale ». La demande est portée devant le tribunal traditionnel du lieu du domicile du mari, à moins que la femme soit en état de *misintaka*, auquel cas, la demande peut portée devant le tribunal dans le ressort duquel cette dernière a élu une résidence effective (article 98 du texte précité).

S'agissant d'une affaire concernant l'état de personne, l'examen de la requête par la juridiction est précédé d'une tentative de conciliation mais ce qui est caractéristique, c'est que la conciliation se déroule en deux temps :

- d'abord, avant toute demande, il faut une conciliation par le conseil de famille, le cas échéant, le fokonolona (collectivité locale, article 96 du texte). Cela se comprend puisque, chez les Malgaches, le mariage est moins une affaire de deux individus que celle de toute une famille, étant entendu, comme il a déjà été expliqué, qu'au regard des coutumes, l'aspect contractuel prime l'aspect institutionnel. En effet, le mariage est conclu par l'offre de cadeaux aux parents de la jeune fille, différemment appelé selon les régions de l'île : *vodiondry* dans les Hautes terres, *diafotaka, fafy*[18], dans les régions du Sud-est, *fandeo, orimbato* ou *fanokoa* dans les autres

18 *Fafy*, dans les régions du Sud-est, revêt un sens particulier. Il suppose une faute commise des deux côtés, par les époux qui ont pu contracter mariage alors qu'ils relèvent de parents proches. La faute commise est réparée et se lave suivant l'accomplissement de rites qui se déroulent comme suit : un bœuf est immolé, tous les viscères sont enlevés pour pouvoir placer les deux fautifs dans le ventre de l'animal. Ils en sortiront souillés, une pluie d'excréments dudit animal sont jetés sur eux. Ils se jettent dans la rivière, l'immersion est présumée avoir une vertu purificatrice, comme en matière de baptême, chez les chrétiens.
Le *fafy* est justement cette immersion purificatrice. (cf. NJARA Ernest, le mal et la justice, Revue Juridique, Juris Africa, op. cit. pp. 126 et 127 et Présence Africaine n° 163/164, p. 31.

régions. L'offre de cadeau à laquelle assiste la famille consacre le mariage ; avant cette formalité, au regard des coutumes, les deux partenaires sont présumés ne pas être liés par un mariage, ce qui fait que l'union est une affaire de famille, une alliance de deux familles. C'est ce qui justifie l'intervention de la famille ou du *fokonolona* avant toute velléité de rupture. Juridiquement, c'est l'application d'un simple parallélisme de forme.

– ensuite, la juridiction traditionnelle saisie procèdera à une ultime conciliation selon la procédure suivie devant la juridiction moderne. Enfin, la juridiction moderne est liée par sa saisine au moyen d'un procès-verbal de non-conciliation.

La conciliation en cascade s'explique par l'attachement des Malgaches au *fihavanana*, une principe consensuel selon lequel rien peut se faire sans les autres ; tout est à base de discussion, de modus vivendi, de tolérance, de respect d'un certain équilibre, d'une certaine harmonie. Or, le divorce est une rupture du lien familial, un facteur de dysharmonie, dans les liens familiaux, d'où le déploiement de tout ce qui est possible pour éviter la rupture.

Après avoir examiné les griefs invoqués par la partie demanderesse, la juridiction prononce le divorce ou rejette la requête pour ordonner la reprise de la vie commune. La décision est rendue en présence des deux parties pour faire l'objet d'un procès-verbal dont une copie est immédiatement adressée au Sous-préfet qui a désigné les membres de la juridiction traditionnelle (article 95). Elle est susceptible d'appel devant les Tribunaux de Première Instance tenu, de statuer selon la procédure des référés (article 107).

Mais ce pouvoir de dissolution du mariage coutumier reconnu aux juridictions traditionnelles semble avoir été retiré au profit des juridictions étatiques. En effet ce pouvoir n'a pas été repris par la nouvelle loi de 2007, ce qui fait que si le mariage, à Madagascar, peut être célébré soit devant l'officier de l'état civil, soit devant les autorités traditionnelles, le divorce, par contre, ne peut être prononcé que par le seul tribunal civil. Quelles pourraient en être les raisons ? Tout simplement parce que l'article 95 précité brille par son ineffectivité.

IV – LA STRUCTURE PATRIARCALE DE LA SOCIÉTÉ MALGACHE

A – Les modes d'expression juridique de la structure

L'interdiction de l'usage de la violence *(heriny),* le *masi-mandidy*, la conception du mariage trouvent leur fondement dans cette structure patriarcale de la société malgache.
En effet, le *heriny* est une atteinte à l'autorité des parents biologiques ou administratifs appelés *ray aman-dreny* ou *raiamandreny* (autrement dit, les *ray aman-dreny* sont ceux qui ont donné le jour alors que les *raiamandreny*, ce sont les autorités administratives). Le principe du *masi-mandidy* est la consécration du pouvoir, de l'autorité du chef de famille, du patriarche si le mariage ne peut se faire sans l'aval de la famille.
Le pouvoir du chef de famille se trouve encore une fois renforcé par la possibilité de désaveu de paternité reconnue au père et l'institution du rejet, peut être unique au monde, du moins le monde romano-germanique qui autorise le père à écarter de la cellule familiale, un enfant à l'encontre duquel est reproché un fait d'ingratitude pour ne reconnaître que le désaveu principal, intente seulement après la naissance de l'enfant du rejet applicable seulement contre un enfant majeur (article....).
Au sujet du désaveu de paternité, il ne concerne qu'un enfant déjà né que le père nie comme n'étant pas de son œuvre : les coutumes malgaches, ainsi que le droit positif, ne consacrent pas le désaveu préventif pour ne reconnaître que le désaveu principal, intenté seulement après la naissance de l'enfant. Mais à l'analyse, le désaveu, est une forme de rejet qui vise un enfant mineur, alors que le rejet stricto sensu s'applique à un enfant majeur. La raison est facile à comprendre dans la mesure où un mineur ne peut pas connaître une faute surtout d'ingratitude qui nécessite une capacité discernement, ce qui manque au mineur.
L'action en désaveu est intentée par le père prétendu pendant le temps qui a couru depuis le 300è jour jusqu'au 180è jour avant la naissance, s'il prouve qu'il était, soit pour cause d'éloignement, soit pour une cause médicalement établie de façon certaine, dans l'impossibilité physique de procréer » (article 8). La même possibilité est reconnue en cas de recel de grossesse ou de naissance, mais est refusée si, du comportement du père prétendu, il ressort qu'il entend considérer l'enfant comme le sien (article 9).D'autres motifs autorisent

le père à désavouer son enfant : une naissance intervenue plus de 300 jours après une décision judiciaire autorisant la résidence séparée dans le cadre d'une instance en divorce ; les caractères physiques de l'enfant ou autres indices ou faits constants et notoires faisant ressortir que le père présumé n'est pas le vrai père. L'action en désaveu est personnelle au père : elle est formée contre l'enfant en présence de sa mère, mais elle est transmissible aux héritiers. Ceux-ci sont habiles à dénoncer la non paternité de leur auteur pour les raisons ci-dessus énoncées et pour d'autres raisons, successorales surtout : ils souhaitent écarter l'enfant de la succession de leur parent.

Pour ce qui est du rejet proprement dit, l'exposé des motifs de la loi n° 63-022 du 20 novembre 1963 sur la filiation, l'adoption, le rejet et la tutelle de souligner : « la Commission de rédaction du Code Civil, se conformant aux conclusions du rapport de synthèse sur les coutumes juridiques malgaches, n'a pas cru devoir proposer la suppression du rejet qui est une sanction traditionnelle bien connue à Madagascar car elle s'est contentée, dans les articles 79 à 92 du présent projet, d'en préciser les règles et d'en limiter la portée. Il était apparu en effet indispensable de mettre fin à certains abus en matière de rejet d'enfant. Le rejet est une sanction infligée à un enfant majeur par son père, par sa mère, par un ascendant ou par l'adoptant. Il entraîne la rupture du bien de filiation ou de parenté qui rattachait le rejeté au rejetant ».

Les causes du rejet sont énoncées, par l'article 79 du texte, le manquement grave aux devoirs de secours, d'assistance et de respect envers le rejetant ou la famille ; tout compte fait, l'ingratitude est la cause principale du rejet. Les enfants sont tenus de se soumettre à leurs parents, l'insoumission, la désobéissance sont constitutifs de lèse-majesté : respect sans faille est dû au père, au patriarche. La possibilité de rejet mise à la disposition de ce dernier est une épée de Damoclès suspendue au-dessus de la tête de tous enfants. Le rejet met fin au lien de filiation entre le rejetant et le rejeté, mais peut aussi influer sur le lien du rejetant avec les enfants du rejeté si l'acte de rejet est libellé dans ce sens.

Chez les Malgaches, le principe est le : *tsy misara-mianakavy, velona iray trano, maty iray fasana*, autrement dit, celui de l'inséparabilité. Vivants, ils se trouvent dans une même maison, en cas décès, ils sont inhumés dans un même tombeau familial. Il en résulte que le rejet est une sanction très grave pour les enfants malgaches, tellement grave qu'il pourrait constituer une hantise pour ces derniers. Etant donné la rigueur de la sanction, l'abus peut être évité par les dispositions du texte lui-même : d'abord, le projet de rejet doit être autorisé par le Président du Tribunal du lieu de résidence habituelle du rejeté (article 85) ; ensuite, la tentative de conciliation est une procédure obligatoire comme dans toutes matières d'état de personne ; enfin, « le père ou la mère qui se remarie ne peut, tant que sa nouvelle union n'est pas dissoute, rejeter un enfant issu d'un mariage précédent » (article 81).

A cet article, s'ajoutent les dispositions de l'article suivant déclarant que « l'ascendant ne peut rejeter que si l'enfant est orphelin de père et de mère ». En quelque sorte, le législateur a tout mis en œuvre pour éviter toute velléité de rejet, tout abus de pouvoir de la part du père. A l'analyse, le législateur malgache ne voulait pas, tout compte fait, suivre jusqu'au bout, sa logique : il semblait vouloir consacrer les dispositions de son texte tout en dressant des obstacles juridiques pour faire échouer son application.

B – Les modes d'expression sociologique de la structure

En dehors du droit, d'autres phénomènes consacrent le privilège du père : la vie en société malgache montre que le père, au regard des enfants, n'est pas n'importe qui ou que la paternité occasionne des droits spécifiques à ce dernier. A l'issue de la naissance d'un enfant, le père perd son nom pour ne porter que celui de son enfant précédé du sigle « *iaban'i...* » ou « le père de... »[19]. Ce nouveau nom lui confère une place privilégiée à l'est ou au nord de la maison au cours d'une réunion de famille. Dans ces mêmes circonstances, la paternité lui reconnaît le droit à la parole le dernier pour pouvoir trancher en cas de litige : un jeune qui souhaite prendre la parole avant un parent doit être autorisé.

De même, comme nous en avons déjà parlé précédemment, si de la viande devait être repartie entre les membres de la famille, il a droit, en priorité à l'arrière-train ; le proverbe malgache renchérit même en déclarant : *ny vody hena tsy mandeha aloha*, mot à mot, l'arrière train n'a pas à être attribué le premier, pour dire que l'aîné ou le parent n'a pas à parler le premier, le dernier mot lui revient en sa qualité de sage, d'homme le plus expérimenté et figurant parmi les détenteurs du pouvoir ancestral. Par contre, si du repas doit être offert, l'ordre de manger lui revient ou c'est lui qui débute la libation.

En dehors des réunions de famille, son privilège s'exerce également de facto : s'il est trouvé porteur d'un fardeau (un faix), le moins âgé est tenu de la décharger et un jeune tenu de passer devant son père ou un aîné, doit lui demander l'autorisation. Le non-respect des dispositions des coutumes ou des traditions encourt des réprobations

---

19 NJARA Ernest, Le nom de personne chez les malgaches de religion traditionnelle, ibid.

sociales appelées *tsiny* ou *tody*, autrement dit, des reproches dont les conséquences seraient innombrables : échec dans toutes les entreprises, maladie, décès prématuré etc.[20]
Les derniers privilèges les plus caractéristiques conférés par la paternité ou l'âge sont constitués par les fonctions sacerdotales de gardiennage. En effet, c'est le père ou le plus âgé de la famille qui assure les fonctions de gardien de la grande maison familiale ou du tombeau. Ceci a déjà été évoqué dans les pages précédentes. Le gardiennage de la grande maison oblige à rester en permanence dans le village, à y diriger les réunions de famille, quitte aux membres d'assurer les travaux champêtres de l'aîné empêché par ses obligations familiales, si le gardiennage du tombeau l'oblige à pouvoir veiller à l'ouverture du monument lorsque un membre doit y être inhumé. Les fonctions de gardiennage sont gratuites et c'est ce qui fait sa valeur au regard de la société : c'est un sacerdoce, tout le monde ne peut pas être désigné en qualité de gardien des biens immobiliers sacrés tels que une grande maison familiale et un tombeau.

Section 2
LES QUELQUES APPLICATIONS JURISPRUDENTIELLES DES COUTUMES INTEGREES DANS LE DROIT MODERNE

La consécration des coutumes par le droit moderne ne s'effectue pas de la même manière, de même degré. En effet, si certaines coutumes sont réceptionnées à deux titres, par voie législative et jurisprudentielle, d'autres n'ont pu faire leur entrée que seulement par l'intermédiaire de la jurisprudence. Les cas d'application jurisprudentielle de ces coutumes sont l'objet de la présente section, composée de deux paragraphes.

§1 – *LES APPLICATIONS JURISPRUDENTIELLES DES COUTUMES OFFICIELLEMENT INTÉGRÉES DANS LE DROIT MODERNE*

La plupart de ces coutumes ont été annoncées dans la section précédente. Il s'agit du *kitay telo an-dalana*, (*mizara mira*), du *masi-mandidy* et du *misintaka*.

20 NJARA Ernest, - Le mal et la justice à Madagascar, Présence Africaine op. cit., pp. 27 et ss.
- Revue juridique et publique de l'Académie des Sciences d'Outre-Mer, op.cit., pp. 122 et suivants.

I – *LE KITAY TELO AN-DALANA (MIZARA-MIRA)*

Le *kitay telo an-dalana* était le mode de partage des biens des époux en cas de divorce, qui s'effectuait suivant la proportion 1/3 pour l'épouse et le 2/3 pour le mari. (23 bis) Le partage inégalitaire s'explique par la primauté de l'homme par rapport à la femme, qui, à l'époque, résultait de l'importance des attributions, rôles joués par l'homme dans la société traditionnelle en général, dans le ménage en particulier. En effet, au sein de la société malgache traditionnelle, les durs labeurs et les grandes responsabilités revenaient à l'homme si la femme ne se voyait attribuer que les travaux domestiques : les hommes partaient en guerre contre les clans rivaux, assuraient la défense du territoire, étaient responsables des travaux agro-pastoraux si les femmes, à l'exception des travaux de repiquage de riz, de pilage de paddy trouvaient leur place de choix au foyer.

Cette pratique semblerait avoir été héritée de la déclaration du Souverain *Andrianampoinimerina* ainsi conçue :« Tout est à moi, et j'en fais comme trois tas de combustibles au bord de la route : deux sont assemblés par l'homme et un par la femme, si vous vous trouvez à la veille de vous séparer…. les biens seront partagés en trois quand le mariage se rompt : deux tiers reviennent à l'homme, et un à la femme, cf. Histoire des Rois op. cit, p.482.

Ce partage inéquitable, pendant des décennies, était jugé normal aux yeux de la coutume malgache et lors de l'adoption de Code Civil malgache, le *kitay telo an-dalana* a été érigé en régime légal ou de droit commun[21]. A défaut de contrat de mariage, les biens communs étaient partagés selon la proportion précitée, 2/3 pour l'homme et 1/3 pour la femme.

Sous ce régime, sont présumés communs, tous les biens existant au moment de la dissolution de la communauté, sauf à l'époux (ou à ses ayants droit) qui allègue un droit exclusif de propriété sur eux, à établir qu'il les a acquis avec des deniers propres[22]. Autrement dit, la règle en matière de mariage légitime, est la présomption de communauté des biens acquis pendant le mariage, d'une part, et que d'autre part, le principe est le partage suivant la prescription du *kitay telo an-dàlana* en cas de dissolution de la communauté, si l'exception est le régime conventionnel qui implique un partage conséquent.

21 Cf. Loi n° 67-030 du 18 décembre 1967, relative aux régimes matrimoniaux et à la forme des testaments, modifiée par la loi n° 68-012 du 4 juillet 1958 et nouvelle loi de 2007.
22 cf. civ. N° 90-104 du 20 juillet 1990.

Ce régime peu équitable n'a pas résisté à la fronde des femmes AREMA sous l'égide de la première dame de l'époque, Mme Céline RATSIRAKA, épouse du Président de la République, dans les années 1990. Et c'est ainsi qu'en vertu d'une loi n° 90-014 du 20 juillet 1990, en son article 16, « la composition, l'administration et le partage des biens constituant le patrimoine de la communauté ou de chacun des époux dans le régime de droit commun ou *mizara mira* sont soumis aux règles suivantes » parlant des biens personnels, des biens de la communauté et de sa dissolution. L'application du texte a fait l'objet d'un arrêt civil n° 736 rendu par la Cour d'Appel d'Antananarivo en date du 10 avril 1996 frappé de pourvoi en cassation pour avoir appliqué le *mizara-mira* s'agissant d'une communauté déjà dissoute en 1984. La Cour Suprême, Chambre Civile, dans un arrêt de 20 janvier 2000, a décidé que le texte de 1990 sur le *mizara-mira* ne peut s'appliquer que sur une communauté en cours au moment de la promulgation dudit texte. Partant, il ne saurait être question de *mizara-mira* pour une communauté déjà dissoute et ayant déjà fait l'objet d'un partage. En substance, elle a spécifié : « aux termes des articles 16 et 63 nouveaux de la loi n° 90-014 du 20 juillet 1990, pour que le partage *mizara-mira* puisse être appliqué, il faut que la communauté soit en cours et qu'il n'y ait pas accord amiable entre les parties ou une décision passée en force de chose jugée. Viole les textes susvisés, l'arrêt qui applique la règle du partage *mizara-mira* alors que la communauté n'est plus en cours en vertu d'une décision passée en force de chose jugée » (cf.civ.25 janv.2000, Bull.2000,n° 09, pp.14-15).
Le problème résulte du fait que la loi de 1990 était d'application immédiate mais ne saurait néanmoins être applicable à une communauté déjà liquidée. La règle de *mizara-mira* n'oblige pas les époux à partager la communauté en parts égales dans tous les cas : elle ne s'impose que lorsqu'un accord ne pouvait intervenir concernant le mode de partage des biens communs (articles 1 ,2 ,3 et 40 du texte). Cette règle a été reprise dans la nouvelle loi de 2007 dans son chapitre II intitulé : « Du régime du droit commun ou *mizara-mira* ». C'est une officialisation encore plus éclatante car le chapitre comporte plus de 40 articles, de 111 à 149.

23 NJARA Ernest, Profanation de sépultures, op.cit., pp. 60-63.

II – *LE MASI-MANDIDY*

A – L'explication du principe

La règle du *masi-mandidy* tire son fondement moins des attributs de la propriété que de la conception malgache de la mort. La mort chez les Malgaches de religion traditionnelle, n'est autre qu'une mutation, une occasion de changement de cadre, par conséquent, « les morts ne sont pas morts »[23].

Louis MOLET ne dément pas cette croyance quand il a déclaré : « Pour les Malgaches, le temps n'est pas linéaire, mais cyclique, l'idée de réincarnation leur est familière. Il ne s'agit donc que de conserver la vie ...Dans ce temps cyclique, la famille comprend aussi bien les morts que les vivants, ceux qui ont vécu que ceux qui vivent ou qui sont encore à naître. Autrefois, les vivants étaient le chaînon matériel entre parents morts et enfants à venir, maintenant, c'est le tombeau qui est le lieu commun de la famille dans son extension temporelle circulaire[24].

Les morts de la famille, même les petits enfants décédés dans leurs premières années, sont indistinctement appelés *razana* et sont la source de la vie et de tous les biens, richesse et fécondité. Ils sont ceux dont on vit, de qui l'on est issu et que l'on rejoindra par les soins de ses descendants[25].

Puisque la mort n'est pas la fin de la vie, les morts revivront mais sous une autre forme. La mort est un départ, un voyage pour une localité lointaine[26], d'où la nécessité impérieuse d'emmener une provision suffisante pour préparer une nouvelle vie. Pour cette raison, les animaux appartenant au défunt, notamment les herbivores, doivent être immolés pendant les funérailles pour pouvoir rejoindre, par la mort, leurs propriétaires. L'immolation d'une partie des animaux sinon de tous les animaux du défunt, est accomplie sur ordre présumé de ce dernier. C'est ainsi qu'à cette occasion il peut arriver que des centaines de bovidés soient immolés pour faire honneur au défunt. Ici, l'acte de disposition est absolu : l'immolation de tout le bétail appartenant au défunt n'étonne personne si elle figure parmi les dispositions d'un testament, seulement au regard de l'état de pauvreté extrême du pays, un tel acte ne saurait s'interpréter autrement que

---

24 MOLET Louis, Le bain royal à Madagascar, Tananarive 1956, p. 200.

25 NJARA Ernest : Profanation de sépultures ibid ; Le nom de personne chez le Malgache de religion traditionnelle, op.cit., pp. 216-217.

26 MANGALAZA Eugène, La poule de Dieu, essai d'anthropologie philosophique chez les Betsimisaraka, 1993, pp. 158-159.

comme une expression outrancière voire absurde de la règle du *masi-mandidy*.

Une autre explication du principe du *masi-mandidy*, plus convaincante cette fois-ci, est arrimée autour de la notion d'autorité patriarcale reconnue au chef de famille : les parents, surtout le père, sont supposés comme étant les représentants de Dieu sur terre. Ils doivent être vénérés, tout au moins respectés. Pour pouvoir maintenir ses enfants sous son autorité, un père n'hésite pas à menacer d'exhérédation tout candidat à la désobéissance, à l'ingratitude. Par le testament, un père peut gratifier qui il veut, quitte à priver ses propres enfants des biens de la succession : il peut gratifier les enfants du second lit et frustrer même les enfants légitimes du premier lit.(cf.supra Histoire des Rois, déclaration d'*Andrianampoinimerina*, p.11 : « vous pouvez, vous les parents disposer de votre fortune en faveur de qui vous voulez... »). La menace d'exhérédation ou de privation des biens de la succession impose aux enfants une obéissance totale à l'égard de leurs parents, un respect religieux vis-à-vis de ces derniers. Le *masi-mandidy* rentre donc dans le cadre d'une politique d'administration de la famille.

B – L'illustration du principe

La jurisprudence constante malgache traduit le *masi-mandidy* par le fait que «tout malgache peut disposer de ses biens comme il l'entend »[27]. Il s'applique sur tous les biens du testateur, meubles ou immeubles et concerne tous ses enfants naturels ou légitimes. Il peut profiter à toute personne qui accepterait de bénéficier d'une disposition testamentaire, une personne morale ou physique, familière ou étrangère au testateur. Il déroge à la règle de la dévolution successorale.

Ce pouvoir presque absolu n'est cependant pas sans limite ; les conditions suivantes doivent être remplies pour que puisse s'appliquer le *masi-mandidy* :

- les biens objet du testament doivent appartenir en propre au testateur ;
- les biens doivent être disponibles ;
- le testateur, lors du jour de la disposition, doit disposer d'une volonté consciente et réfléchie, en pleine possession de ses capacités

27 – Arrêt n° 107 du 3 août 1944 de la Cour d'Appel de Madagascar. Chambre Civile Indigène, Jurisprudence de la Chambre Civile de droit local, tome 1, du 1er janvier 1940 au 1er janvier 1950, pp. 197-198.
– Voir également arrêt n° 177 du 22 décembre 1949, op.cit., p. 416 et arrêt n° 72 du 12 juin 1941, p. 74.

mentales[28]. Mais l'existence ou l'absence de cette volonté sont souverainement appréciées par les juges du fond comme l'interprétation de cette volonté appartient exclusivement à ces derniers[29] ;

– le testament doit avoir été établi selon les règles de forme prévues pour la confection du testament concerné, olographe, mystique ou public.

Dans ce sens, un arrêt a déclaré à juste titre : « Attendu que, si en vertu du *masi-mandidy*, tout Malgache peut disposer de ses biens comme il l'entend, il ne peut cependant exercer le droit illimité qui lui est conféré qu'en observant les formes prescrites à peine de nullité par les lois et coutumes pour la régularité des testaments. Qu'ainsi, en déclarant nul le testament qui ne remplissait les conditions exigées, le jugement dont est recours, loin de violer la coutume, s'y est, au contraire, strictement conformé »[30].

En d'autres termes, les règles de fond et de forme pour l'établissement des testaments doivent avoir été observées. Elles sont, en effet, prescrites à peine de nullité. Bien que souverain dans son acte de disposition, le testateur doit se conformer aux dispositions légales et coutumières, à tous égards, d'ordre public.

III – *LE MISINTAKA*

Nous en avons déjà parlé dans la première section et avons même cité, à l'appui de notre analyse, un arret de la Cour Suprême de Madagascar, Chambre de Cassation et une opinion d'un auteur. Notre analyse va être un peu plus détaillée et tenir compte des points de vue de la jurisprudence.

– *Commençons par les causes ou raisons du misintaka*

Puisqu'il s'agit de l'exercice d'un droit par la femme malgache, elle n'a pas à justifier le recours au *misintaka* : elle peut en effet quitter temporairement le toit conjugal dès lors qu'elle estime devoir exercer son droit, à toute heure de jour et de nuit[31]. Mais les motifs du

28 Arrêt n° 43 du 7 mars 1946, op.cit., p. 269 : le testament peut cependant être annulé s'il est prouvé que le testateur, a disposé sous l'emprise « d'une colère impulsive et déterminante, obscurcissant le jugement du rédacteur lors de la confection de l'acte ».

29 Civ. 22 oct. 1974, Bull. 1975, n° 74, pp. 312-313.

30 Arrêt n° 107 du 3 août 1944, ibid ; et n° 56 du 24 avril 1941, op.cit., p. 69.

31 Arrêt n° 152 de la C.A, 1941, op.cit., p. 106.

fisintahana n'échappent pas moins à l'appréciation du juge du fond[32] et surtout que la nouvelle loi de 2007 n'autorise le *fisintahana* que seulement « lorsque le mari a gravement manqué aux obligations et devoirs résultant du mariage ».

– *Ensuite, la durée*

Elle ne dépend pas cependant de la seule volonté de la femme : elle dépend aussi de celle du mari. Le *misintaka* doit cesser dès après la démarche entreprise par l'homme pour la réintégration du domicile ou *fampodiana* ; un *fampodiana* infructueux peut néanmoins justifier une action en divorce par le mari. Dans ce sens, la femme malgache en état de *misintaka* peut demeurer là où elle veut tant que le mari n'a pas « fait les invitations et sommations imposées par la coutume »[33], mais l'article 52 de la nouvelle loi a fixé à deux mois la durée du *fisintahana*.

– *En outre, le lieu d'exercice du misintaka*

C'est ici que l'exercice de ce droit de *misintaka* rencontre une limite : le *misintaka* n'a pas à être exercé n'importe où. Il faut que la femme rejoigne ses parents ou cohabite avec une personne de conduite irréprochable mais elle peut vivre seule dans un endroit décent. Il va sans dire que la cohabitation avec un amant est contraire à l'esprit du *misintaka* qui n'est pas le divorce : l'obligation de fidélité doit toujours être observée.
E.P. THEBAULT s'en exprime de façon on ne peut plus claire : « La femme peut donc quitter temporairement le domicile conjugal : mais elle ne peut aller résider n'importe où. Elle doit aller habiter dans sa famille, et ne pas vivre seule, chez n'importe qui, ou mener une vie errante ; elle doit s'y conduire de façon irréprochable, se souvenir qu'elle n'est pas libre et qu'elle est toujours tenue au devoir de fidélité. Une jurisprudence constante lui refuse tout droit à pension alimentaire pendant le temps durant lequel elle va vivre ainsi »[34].Cependant l'article 53 de la nouvelle loi de 2007 impose le maintien des droits et obligations résultant du mariage. Seule l'obligation de cohabitation se trouve être suspendue : les obligations de fidélité, d'aide et assistance conservent leurs entiers effets (cf.p.12 supra III parlant du mariage).

32 Civ. 8 mai 1973, Bull. 1976, n° 27, pp. 44-45.
33 Arrêt n° 152 précité de la CA, rendu en 1941.
34 THEBAULT E.P., Traité de droit civil malgache moderne, tome 1, fascicule 2, Mariage et divorce, Librairie de Madagascar, 1964, il les conditions du *misintaka*, p. 133.

– Enfin, les conséquences du misintaka, la pension alimentaire

Une femme amenée à quitter temporairement le toit conjugal peut emmener quelques uns des biens de la communauté utiles pour son séjour et notamment ses biens personnels. Et qu'en est-il du droit à la pension alimentaire ? Est-il maintenu ou suspendu ?
La pension alimentaire est accordée à l'épouse soit pour lui permettre de vivre décemment quand elle est séparée provisoirement de son mari, soit à titre de contribution à l'entretien des enfants communs après le jugement de divorce. Ce que l'on doit souligner en l'espèce, c'est que, de son gré, la femme a suspendu la cohabitation, c'est-à-dire, manqué une obligation imposée par le lien matrimonial. La jurisprudence ancienne avait alors décidé qu'une femme en état de *misintaka* ne pouvait pas prétendre à une pension alimentaire. « Attendu que la loi coutumière n'a jamais admis qu'une telle situation *misintaka* ait pu donner naissance à pension alimentaire pour les enfants qui suivent leur mère en cet état, et, à plus forte raison pour la femme[35] ».
Cette jurisprudence ancienne, n'a pas été suivie par les juridictions inférieures, après l'indépendance en 1960. Les dispositions de l'arrêt ci-après sont éloquentes à ce sujet : « Attendu qu'il est de jurisprudence constante que la femme en état de *misintaka* n'est pas fondée à réclamer pour elle et les enfants qu'elle a emmenés avec elle, une pension alimentaire ; Que cette solution se justifie par le souci d'une part de freiner toute idée chez la femme de recourir trop souvent à son droit de *misintaka*, et d'autre part, d'éviter que dure indéfiniment une situation issue de l'état de *misintaka* la femme refusant de rejoindre le toit conjugal à la suite d'une procédure de f*ampodiana* pour pouvoir continuer à bénéficier de la pension alimentaire que verse son mari ; Mais attendu que les termes de l'article 55 de l'ordonnance sur le mariage, selon lequel pour des motifs graves, la femme peut quitter temporairement le domicile conjugal ... doivent permettre au juge d'apprécier les motifs qui ont amené la femme à faire le *misintaka* et à lui accorder selon les cas, une pension alimentaire. Attendu qu'en l'espèce, ce sont les mauvais traitements infligés par son mari alors qu'elle était en état de grossesse et qui constituaient de la part de celui-ci autant de façon de la chasser, qui ont amené la dame RALAISON à quitter le domicile

35 Arrêt n° 66 du 31 mai 1945, op.cit., pp. 231-232, et également arrêt n° 18 du 15 février 1945, op.cit., p. 216.

conjugal ; Attendu que s'agissant de pension alimentaire, il y a toujours urgence ; que le juge des référés est compétent .... »[36].
Il résulte de cet arrêt de la Cour d'Appel d'Antananarivo que le *misintaka* n'est pas en soi une fin de non-recevoir à une demande de pension alimentaire. Les raisons qui ont amené une femme à exercer son droit sont souverainement appréciées par les juges du fond : le *misintaka* donne droit à une pension alimentaire suivant que ses motifs sont légitimes ou non. C'était la jurisprudence. Mais selon les dispositions de l'article 53 de la nouvelle loi : « les obligations des époux sont maintenues pendant la période de *misintaka* ». Les critiques susceptibles d'être formulées contre ce texte sont que : il constitue une prime à l'abandon du foyer par les femmes et il consacre un traitement inégal entre l'homme et la femme en raison du fait que, si l'abandon est un droit pour une femme, c'est une infraction pour l'homme, punie d'une peine d'emprisonnant (article 1 de l'ordonnance n° 60-025 du 4 mai 1960 portant répression de l'abandon de famille).

§2 – *Les applications jurisprudentielles des coutumes officieusement intégrées dans le droit moderne*

Ainsi appelées car ces coutumes ont pu survivre grâce à l'œuvre de la jurisprudence : sans cette dernière, elles auraient pu perdre leur vivacité, sinon leur vie. Étant donné leur disparité, il n'est possible d'en faire une étude exhaustive. Nous ne pouvons faire qu'une étude partielle et concernant deux aspects seulement, à savoir :
– les dispositions coutumières sur les biens ;
– les dispositions coutumières sur les règles morales.

I – LES DISPOSITIONS COUTUMIÈRES SUR LES BIENS

A – Une disposition coutumière sur les biens mobiliers : *le arakaraka*

Les dispositions de l'arrêt suivant sont éclairantes à plus d'un titre : « Considérant que par requête du 18 septembre 1938, la dame *Raharimina* couturière, a assigné le sieur *Rainimanana Rasoava* en

36 Arrêt n° 247-D-N° 738/72 du 21 février 1973 de la Chambre Civile de la Cour d'Appel d'Antananarivo, affaire RALAISON Nelson *Andriankoto* contre son épouse RAJONSON *Noroarimanana* qui a eu gain de cause contre son mari, attrait devant le TPI de *Mandritsara* pour s'entendre à lui allouer une pension alimentaire alors qu'elle était en état de *misintaka*.

restitution de divers meubles lui appartenant ; Que le défendeur a conclu au rejet de cette demande au motif que les meubles revendiqués lui avaient été, suivant acte en date du 13 avril 1939, remis en nantissement par le sieur *Raharijaona*, fils de la demanderesse, en garantie d'un prêt de 750 francs, et que, conformément aux clauses dudit acte, ces meubles sont devenus sa propriété, par suite du non-remboursement à l'échéance de la somme prêtée ; (...) Considérant qu'il est constant que les meubles faisaient partie de la communauté ayant existé entre la dame *Raharimina* et son défunt mari ; qu'ils appartenaient indivisément à la dame *Raharimina* et aux enfants issus du mariage dans la proportion de 3/9 à la demanderesse, de 2/9 à chacune des deux parties intervenantes et de 2/9 à la partie mise en cause ; Considérant que *Rajaonarisoa* Raymond est décidé ; que sa part revient à sa mère ;
Considérant que le principe de droit malgache connu sous le nom de *arakaraka* permet au propriétaire d'un meuble de le revendiquer entre les mains de tiers ; que la demanderesse et les deux parties intervenantes sont donc fondées à revendiquer à l'encontre du défendeur, les meubles leur appartenant et ce dans la proportion de 7/9 ; que le défendeur est irrecevable pour résister à cette demande, à se prévaloir de l'acte de prêt avec nantissement en date du 13 avril 1939, ledit acte étant nul pour défaut de visa ; qu'il est donc tenu de restituer les meubles revendiqués... »[37].

Il ressort bien de cette décision que *l'arakaraka* est une action mobilière reconnue à tout propriétaire d'un bien, ou à un copropriétaire ou indivisaire. Un droit réel, il est opposable *erga omnes*, à tout détenteur, au tiers, de ce fait justifie un droit de suite. Droit subjectif, il est transmissible aux héritiers en cas de décès de son propriétaire dès lors que de sont vivant, celui-ci n'avait pas exercé son droit. A ce titre, le *arakaraka* est une action en revendication susceptible d'être exercée par un propriétaire à titre personnel ou par un héritier au nom de son auteur. Mais le problème, pour cette action mobilière, est celui de preuve, étant entendu qu'« en fait de meuble, possession vaut titre » : le détenteur d'un bien meuble, présumé en être le propriétaire jusqu'à preuve du contraire, peut se prévaloir de tous actes translatifs de propriété, à savoir, une vente, un échange ou une donation. Cela est surtout vrai en matière commerciale où les preuves écrites ne sont pas toujours exigées, la règle étant la liberté de preuve ; la présomption peut même s'appliquer en la matière (article 452-2 et suivants,453 du Code de Procédure Civile, édition 2004).

---

37 Arrêt n° 125 du 9 octobre 1941 de la CA, Chambre Civile indigène précitée, affaire RAHARIMINA contre RAINIMANANA et Consort

Le *arakaraka* était une action en revendication efficace à l'époque où le Malgaches localisés ou éparpillés dans un territoire pas assez étendu, se connaissaient et où les activités commerciales n'occupaient pas la place dans laquelle elles se trouvent à l'heure actuelle. A l'époque, le droit réel s'exerçait normalement entre membres d'une même famille à telle enseigne que les problèmes de preuve d'une propriété ne se posait pas : les témoignages garantissaient contre toute velléité d'atteinte à la vérité, voire de mensonge. L'attachement à la solidarité familiale ou clanique à l'époque rendait d'ailleurs incongrue toute déviance aux normes de bonne conduite : on disait même que, dans les campagnes, personne n'osait toucher à une bouse de vache renversée (*tain'omby mivadika aza tsy misy sahy maka*).

B – Les dispositions coutumières sur les biens immobiliers

Les biens en question pourraient être une propriété collective et ou individuelle.

1) Les dispositions sur une propriété collective

Il s'agit du *mamelomaso* et des biens *ko-drazana.*

a) Le mamelomaso

« Le *mamelomaso* consiste en ce que tout co-héritier d'une succession indivise, le plus souvent l'aîné de la famille, qui, avant le partage, a cultivé et fait produire les biens de cette succession, ne doit, de ce chef, aucune indemnité aux autres co-héritiers, si du moins, sa jouissance a été publique, et s'est effectuée au vu et au su des autres ayants droit »[38]. A la lumière de la citation, on pourrait mieux comprendre le mot *mamelomaso* par son origine. C'est la contraction des deux mots *mamelona* et « maso », d'où, mot-à-mot, le concept signifie « mettre en valeur », l'équivalent de *manamainty molaly* en malgache ou même *manalehibe voho.*
L'application du principe du *mamelomaso* résulte des dispositions de l'arrêt de 8 mai 1947 de la Cour d'Appel, maintes fois citée : « Attendu qu'en droit malgache, le copropriétaire d'un bien indivise qui, du consentement de ses co-indivisaires, plante des arbres sur l'immeuble

38 Arrêt n° 60 du 8 mai 1947 de la Cour d'Appel, op.cit., citant Traité de Justice Indigène de GAMON, p. 74.

commun, a seul droit au produit de ses arbres qui sont et demeureront sa propriété commune de tous ... »[39].

Le *mamelomaso*, tout compte fait, est un droit de jouissance ou de superficie. Puisque la définition ainsi que l'application sont précises, le *mamelomaso* ne concerne que la mise en valeur, notamment la mise en culture. La construction d'une maison ne peut pas constituer un acte de « mamelomaso » ; ce serait une appropriation personnelle, à moins que les co-indivisaires y aient consenti. La construction d'un immeuble ne contredit pas la règle dès lors que le propriétaire n'en demande pas l'immatriculation, un acte de pure appropriation, attentatoire au caractère commun de la propriété.

Ce serait tout de même un risque car l'absence de contestation de la part des co-indivisaires pourrait être présumée comme un consentement, d'autant plus que l'occupation est publique, sans violence.Si ce n'est pas un risque, ce sera un avantage, un gain supplémentaire pour l'occupant en cas de partage : installé sur les lieux avant les autres, la priorité dans le temps grossit le handicap des autres co-propriétaires si elle profite à celui qui se trouve être installé. C'est ce que rappelle le principe latin : Prior tempore, potior jure, mot à mot : qui a priorité dans le temps, a priorité dans le droit, traduit en malgache par : *Izay tonga aloha tompo-tanindrazana*. Il peut demander la confirmation de sa situation surtout s'il est l'aîné de la famille. Il serait amené à se prévaloir indirectement d'un privilège d'aînesse qui n'est pas prêt de s'éteindre dans la société malgache bien qu'ignoré par le droit positif.

b) Les biens ko-drazana

– Les éléments constitutifs des biens ko-drazana

On ne sait pas trop l'origine du mot, mais on pourrait l'interpréter comme étant le contraction de *vako-drazana*, lui-même étant la diminution de *vakoka razana*, ou héritages ancestraux, les richesses héritées des ancêtres. En tout cas, les *ko-drazana* sont des biens caractérisés par :

– son origine ancestrale ;
– sa nature indivise ;
– sa valeur sentimentale particulière issue de son origine ancestrale.

Ces biens appartenaient, au début, aux ancêtres, et par suite de leur décès, ils revenaient aux descendants. Généralement, ce sont des biens immobiliers, maisons d'habitation, terrains de cultures ou

39 Arrêt n° 60 du 8 mai 1947, cette fois-ci à la page 309 de l'ouvrage précité.

pâturages, mais des biens meubles peuvent en constituer. C'est ce qu'on peut déduire des dispositions de l'arrêt ci-dessous : « SUR LE DEUXIEME MOYEN pris de la violation de la coutume, notamment en ce qui concerne le *ko-drazana :* Attendu que, pour justifier ce moyen, Jean Baptiste *Rajaspera* soutient que Joséphine *Ramasinoro* était détentrice de nombreux bijoux en or et des pièces d'or de grande valeur qui constituaient un bien *ko-drazana* de la famille depuis un temps immémorial ne pouvant être attribués à d'autres personnes que celles de la famille du sang ; Que toutefois, par le testament attaqué, ces biens ont été attribués à une bru, laquelle n'est pas dans la famille du sang, d'où violation de la coutume ... »[40].

Les biens *ko-drazana* peuvent donc être des immeubles ou des meubles mais ils ne peuvent être que matériels ; la question est alors celle de savoir s'ils peuvent concerner des valeurs numéraires, un fonds de commerce ou des produits de l'intelligence tels que les droits d'auteur. Cela apparaît inconcevable pour un certain nombre de raisons.

Premièrement, les biens précités sont des produits de la modernité inconnus ou peu connus au temps des anciens.

Deuxièmement, les biens *ko-drazana* sont des biens non périssables, résistant à l'effet du temps, pouvant être conservés pendant des années par un héritier au nom des autres co-indivisaires, transmissibles de parents à enfants. C'est ainsi que, outre les rizières, enclos, et dépendances, constituent des biens *ko-drazana,* des lits et des marmites[41], l'essentiel est qu'un bien *ko-drazana* doit avoir une origine familiale voire ancestrale : il doit être un bien légué par la famille et difficilement périssable. On peut en déduire que les animaux d'élevage périssables se conçoivent difficilement comme des biens *ko-drazana.*

– *Les caractéristiques des biens ko-drazana*

Les biens *ko-drazana* sont une indivision successorale et en tant que tels, ils peuvent être l'objet de partage. Les dispositions des deux arrêts suivants ne démentent pas cette affirmation : « Attendu que la coutume malgache a admis la règle que « nul ne peut être contraint de demeurer dans l'indivision » ; qu'en présence de contestations entre co-héritiers, sur le règlement du partage, il appartient aux tribunaux d'intervenir et de permettre la licitation des biens impartageables en nature, lorsque cette solution est la seule qui puisse être envisagée

40 Arrêt n° 73 du 4 juin 1945 de la CA précitée, p. 236.
41 Arrêt n° 50 du 14 mars 1940, op. cit., p. 19.

pour sortir de l'indivision… »[42]. La décision de la Cour d'Appel a répondu à un moyen soutenant la violation de la coutume qui prescrit le partage des biens indivis, ainsi que la transgression des dernières volontés d'une testatrice. Un autre arrêt de la même Cour a repris la même motivation : « Attendu qu'il est admis en droit malgache comme en droit français que chaque héritier a le droit de demander le partage des biens successoraux et de provoquer, lorsque le bien est impartageable, sa vente sur licitation »[43].

Les deux décisions soutiennent le caractère partageable des biens *ko-drazana* mais l'aspect ancestral de la succession limite leur divisibilité : les biens *ko-drazana* ne sont divisibles qu'entre les héritiers relevant d'un même arbre généalogique, d'une même famille relevant du même sang, ce qui exclut les familles par alliance[44]. Cette limitation restreint l'aliénabilité des biens *ko-drazana* : s'il y a acquisition, elle s'opère dans la famille. C'est peut-être même l'essence des biens *ko-drazana* ; on comprend mal un bien ancestral transmissible en dehors du cercle familial : un bien *ko-drazana* sorti de cette cellule, n'en est plus un ou cesse de l'être. C'est ce qu'on pourrait retenir à juste titre de l'article 224 du Code des 305 articles ainsi conçu : « En ce qui concerne les biens indivis dits *ko-drazana,* institués sous *Andrianampoinimerina, Lahidama*, Ranavalona I, Radama II, sous la forme de biens transmissibles à l'ainé des enfants survivants, chargés de les gérer, si les héritiers veulent plaider. Toutefois, si parce que vous voyez un parent riche ou occupant une situation importante, vous prétendez mensongèrement qu'il possède des biens *ko-drazana*, indivis avec vous, et que, ni le fokonolona, ni la tribu, ni la famille, ni les *andriana*, du *vodivona* n'en aient connaissance, vous perdrez votre procès et serez puni d'une amende de cinq bœufs… » (traduction Cahuzac).

2) Les dispositions sur une propriété individuelle

Il en existerait un certain nombre, mais, ce qui nous intéresse, ce sont le *fehivava* et le *heriny*.

a) Le fehivava

On ne manque pas de se poser des questions sur le sens exact et l'origine du concept de *fehivava*. On comprend tout simplement que le

42 Arrêt n° 97 du 22 juillet 1948, op. cit., p. 97.

43 Arrêt n° 85 du 10 juin 1948, op.cit., p. 349, se référant à GAMON, Traité de la Justice Indigène, 2ème édition, p. 75.

44 Cf. arrêt n° 73 précité.

mot est composé de deux substantifs, *fehy* et *vava*, le premier voulant dire lien ou corde, le second, bouche. Si l'on essaie de combiner ces deux mots, on arrivera à traduire *fehivava* mot-à-mot par, muselière, appareil servant à empêcher la bouche de s'ouvrir.
Le *fehivava* pourrait s'interpréter comme tel dans la mesure où, selon une jurisprudence constante des plus hautes juridictions malgaches, il se conçoit comme un contrat notamment synallagmatique. Vu dans ce sens, le contrat de *fehivava* sera mieux compris après l'examen de sa formation, de ses effets et enfin, de sa nature juridique.

– La formation du contrat de fehivava

Notre approche n'a rien de particulier car elle ne diffère pas de l'approche traditionnelle concernant un contrat. En effet, les conditions de fond de tout contrat admises sont les suivantes : objet réalisable, cause licite et accord de volonté des parties au contrat. Jusque là, le contrat de *fehivava* n'a rien de spécial.
Ce que l'on doit noter de nouveau, c'est que, si l'on analyse les arrêts de la Cour d'Appel d'Antananarivo à l'époque de la colonisation, les années 1940 et 1950 et un arrêt de la Cour Suprême en 1990, on est en droit de constater que le contrat de *fehivava* porte sur un immeuble et généralement sur un terrain de culture et une rizière lesquels servent de garantie de remboursement de la somme prêtée à l'emprunteur. La jurisprudence des juridictions malgaches, ne parlent pas de meuble objet d'un contrat de *fehivava*. Cela apparaît normal pour deux raisons au moins :
- un bien mobilier, à moins qu'il soit immatriculé, est loin d'être sécurisant du fait de la possibilité de perte et de dommage qui pourraient l'affecter ;
- l'emprunteur d'argent est tenu de se déposséder d'un immeuble au profit du prêteur en garantie du remboursement de la somme prêtée.

Or, une telle disposition, même provisoire, confère au prêteur, s'agissant d'un bien mobilier, le titre de propriétaire, tout simplement parce qu'il sera tenté d'exercer un droit plénier, l'abusus. S'il n'est pas propriétaire, il pourrait être considéré comme tel en vertu de l'adage précité à savoir : « En fait de meuble, pas session vaut titre » ; le détenteur d'un bien mobilier, jusqu'à preuve du contraire, est présumé en être le propriétaire véritable.
Concernant les conditions de forme, l'enregistrement de l'acte de prêt est toujours requis. On comprend les raisons de cette exigence : soucis de publication de l'acte entrepris et de sécurisation des parties, des tiers et notamment du prêteur. L'exigence est telle que la non observation encourt la nullité du contrat conclu. Un arrêt a décidé dans

ce sens : « Considérant que ces actes non enregistrés sont nuls et de nul effet. Qu'eu égard aux dispositions du deuxième § de l'article 69 de l'arrêté du 8 septembre 1909, il ne pouvait être procédé à l'audition des témoins pour établir la réalité de ces actes et leur sincérités. Qu'encore moins, le contrat de *fehivava*, acte non enregistré, nul et dépourvu de force probante, ne pouvait être pris en considération par le tribunal pour décider que les parcelles *Ankoraka* I et III d'*Antsirasitra* appartenaient à la dame *Hamofoa*, aux sieurs *Fihamira* et *Mahalasitra* et non au sieur *Revera*, auteur de *Mariliny*… »[45]. Ainsi donc, tout ce qui n'est pas écrit est présumé inexistant car : « verba volant, scripta manent ». A ce sujet également on dit, de façon poétique : « A la parole, la vie, la couleur, tout ce qui fait le verbe et toutes les libertés que la plume n'a pas » mais, l'écrit, inversement, on reconnaît « un facteur d'ordre dans la pensée, de clarté et de précision, dans l'expression, de sécurité dans la discussion et dans le jugement » (48 bis).

C'est cet aspect essentiel et sécuritaire qui intéresse le droit et c'est ce que rappelle notre haute juridiction. En effet un arrêt récent, de la Cour Suprême cette fois, a confirmé la nécessité d'un écrit pour qu'un contrat de *fehivava* ait une existence légale : « … qu'un contrat de *fehivava*, pour exister juridiquement, doit être enregistré et soumis à des formalités de publicité, sur les livres de la Conservation Foncière par exemple, ce qui n'est pas le cas en espèce ; n'existant pas, ce soi-disant contrat ne saurait servir de base à la demande de RABEMAHASOLO… »[46]. La nécessité d'un écrit résulte des dispositions de l'arrêté précité, mais en dehors de ce texte, la pratique milite également en faveur d'un écrit, étant donné la valeur naturelle d'un immeuble et les conséquences possibles de la conclusion d'un contrat de *fehivava* qui pourrait autoriser le prêteur à demander la licitation de l'immeuble engagé en cas de non remboursement à terme de la somme prêtée.

L'exigence d'un écrit résultant de la valeur d'un bien objet d'un acte a été renouvelée par la loi sur la théorie générale des obligations, qui, dans son article 292 stipule : « La preuve testimoniale n'est pas recevable en matière d'obligations contractuelles si la valeur de l'objet principal de l'obligation excède 10 000 francs ». Cet article s'applique à un acte ayant un immeuble pour objet, tel que le contrat de *fehivava* : un immeuble évalué à moins de 10 000 francs n'existe pratiquement

45 Arrêt n° 60 du 21 avril 1949, op.cit., affaire MARILINY contre RAFAHA Alphonse

48 bis RANDRIANAHINORO (Sylvain), Procédure Civile, CMPL, p.121.

46 Arrêt n° 17 du février 1990, de la Chambre Civile et d'Immatriculation de la Cour Suprême, Bulletin des Arrêts de la C.S. de Madagascar, années 1990, 1991 et 1992, édition 1996, p.14.

pas ; ou bien il est l'objet d'une libéralité ou bien d'un acte onéreux auquel cas, la valeur ne saurait être inférieure à 10 000 francs.

– *Les effets du contrat de fehivava*

Le contrat de *fehivava* a, à peu près, les mêmes effets que les contrats classiques : il oblige les deux parties et en même temps, crée des droits à leur profit. La particularité réside dans la possibilité reconnue au prêteur de se prévaloir des privilèges particuliers, à l'emprunteur, de reprendre son immeuble.

* *La naissance d'obligations réciproques*

Nous admettons provisoirement le caractère synallagmatique du contrat de *fehivava* ; il engage les deux parties : le prêteur tenu de remettre à l'emprunteur la somme d'argent convenue et l'emprunteur devant s'engager à rembourser la somme prêtée au terme prévu. Mais entre temps, le même emprunteur doit se déposséder d'un immeuble au profit du prêteur pour l'assurer du remboursement de la somme prêtée. A juste titre, un arrêt de la Cour d'Appel d'Antananarivo a décidé dans ce sens : « Considérant quant à la propriété *Antsirava* appartenant à la dame *Mariliny* que le contrat de *fehivava* ayant été reconnu par cette dernière, c'est à bon droit que le Tribunal en a maintenu la jouissance au sieur *Rahafa* jusqu'à complet remboursement de la comme prêtée par lui au sieur *Ravera*, auteur de *Mariliny*... »[47]. En d'autres termes, il suffit à l'emprunteur de mettre un immeuble à la disposition provisoire du prêteur. Il faut en outre lui reconnaître une jouissance paisible, par conséquent, deux sous obligations contractuelles, celle de remise et de libre et paisible jouissance.
Normalement, la sûreté immobilière porte sur un fonds agricole ou pastoral. Ce dernier aspect caractérise le contrat de *fehivava* ; un contrat de *fehivava* non assorti d'une sûreté immobilière en faveur du prêteur, n'en est pas un, mais la remise d'une somme d'argent à l'emprunteur n'est pas moins une condition nécessaire à l'existence de ce type de contrat. Peut-on alors affirmer que le *fehivava* est un contrat réel ? Nous sommes de cet avis car une simple promesse de part et d'autre, du prêteur et de l'emprunteur ne suffit pas. Il faut une tradition, une remise à la disposition du prêteur en vue d'une jouissance, la clause *tsatoka* étant strictement interdite (cf.arrêt n° 26

47 Arrêt n° 60du 21 avril 1949, op.cit-. p. 377 et notamment arrêt n° 35 du 13 mars 1941, op.cit., p. 64.

du 15 février 1940, affaire RAVOLOLONA contre RABEFIANARANA, infra p. suivante).
En sorte, les deux conditions sont liées, inséparables : si la première constitue une condition générale, la seconde, une condition particulière ; l'une ne saurait exister sans l'autre.

* *La naissance de privilèges au profit du prêteur*

Le titre de prêteur confère un double privilège, celui de détenteur d'un immeuble et celui de créancier « hypothécaire » :

– Le privilège en qualité de détenteur d'un immeuble

Il découle de la jurisprudence que le créancier *fehivava* « à qui l'immeuble est remis, a la jouissance pleine et entière, et perçoit les fruits pour son compte »[48]. Cette jouissance pleine et entière doit être paisible et il revient à l'emprunteur de l'en assurer au prêteur : il ne peut exercer son droit de reprise que seulement après le remboursement à l'échéance de la somme prêtée. Rien n'est cependant moins sûr concernant les fruits et d'ailleurs l'on ne sait pas de quels fruits voulait parler la jurisprudence car ils peuvent être naturels, civils ou industriels[49]. Tout est question d'espèce et suivant les dispositions du contrat de *fehivava* conclu entre le prêteur et l'emprunteur. S'il en est ainsi des fruits, qu'en est-il des produits ?
En effet, les produits s'entendent des fruits dont la perception entraîne la détérioration de la substance, comme par exemple, les arbres d'une forêt. Normalement les produits restent la propriété pleine et entière de l'emprunteur, mais le contrat peut prévoir des dispositions contraires. Certains arbres d'une forêt, certains matériaux d'une carrière peuvent être cédés. Seulement dans ces conditions, le prêteur hypothécaire se comporterait comme un véritable propriétaire alors que le *fehivava* ne confère la qualité de propriétaire qu'après réalisation de l'hypothèque ou une licitation ou vente aux enchères publiques du bien engagé.

– Le privilège en qualité de créancier hypothécaire

Si l'emprunteur ne rembourse pas à l'échéance la somme prêtée, deux situations sont possibles : ou bien, le contrat continu par tacite reconduction ; ou bien, le prêteur exerce son droit de créancier « hypothécaire ».

48 Ibid., n° 35 précité.
49 Fruits naturels des arbres, fruits civils comme les loyers et redevance, et fruits industriels tels que les cultures.

C'est ce qu'on peut déduire des énonciations de cette décision : « Attendu que les contrats passés entre *Fony* et *Ravelondoria* présentent les caractères des contrats *fehivava*, selon lesquels le prêteur doit être considéré avant tout comme un créancier gagiste ; qu'à défaut de remboursement au terme convenu, il ne devient pas, à moins de stipulation contraire énoncée expressément dans l'acte, propriétaire de plano du fonds rural, selon la procédure malgache, pour être payé jusqu'à due concurrence sur le montant du prêt. Attendu qu'il est spécifié d'autre part, à l'article 20 des Instructions aux Gouverneurs que, lorsqu'à l'échéance le débiteur ne peut payer l'intégralité de la somme qui lui a été prêtée, il sera procédé à l'estimation exacte des biens donnés en garantie de façon à ne prélever sur eux que l'équivalent du reliquat à parfaire … »[50].

En quelque sorte, le prêteur n'est pas autorisé à appréhender injustement le bien « hypothéqué » et s'enrichir de facto. Son droit consiste à demander l'estimation du bien gagé avant de procéder à la licitation pour le prix de la vente être affecté en partie au remboursement de la somme prêtée : la clause dite *tsatoka* est ainsi interdite par les dispositions de l'article 20 précité des Instructions aux Gouverneurs. La clause est justement celle qui, dans un contrat de prêt, stipule une possibilité d'appropriation du bien prêté par le prêteur en cas de non-remboursement au terme convenu. A ce sujet, un arrêt a décidé : « … Considérant par contre, que c'est à tort que le tribunal a considéré comme valable la clause *tsatoka* permettant à la créancière *fehivava* de devenir propriétaire de l'immeuble à défaut de remboursement dans le délai convenu ; que cette clause étant nulle, la dame *Razanadrasoa* est fondée à demander la reprise de l'immeuble en versant la somme de 750F »[51]. Là dessus, aucune ambiguïté. Nous nous en étions expliqué d'ailleurs. Il s'agit de prévenir un abus de position dominante auquel pourrait être tenté un prêteur calculeux, ainsi un enrichissement sans cause.

* *Le droit de reprise de l'emprunteur*

La décision évoquée ci-dessus révèle cette possibilité de reprise. Puisqu'il s'agit d'un droit reconnu à l'emprunteur, il l'exerce de facto et même jure mais à deux conditions : l'arrivée du terme convenu et le remboursement intégral de la somme prêtée. Mais, malgré tout, rien n'est impossible ; le prêteur peut accepter une reprise avant le terme

---

50 Arrêt n° 95 du 1er juillet 1948, op.cit., affaire Di MOANA contre RAKOTONDRAVELO et consorts.

51 Arrêt n° 35 précité, et plus exactement pour être plus précis, affaire RAZANADRASOA contre RANOSY.

convenu lorsqu'il se fait rembourser intégralement, comme il peut se refuser à restituer l'immeuble avant l'expiration de la date de l'échéance. Le droit de reprise peut déboucher sur un droit d'ester en justice au cas où le prêteur oppose un véto au droit de reprise exercé par l'emprunteur. Dans une telle hypothèse, le tribunal appréciera.

– *La nature juridique du contrat de fehivava*

Ce point a déjà été effleuré dans le précédent développement. Nous avons évoqué le caractère synallagmatique du contrat de *fehivava,* imposant aux deux parties, le prêteur et l'emprunteur, des obligations réciproques : une double mise à disposition, une mise à disposition d'une somme d'argent par le prêteur au profit de l'emprunteur d'un côté et une mise à disposition d'un fonds immobilier par l'emprunteur au profit du prêteur.

Le contrat de *fehivava* ne peut être que du prêt. Ce n'est nullement une vente ; l'extrait de l'arrêt ci-après en est une illustration : « Considérant que suivant acte sous seing privé en date du 11 juin 1938, formellement reconnu par les parties, le sieur *Rabefianarana* a vendu à la dame *Ravololona*, une voiture automobile, marque Citroën C46 N° 2905-T, pour la somme de 8650 frs dont 5300 frs ont été versés le jour même de la vente, le reliquat devant être payé par mensualité de 750 frs ; qu'il a été stipulé audit acte qu'en cas de non-versement par *Ravololona* du solde de prix à la fin du mois de septembre 1938, les sommes versées par elle resteront acquises au vendeur, et la voiture devra lui être restituée. Considérant que la dame *Ravololona* n'ayant versé qu'une somme de 350 frs à la fin du mois de juin 1938, le vendeur *Rabefiandrana* l'a assignée, suivant requête en date du 27 octobre 1938, devant le tribunal indigène du deuxième degré de Tananarive-ville pour voir ordonner, conformément aux clauses du contrat, que les sommes déjà versées lui resteront acquises, que la voiture lui sera restituée. Considérant que le tribunal du deuxième degré de Tananarive-ville a fait droit à la requête du demandeur ; que sur appel, la dame *Ravololona* soutient que le contrat est nul comme contenant la clause *tsatoka* qui est illicite, et demande que la valeur actuelle de la voiture qui aurait présenté des vices cachés, soit estimée à nouveau et que le versement de 5300frs et 350frs viennent en déduction de la valeur ainsi fixée. Considérant que les conclusions de l'appelant ne sont fondées ni en droit, ni en fait, que la clause *tsatoka*, interdite en droit malgache ne se rapporte qu'aux prêts d'argent avec gage et n'est nullement applicable aux *ventes* ; que la clause arguées de nullité n'a rien d'illicite ...Qu'il convient en conséquence de confirmer le jugement entrepris »[52].

Le *fehivava*, avons-nous dit dans les pages précédentes, a fait l'objet d'un arrêt récent de la Cour Suprême de Madagascar dont nous reproduisons l'essentiel : « ... qu'un contrat de *fehivava*, pour exister juridiquement, doit être enregistré et soumis à des formalités de publicité, sur les livres de la Conservation Foncière ; n'existant pas, ce soi-disant contrat ne saurait servir de base à la demande RABAMAHASOLO... »[53]. Que dire de ces deux arrêts, celui de la Cour d'Appel de Tananarive de l'époque et celui de la Cour Suprême de Madagascar ?

Le premier arrêt affirme que le *fehivava* est un prêt d'argent dont la garantie de remboursement est assurée par l'immobilisation d'un bien immobilier appartenant à l'emprunteur. Il implique, au mieux une hypothèque, au moins une mise à disposition ou une jouissance jusqu'au remboursement intégral. Il ne saurait s'appliquer à une vente qui entraîne un changement de propriété, la vente étant un acte translatif du vendeur à l'acquéreur, ce qui confirme l'arrêt déclarant l'interdiction de la clause *tsatoka* qui attribue de facto la propriété de l'immeuble au prêteur en cas de non remboursement après l'expiration du terme convenu : une appropriation directe par le prêteur, une forme de justice privée, dans un Etat de droit, est proscrite. Il faut une évaluation préalable en vue d'une licitation, autrement dit une procédure judiciaire dont une vente aux enchères publiques (cf.arrêt n° 29 du 31 janvier 1946, C.A, ch.civ.Indig.aff.RABENITANYet consorts contre RAOLINORO Berthe). En quelque sorte, l'arrêt insiste sur les conditions de fond.

Le second arrêt par contre privilégie les conditions des formes qui n'influent pas moins sur le fond puisque l'absence d'un écrit veut dire absence de l'acte entrepris ou du droit invoqué d'où l'adage latin : *Idem est non esse non probari,* mot à mot : un droit non prouvé est synonyme de droit inexistant.

Les deux thèses se valent et d'ailleurs elles se complètent.

D'autres perceptions assimilent le contrat de *fehivava* à une vente à réméré du droit français, prévue par les articles 1659 et suivants ; la vente à réméré n'est autre qu'une vente avec faculté de rachat. L'article 1659 stipule que : « La faculté de rachat ou de réméré est un pacte par lequel le vendeur se réserve de reprendre la chose vendue, moyennant la restitution du prix principal et le remboursement dont il parlé à l'article 1673 ». Et cet article 1673 de disposer : « Le vendeur

---

52 Arrêt n° 26 du 15 février 1940, op.cit., pp. 9 et 10.

53 Arrêt n° 17 du 13 février 1990, de la Cour Suprême de Madagascar, affaire RABEMAHASOLO Jean contre RAKOTO Joseph.

qui use du pacte de rachat, doit rembourser, non seulement le prix principal, mais encore, les frais et loyaux coûts de la vente, les réparations nécessaires, et celles qui ont augmenté la valeur du fonds, jusqu'à concurrence de cette augmentation… ». La faculté de rachat prévu par les deux textes n'enlève rien à la vente, sa nature d'acte translatif de propriété, or, un contrat de *fehivava* ne transmet pas la propriété au prêteur : celui-ci se contente d'un droit d'usage, d'une jouissance paisible et entière.

En définitive, si en matière de contrat de *fehivava* le rachat par l'emprunteur est une condition d'existence même de l'acte, par contre pour ce qui est de la vente à réméré, le rachat est une possibilité reconnue au vendeur, d'où, la différence est fondamentale. Tout au plus, on pourrait parler d'une constitution de nantissement immobilier hypothécaire[54], mais là non plus, la différence n'est pas moins de taille, car un nantissement ou une hypothèque sont des appendices d'un acte principal alors que la mise à disposition d'un immeuble au profit d'un prêteur fait partie intégrante du *fehivava :* elle en est un des éléments essentiels constitutifs.

D'aucuns n'hésitent pas à assimiler le contrat *fehivava* à l'antichrèse laquelle se définit comme un contrat par lequel un débiteur transfère à son créancier la possession de son immeuble, pour en percevoir les fruits et revenus jusqu'au remboursement de sa dette. Là non plus, la différence entre le contrat *fehivava* est manifeste pour deux raisons au moins : le contrat *fehivava* confère une simple détention et non une possession, une situation de fait, le bénéficiaire du contrat *fehivava* est assimilable à un détenteur précaire et non à un possesseur ; le contrat *fehivava* confère une simple jouissance sur l'immeuble prêté et non pas sur les fruits et revenus.

C'est dire que rien ne ressemble à ce contrat particulier. Néanmoins, la ressemblance sinon l'identité avec le *debaka* est remarquable : le contrat *fehivava* est l'équivalent du *debaka* dans les régions du Sud-est. *Fehivava* dans les Hautes Terres, *debaka* dans les côtes, signifient la même chose.

– *Le régime juridique du contrat fehivava*

Rappelons l'établissement d'un écrit pour se prévaloir d'un contrat *fehivava :* un tel contrat, en l'absence d'un écrit, selon la jurisprudence, est présumé n'avoir aucune existence (cf. supra formation du contrat *fehivava*). Conséquemment, une question se pose : est ce un contrat formaliste ou non ?

54 Arrêt n° 35 du 13 mars 1941, op.cit.

Deux hypothèses sont possibles :

- une première hypothèse tirée de l'esprit de la jurisprudence consiste à dire que son existence est liée à celle d'un écrit, à l'image de celles des donations, hypothèques et testaments. L'écrit est ainsi établi en tant que formalité prescrite à peine de nullité ; il l'est ad validitatem (Cf supra arrêt n° 17 du 13 mars 1990 de la Cours Suprême abondamment cité).
- une seconde hypothèse déclare l'établissement d'un écrit comme une simple nécessité probatoire, instrumentaire, l'écrit est effectué *ad probatimem*.

L'exigence à tous égards d'un écrit influe sur le régime juridique du contrat *fehivava*. Dans ces conditions, au nom du parallélisme de forme, il ne peut être résolu que par un écrit, du moins au regard de l'Administration. Seulement dans la pratique, il suffit à l'emprunteur de rembourser l'intégralité de la somme prêtée au terme convenu pour pouvoir reprendre son immeuble. Le remboursement avant le terme arrêté, d'un commun accord, est-il possible ? Nous répondons dans l'affirmative du moins si l'on se réfère à la pratique du *debaka*, l'homologue du contrat *fehivava* dans les régions côtières de Madagascar surtout dans les côtes sud-est.

Une dernière question concerne l'exercice de son droit de jouissance par le prêteur. Quelles activités peut-il entreprendre sur le terrain ou la rizière mis à sa disposition provisoire ? Puisque l'immeuble est destiné à être restitué à l'emprunteur au terme convenu, il ne peut entreprendre que des travaux temporaires, il ne peut cultiver que des plantes saisonnières susceptibles d'être enlevées à tout moment ou *voly avotra*, d'où l'interdiction d'édifier une construction. Le droit de jouissance est limitée aux entreprises agricoles et pas plus.

b) *Le heriny*

Il est consacré par l'article 218 du Code des 305 articles ainsi libellé : « Si un individu s'empare par la violence des biens dont il revendique la propriété, sans attendre la confrontation devant la justice, il devra restituer les biens pris de force à leur premier détenteur et sera puni d'amende... ». Une ressemblance frappante existe entre les dispositions du Code de RANAVALONA II et le commandement canonique : *Spoliatus ante omnia restituendus*, autrement dit, les biens spoliés doivent, avant tout, être restitués. Les deux règles sont établies pour prévenir l'usage de la violence antinomique à l'idée de l'Etat de droit, d'où qu'il vienne et pour assurer une sécurité à la propriété d'une manière générale, à la possession en particulier.

Le *heriny* est moins une action pétitoire qu'une action possessoire, l'équivalent de l'action en réintégration ou réintégrande du droit français.

– Les éléments constitutifs du *heriny*

L'action suppose une possession régulière (publique, paisible, durable, univoque) troublée par l'usage de la violence, autrement dit, une dépossession violente. Deux arrêts ont décidé dans ce sens : « Attendu que de l'examen des pièces du dossier, il ressort qu'immédiatement après le jugement en date du 8 février 1940, rendu en premier ressort par le tribunal du premier degré d'*Ambohidratrimo*, les consorts *Ramanitra* se sont comparés par la violence des biens de la succession de feu *Raharivelo*, détenus par *Ramahandry* et consorts ; Que le jugement dont s'agit n'était pas définitif et fut frappé d'appel par la suite ; Qu'en s'emparant par la violence des biens dont ils revendiquent la propriété, sans attendre la solution définitive du procès, *Ramanitra* et consorts ont bien commis *le heriny* réprimé par l'article 218 du code malgache de 1881 ; qu'ils doivent donc être condamnés à restituer les biens par eux pris de force à leurs premiers détenteurs »[55]. La condition de « dépossession violente » reste un élément intangible révélé par les décisions ultérieures de la Cour Suprême de Madagascar[56].
Un second élément *du heriny* le rapproche du contrat de *fehivava* ; il s'agit de son objet : ils concernent tous deux, généralement des rizières, des terrains de cultures.
Enfin, ils intéressent les paysans. Mais cela n'est pas exclusif comme nous avons déjà évoqué. Tout usage de la violence, quel qu'en soit l'auteur, constitue le *heriny* dès lors qu'il a un objet immobilier et destiné à déposséder un propriétaire et même un simple détenteur.

– La nature juridique du *heriny*

Le *heriny* n'a été consacré par aucun texte du droit moderne. L'exposé des motifs de l'ordonnance n° 62-098 du 24 septembre 1962 portant promulgation d'un Code de Procédure Civile en est une preuve : il a déclaré que : « ... Le Code abandonne la distinction entre les actions possessoires et les actions pétitoires. L'interdiction faite aux juges du possessoire de connaître des questions pétitoires avait en effet perdu,

55 Arrêt n° 131 du 9 décembre 194, op. cit., p. 173.
56 Civ 25 septembre 1973, Bull. 1976, n° 55, pp. 85-87 ; Civ 9 avril 1974, Bull. 1976, n° 17, pp. 225-226 ; Civ 25 janvier 2000, Bull. 2000, p. 4-5.

avec le temps, de son caractère sacré et en jurisprudence, la distinction allait s'estompant. Une telle distinction ne se justifie d'ailleurs plus, puisque le présent Code, en supprimant toutes les compétences relevant des justices de paix, ne connaît plus qu'une seule juridiction… ».

Cependant, contrairement à ce qui a été dit, le *heriny* n'a pas pour autant cesser d'exister. Il persiste à exister en tant qu'action possessoire. C'est ce qui a été dit dans le développement précédent.

Apprécié du point de la Procédure Civile, le *heriny*, est une action possessoire, mais appréhendé par rapport au droit matériel, le droit civil, le *heriny* est un délit civil. Les nombreux arrêts précités des juridictions supérieures malgaches l'ont consacré tel, raison pour laquelle son existence est souverainement appréciée par les juridictions du fond, les juges apprécient si les parties défenderesses ont usé de la violence ou non.

Seulement, une question se pose : une juridiction du possessoire ou du provisoire peut-elle condamner à des dommages intérêts ? Juridiquement, non car l'allocation de dommages-intérêts implique l'examen au fond d'une affaire, des discussions sur une question de responsabilité, qui ne relève pas de la compétence d'une juridiction du provisoire comme celle des référés[57]. Néanmoins, le *heriny* délit civil peut autoriser le juge à prononcer une condamnation à la restitution des biens pris de force.

En outre, une seconde question sur la vraie nature du *heriny :* est-ce uniquement un délit civil ou peut-il être en même temps un délit pénal ? Pour l'heure, le *heriny* est uniquement un délit civil, mais sous RANAVALONA, selon les termes de l'article 218 du Code des 305 articles, l'usage de la violence justifiait une mise aux fers, l'équivalent de la détention préventive faute d'établissement pénitentiaire à l'époque de la monarchie, la détention préventive impliquant une faute pénale.

Par conséquent, dans l'ancien temps, le *heriny* avait une nature ambivalente : c'était un délit civil certes, mais en même temps un délit pénal, étant entendu que le Code des 305 articles était un « fourre tout » : un Code Civil, Code Pénal, Code de Procédure Civile, Code de Procédure Pénale etc. Il n'y avait pas des distinctions entre délit civil et délit pénal et surtout que sous la monarchie, un tribunal peut juger aussi bien une affaire pénale qu'une affaire civile au cours d'une même audience.

---

57 Civ. 3e, 16 nov. 1969, D. 1977, I.R. 114 ; civ. 2e, 20 juill. 1981, Bull. Civ. II. p. 108.

II – LES DISPOSITIONS COUTUMIÈRES SUR LES RÈGLES MORALES

La cohabitation entre les règles de droit et les règles morales ne datent pas d'aujourd'hui : ces deux normes font toujours bon ménage. Il n'y a rien de plus normal en somme si elles interagissent car elles ont le même combat, la bonne gestion de la société. De toutes les façons, le droit sans la morale, se trouve désincarné, si la morale sans le droit s'avère impuissante faute de vertu coercitive.
La place des règles morales n'a pas échappé au législateur colonial particulièrement, à la jurisprudence incidemment. Ainsi, des règles morales d'origine coutumière ont pu être consacrées et ravivées par la jurisprudence ; deux proscrivent le souhait de mort et récriminent la non observation de la parole donnée.

A – Les règles morales proscrivant le souhait de mort

1) Tsy mety ny miandry teza ho lavo

La règle se traduit, littéralement par : « il n'est pas bon d'attendre le décès du dernier témoin pour ester en justice ». C'est un résumé des dispositions de l'article 223 du Code des 305 ainsi conçu : « Si vous revendiquez, soit de droits sur un fief *menakely*, soit la propriété des terres patrimoniales ou un héritage, et que vous reveniez sur la volonté des ancêtres, attendant, pour élever vos contestations, la disparition des derniers témoins, alors que, du vivant des grands-pères, et grands-mères, des pères et mères, vous n'aurez rien dit, agissant ainsi, vous n'aurez droit à rien, votre procès sera perdu et vous serez en outre, condamné à une amende de dix bœufs et de dix piastres ...Si des personnes disant, et parlant des biens possédés par d'autres, « ce sont là nos biens » ou « une partie de ces biens est à moi », mais que les détenteurs étant encore en vie, et pouvant leur répondre, elles n'aient pas porté plainte au Gouvernement ... elles seront punies d'une amende pour avoir *miandry teza ho lavo «* Trois points relatifs aux concepts gagneraient à être explicités :

– La signification des concepts

Deux termes méritent une explication supplémentaire, ceux de *teza* et *lavo. Le teza*, c'est le bois le plus dur, ou la partie la plus dure du bois. C'est le noyau. Dans une société, *le teza*, ce sont les personnes âgées, détentrices de la sagesse ancestrales, celles qui ont pu vivre longtemps. Elles se distinguent donc du commun des mortels par leur âge, leurs expériences de la vie. *Lavo*, c'est une passive racine. Il veut dire tombé, autrement dit, décédé. *Un teza lavo* signifie « une personne âgée décédée », d'où *miandry teza ho lavo se* traduit par « attendre la mort des personnes expérimentées, présumées avoir tout vu, avoir assisté aux grands événements pour intenter un procès. Censées avoir tout vu, elles sont des témoins oculaires, susceptibles de dire la vérité, ce qu'elles avaient pu constater. Quand elles meurent, la vérité est supposée mourir avec elles : quand elles partent pour l'Orient Eternel, elles auraient emmené avec elles la vérité.

– Le fondement de la proscription

La proscription du *miandry teza ho lavo* est alors facile à comprendre ; l'intention qui est loin d'être bonne, est d'échapper à la manifestation de la vérité que ne manquerait pas de favoriser la présence d'un témoin oculaire. Il ne manquerait pas de dire la vérité si d'aventure, il devait être entendu par la Justice. Le seul moyen, pour occulter la vérité, c'est d'attendre sa disparition ; dès qu'il sera décédé, ce sera plus facile de dérouter la Justice, de gagner le procès. Dans ces conditions, pour une bonne administration de la Justice, le législateur a cru bon de décréter une interdiction pure et simple de l'attente du décès du dernier témoin utile.

– L'application jurisprudentielle de la règle

Un extrait d'un arrêt est éclairant : « Attendu enfin que *Randrasana*, revenu de France en 1922 n'a pas fait diligence, soit pour se constituer héritier en faisant la déclaration de succession, soit pour appréhender la succession elle-même ;Qu'il a attendu l'année 1936, vingt ans après, le décès de *Rafaralahimanantsoa* pour revendiquer la succession, alors qu'à ce moment, toutes les personnes ayant participé aux divers actes ci-dessus énumérés sont décédées, de sorte que sa réclamation a été dirigée contre les héritiers. Attendu des lors qu'il convient de faire application de l'article 223 du Code malgache de 1881 qui prévoit la déchéance de son droit d'héritage contre tout individu revendiquant une succession, après la disparition des derniers témoins … »[58].
Les conditions d'application de la règle, résumées, partant des dispositions de l'arrêt sont les suivantes : un individu, héritier d'une

58 Arrêt n° 60 du 9 avril 1942, op. cit., p. 122 et 123.

succession revendique sa part, il attend la disparition des témoins utiles pour exercer son droit.
Deux arrêts récents de la Cour Suprême de Madagascar ont récapitulé ces deux conditions en déclarant :
– ***Un arrêt de 1990*** : « L'interdiction de revendiquer des immeubles après la disparition des derniers témoins ne s'applique qu'aux litiges concernant les terres successorales »[59].
– ***Un arrêt de 2000*** : « La déchéance prévue par l'article 223 du Code des 305 articles n'est encourue qu'à la disparition des témoins au partage effectué par les ancêtres, et l'arrêt qui n'a pas recherché l'existence d'un partage préalable des biens par l'ancêtre encourt la cassation[60].
On doit signaler, malgré tout, que le premier arrêt concerne le premier alinéa de l'article 223 du Code des 305 articles, le second arrêt, le second alinéa de cet article. Mais, quoi qu'il en soit, les conditions principales restent : l'attente des derniers témoins et un litige concernant des biens de la succession.

2) Tsy mety ny mioty manta

Littéralement, l'adage signifie : « Il n'est pas bon de cueillir des fruits verts ». C'est le sens propre. L'interdiction n'est pas non plus difficile à comprendre car les fruits verts ne sont pas bons pour la santé.
Mais la règle se conçoit plutôt au sens figuré.
Comme *le miandry teza ho lavo*, le *mioty manta* exprime l'idée de souhait de mort : *mioty manta*, c'est souhaiter la mort de son auteur pour pouvoir lui succéder, hériter de son patrimoine. L'interdiction ne date pas non plus d'aujourd'hui. Elle date depuis un temps immémorial tout autant que la première interdiction, en tant qu'expression d'une culture ancestrale. Elle est toujours d'actualité ; la mort étant partout une horreur, aucun pays, aucune époque ne peuvent la tolérer encore moins l'admettre.
Juridiquement, *mioty manta* se traduit par « conclure un pacte sur une succession future ». En France, l'article 1130 du Code Civil parle de renonciation ou de stipulation concernant une succession non ouverte. Elles sont nulles pour être sans objet pour la simple raison qu'une succession n'a de sens qu'après le décès du propriétaire : seul le décès ouvre une succession. En plus de la raison juridique, la raison morale milite également en faveur de l'annulation d'une telle stipulation prématurée. L'extrait ci-après d'un arrêt est une illustration

59 Civ. 13 février 1990, Bull. 1996, n° 18, pp. 18-19.
60 Civ. 5 mai 2000, Bull. 2000, n° 73, pp. 190-191.

de la règle : « Attendu, en effet, que *Razafindrasoa* n'était pas propriétaire des biens qu'elle avait reçus de *Randriamparany ;* qu'elle n'en avait que l'usufruit ; qu'elle ne pouvait donc pas disposer par testament des biens dont elle n'avait le droit de propriété. Attendu donc que le testament de *Razafindraso*a est nul pour partie, *Razafindrasoa* n'ayant pas le pouvoir de léguer des biens dont n'avait que l'usage ; Attendu qu'en supposant même la confirmation ou l'acceptation de *Razanadrasoa* dit *Iketaka*, sincère, elle ne peut être prise en considération car elle ne peut renoncer une succession non ouverte, ni faire aucune stipulation sur une pareille succession, même avec le consentement de celui de la succession duquel il s'agit (article 1130 du Code civil) »[61].

Puisqu'il est question d'un ordre à la fois moral et public, la renonciation ou la confirmation sont inopérantes : on n'a pas à transiger sur une question d'ordre public.

B – La règle morale récriminant la non-observation de la parole donnée : *le mitsoa-bato*[62]

Mitsoaka veut dire, se soustraire, s'esquiver alors que *vato* signifie pierre, quelque chose de durable, au sens propre mais au sens figuré,

61 Arrêt n° 103 du 3 août 1944, op. cit., p. 195.

62 Le terme *mitsoa-bato* sont révélateurs de l'idée de Justice, de la JUSTICE implacable sous la Monarchie indifférente à l'égard des liens de famille, n'ayant aucune mesure avec la JUSTICE à deux vitesse sous le Président RAVALOMANANA flexible face au delictum commis par ses « amis » et complices. A titre d'illustrations :

a) Les crimes de droit commun (destruction de biens publics dont l'Assurance NY HAVANA incendiée, meurtres et assassinats) perpétrés à Fianarantsoa pendant la crise politique de 2002 ont été occultés pour être impunis alors que les présumés responsables de destruction de ponts ont été poursuivis, incarcérés et condamnés à de lourdes peines d'emprisonnement, de travaux forcés.

b) Selon maintes révélations du Quotidien La Gazette de la Grande Ile ANDRIAMAHEFARIVO Johnny, ex-Président du Conseil d'Administration de PAOMA (Paositra Malagasy) a pu échapper à une poursuite pour perception d'allocations en fin de mandat, plus de 100 millions de FMG, pour avoir remboursé, alors que les sept conseillers ont été placés sous les verrous et condamnés. Raison de la faveur ? ANDRIAMAHEFARIVO était parmi les Magistrats qui intronisaient illégalement M. RAVALOMANANA Marc le 22 février 2002 en qualité de Président de la République : une Bible à la main, celui-ci s'était auto-proclamé PRM (Cf. La Gazette n° 0713 du 13 juillet 2005, *in* Johnny ANDRIAMAHEFARIVO, écarté définitivement pp. 1, 2 et n° 0711 du 11 juillet 2005, p.5 avec cet extrait : « Lors du mouvement post – électoral 2002, M. RAKOTOARISOA faisait partie des premiers magistrats à avoir rallié la cause de Marc RAVALOMANANA. Le 22 février 2002, il a été à *Mahamasina* arborant sa toge de Haut Conseiller, comme ses pairs Jean Michel Rajaonarivony, Dieudonné Rakotondrambao, Mananjara et Mme Berthe Rabemahefa lors de la première investiture de Marc RAVALOMANANA... ». Et celle n° 0720 du 21 juillet 2005 de rappeler l'affaire « PAOMA » : « Un collectif de Magistrat s'organise... Ensuite, on cite « l'affaire PAOMA », comme référence exceptionnelle, dans la mesure où les sept administrateurs ont écopé chacun, d'une peine d'emprisonnement ferme de 8 mois alors que le Président du Conseil d'Administration, Johnny ANDRIAMAHAHEFARIVO étant un principal fer de lance de l'investiture de Marc RAVALOMANANA, le 22 février 2002, a été définitivement épargné ... ».

obligation ou engagement, décision de justice ou administrative. C'est ce second sens qui nous intéresse. Une obligation ou un engagement sont assimilés à une pierre parce qu'ils ont une force de loi vis-à-vis des parties ; les décisions judiciaires ou administratives sont telles parce que l'ordre public le requiert.
Par la force de l'homme ou des institutions étatiques, un engagement ou une décision administrative acquièrent une force certaine à telle enseigne que l'atteinte dont ils pourraient être l'objet encourt une sanction. L'article 213 du Code des 305 articles a été édifié dans cet esprit : « Les affaires réglées une première comme *ambadikimanareza*, c'est-à-dire, définitivement solutionnées, les personnes qui les agiteront de nouveau et surtout, agiteront des affaires réglées sous mon règne, seront punies d'une amende de cent piastres, et si elles ne peuvent pas payer, mises aux fers pendant cinq ans, car elles violent la sentence rendue *mitora-bato* ». L'article 215 dispose de même : « Ceux qui remettront sur le tapis des affaires réglées par le fokonolona ou les seigneurs féodaux, seront punis d'une amende de trente piastres et d'un taureau, ou mis aux fers pendant un an, s'ils ne peuvent pas payer ».

A l'époque de la monarchie, le *mitsoa-bato* était une infraction à la loi pénale et il le reste aujourd'hui mais sous la qualification de résistance de mauvaise foi à l'exécution de décisions définitives, prévue et munie parlant le 221 du Code Pénal. Cet aspect pénal est hors de notre propos puisque notre étude concerne le civil. Nous nous en tenons

---

c) Le même journal dans son numéro 0847 du 20 décembre 2005, p. 3 a rappelé la partialité du régime : « Aucune action pénale n'a été engagée à l'endroit de ceux qui ont brutalisé RAVOLOMASO et Yves RALISON dans les locaux du Palais d'*Ambohitsorohitra*. De même ceux qui ont lapidé, incendié ou pillé les résidences de TSARANAZY Jean Emile, José ANDRIANOELISON, Guy RAZANAMASY, n'ont pas été poursuivis, et l'action en justice à leur endroit s'est éteinte … ». Et le journal a reproduit en photocopie un télégramme lettre n° 1472 du 13 avril 2002 du Procureur de la République de l'époque. Mme ANDRIANASOLO Ramiandrarivo.

« PROCUREP à COMMANDANT CIRGEN ANTANA : HVPB vouloir arrêter toute perquisition concernant affaire RAZANAMASY, TSARANAZY, José ANDRIANOELISON, ANDRIALEMIRAVOSON – STOP.

Relâcher IMMEDIATEMENT toute personne gardée pour cette affaire ». Copie à MADAME Ministre justice,

Monsieur Ministre Défense, Pour COMPTE RENDU.

d) Cette partialité a été avouée publiquement par M.RAVALOMANANA lorsqu'il a été interrogé par le Président JOAQUIM Chissano à Maputo lors d'un sommet destiné à résoudre la crise politique à Madagascar, Cf la Vérité du 09 août 2009 N° 0372 p. 3. et Madagascar Matin N° 0036 du 07 août 2009 p. 3. Il a reconnu entre autre avoir fait procédé à des arrestations arbitraires contre ces opposants

e) cf Professeur NJARA Ernest, Le sentimentalisme juridique, Bull. Acad. de Janvier à juin 2004, pp. 257-282.

donc au *mitsoa-bato* pris dans le sens de violation d'un engagement, de la promesse souscrite. Il ne s'agit cependant pas de n'importe quel engagement. Pour être pris en considération, l'engagement contracté doit avoir été consacré dans un écrit enregistré dans un document public. En quelque sorte, pour être crédible à l'égard de l'Administration, un engagement doit avoir été publié, porté à la connaissance tout le monde.

A ce sujet, une lumière nous est apportée par l'extrait suivant d'un arrêt : « Attendu qu'il est vrai, que l'expression *mitsoa-bato* désigne tout acte tendant à violer une décision, un sentence, ou un engagement. Mais, attendu que l'existence d'un engagement ne peut être établie que par la production d'un acte régulièrement enregistré dans les livres du Gouvernement ; Qu'en l'espèce, les contrats de vente allégués par le demandeur en annulation sont constitués par des écrits sous seing privé, non enregistrés et, au surplus, contestés par le défendeur ; Qu'ils sont donc nuls et ne sauraient établir l'existence d'un engagement comme le prétend le demandeur en annulation ; Qu'en conséquence, le deuxième moyen est inopérant »[63]. *Le mitsoa-bato*, sur le plan civil, tel qu'il résulte de cet arrêt, n'entraîne que la résolution ou la résiliation d'un contrat comme il en est à l'heure actuelle, à l'égard du droit positif, notamment de la loi sur la théorie générale des obligations, sans préjudice de la possibilité de demander réparation en cas de préjudice subi (articles 164 et suivants).

Conclusion

L'intégration des coutumes dans le droit moderne permet une interaction entre ces deux normes sociales : les coutumes facilitent l'imprégnation, l'enracinement du droit moderne dans la vie de la population car, une règle de droit sans rapport étroit avec le vécu social serait un badigeonnage dépourvu d'impact sur le comportement de la population ; la criminalisation du vol des bovidés depuis les années 1960 est un des exemples d'une innovation inefficace, un criminalisation qui, au lieu d'atténuer le taux de criminalité, en favorise plutôt la recrudescence : les juges, en raison de la sévérité des peines susceptibles d'être encourues, ne se décident à condamner que

63 Arrêt n° 138 du 16 décembre 1943, op. cit. affaire RANDRIANARISON contre RAKOTONDRAVAO Jean Baptiste.

lorsque les preuves sont irréfutables alors qu'une telle exigence est difficile à remplir s'agissant d'infractions rurales telles que le vol de bovidés commis généralement la nuit. Par contre, le droit moderne associe les coutumes au courant des grandes conceptions du monde novatrices et civilisatrices résumées par le concept de « mondialisation » ; les coutumes anachroniques figent le développement humain et maintiennent les forces vives dans un état d'éternelles attardées. Un équilibre doit par conséquent être préservé quant à la place réservée à ces deux normes : ni un droit désincarné, ni des coutumes désuètes, inaccessibles au changement.

Heureusement, c'est ce que l'on constate actuellement à Madagascar : le droit moderne et les nouvelles conceptions des règles de droit n'ont pas occasionné un grand bouleversement dans la vie des Malgaches en général, des paysans en particulier, estimés à 80 % de la population malgache. Les nouvelles technologies favorisatrices de l'élaboration du droit moderne, n'exercent un impact significatif que dans les grands centres urbains, les paysans, pour l'heure, ne sont pas prêts de changer leur habitude et l'on est en droit de se demander jusqu'à quand résisteront-ils aux forces envahissantes du phénomène de globalisation ?

Les modifications essentielles en droit malgache de la famille et propositions en vue de leur application

Nelly Rakotobe RALAMBONDRAINY

Ce qui est en question, ce sont les changements apportés ces vingt dernières années dans la règle de droit de la famille, c'est-à-dire pour s'en tenir à une définition élémentaire, le commandement général et permanent du Pouvoir sur la famille malgache[1]. L'état des lieux que nous allons dresser se fera au double regard de la législation de la famille et ses applications jurisprudentielles.

Rappelons que, de 1960 à 1967, les textes principaux relatifs au droit de la famille[2] sont :

- la loi n° 61-025 du 9 octobre 1961 relative aux actes de l'état civil ;
- l'ordonnance n° 62-022 du 1er octobre 1962 relative au mariage ;
- la loi n° 63-022 du 20 novembre 1963 sur la filiation, l'adoption, le rejet et la tutelle.

Le patrimoine familial est régi par la loi n° 67-030 du 18 décembre 1967 consacrée aux régimes matrimoniaux et la loi n° 68-012 du 4 juillet 1968 sur les successions, testaments et donations.

---

1 Nous remercions M. Henri Raharijaona de nous avoir aimablement communiqué deux articles sur le droit de la famille dans la décennie de l'indépendance : « *Le droit de la famille à Madagascar dans la décennie 1960* », 8 p., et « *Confrontation ou dialogue des sources ? La coutume et la loi dans le droit malagasy de la famille* », 12 p.

2 Cette importante œuvre législative est due à deux grands pionniers des codifications malgaches au moment de l'indépendance : le défunt Alfred Ramangasoavina, avocat, Garde des Sceaux, Ministre de la Justice à l'époque et Henri Raharijaona, magistrat, Directeur de cabinet dudit Ministre, actuel Chancelier de l'Académie malgache.

Toute cette législation sur la famille a été appliquée durant presque un demi-siècle, sans rencontrer d'obstacles majeurs, dès lors que, conformément à l'observation du Garde des Sceaux, Ministre de la Justice d'alors, Alfred Ramangasoavina : « Et s'il y a loi, cette loi n'est acceptée et suivie que si elle est conforme à la coutume »[3].

Bien sûr, le droit est une matière vivante et les lois applicables à une société doivent évoluer en fonction de l'évolution de cette société, au risque d'être désuètes ou de ne point répondre aux aspirations de la société à la quelle elles s'appliquent. Cette évolution et adaptation nécessaire n'enlèvent en rien à la valeur de cette œuvre législative, fondement non contesté de notre droit de la famille actuel. En effet, les nouvelles lois sur le droit de la famille, tout en absorbant les changements et modifications nécessaires, ont malgré tout conservé sa cohérence et son identité originelle.

Les innovations et modifications législatives entreprises ont eu lieu en 1990, puis en 2005 et 2007. Si les modifications législatives de 1990 constituent une œuvre que l'on peut qualifier de justice envers la femme, la refonte des lois civiles de 2005 et de 2007 assurent une meilleure protection de l'enfant, tout en promouvant l'égalité juridique des hommes et des femmes en couples mariés.

I – LES MODIFICATIONS LÉGISLATIVES DE 1990 : UNE ŒUVRE DE JUSTICE ENVERS LA FEMME

Les modifications apportées en 1990 à la législation sur la famille concernent essentiellement certaines dispositions de l'ordonnance n° 62-089 du 1er octobre 1962 relative au mariage et de la loi n° 67-030 du 18 décembre 1967 relative aux régimes matrimoniaux. Ces modifications partielles ont été effectuées dans le sens de l'équilibre des droits des hommes et des femmes et s'inscrivent dans le cadre de la mise en conformité de la législation *malagasy* avec la Convention sur l'élimination de toute discrimination à l'égard des femmes, ratifiée par Madagascar en 1989.

---

3 Cité dans l'article « *Confrontation ou dialogue des sources ? La coutume et la loi dans le droit malagasy de la famille* ».

A – L'homme et la femme fixent ensemble la résidence commune

La loi n° 90-013 du 20 juillet 1990 a modifié l'article 54 de l'ordonnance d'octobre 1962 sur le mariage. Si l'ancien article prévoyait que « les époux sont tenus de vivre ensemble et c'est le mari qui fixe la résidence commune », l'article **54 nouveau** stipule que :

« Les époux sont tenus de vivre ensemble, mais *ils fixent d'un commun accord la résidence commune*. Toutefois, en cas de survenance, au cours du mariage, de désaccord entre les époux sur le choix d'une résidence commune, l'époux le plus diligent peut saisir du différend le juge des référés ».

L'intérêt juridique de la fixation de la résidence commune ou du domicile conjugal réside *dans la compétence du tribunal du lieu de cette résidence commune* en cas de litige ou de demande de divorce. Ainsi, la résidence commune fixée d'accord parties constitue le domicile conjugal où doivent résider aussi bien le mari que la femme. La femme n'est plus obligée d'aller saisir le tribunal du domicile du mari en cas de séparation. Il faut seulement rechercher la juridiction de la résidence commune. Malheureusement, il n'y a pas eu de mise en conformité du nouvel article 54 de la loi sur le mariage avec l'article 79 de la même loi, laquelle dit encore que « la demande de divorce est portée devant le Tribunal du lieu du domicile du mari ». De même, l'article 8 de l'ordonnance n° 62-003 du 24 juillet 1962 sur le nom, le domicile et l'absence n'a également pas été modifié, car cet article 8 dispose encore : « La femme mariée n'a d'autre domicile que celui de son mari... ».

Dans ce contexte de dispositions ambiguës, la jurisprudence a alors joué un rôle important. Il appartient au juge d'interpréter et de rechercher l'esprit de la loi aux fins d'apaisement des différends par le droit. Ainsi, il a été jugé que le domicile conjugal fixé d'accord parties, en l'absence de preuve contraire, est celui où le couple s'est installé au moment du mariage. En outre, le domicile du mari étant présumé être le domicile conjugal, le mari n'est pas admis, dès lors que c'est lui qui a quitté le domicile conjugal, à soulever l'incompétence du Tribunal du lieu du domicile conjugal.

Par ailleurs, l'arrêt de la Cour Suprême n° 45 du 21 avril 2006 a jugé le cas suivant : le mari avait demandé le divorce au motif que son épouse avait gravement manqué à son devoir de cohabitation. Il a soutenu que les époux sont tenus de vivre ensemble, que c'est le mari qui fixe la résidence commune, mais que son épouse ne l'a suivi ni à Antananarivo ni en France. La Cour Suprême a jugé que :

« Ce n'est plus le mari qui fixe d'une manière unilatérale la résidence commune, mais conformément à l'article 54 nouveau de la loi n° 90-012 du 20 juillet 1990, le lieu de la résidence commune devrait être fixé d'un commun accord ; qu'en l'espèce, le mari ne prouve pas que sa femme a donné son accord pour le transfert du domicile conjugal, d'abord à Antananarivo, puis en France. Qu'en conséquence c'est dans le cadre de son appréciation souveraine que la Cour d'Appel a pu affirmer que la séparation des époux, et partant la non cohabitation résulte du fait intentionnel du mari et que partant les griefs reprochés à l'épouse ne sont pas fondés. »

En conséquence, suite à la modification de l'article 54 de la loi sur le mariage, *le domicile du mari* ne peut être que *celui où se trouve le domicile* conjugal fixé d'accord parties.

B – L'homme et la femme se partagent la communauté à égalité

La loi n° 90-014 du 20 juillet 1990 a modifié la loi n° 67-030 du 18 décembre 1967, en instituant le régime matrimonial de droit commun du partage par moitié (*mizara-mira*), à la place de l'inégalité juridique instaurée par le régime de répartition en parts inégales (*kitay telo andalana*, un tiers des biens des conjoints constitue la part de la femme, les deux autres tiers restant acquises au mari). L'observation montre que des associations féminines animées notamment par la première dame d'alors, Céline Ratsiraka, épouse du Président de la République, étaient intervenues efficacement pour faire sortir de l'ornière ce projet de réforme des régimes matrimoniaux.

Beaucoup de litiges sont apparus consécutivement à l'application immédiate de la nouvelle loi. Ainsi, les contentieux les plus nombreux sont liés aux communautés déjà dissoutes depuis plusieurs années avant 1990, suite au décès de la femme par exemple. Les héritiers respectifs des époux ne demandant la liquidation que bien après juillet 1990, les héritiers du mari ne peuvent alors admettre que les ayants droit de la femme puissent bénéficier de la moitié des biens communs, alors que la communauté a déjà été dissoute avant 1990.

Les dispositions transitoires de l'article 63 *alinéa* 2 de la loi de 1990 précisent sans ambiguïté que *le principe de* ***mizara-mira*** *s'applique immédiatement aux communautés non encore liquidées.*

Avant 1990, il arrivait souvent qu'au cours du mariage les époux acquerraient ensemble un immeuble immatriculé. Sur le titre foncier, il n'était pas rare de lire : « selon le régime de droit commun du *kitay telo andalana* applicable aux époux, la femme est propriétaire du tiers du présent immeuble. ». La liquidation de la communauté intervenant après 1990, le problème est de savoir qu'est ce qui l'emporte ? Est-ce la précision du régime de droit commun applicable, donc du *mizara-mira*, ou est-ce plutôt la précision de la part de la femme correspondant au tiers de l'immeuble ?

Par ailleurs, toutes les dispositions qui instituaient un traitement discriminatoire entre chacun des époux ont été modifiées. Ainsi, *l'article 28* de l'ancienne loi de 1967 avait prévu que le paiement de dettes contractées **par la femme** dans l'exercice de sa profession ou même dans son intérêt personnel et sans le consentement du mari, peut être poursuivi sur les biens réservés à défaut de bien personnel. **Le nouvel article** modifié prévoit dorénavant que le paiement des dettes contractées par **l'un des époux** (*sans distinction*) sans le consentement de l'autre époux peut être poursuivi sur les biens communs à défaut de bien personnel.

L'article **46 nouveau** prévoit désormais que les parties peuvent convenir que l'un ou l'autre des époux peut recevoir sa part de communauté sous forme d'une somme d'argent, alors que l'ancien article 46 avait prévu que les parties pouvaient convenir que seule la femme recevra sa part de communauté sous la forme d'une somme d'argent. En pratique, c'était surtout dans l'hypothèse où un immeuble faisait partie des biens communs.
Bref, ces dispositions de la nouvelle loi sont immédiatement applicables aux communautés en cours à la date de sa publication, et également aux communautés non encore liquidées et partagées à la date de sa publication.

C – Limitation jurisprudentielle du *masimandidy*

La loi 68-012 du 4 juillet 1968 relative aux successions, testaments et donations n'a pas fait l'objet de modifications en 1990. Cependant, les applications jurisprudentielles de certaines de ses dispositions méritent d'être signalées. C'est le problème relatif au contenu du testament, soit **le principe du *masimandidy***, litt. la « volonté sacrée », c'est-à-dire, la liberté de disposer de ses biens d'une manière absolue. L'article 46 de ladite loi dispose que :

« En vertu du principe du *masimandidy*, et sous les réserves énoncées aux articles 54 à 57, toute personne peut par testament disposer librement de ses biens, soit au profit d'un ou plusieurs enfants ou descendants ou membres de sa famille, soit au profit d'autres personnes physiques ou morales, soit même au profit d'un enfant rejeté. »

Les seules restrictions prévues par les articles 54 à 57 concernent les droits aux aliments des héritiers mineurs exhérédés.

En outre, l'article 28 prévoit que : « Les dispositions testamentaires, dont l'objet est contraire à l'ordre public, à la loi ou aux bonnes mœurs, sont nulles. ». Il est donc possible de tester au profit de toute personne au choix du testateur, même au profit d'un enfant rejeté, les enfants adultérins n'étant pas expressément exclus. La notion d'ordre public reste néanmoins à déterminer.

Le *problème* était alors de savoir si, en vertu de ce principe du *masimandidy,* un époux pouvait *tester en faveur de ses enfants adultérins et au profit de sa concubine* (relations compliquées d'adultérinité). Après une certaine hésitation, la Cour Suprême a finalement décidé que la solution de principe a été donnée par l'arrêt de la Cour Suprême n° 92 du 12 septembre 1989. Les motifs de cet arrêt sont présentés ainsi :

« Attendu certes que l'article 46 de la loi n° 68-012 du 4 juillet 1968 consacre la liberté de tester en faveur de toute personne, mais que l'article 28 de la même loi y apporte une restriction en déclarant nulles les dispositions testamentaires qui vont à l'encontre de l'ordre public, de la loi et des bonne mœurs ;
Que l'article 37 de la Constitution du 30 décembre 1975 dispose que l'Etat protège la famille, la femme et l'enfant ;
Or attendu que ce n'est point les protéger que de valider une disposition testamentaire les dépouillant de leur patrimoine, et rémunérant une concubine de ses services, et alors surtout qu'il s'agit comme en l'espèce non d'un concubinage simple, mais d'un concubinage compliqué d'adultérinité ;
Que l'ordre public familial, la loi et les bonnes mœurs s'opposent à la validation d'une telle disposition, et qu'il appartient aux Tribunaux de lutter contre la faiblesse humaine et le courant de facilité qui, s'il n'était pas endigué, mènerait à la ruine de la famille et de la société ;

D'où il suit qu'en statuant comme il l'a fait, l'arrêt attaqué encourt cassation pour violation de l'article 28 de la loi n° 68-012 du 4 juillet 1968. »[4]

Il s'agit là d'une moralisation des testaments et qui constitue une limite importante au principe du *masimandidy.* La question[5] reste de savoir si le testateur pourrait malgré tout léguer ses biens à ses enfants adultérins, en l'absence d'enfants légitimes ?

II – LES RÉFORMES DE 2005/2007 : POUR L'INTÉRÊT SUPÉRIEUR DE L'ENFANT ET L'ÉQUILIBRE DES DROITS DE L'HOMME ET DE LA FEMME

Les réformes de l'année 2005/2007 ont été apportées par :

- la loi n° 2005-014 du 7 septembre 2005 relative à l'adoption et le décret n° 2006-596 du 10 août 2006 fixant ses modalités d'application ;
- la loi n° 2007-022 du 20 août 2007 relative au mariage et aux régimes matrimoniaux ;
- la loi n° 2007-023 du 20 août 2007 sur les droits et la protection des enfants.

Le droit en général et le droit de la famille en particulier ont franchi des pas décisifs en 2005/2007, dans le sens d'une meilleure protection de l'intérêt de l'enfant et d'un équilibre des droits et des responsabilités des membres d'un couple en mariage. Ce sont des réformes, on ne

---

4 Dans le même sens : Cour Suprême du 14 mai 2002, BA CS, 2002, p. 62 ; Cour Suprême du 8 août 2003, BA CS, 2003, p. 46.

5 Un autre problème mérite d'être signalé : celui relatif *aux conditions de formes du testament.* Aux termes de l'article 39 de la loi du 4 juillet 1968, les conditions de forme prévues par la loi pour les testaments sont prescrites à peine de nullité. Toute formalité non respectée entraîne-t-elle automatiquement, sans aucune distinction, la nullité du testament ? La jurisprudence de la Cour d'Appel d'Antananarivo était très formaliste et était d'ailleurs plus conforme à la lettre de la loi ; cependant elle s'avérait moins équitable, puisqu'elle faisait supporter par l'auteur du testament les conséquences des manquements de l'agent authentificateur à sa mission. La Cour Suprême de Madagascar a assoupli sa position : dorénavant, il est de jurisprudence constante que lorsque le *masimandidy* est établi, le vice qui entache le testament doit être écarté s'il n'est pas du fait du testateur. *Cf.* Cour Suprême n° 220 du 12 décembre 2000 : « ... Le vice qui entache un testament doit être écarté lorsqu'il est le fait du fonctionnaire chargé de le recueillir ». « L'officier public authentificateur, recevant dans son bureau le testateur qui lui remettait son testament aurait dû, comme lui fait obligation l'article 35, dater et signer sur le champ avec le testateur et les témoins, l'enveloppe renfermant le testament, mais ne l'a pas fait ; qu'il suit que le vice qui affectait le testament n'est pas imputable au testateur »

devrait pas l'oublier, qui n'ont fait que prolonger un mouvement engagé bien auparavant[6]. Elles s'attachent d'abord à défendre l'intérêt supérieur de l'enfant en cas d'adoption, puis organisent la promotion de l'égalité des droits des membres des couples mariés, et enfin, renforcent les droits de l'enfant à une protection dans la nouvelle réglementation de l'autorité parentale et de la tutelle des mineurs.

A – L'adoption comme un moyen de protection de l'enfant

(Loi n° 2005-014 du 7 septembre 2005 relative à l'adoption)

1) Les enjeux de l'adoption au cours des deux dernières décennies

Dans la tradition malgache, on décèle une permanence d'attitudes et de sentiments d'amour de l'enfant, qualifiant celui-ci de « *menaky ny aina* » (sève de la vie). Il était toujours le bienvenu, respecté et protégé, qu'il soit issu de couple en mariage ou de couple hors mariage : enfants dits naturels ou même adultérins. La famille lignagère ou toute autre personne désignée par la coutume ou la loi interviennent en tant que « structure de réserve » et suppléent la défaillance des parents biologiques. Ainsi, les sociétés traditionnelles malgaches accordaient un rôle prépondérant à la famille élargie dans l'encadrement et la protection de l'enfant.

Cette inspiration traditionnelle « d'adoption-protection » de l'enfant s'est maintenue dans le droit positif actuel, cependant que dans la réalité la grande famille s'est rétrécie, suite à de multiples causes : migration, pauvreté, chômage et recherche de travail en des lieux éloignés ou dans les villes, etc. Le sens des responsabilités (responsabilités matérielles et morales envers la descendance) que la tradition a infusé se perd. L'enfant assisté et protégé est devenu l'enfant domestique, l'enfant martyr, l'enfant qui doit nourrir père, mère, frères et sœurs. Les enfants en situation difficile, en stratégie de survie et abandonnés se multiplient.

---

6 Sous la Première République, un haut responsable disait déjà que toute législation nouvelle relative au droit de la famille se doit d'être une « législation simplifiée et rajeunie, mais devant rester fidèle aux traditions juridiques malgaches, sans renier pour autant les apports bénéfiques de plus de soixante ans de contact avec les institutions françaises, facteurs d'enrichissement et de modernisation lui permettant de s'insérer dans la communauté internationale ». Il ajoutait comme ne devant point être oublié que : « la famille doit toujours être le réceptacle des valeurs morales traditionnelles, léguées par la sagesse ancestrale, qui doivent être entretenues, respectées et transmises de génération en génération au sein de la famille » (Raharijaona, H., 1962, *Bulletin de l'Académie malgache*, dans le cadre de la « *Préparation du Code civil malgache* »).

La loi n° 63-022 du 20 novembre 1963 sur la filiation, l'adoption, le rejet et la tutelle, s'inspirant des législations étrangères, a voulu faciliter l'accès au plus grand nombre possible des enfants en situation difficile à la famille légitime et a créé l'adoption **judiciaire**[7], qui vient doubler l'adoption **simple** mais avec des effets beaucoup plus importants. Dans le cadre de l'application de cette loi, préalablement à l'adoption, ces enfants en situation difficile étaient placés dans des organisations non gouvernementales (ONG), centres ou associations privés et orphelinats, soit par le juge des enfants, soit par les parents, soit par toute autre personne. Or ces ONG se développaient d'une manière anarchique et l'absence de réglementation a eu pour effet la prolifération d'organismes dirigés par des gens peu scrupuleux.

De plus, cet état de chose avait été facilité par la procédure instituée par la loi. En effet, dans le cadre de l'application de la loi de 1963, les personnes qui voulaient adopter un enfant malgache consultaient directement les centres et associations et choisissaient l'enfant qu'ils entendaient adopter parmi les enfants déjà hébergés dans le centre. Avant 1994, les futurs parents adoptifs déposaient directement leur demande d'adoption devant le Tribunal de la résidence de l'enfant[8]. Comme les enfants en bas âge à adopter se faisaient rares, pour avoir des enfants à faire adopter par des étrangers et pour obtenir un acte d'abandon ou un consentement, différentes manœuvres frauduleuses ont été utilisées :

- substitution de mère : le fait d'inscrire le nom de la mère adoptante, ou celui d'une intermédiaire, à la place du nom de la mère biologique lors de l'enregistrement de la naissance de l'enfant ;
- promesse mensongère que l'enfant sera rendu à la mère biologique après avoir été bien éduqué par un étranger ;
- enlèvements d'enfants ;
- le fait d'obtenir frauduleusement le consentement des parents à l'adoption, ou le faire consentir à abandonner leur enfant à la naissance.

---

7 De 1987 à 2005, le Tribunal de Première Instance d'Antananarivo a enregistré une moyenne annuelle de 210 adoptions internationales.

8 Il était alors arrivé qu'un adoptant, après avoir déposé 3 demandes devant 3 tribunaux différents, avait obtenu six enfants. Il a aligné les enfants devant lui et en a choisi deux, laissant les quatre autres à leur propre sort puisqu'il n'en voulait plus. Lorsque l'Etat *malagasy* a eu connaissance des faits, c'était trop tard : les délais de voies de recours étaient expirés. Il y a eu cependant interdiction de sortie des enfants et expulsion du parent adoptif. L'expulsé est revenu à Madagascar plusieurs années plus tard pour prendre « ses deux enfants », les autorités ayant oublié cette triste histoire. L'un de ces deux enfants (une fillette entre temps devenue mère) ne voulait plus partir et a exigé une pension alimentaire à « son » père adoptif.

Les responsables de ces ONG ou de simples individus privés proposaient ensuite ces enfants à adopter à des personnes étrangères, moyennant de très fortes sommes d'argent en Euros. Le trafic de nourrissons aux fins d'adoption fut une source de préoccupations particulières pour l'Etat et a ému l'opinion publique. Aussi, l'Etat réagit-il en procédant à plusieurs arrestations en 2004 et 2005. Beaucoup de centres ont été fermés, la procédure de l'adoption judiciaire a été suspendue, bien que quelques procédures déjà entamées aient été menées jusqu'à leur terme. De futurs parents adoptifs, qui avaient déjà investi de fortes sommes, étaient déçus ; les enfants à adopter étaient traumatisés, ayant déjà été en contact permanent avec les futurs parents adoptifs.

2) Coordination interministérielle

En 1994, une commission interministérielle fut instituée, chargée de coordonner toutes les demandes d'adoption internationale. L'avis de la commission interministérielle devait figurer dans le dossier de procédure transmis au Tribunal pour jugement. Mais c'était toujours les responsables des ONG ou des personnes privées qui faisaient le suivi de la procédure. Ils avisaient les adoptants étrangers des dates d'audience, leur faisaient faire des va-et-vient à Madagascar comme bon leur semblait, moyennant finance évidemment.

Des multiples problèmes surgirent : le consentement des parents biologiques était souvent sujet à caution, soit parce que ces parents n'ont pas été mis clairement au courant du contenu et des effets de leur consentement, soit que ce consentement ait été extorqué sous promesse de gains appréciables, soit qu'il y ait eu fabrication de faux consentement. De ce fait, après prononcé du jugement définitif d'adoption, des contestations, plaintes, harcèlement des parents adoptifs surgirent. Dans certains pays, l'adopté se voyait refuser la nationalité de l'adoptant par le pays d'accueil. Dans d'autres cas, la vérification d'adoptabilité de l'enfant (exemple, sur le plan médical) n'ayant pas été faite sérieusement, l'adoptant remettait l'enfant dans des centres d'accueil de son pays lointain et avisait Madagascar de sa réprobation.

3) Considérations générales sur la nouvelle loi de 2005 sur l'adoption

La ratification par Madagascar de la Convention de La Haye de 1993 sur la coopération et la protection des enfants en matière d'adoption internationale, ainsi que les multiples problèmes rencontrés ont emmené le législateur à adopter la loi n° 2005-014 du 7 septembre 2005 sur l'adoption. Il y a eu refonte totale des dispositions de l'ancienne loi n° 63-022 du 20 novembre 1963 (articles 51 à 78) pour la mettre en conformité avec la Convention de La Haye. Le texte de base est désormais la nouvelle loi de 2005.

L'adoption **judiciaire** a pris le nom d'adoption **plénière**. L'institution de l'adoption **simple** est maintenue et les dispositions concernant cette adoption simple n'ont presque pas été modifiées. L'adoption simple se fait uniquement entre les nationaux ; elle est destinée à créer un lien de parenté fictive ou à resserrer un lien de parenté existant. Sa caractéristique est de ne pas entraîner la rupture du lien de filiation entre les parents biologiques et l'adopté. Seule l'adoption **plénière** (nationale ou internationale) crée un nouveau lien de filiation légitime (article 30).

S'inspirant des instruments internationaux susmentionnés, les principes directeurs à la base de la nouvelle loi sont les suivants :

- l'intérêt supérieur de l'enfant doit être la considération primordiale dans toute décision le concernant (article 4), c'est-à-dire que l'enfant doit toujours être le point de départ du processus aboutissant à l'adoption et non l'inverse ;
- le principe de double subsidiarité prévoit que c'est seulement dans le cas où la famille d'origine ou la famille élargie est incapable de prendre l'enfant en charge qu'il faut recourir à une famille de substitution. La famille de substitution à considérer doit être d'abord une famille d'accueil à Madagascar, dans le pays de l'enfant, dans un environnement culturel, linguistique proche de son milieu d'origine. Ce n'est qu'en dernier ressort qu'on aura recours à l'adoption *plénière internationale* (article 32). L'adoption *plénière internationale* peut être effectuée par des nationaux *malagasy* résidant à l'étranger ou par des étrangers résidant soit à Madagascar, soit à l'étranger.

4) Conditions à remplir pour être adopté et pour devenir parents adoptifs

L'adopté doit être âgé de moins de 12 ans, alors que dans la loi de 1963, il devait être âgé de moins de 10 ans. Les nécessités pour l'adopté d'avoir été abandonné ou d'être rattaché par un lien de parenté aux adoptants ont été maintenues. L'enfant doit être adoptable : il doit être inscrit sur la liste des enfants adoptables auprès de l'Autorité centrale.

Les père et/ou mère encore en vie et connus doivent consentir à l'adoption *par devant le juge des enfants*. Le juge des enfants joue un rôle fondamental, non seulement pour déclarer l'enfant abandonné par décision spéciale (article 39) et pour le confier en conséquence à telle institution agréée (dont un centre d'accueil) strictement réglementée[9], mais en outre pour recueillir le consentement des père et mère (articles 41-42), et pour informer ceux-ci de la portée de leur consentement ainsi que de la possibilité de rétractation de ce consentement dans un délai précis (trois mois, article 43).

L'adoption **plénière** n'est permise qu'« aux époux hétérosexuels dont l'un est âgé d'au moins 30 ans, et qui au jour de l'adoption ont au plus 3 enfants à charge... ». Ainsi l'adoption plénière d'un enfant malgache est interdite à une personne célibataire, ou à un veuf ou à un couple non hétérosexuel. L'article 61 ajoute que : « Si l'un des époux décède en cours d'instance, le conjoint survivant ne peut plus continuer la procédure... ».

Ces dispositions n'ont pas manqué et ne manqueront pas de créer des problèmes. Par exemple, durant la période transitoire, deux époux avaient entamé le long circuit de l'adoption pour l'adoption plénière d'une fillette malgache avec laquelle ils ont déjà eu plusieurs contacts. L'enfant leur a déjà été confié provisoirement, bien que demeurant encore dans une famille d'accueil en attendant le jugement. Le mari était venu à Madagascar pour le prononcé du jugement : la demande a été accordée. Durant la période d'attente d'une voie de recours éventuelle, la femme envoya une lettre d'opposition au visa de l'enfant au motif que les époux venaient de divorcer. L'enfant n'a pas pu sortir de Madagascar, alors que le jugement d'adoption était devenu irrévocable. Le problème serait identique dans l'hypothèse du décès de l'un des époux. Comment résoudre de telle situation ?

En cas de problème, le recours à la Convention de La Haye serait de nature à clarifier la situation et à apporter des solutions dès lors qu'il ne s'agit pas ici d'une condition de fond non respectée, mais simplement d'un incident de procédure. La solution serait

---

9 Le centre d'accueil est réglementé par le décret n° 2006-296 du 10 août 2006 fixant les modalités d'application de la loi n° 2005-14 du 7 septembre 2005 relative à l'adoption. Le centre d'accueil fait l'objet d'un double agrément : agrément en tant que centre à vocation sociale ; agrément pour adoption.

certainement différente si la dissolution du mariage des futurs parents adoptifs était connue durant la procédure d'adoption, ou si elle n'a été connue qu'après le prononcé du jugement d'adoption.

En ce qui concerne les conditions tenant à l'âge des adoptants et à leur situation parentale (exemple, absence d'enfant légitime), ces conditions devraient relever en principe de la loi nationale desdits adoptants (*cf.* article 5, loi 2005-014 sur l'adoption ; article 28, ordonnance 62-041 du 19 septembre 1963 relative aux dispositions générales de droit interne et de droit international privé ; article 8, ordonnance 60-171 du 3 octobre 1960 relative au partage des compétences entre les juridictions de droit moderne et les juridictions de droit traditionnel).

Cependant, les Tribunaux *malagasy* pourraient catégoriquement refuser l'adoption internationale faite par un couple non hétérosexuel ou par un célibataire en faisant intervenir soit l'intérêt supérieur de l'enfant, soit l'exception d'ordre public. Par contre, il est arrivé aux Tribunaux *malagasy* d'accorder l'adoption **judiciaire** à des époux étrangers qui avaient 4 enfants à charge, ce que leur loi nationale permettait, en se fondant sur l'intérêt supérieur de l'enfant.

Par ailleurs, *l'article 35* précise que l'adoption internationale n'est permise qu'aux époux dont la loi nationale reconnaît l'institution de l'adoption **plénière**. Cela signifie que l'Etat d'accueil, le pays des parents adoptifs, doit reconnaître l'institution de l'adoption plénière (ce qui est d'ailleurs réaffirmé par l'article 26 de la Convention de La Haye), et en conséquence reconnaître le lien de filiation entre l'enfant et les parents adoptifs, qui comporte nécessairement la responsabilité parentale des parents adoptifs à l'égard de l'enfant[10].

5) Conditions procédurales en vigueur

La procédure dans la nouvelle adoption comporte deux phases : la phase administrative, donnant un rôle important aux Autorités centrales, et la phase judiciaire qui fait intervenir le juge.

---

10 Ainsi, des époux marocains, par exemple, ne pourront pas adopter un enfant malgache. En effet, au Maroc, c'est l'institution de la ***Kafalah*** qui s'applique. C'est une législation d'inspiration islamique qui interdit toute possibilité d'établir une filiation à l'égard d'un enfant étranger à la famille. L'adoption, dans le concept occidental, est prohibée par le Coran, donc par le Code de la famille du Maroc. Mais la *Kafalah* permet par contre l'accueil d'un enfant dans un foyer dans des conditions précises. En tout cas, la *Kafalah* est l'engagement de recueillir un enfant et de le considérer comme son enfant, sans pourtant qu'un lien de filiation puisse être établi par la suite.

a) Phase administrative : rôle primordial des Autorités centrales

La Convention de La Haye sur la protection des enfants et la coopération en matière d'adoption internationale instaure un système de coopération entre les Etats contractants, c'est-à-dire, qui ont ratifié cette convention. Chaque Etat contractant doit mettre en place une Autorité centrale.

Il y a donc, d'un côté, une Autorité centrale du pays d'origine, soit l'Autorité centrale du pays d'origine de l'enfant à adopter, qui a pour rôle essentiel de constituer et de mettre en état le dossier concernant l'enfant. Le dossier doit contenir toutes les pièces requises qui établissent que l'enfant est adoptable, prouvent que les parents biologiques ont été bien informés des conséquences de leur consentement, vérifient que le consentement a été obtenu librement mais pas moyennant paiement.

De l'autre côté, il y a une Autorité centrale du pays d'accueil, c'est-à-dire, du pays des futurs parents adoptifs, qui a pour responsabilité la constitution du dossier relatif aux futurs parents adoptifs. Elle facilite, suit et active la procédure en vue de l'adoption. Cette Autorité centrale doit dresser un rapport, préciser si les futurs parents adoptifs demandeurs sont qualifiés et aptes à adopter. Le rapport est transmis, avec la demande, à l'Autorité centrale du pays d'origine de l'enfant. Il y a échange d'informations relatives à l'enfant et aux futurs parents entre les Autorités centrales.

L'Autorité centrale *malagasy* du pays d'origine (article 2 et suivants de la loi), organe étatique de création récente par la nouvelle loi de 2005, n'est qu'à sa phase démarrage. Tout le cadre juridique est mis en place. Il reste maintenant sa mise en œuvre effective, qui est liée et est fonction des moyens financiers, des ressources humaines et de la formation de personnes responsables. Pour accomplir sa mission, l'Autorité centrale dispose d'une cellule d'experts (article 10). Par ailleurs un comité consultatif interministériel collabore avec elle. L'Autorité centrale fait le lien avec les Autorités centrales extérieures des autres pays. Toutes les correspondances portant adoption internationale se font exclusivement par voie diplomatique entre l'Autorité centrale du pays d'accueil et l'Autorité centrale du pays d'origine de l'enfant. La demande d'adoption plénière doit être déposée soit à l'Autorité centrale *malagasy*, soit à l'Autorité centrale du pays d'accueil, même s'il s'agit d'une adoption plénière nationale.

Disposant de la liste des enfants adoptables, l'Autorité centrale du pays d'origine va procéder à *l'apparentement* : c'est l'Autorité centrale qui va proposer officiellement l'enfant aux futurs adoptants par l'intermédiaire de l'Autorité Centrale du pays d'accueil. S'il y a acceptation de la part des adoptants, le dossier de l'adopté va être constitué. En conséquence, les personnes résidant dans un pays ne disposant pas d'Autorité centrale ne pourront pas faire une adoption plénière d'un enfant *malagasy*.

Après l'apparentement, la demande d'adoption est déposée auprès de l'Autorité centrale du pays d'origine pour transmission au Tribunal.

b) Phase judiciaire

La phase judiciaire est pour le moment encore suspendue. Il n'y a pas encore de dossiers à juger, même de simple demande d'adoption internationale. Le dossier établi par l'Autorité centrale facilite grandement la tache du juge, d'abord, quant à l'appréciation relative aux demandeurs à l'adoption (sont-ils qualifiés et aptes à adopter ?), ensuite, quant à l'adoptabilité de l'enfant.

Une période probatoire d'un mois est accordée aux adoptants par ordonnance du Président du Tribunal de Première Instance, ou par le juge par lui délégué, pour se familiariser avec l'enfant avec obligation de se présenter ensemble devant le tribunal à l'issue de la date fixée : le tribunal voudrait se rendre compte s'il n'y aurait pas une certaine attitude de répulsion de la part des futurs parents (art. 56). Les adoptants peuvent se rétracter durant cette période. A l'issue de cette période probatoire, le Tribunal, en chambre du conseil, va procéder **au contrôle de la légalité**, c'est-à-dire, vérifier si toutes les conditions de fond sont remplies, mais également à un **contrôle d'opportunité** puisque l'adoption ne devrait être prononcée que si elle est conforme à l'intérêt supérieur de l'enfant.

6) Les effets particuliers de l'adoption

L'adoption **plénière** est prononcée par décision judiciaire. Le jugement emporte rupture de tous liens entre l'adopté et sa famille d'origine, et confère le statut d'enfant légitime au sein de la famille adoptive. Le jugement d'adoption doit être transcrit dans le registre d'état civil du lieu de naissance de l'enfant et n'est opposable aux tiers qu'à compter de cette transcription. La décision d'adoption internationale rendue à

Madagascar est reconnue de plein droit par les autres Etats qui ont ratifié la Convention de La Haye (article 67).

Le jugement d'adoption plénière est irrévocable. La seule possibilité pour l'adoptant par la suite, en cas d'ingratitude, serait d'avoir recours à la procédure de rejet. Obligation est faite pour les adoptants résidant hors de Madagascar d'envoyer tous les 6 mois pendant la première année un rapport relatif à l'intégration de l'enfant, et pour les années suivantes, annuellement jusqu'à la majorité de l'enfant. Il en va de même pour l'Autorité centrale du pays d'accueil.

Faut-il souligner que nul ne peut tirer un profit matériel indu, gains matériels ou financiers ou tout autre bénéfice ou avantage indus, en raison d'une intervention à l'occasion d'un placement dans une institution agréée ou durant la procédure d'adoption, sous peine de travaux forcés (sauf s'il s'agit de véritables frais et dépense ou des honoraires des avocats). A compter de l'acceptation, pour les besoins de l'enfant, les adoptants sont tenus de verser une somme fixée par arrêté ministériel (actuellement 800 Euros par enfant pour une adoption internationale) à l'Autorité centrale, laquelle la transmettra à l'institution agréée qui avait accueilli l'enfant avant l'adoption. La nouvelle loi ne facilite pas beaucoup l'adoption plénière nationale : le paiement d'une contribution financière primitivement fixé à 1.500.000 AR pour une adoption plénière nationale est loin d'inciter les futurs parents adoptifs malgaches. Le montant de la somme aurait été réduit à 200.000 AR actuellement.

B – Promotion de l'égalité des droits de l'homme et de la femme (Loi n° 2007-022 du 20 août 2007 relative au mariage et aux régimes matrimoniaux)

Cette loi récente s'inscrit dans le cadre de la mise en conformité de la législation *malagasy* avec les instruments internationaux ratifiés par Madagascar, notamment avec la Convention sur l'élimination de toutes les formes de discrimination à l'égard des femmes, ratifiée par Madagascar en 1989.

Ainsi, des réformes significatives ont été apportées, d'une part, à l'ordonnance 62.089 du 1er octobre 1962 relative au mariage, et d'autre part, à la loi n° 67-030 du 18 décembre 1967 relative aux régimes matrimoniaux, dans le sens d'une égalisation et d'un équilibre des droits des hommes et des femmes. Il en résulte que tout en tenant compte de la réalité *malagasy*, les innovations instaurées se rapportent essentiellement à l'égalité en droits et en responsabilités des époux durant la contraction du mariage, au cours du mariage et lors de sa dissolution.

Le législateur s'est efforcé d'adapter les dispositions légales aux exigences de la vie moderne et aux impératifs du droit, sans pour autant sacrifier l'originalité des sociétés traditionnelles. En effet, il a conservé et aménagé certaines règles coutumières et a solennellement affirmé, dans les considérations générales sur le mariage, l'interdiction absolue du mariage entre deux personnes de sexe identique. Les relations de couple telles que le PACS (Pacte Civile de Solidarité) sont ainsi formellement prohibées.

Il est par ailleurs important de relever que, bien que la nouvelle loi maintienne l'affirmation selon laquelle le mari est le chef de famille, la femme possède dans le mariage une condition identique à celle de son mari, au regard des conditions requises pour contracter mariage, des effets du mariage et en matière de divorce.

1) Le même droit de contracter mariage à l'homme et à la femme

Le mariage est soumis à des conditions de forme et de fond identiques pour les deux époux. Une modification importante est apportée à l'âge matrimonial qui est uniformisé : désormais l'âge matrimonial coïncide avec la capacité matrimoniale et est donc fixé à **18** ans, sans distinction de sexe. Bien sûr, il y a toujours possibilité d'autorisation du mariage par décision judiciaire avant cet âge, en cas de motifs graves appréciés par le Président du Tribunal de Première Instance, en particulier en cas de grossesse de la jeune fille.

Le but de l'amendement est certainement de supprimer toute disposition discriminatoire, mais également, d'éliminer la pratique des mariages précoces, les mariages entre de trop jeunes gens étant les plus fragiles. Les demandes de divorce les plus nombreuses concernent les jeunes, qui sont mariés seulement depuis 2, 3 ou 5 ans. Pour les femmes, la demande en divorce est fondée pour la plupart sur des motifs économiques : elles sont déçues en constatant que leur époux n'était pas assez débrouillard pour pouvoir gagner beaucoup d'argent rapidement. Quant aux maris demandeurs de divorce, c'est en général parce qu'ils ont trouvé une autre femme ou pour sanctionner l'épouse qui a eu l'audace de demander en justice une contribution aux charges du ménage.

Quelques données chiffrées concernant les procédures de « divorce »

Demande de divorce devant le Tribunal de Première Instance d'Antananarivo

- **Année 1997** : Homme : . .407 (beaucoup plus de demandes déposées par les maris)
  Femme : . . . 342
  Total : 749
  Moyenne par mois 62
  Moyenne par jour 02
  Remarques : majorité (H)
  Différence H/F : 65 dossiers

- **Année 2007** : Homme : 666
  Femme : . . .726 (beaucoup plus de demandes déposées par les femmes)
  Total : 1392
  Moyenne par mois 116
  Moyenne par jour 04
  Remarques : majorité (F)
  Différence F/H : 60 dossiers

Comparaison : nombre de dossiers de divorce en :
1997 : 749
2007 : 1392
Différence : .643

Un acteur principal : le « sefo fokontany » (chef du fokontany)

Le chef du *fokontany* joue un rôle fondamental dans le mariage. En effet, il lui appartient dorénavant de délivrer le certificat de célibat aux futurs mariés, pièce exigée pour que le mariage puisse être célébré.

En outre, la nouvelle loi a maintenu les deux formes du mariage : la célébration par officier de l'état civil d'un côté, et la célébration selon les traditions suivie de l'enregistrement à l'état civil, de l'autre. S'il a été impossible d'avoir des statistiques sur le nombre de mariages célébrés selon les traditions suivis d'enregistrement, on peut par contre affirmer que les tribunaux n'ont enregistré aucune demande de divorce relative à des mariages célébrés selon les traditions jusqu'à ce jour.

Cela signifierait-il que les mariages célébrés selon les traditions sont très solides, ou bien plutôt que de tels mariages sont inexistants ? On pourrait alors se demander la raison pour laquelle cette sorte de célébration n'a pas été très utilisée[11]. Une des raisons qui pourrait être avancée serait la difficulté à déterminer qui est en réalité ce « représentant de l'autorité » qui a l'obligation de dresser non seulement un procès verbal de constatation de l'accomplissement des cérémonies traditionnelles, mais en outre d'énoncer toutes les mentions obligatoires énumérées par l'ancienne loi, sous peine de sanctions pénales, et enfin de remettre le procès-verbal à l'officier de l'état civil.

Le décret d'application de l'ordonnance de 1962 relative au mariage avait précisé que ce représentant de l'autorité était soit les chefs de village ou les chefs de quartier, soit toute personne âgée de plus de 40 ans, désignée pour une période de 2 ans par le sous-préfet sur proposition du chef de canton et après avis du conseil communal intéressé. Or, non seulement les chefs de village et les chefs de quartier (dont l'existence était tout à fait informelle) semblaient ignorer totalement leur responsabilité importante en matière de mariage célébré selon les traditions dans les zones rurales, mais en outre la procédure de désignation de cette autre personne de 40 ans pour une période de 2 ans est tellement complexe (les « chefs de canton » mis en place par l'administration coloniale française, et qui n'étaient en fait que les exécutants de cette administration, ont disparu depuis fort longtemps) que d'ailleurs personne ne s'est souciée d'y avoir recours.

Les dispositions de la nouvelle loi de 2007 ont beaucoup simplifié l'institution. Ainsi dorénavant, *c'est le chef du fokontany* qui doit constater et l'accomplissement des cérémonies traditionnelles et la réalité du consentement personnel des époux à se marier. C'est également ce chef du *fokontany* qui aura l'obligation de remettre un exemplaire du procès-verbal dressé à l'officier d'état civil compétent. A notre avis, si ces chefs de *fokontany* sont bien instruits de leur rôle accru et de leurs responsabilités nouvelles, l'institution aura beaucoup plus de chance d'être utilisée par la population rurale, le chef du *fokontany* leur étant plus proche.

---

11 Un collègue magistrat de Farafangana (Sud Est de Madagascar) nous a récemment expliqué que, là-bas, les jeunes gens continuent à se détourner du mariage coutumier suivi d'enregistrement, soit par ignorance des effets du mariage enregistré, soit par choix délibéré de ne pas se lier devant l'Etat et de garder la possibilité d'une rupture de l'union en moins compliquée.

2) Les mêmes droits et les mêmes responsabilités au mari et à l'épouse

Il est en effet imposé aux époux *des obligations parfaitement réciproques* de fidélité, de soin et d'assistance, ainsi qu'une obligation conjointe de nourrir et d'élever les enfants. L'article 55 de la loi de 2007 est explicite quand il stipule :

« Par le seul fait du mariage, les époux contractent ensemble l'obligation de nourrir, entretenir, élever et instruire leurs enfants. **Ils ont les mêmes droits parentaux** et subviennent ainsi à l'éducation des enfants et préparent leur avenir. »

Les époux sont tenus de vivre ensemble. Ils fixent d'un commun accord la *résidence commune*. En cas de survenance au cours du mariage de désaccord entre époux sur le choix d'une résidence commune, l'époux le plus diligent peut saisir du différend le juge des référés. Ces dispositions, déjà prévues par la loi n° 90-013 du 20 juillet 1990, ont déjà fait l'objet de précédentes remarques jurisprudentielles en particulier. Il convient seulement de relever que jusqu'à ce jour le juge des référés n'a jamais encore été saisi d'un différend sur le choix d'une résidence commune.

Maintien du « misintaka » (retrait provisoire du domicile conjugal)[12]

Le régime du *misintaka* est maintenu, mais est fortement réglementé. En effet, le libellé des dispositions légales de 1962, trop succinct, avait forcé la jurisprudence à faire preuve de beaucoup d'imagination, sans toutefois parvenir à l'éloigner des prescriptions coutumières. Ainsi, la jurisprudence qui exigeait du mari le *fampodiana* (« incitation au retour »)[13] dans les formes coutumières, dans l'hypothèse où la femme était en état de *misintaka*, a toujours considéré comme constituant une injure justifiant le prononcé du divorce à ses torts, le fait pour le mari d'alléguer avoir procédé à un *fampodiana*, alors qu'il a envoyé un huissier pour mettre en demeure son épouse d'avoir à réintégrer le domicile conjugal.

Par ailleurs, beaucoup de femmes ont une activité professionnelle, et lorsqu'elles ont un motif grave pour quitter le domicile conjugal, elles

---

12 *Misintaka* ou *fisintahan'ny vehivavy*, abandon par la femme du toit conjugal.

13 C'est le fait de ramener l'épouse fugitive sous le toit conjugal. D'après la tradition, c'est par la persuasion, des promesses et des présents que le mari doit ramener l'épouse qui s'est retirée du toit conjugal.

ne peuvent se rendre auprès de leurs parents souvent domiciliés à la campagne ou en des lieux éloignés ; or la jurisprudence a toujours refusé de considérer la femme comme en état de *misintaka* si elles se rendaient auprès d'amis ou louaient une chambre quelque part.

La nouvelle loi a partiellement résolu le problème en autorisant la femme à quitter temporairement le domicile conjugal pour de motifs graves, pour résider chez ses parents ou ses proches parents, *ou à défaut* dans un centre d'accueil pour victimes de violences ou toute autre personne de bonne moralité, sans précision (qui pourrait être des amis), mais pour une durée qui ne peut excéder 2 mois. La fixation d'une telle durée est d'importance : la femme en état de *misintaka* ne pouvait, comme c'était le cas dans l'ancienne législation, attendre indéfiniment le bon vouloir du mari. En effet, le mari a l'obligation (article 52), avant l'expiration de ce délai de 2 mois, de procéder au *fampodiana* accompagné de ses parents, ou à défaut, de notables, sinon il se mettait dans son tort.

3) Les mêmes règles lors de la dissolution du mariage

La nouvelle loi a maintenu le principe du divorce pour faute. L'article 80 a modifié les règles de compétence : toute demande en divorce peut être portée devant le Tribunal du lieu de résidence de l'un ou de l'autre des époux (donc recours à la compétence territoriale de droit commun du défendeur), ou devant le Tribunal de leur dernier domicile, ou de la résidence effective de la femme défenderesse en état de *misintaka*.

Un problème relatif à la compétence du tribunal cependant demeure : l'ancienne et la nouvelle loi édictent que *la date de l'ordonnance de non conciliation* engage l'instance et fixe définitivement la compétence de la juridiction saisie, quelque soit le changement pouvant intervenir ultérieurement quant à la résidence de l'un ou de l'autre époux. Or, il arrive souvent que le défendeur ou la défenderesse ne comparait pas à l'audience de conciliation (ou n'a pas pu se présenter à cette audience). Ce défendeur ou défenderesse ne pourra donc plus soulever une exception d'incompétence du Tribunal saisi même *in limine litis* devant ce Tribunal, alors qu'en cours de conciliation, aucune des parties n'éprouve encore le besoin de soulever une quelconque exception d'incompétence, l'objet de la comparution étant essentiellement une tentative de conciliation. La date de l'ordonnance de non conciliation ayant fixé définitivement la compétence du Tribunal, cette disposition n'est pas de nature à rendre efficace toutes les dispositions relatives au domicile conjugal et à la compétence du Tribunal.

C – Le droit de l'enfant à une protection

(La Loi n° 2007-023 du 20 août 2007 sur les droits et la protection des enfants)

Cette loi nouvelle se veut être un texte spécifique regroupant les règles relatives aux droits et à la protection des enfants, dans le cadre des principes de base édictés par la Convention relative aux droits de l'enfant à laquelle Madagascar est Partie et qu'elle a ratifiée, tout en tenant compte de la réalité *malagasy*.

1) Rôle fondamental du juge des enfants

La loi de 2007 complète l'ancienne ordonnance n° 62-038 du 19 septembre 1962 sur la protection de l'enfance[14] et qui constitue à l'heure actuelle le principal texte de référence du juge des enfants dans le traitement des cas des enfants en danger et des mineurs délinquants (ou en conflit avec la loi). Ce texte de 1962, en effet, ne règle la situation des enfants en danger qu'à travers les dispositions d'un seul article : l'article 3. La nouvelle loi prévoit ainsi, en ses article 48 et suivants, *les mesures d'assistance éducative et de protection* envisageables pour traiter le cas des enfants en danger. Son chapitre III traite plus particulièrement de la protection de l'enfant en *cas de maltraitance* et innove en instituant *la procédure obligatoire du signalement au juge des enfants* par toute autorité mise au courant d'une maltraitance, sous peine de poursuites judiciaires. Le juge des enfants joue ici un rôle fondamental.

2) Autorité parentale et tutelle en vue de la protection de l'enfant

Par ailleurs, cette nouvelle loi de 2007 réglemente *l'autorité parentale* et organise d'une manière définitive *la tutelle* des enfants. Elle modifie et complète ainsi la loi n° 63-022 du 20 novembre 1963 sur la filiation, la tutelle[15], étant rappelé que cette ancienne loi de 1963 avait expressément stipulé qu'elle n'entendait organiser que provisoirement la tutelle des enfants.

---

14 J.O. n° 244 du 28/09/62, p. 1983.
15 J.O. n° 324 du 30/11/63, p. 2479.

La nouvelle loi de 2007 pose les principes fondamentaux selon lesquels :

- Dans toutes les décisions qui concernent les enfants, l'intérêt supérieur de l'enfant doit être la considération primordiale.
- Le principe de la responsabilité de la famille dans la protection de l'enfant. Ce n'est qu'en cas de défaillance de cette famille qu'il y a contribution de l'Etat par le biais du juge des enfants. Cette loi de 2007 innove en abrogeant en totalité les articles 92 à 110 de la loi 63-022 du 20 novembre 1963, relatifs à la tutelle. La loi ancienne de 1963, en effet, n'a réglementé que très succinctement la tutelle, laquelle était alors exercée par le père, et en cas de décès de celui-ci, par la mère. En outre, en cas de divorce, la tutelle était exercée par celui des parents auquel est confiée la garde de l'enfant. Lorsque les père et mère étaient décédés ou hors d'état de manifester leur volonté, la tutelle était exercée par la personne qui, selon la loi ou la coutume, a autorité sur le mineur.

C'est la jurisprudence qui a déterminé les conditions d'exercice de cette tutelle en généralisant, d'abord, le recours au *conseil de famille* ; conseil qui devait nécessairement comprendre des représentants de la famille paternelle d'une part, et des représentants de la famille maternelle d'autre part. Ensuite, la jurisprudence a institué la pratique de *la délégation parentale*, en s'inspirant des dispositions du code civil français : c'était le juge des référés qui constatait la délégation parentale et dès lors que l'enfant était séparé de ses parents.

a) L'autorité parentale

Ce sont les articles 14 à 24 de la loi 2007-023 qui, tout en donnant la définition de l'autorité parentale, en fixent les conditions d'exercice, de sa délégation et de sa déchéance.

L'autorité parentale, constituée par l'ensemble des droits et devoirs des père et mère à l'égard de leur enfant, est exercée essentiellement en vue de la protection de l'enfant. L'autorité parentale est *exercée en commun* par les deux parents (les père et mère), non seulement s'ils sont mariés, mais également s'ils sont divorcés ou même s'ils ne sont pas mariés, mais la filiation étant établie à l'égard des deux parents.

L'article 19 de la loi 2007-023 prévoit qu'il appartient au juge des enfants de désigner, à défaut d'accord amiable entre les parents divorcés, ou si cet accord lui apparaît contraire à l'intérêt de l'enfant, le parent chez lequel les enfants auront leur résidence habituelle. C'est dire d'une manière plus précise que le juge des enfants aura à déterminer lequel des deux parents aura la garde des enfants et lequel des deux parents exercera l'autorité parentale, si l'intérêt de l'enfant l'exige. Sur ce point, concurremment à la loi 2007-023 sur les droits de l'enfant, les articles 76 et 77 de la loi 2007-022 sur le mariage déterminent également les conditions d'octroi de la garde des enfants communs à l'issue de la procédure de divorce, selon la nouvelle loi sur le mariage : le tribunal civil saisi de la demande de divorce doit également tenir compte de l'intérêt supérieur de l'enfant pour désigner, après avoir obligatoirement diligenté une enquête sociale, le parent qui aura la garde des enfants communs. Le tribunal civil saisi de la demande de divorce (article 96 *alinéa* 1) peut toujours, à tout moment, rapporter ou modifier les mesures provisoires précédemment prescrites par l'ordonnance de non conciliation en particulier ou en ordonner de nouvelles.

Des conflits de compétence peuvent alors surgir dès lors que la compétence du juge des enfants en matière d'autorité parentale et de désignation de la résidence de l'enfant est expressément reconnue par la loi.

En l'état du droit antérieur, en effet, lorsque l'un des parents saisissait le juge des enfants d'un problème de garde de l'enfant commun, alors que l'autre parent pour sa part avait saisi le tribunal civil d'une demande de garde ou de modification de garde, la jurisprudence était constante pour affirmer que le juge des enfants n'était compétent que s'il y avait allégation de maltraitance ou d'un danger qui menaçait l'enfant. Par contre, si l'enfant n'était nullement en danger, qu'il soit avec son père ou avec sa mère, le conflit ne concernant que les relations entre les deux parents, seul le Tribunal civil pouvait régler et modifier la décision de garde primitivement prise par le tribunal civil. Cette jurisprudence se justifiait d'autant plus qu'en cas de voie de recours, l'appel d'une ordonnance du juge des enfants était porté devant la chambre d'accusation, alors que le problème de garde en cause n'avait aucune connotation pénale.

Dorénavant, même en l'absence de maltraitance ou de danger, le juge des enfants peut être saisi pour régler les litiges afférents à l'autorité parentale et à la résidence de l'enfant.

En outre, **l'article 81** de la loi 2007-023 sur les droits de l'enfant précise que les recours à l'encontre des ordonnances du juge des enfants sont jugés en chambre du conseil par la chambre de la Cour d'Appel chargé des affaires des enfants. Or, dans la répartition des attributions actuelles, il s'agit de la chambre correctionnelle de la Cour d'Appel, chargée des affaires des mineurs.

Le législateur a entendu donner de larges pouvoirs au juge des enfants dans la protection de l'enfant pour régler rapidement et à moindre frais (si non gratuitement) tout problème relatif à l'enfant. Il conviendrait en conséquence, pour plus d'efficacité, d'instituer au niveau de la Cour d'Appel, une chambre particulière chargée des affaires des mineurs sans que cette chambre ne soit nécessairement comprise dans la chambre correctionnelle des mineurs. *A notre avis,* on pourrait concilier les dispositions des deux nouvelles lois de 2007 en suggérant, d'abord, une compétence exclusive du Tribunal civil pour décider de la garde des enfants communs à l'issue de la procédure de divorce. Ce n'est qu'après le prononcé du divorce que le juge des enfants pourrait être saisi en cas de problème. Néanmoins, en l'absence de dispositions légales expresses, le tribunal civil demeure compétent pour tout litige entre les parents, relatif aux mesures provisoires concernant les enfants. Il en est de même en matière de tutelle.

b) La tutelle[16]

La tutelle a pour but la protection de l'enfant et l'administration de ses biens. Elle s'ouvre uniquement lorsque le père et la mère sont tous deux décédés ou hors d'état de manifester leur volonté.

L'ancienne loi de 1963 avait prévu que, dans ces hypothèses, la tutelle était exercée par la personne qui, selon la loi ou la coutume, avait autorité sur le mineur. La nouvelle loi innove en précisant que le dernier mourant des père et mère, ou la mère dans une famille monoparentale, peuvent par testament ou par déclaration devant notaire choisir un tuteur pour leur enfant. En l'absence d'une telle désignation, le tuteur sera l'ascendant qui est du degré le plus rapproché. En cas de concours entre ascendants de même degré, c'est le conseil de famille qui va jouer un grand rôle et désigner ce tuteur, sous l'arbitrage du Président du Tribunal de Première Instance.

Selon **l'article 36** de la loi 2007-23, c'est le président du Tribunal de Première Instance ou le juge délégué par lui qui choisit les membres

16 Article 25 et suivants de la loi 2007-023.

du conseil de famille, parmi toutes les personnes qui lui semblent s'intéresser à l'enfant : parents ou alliés des père et mère biologiques, et même parmi les amis et les voisins. La désignation (ou le remplacement) du tuteur est faite *suivant la procédure de référé,* à moins qu'il ne s'agisse que d'un remplacement temporaire dans l'hypothèse où pour l'accomplissement d'un acte particulier, il y a opposition d'intérêts entre ceux du tuteur en exercice avec ceux de l'enfant, auquel cas *une ordonnance sur requête* est suffisante.

Les pouvoirs du tuteur ainsi que *les conditions d'exercice* de la tutelle sont équivalents à ceux définis par la loi de novembre 1963, étant précisé cependant que la charge de la tutelle ne se communique pas au conjoint du tuteur et ne passe point à ses héritiers.

Conclusion

On ne manquera pas d'invoquer, en paraphrasant le doyen Carbonnier[17], que les transformations effectuées en droit de la famille font de la loi une fonction répartitive, attributive, distributive de sa part à tout un chacun dans les rapports familiaux composés des trois cercles concentriques : le couple mari et femme, les enfants, le lignage. Mais une philosophie de la loi ne saurait néanmoins se bâtir sur un type unique : la loi n'est pas exclusivement répartitive, elle doit se faire pédagogique, thérapeutique, institutrice. Pour édifier la population, pour rendre effectives les nouvelles lois, ces normes doivent être connues, comprises, acceptées et appliquées.
Un tel objectif peut en partie être atteint par la codification. N'est-il pas temps de concrétiser l'idée de faire un code civil, ou tout au moins élaborer un code des droits de la famille ? En effet, les textes applicables en la matière sont très éparpillés et éparses, plusieurs textes n'ayant fait l'objet que d'une modification partielle. Les praticiens du droit sont bien en peine de trouver la loi en vigueur à la date de son adoption, les journaux officiels sont d'un nombre insuffisant pour tout Madagascar et certaines éditions sont introuvables. L'application de la loi pourrait ne pas être effective, car en fin de compte la loi est inaccessible, beaucoup de juridictions n'en disposent pas, et encore moins les citoyens. Or il ne suffit pas de réviser ou faire des lois, encore faut-il que ces lois soient

---

17 Carbonnier, J., 1995, *Flexible droit. Pour une sociologie du droit sans rigueur,* LGDJ, 8e éd., Paris, p. 259 sv.

suffisamment accessibles à tous, et surtout à ceux qui sont emmenés à les faire appliquer.

Parallèlement à la codification du droit de la famille, on devra déclencher un processus d'aménagements dans deux directions : d'une part, une retouche de l'appareil judiciaire en créant, faut-il encore le redire, une chambre particulière chargée des enfants au niveau de la Cour d'Appel ; d'autre part, une correction de certaines incohérences en matière de compétence sur les mesures provisoires concernant les enfants.

Ces propositions purement techniques de codification juridique et de correction de quelques incohérences organisationnelles nous paraissent nécessaires, mais en aucun cas suffisantes, pour favoriser la démocratisation des règles juridiques de la famille et renforcer l'état de droit, en rendant le droit plus accessible et plus simple.

Les modifications essentielles en droit malgache de la famille et propositions en vue de leur application

A - Les modifications législatives de 1990 : une œuvre de justice envers la femme

1 - La femme et l'homme fixent ensemble la résidence commune
2 - La femme et l'homme se partagent la communauté à égalité
3 - Limitation jurisprudentielle du « masimandidy »

B - Les réformes de 2005/2007 : pour l'intérêt supérieur de l'enfant et l'équilibre des droits de l'homme et de la femme

1 - L'adoption comme un moyen de protection de l'enfant

Les enjeux de l'adoption au cours des deux dernières décennies – Coordination interministérielle – Considérations générales sur la nouvelle loi de 2005 sur l'adoption – Conditions à remplir pour être adopté et pour devenir parent adoptifs – Conditions procédurales en vigueur – Les effets particuliers de l'adoption.

2 - Promotion de l'égalité des droits de l'homme et de la femme

2.1. Le même droit de contracter mariage à l'homme et à la femme
2.2. Les mêmes droits et les mêmes responsabilités au mari et à l'épouse
2.3. Les mêmes règles au cours de la dissolution du mariage

3 - Le droit de l'enfant à une protection

Rôle fondamental du juge des enfants – L'autorité parentale et la tutelle en vue de la protection de l'enfant.

Conclusion : Elaborer un code des droits de la famille.
Instituer au niveau de la Cour d'appel une chambre particulière chargée des affaires des mineurs.

Le droit des enfants en situation de handicap : un vain mot ou une lumière d'espoir ?

Lydia RANDRIANJA

En témoignage de notre reconnaissance envers le Professeur Alisaona RAHARINARIVONIRINA qui, par ses divers enseignements et engagements, a développé en nous l'inclination vers la recherche et l'analyse des situations liées aux droits humains. Cet élan, en plus de notre privilège d'être en contact avec des acteurs dans le domaine particulier du handicap, s'est traduit en une promotion des droits des enfants qui font très souvent l'objet d'une exclusion sociale et économique.

I – LA PERCEPTION DE L'ENFANT EN SITUATION DE HANDICAP

Nous étions encore une adolescente lorsque nous avions rencontré pour la première fois dans la ville d'Antsirabe[1] des enfants présentant des handicaps moteur et sensoriel, et ne pouvions imaginer que d'autres formes de handicap pouvaient affecter les enfants. Nous avons appris plus tard le handicap mental qui peut passer inaperçu car n'étant pas visible, mais détectable après observation du comportement et du langage de l'enfant (présentation d'un retard du quotient intellectuel soit léger, modéré, sévère ou profond), l'infirmité

---

1 Ville de la Région Vakinankaratra où sont installés le centre de rééducation motrice de Madagascar (CRMM), le centre de non voyants (Foibe Fanofanana ny Jamba ou FOFAJA) et le centre de handicapés sensoriels (Foibe Fanofanana Moana Marenina)

motrice cérébrale[2] (IMC), l'autisme[3] et le poly ou multi handicap. De l'incompréhension de la situation de handicap à la compassion pour un enfant handicapé, nous avons fini par mesurer la perception par les familles et les communautés de cette situation aux lourdes conséquences.

A Madagascar, l'enfant porteur de handicap (*sembana, sampona*)[4] est considéré dans la majeure partie des cas, et surtout en milieu rural, comme une malédiction ou « *tsiny* » soit, des ancêtres suite à un non respect d'un tabou (ou *fady*), soit de Dieu car les parents ont enfreint une loi divine. C'est une honte[5] que d'avoir un enfant, une fratrie vivant avec un handicap moteur, sensoriel ou mental. C'est aussi la peur de la « maladie », sinon c'est le mépris de la situation de handicap. Ainsi, à la question posée à une mère de famille quant au nombre de ses enfants, elle nous répondait sans ambages « trois, et un handicapé », et cela pour faire comprendre que le quatrième est un cas particulier à dissocier de ses frères et sœurs qu'elle qualifiait de « normaux ». Un parent d'élève d'une école primaire publique d'Ambositra au sein de laquelle le Ministère de l'Education nationale (MEN), en collaboration avec l'ONG Handicap International (HI), a décidé de mettre en place une classe intégrée[6] a manifesté sa réticence face à l'intégration à l'école d'enfants « handicapés mentaux » de peur d'une « contamination de la maladie mentale »[7] au sein de l'établissement. Un enquêteur nous rapportait que lors de ses visites à domicile

2 Les enfants atteints d'IMC sont conscients intellectuellement, mais présentent un retard au niveau de la motricité, ce qui fait qu'il leur est souvent très difficile de parler correctement en raison des difficultés qu'ils rencontrent à contrôler les mouvements de leur tête ou les muscles du visage. Norosoa R. est une adolescente atteinte d'une IMC qui a bien réussi son examen de fin du premier cycle du secondaire (BEPC) et le concours d'entrée en classe de seconde, mais les conditions d'accessibilité au lycée d'accueil ne lui ont pas permis de continuer ses études.

3 C'est un trouble envahissant du développement dont les symptômes apparaissent dès le plus jeune âge (entre 18 et 36 mois) et se caractérisent par des difficultés d'interaction sociale, de communication et de comportement. En France, le taux de prévalence est de 30/10 000 (Source : Centre de Ressources Interrégional pour l'autisme ou CRIA, Saint-Leu La Réunion ; cria.clairejoie@orange.fr)

4 Termes utilisés en malgache pour désigner les personnes porteuses de handicap.

5 Le témoignage du Pasteur Alison Trabonjy de l'Ecole des Aveugles à Fierenana, Toliara montre que des parents ont honte de leurs enfants handicapés, cf Journal La Vérité du 23 novembre 2009, p. 7.

6 Il s'agit d'une classe qui prend en charge au maximum 12 enfants à besoins spécifiques et qui se trouve être dans l'enceinte de l'école elle-même ; l'objectif de la classe intégrée est d'intégrer et d'inclure ces enfants dans un milieu ordinaire (l'« école pour tous »), ce qui la distingue d'ailleurs des centres spécialisés comme les Orchidées Blanches avec un statut d'association où des handicapés mentaux sont pris en charge. Le projet a été mis en place durant l'année scolaire 1999-2000.

7 Le handicap mental n'est pas une maladie, et il n'y a aucun risque de contagion ; d'ailleurs, la transmission héréditaire de la déficience mentale est rare. Seules les capacités de l'intéressé sont limitées.

effectuées dans le cadre des travaux de recensement de la population, un couple cachait un enfant handicapé dans un carton placé au coin de la chambre comme un vulgaire objet ; l'enquêteur n'a pu s'en apercevoir que lorsque l'enfant, entassé dans le carton, poussait des cris étranges. La mère de famille a commencé à tirer le carton vers la fenêtre pour l'ouvrir afin de donner à l'enfant un bout de « mofo gasy »[8] qu'elle tenait déjà dans sa main : une vraie séquestration qui ne permettait pas à l'enfant de « voir les rayons de soleil » qui lui reviennent de droit[9]. Nous avons dû encore nous rendre à l'évidence de la situation de handicap lors d'une activité de suivi d'une école ciblée par le projet « Education inclusive » du MEN[10] en écoutant une mère célibataire nous expliquer qu'elle ne pourrait pas se marier puisque aucun homme n'acceptera sa fille handicapée !

La perception négative de la situation de handicap n'est pas limitée ni dans le temps, ni dans l'espace. Qu'il s'agisse de pays dits développés ou en voie de développement, l'enfant en situation de handicap est toujours qualifié ou étiqueté de tous les noms et adjectifs dont le plus connu est le « lourd fardeau ou une charge conséquente »[11] pour les proches et la société.

Benthany STEVENS[12], atteinte d'une maladie des os congénitale rare appelée ostéogenèse imparfaite qui limitait ses capacités physiques, se trouvait souvent écartée de ses camarades pour éviter les fractures d'un os durant les jeux et loisirs. Elle ressentait le poids de la solitude lorsqu'elle devait subir des opérations pour le renouvellement des tiges qui soutenaient ses jambes, ou pour recevoir une thérapie physique, ou pour bénéficier de plusieurs jours de convalescence... L'intéressée a calculé le temps passé toute seule à guérir de diverses blessures, et était arrivée à la somme de sept ans. Une isolation sociale en raison de son handicap, surtout pendant des activités organisées en dehors de l'école.

8 Sorte de gâteau fait avec de la pâte de riz et souvent consommé avec du café ou du thé.

9 Traduction libre de « tsy mahita ny anjara masoandrony ».

10 Dans le cadre du programme de l'Education Pour Tous (ou EPT), le MEN, en collaboration avec HI a mis en place dans des écoles ordinaires de la Région Itasy une phase pilote (année scolaire 2007-2008) sur l'inclusion d'enfants handicapés moteurs, malvoyants et non entendants.

11 Traduction libre de « enta-mavesatra ».

12 Témoignage d'une étudiante en Droit à l'Université de Floride qui milite pour défendre les droits des personnes handicapées - *in* UNICEF, La situation des enfants dans le monde – 2006 « Exclus et invisibles », p. 26.

Jean ZERMATTEN, membre du Comité de l'ONU pour les Droits de l'Enfant et Directeur de l'Institut international des Droits de l'Enfant (IDE), Sion (Suisse) note le cas d'« un camarade de sa Faculté ayant un frère aîné lourdement handicapé qui ne pouvait s'exprimer que par des cris, vivait couché dans son lit, reclus depuis près de trente ans et que personne, ou presque, ne connaissait son inexistence (donc l'« Inconnu »)... jusqu'au jour de l'enterrement où l'auteur vit comment « la mère était défaite de chagrin », que père et fils parlaient de « délivrance ». A la question qu'il s'est posé lui-même « Pourquoi une telle attitude de déni ? », ce directeur de l'IDE a répondu par « Certainement parce que le handicap fait peur et qu'il soit ancré dans l'inconscient collectif de certaines communautés comme un malheur touche une famille, comme une punition pour des crimes des générations antérieures, comme une malédiction... »[13].

Enfin, le cas de Kabita, 26 ans, habitant le Katar (Kamchanpur-Népal) mérite d'être relevé afin de mesurer les impacts de l'exclusion. En effet, handicapée à l'âge de 14 ans à la suite d'une infection mal soignée, Kabita a été longtemps tenue à l'écart, et ses sœurs avaient peur de la porter tellement elle perdait beaucoup de poids. Ses sœurs lui ont fait savoir qu'elle avait « la peau sur les os ». Même si l'état de santé de Kabita s'est amélioré quelques années plus tard grâce à une opération chirurgicale soutenue par HI, Kabita ressent toujours le poids de la stigmatisation[14].

Voilà ainsi quatre situations-pays dont le dénominateur commun est la représentation négative de la situation de handicap qui constitue un frein au développement de la personnalité d'un individu, et altère la dignité d'un enfant.

II – L'ENFANT EN SITUATION DE HANDICAP EST AVANT TOUT UN ENFANT

L'objet de cette contribution ne concerne pas les autres formes de handicap comme le handicap social qui met l'individu (enfant) en marge de la société compte tenu de son statut social ou juridique

13 Droits des enfants en situation de handicap – Rights of children with disabilities – Séminaire de l'Institut international sur les droits de l'enfant – IDE – Suisse du 10 au 16 octobre 2006 p. 10.
14 « Vivre debout » in le Journal des donateurs de Handicap International, p. 3.

(enfant orphelin, adultérin, naturel, ancien détenu ou rééduqué[15]... se sentant mal dans sa peau et n'arrivant pas à s'intégrer dans un milieu familial ou professionnel, ou dans une école). Le handicap économique ou monétaire ne pourra être non plus développé ici même si le handicap au sens médical du terme est lié au concept de handicap économique qui se traduit en une privation de biens et de services essentiels, tels les soins et l'éducation. Ces handicaps ont des répercussions sur le développement du langage et le développement intellectuel de l'enfant qui sera un individu « effacé ». Quant au handicap socioculturel, il est utilisé pour expliquer, par exemple, les échecs des enfants de migrants.

Mais qu'est ce au juste que le handicap ?

L'Organisation Mondiale de la Santé (OMS) définit le handicap en insistant sur la notion de « déficience » notamment les anomalies organiques ou mentales, et qui font l'objet d'interventions médicales et / ou psychologiques. Ces dysfonctionnements engendrent donc des incapacités (ou désavantages) lesquelles nécessitent une réadaptation fonctionnelle.

Philip WOOD[16] établit un schéma du handicap en partant de l'idée qu'un problème de santé de l'individu signifie qu'il y a déjà une déficience dans sa personne provoquant des incapacités physiques ou intellectuelles constituant pour lui un désavantage. Ainsi, en combinant ce schéma avec l'article 1er de la Convention sur les droits de l'enfant, l'enfant en situation de handicap est un être humain âgé de moins de 18 ans[17] qui connaît un désavantage social suite à une incapacité qui lui est propre.

Pour définir le handicap, le modèle du processus de production du handicap et la classification internationale du fonctionnement du handicap et de la santé insistent sur la prise en compte d'une dynamique contractuelle. Ainsi, le handicap est le résultat de l'interaction entre les caractéristiques spécifiques de la personne et

---

15 Enfant en conflit avec la loi ou pour cas social ayant été placé suite à une Ordonnance du juge des enfants dans un centre de rééducation comme Akany AVOKO Faravohitra ou Ambohidratrimo, Akany Fanabeazana d'Anjanamasina ou Akany Fanarenana Antsirabe.
16 Philip WOOD est un médecin britannique qui a développé en 1980 l'approche médicale du handicap.
17 « ..sauf si la majorité est atteinte plus tôt en vertu de la législation qui lui est applicable » (Article 1er CDE).

l'environnement auquel elle doit s'adapter[18]. En d'autres termes, le handicap est autant imputable aux inadaptations de l'environnement qu'aux incapacités de la personne.

Certains conférenciers au Séminaire de l'IDE (octobre 2006) ont avancé des termes plus personnalisants en écartant le mot handicap avec ses connotations négatives, étant entendu que le mot « incapacité » suppose une impuissance non seulement sur le plan juridique (incapacités d'exercice ou de jouissance), mais surtout sur le plan social. Ainsi, Jean ZERMATTEN parle de « personne en situation de capacités différentes » car cette situation peut changer ou non, prévenue (grâce, par exemple, à la politique élargie de vaccination ou PEV) ou soignée ou guérie, et ne constitue en aucun cas une « fatalité définitive » ni pour l'intéressé ni pour sa famille. Michel MERCIER, quant à lui, parle de « personne accompagnée » et non de « personne assistée ».

Le droit positif malgache, à travers la Loi n° 97-044 du 02 février 1998 sur les personnes handicapées, désigne ces dernières comme « toute personne qui présente une déficience congénitale ou acquise[19] dans ses capacités physiques ou mentales et qui l'empêche d'assurer personnellement tout ou partie des nécessités d'une vie individuelle ou sociale normale » (article 2). Cette définition s'est référée à celle de la Déclaration des Nations Unies du 9 décembre 1975 sur les droits des personnes handicapées.

Dans tous les cas, l'enfant disposant de capacités différentes, accompagné, assisté ou inadapté[20] **est d'abord un enfant** dont les premiers responsables sont les parents ou les centres / institutions de prise en charge. C'est ce qui a été relevé dans l'arrêt BLIECK de la Cour de cassation française (Assemblée plénière 29 mars 1991)[21]

---

18 Michel MERCIER, Professeur auprès de Notre Dame de la Paix University, Namur Belgique *in* Rapport 12ème Séminaire de l'IDE – 10 au 16 octobre 2006, Institut international des droits de l'Enfant (IDE) – Institut Universitaire Kurt Bosch – Droits des enfants en situation de handicap, Rights of children living with disabilities – Thème « Evolution de la notion et de la définition du handicap à partir des changements de paradigmes dans l'intervention » p. 25 et suivants.

19 M. Haingo R., Responsable de la communication et de l'animation auprès de l'ONG Akanin'ny Marary - Ambositra, avec qui nous avons souvent eu l'occasion de travailler dans le cadre du programme de l'Education inclusive avec HI, a perdu la vue à l'âge de 14 ans suite à un décollement de la rétine.

20 Il existe à l'Ile Maurice une Association de Parents d'Enfants Inadaptés qui est fondée en 1970 et qui prend en charge des enfants et des adultes porteurs d'un handicap mental moyen et profond, avec ou sans handicaps associés (APEIM) – Source : un intervenant mauricien durant l'atelier de renforcement des capacités de formateurs d'enseignants sur l'Education inclusive (avril 2008 - Antananarivo)

21 *In* les Grands arrêts de la jurisprudence civile Tome 2 11e édition – Dalloz, p. 343.

opposant les consorts BLIECK et l'Association gérante du Centre d'aide par le travail de Sornac à qui a été confié un enfant handicapé ; ce dernier, en effectuant un travail en milieu libre, a provoqué un incendie. L'action introduite par la victime contre l'Association ainsi que contre l'assureur de celle-ci fut accueillie par le Tribunal de Tulle sur le fondement de l'article 1382 Code Civil[22] ce qui revenait à imputer une faute de surveillance au centre. La Cour de Limoges (23 mars 1989) confirma la condamnation tout en la fondant sur les dispositions de l'article 1384, alinéa 1er[23] du même Code qui énoncent le principe d'une présomption de responsabilité du fait des personnes dont on doit répondre. Un pourvoi fut formé et faisait valoir qu'« il n'y a de responsabilité du fait d'autrui que dans les cas prévus par la loi et, par suite, en retenant le principe d'une présomption de responsabilité des personnes dont on doit répondre, la Cour d'Appel aurait violé l'article 1384 al 1er Code Civil ». Le pourvoi a été rejeté, car selon les juges, le centre géré par l'Association qui a accepté la charge d'organiser et de contrôler à titre permanent, le mode de vie d'un handicapé mental doit répondre de celui-ci au sens de l'article 1384, alinéa 1er, et est donc tenu de réparer les dommages qu'il cause.

L'obligation de répondre des actes de tout enfant[24] puise sa source dans la reconnaissance juridique de sa personnalité[25]. L'enfant est considéré comme étant l'avenir d'un pays sans pour autant omettre son existence dans le présent. C'est ainsi que lors de la célébration du 60ème anniversaire de l'Organisation des Nations Unies (ONU), la place centrale qu'occupent les enfants dans toutes les actions des gouvernements, et ce par rapport à leurs engagements, a été réaffirmée. Ce qui reviendrait à dire que **la déficience ou le handicap n'est pas une limite à la jouissance des droits reconnus à tout enfant ;** outre ceux prévus à tous les enfants, il est reconnu aux enfants en situation de handicap des droits particuliers et indivisibles suivant leurs besoins spécifiques. Ces droits peuvent être regroupés

22 « Tout fait quelconque de l'homme, qui cause à autrui un dommage, oblige celui par la faute duquel il est arrivé, à le réparer ».

23 « On est responsable non seulement du dommage que l'on cause par son propre fait, mais encore de celui qui est causé par le fait des personnes dont on doit répondre, ou des choses que l'on a sous sa garde ».

24 Référence à la notion d'autorité parentale qui est « l'ensemble des droits et devoirs attribués aux parents sur leur enfant jusqu'à majorité ou émancipation par le mariage » (article 14 de la loi n° 2007-023 sur les droits et protection des enfants), à celle liée à la responsabilité du fait des enfants mineurs (article 222 de la loi n. 66-003 du 02 juillet 1966 sur la Théorie générale des obligations)

25 *cf* infra : La persistance de l'invisibilité malgré un cadrage institutionnel et les projets de développement.

en trois catégories fondamentales[26] : (i) l'entretien qui inclut le droit de jouir d'un niveau de vie adéquat, de soins et d'accompagnements médicaux, de matériels et d'appareillages appropriés, d'une instruction / éducation/ formation adaptée et de services suffisants ; (ii) la protection qui se traduit, entre autres, par le droit d'être protégé contre les mauvais traitements, la négligence, la discrimination, la violence[27], le délaissement d'enfant, l'abandon et l'exploitation dont l'une de ses pires formes est la mendicité[28] qui atteint l'enfant dans sa dignité[29], et enfin (iii) la participation à la vie collective et aux activités péri et parascolaires de l'école / du centre de formation par exemple, sans oublier le droit à l'expression ce qui nécessite dans certains cas l'intervention d'un interprète pour le langage des signes. S'il est enseigné à tous les enfants leurs droits, ils apprennent également les droits et libertés des autres ainsi que leur responsabilité face au respect des droits d'autrui.

Il faut reconnaître qu'à Madagascar, des enfants porteurs de handicap jouissent de leurs droits. Ainsi, la visite en 2007 du Centre pour non entendants à Antsirabe (Foibe Fanabeazana ny Jamba ou FOFAJA) nous a permis de constater que les enfants qui sont tous des pensionnaires (donc éloignés de leurs parents et familles[30]) bénéficient, en contrepartie de leurs frais de formation, d'une éducation primaire de qualité grâce à des enseignants dont les capacités sont régulièrement renforcées, aux supports et matériels pédagogiques spécifiques. En novembre 2008, la visite d'une classe d'intégration scolaire ou CLIS de l'Ecole des Baies Roses – Saint-Denis de La Réunion et qui prend en charge des enfants en situation

---

26 Le Laboratoire des Droits de la Personne et de la Famille du Centre d'Etudes et de Recherches Juridiques du Département DROIT – Faculté DEGS Antananarivo rappelle dans son étude « L'Enfant et sa Famille » les 3 P : prestation, protection et participation.

27 A Antananarivo, une adolescente non entendant a été victime d'un viol par un membre du personnel du centre de prise en charge. Les parents n'ont pas osé dénoncer le coupable de peur de représailles de la part du centre même, et aucun signalement n'a été fait auprès de la Police des Mœurs et des Mineurs par les associations qui militent en faveur des droits des enfants, et ce malgré les conseils pratiques que nous leur avons donnés.

28 Ce qui rejoint le contenu de l'article 4 de la Loi n. 2007-023 du 20 août 2007 sur les droits et la protection des enfants : « Aucun enfant ne doit faire l'objet de quelque forme que ce soit de négligence, de discrimination, d'exploitation, de violence, de cruauté et d'oppression ».

29 Le Décret n° 2007-563 du 03 juillet 2007 relatif au travail des enfants ne considère pas la mendicité comme un « travail ».

30 Certains d'entre eux viennent des Régions DIANA, SAVA, BOENY et ANALAMANGA. L'Eglise luthérienne, avec l'appui des missionnaires norvégiens, a mis en place d'autres centres à Toamasina (Sekolin'ny Jamba Toamasina ou SEJATO), à Farafangana (Sekolin'ny Jamba Farafangana ou SEJAFA), à Toliara (Sekolin'ny Jamba Fierenana Toliara ou SEJAFITO) – Source : Entretien avec M. Andriamanana Antonio, enseignant au SEJAFA, durant l'atelier de réflexion sur « La participation effective des élèves en situation de handicap aux activités sportives scolaires » – Parc Analamanga, 23 au 25 novembre 2009.

de handicap mental, nous a fait comprendre l'importance de l'engagement pris par les pouvoirs publics réunionnais dans la mesure où l'environnement dans lequel apprennent les enfants leur permet facilement de surmonter leurs incapacités : infrastructures et équipements adéquats, disponibilité des moyens humains dont les assistants sociaux, les psychologues scolaires et les éducateurs spécialisés en relation constante avec les parents et le personnel médical. Une visite à Marovoay[31] auprès du Père Bruno du Diocèse de Mahajanga, nous a fait savoir que nombreux sont les enfants en situation de handicap physique et mental dans ce district qui sont tous issus de familles nécessiteuses. La prise en charge de ces enfants constitue l'une des principales activités du Diocèse, et porte sur l'éducation et la formation des enfants et des parents, à leur faire bénéficier de visites médicales régulières auprès du Centre hospitalier de Mahajanga I. Les frais de déplacement sont si élevés que Père Bruno envisage de mettre en place à Marovoay un centre de rééducation, les matériels et équipements y afférents étant en cours d'acheminement vers ledit district.

En outre, des enfants vivant avec le handicap bénéficient de leur droit aux loisirs et aux activités sportives. Nous pouvons citer par exemple l'élection des Miss et Mister organisée par Les Orchidées blanches[32] en juillet 2009 dans le cadre d'une colonie de vacances. Cette activité[33] a fait vivre à Iarivola souffrant d'un retard mental, et à Serge un jeune trisomique[34] (respectivement Miss et Mister) et aux autres participants (une vingtaine) leur droit aux loisirs. Durant les manifestations annuelles de Sports scolaires organisées par le MEN[35], des jeunes écoliers, collégiens et lycéens porteurs de handicap moteur, sensoriel et mental ont pu y participer grâce à l'appui de l'ONG Handicap International (HI), tout comme la Fédération sportive qui

31 Se trouvant à 92 kilomètres de Mahajanga I, capitale de la Région Boeny.

32 Il s'agit d'un centre médico-éducatif créé par des parents d'enfants en situation de handicap mental ; ce centre, ayant le statut d'association, à l'instar de CAIT La Source, ACBHM, CREEVIE (centres également crées par des parents d'enfants en situation de handicap mental), bénéficie seul de l'appui de l'Etat, car le ministère en charge de l'éducation nationale y a affecté un instituteur fonctionnaire.

33 Activité récréative permettant aux jeunes handicapés de s'épanouir comme le prévoit d'ailleurs l'article 23 -3° de la CDE.

34 Il a été rapporté (dans le journal L'express du 1er août 2009) que Serge imite facilement les autres, et il apprend vite en dépit de son retard mental : il a su copier les mannequins professionnels avec sa démarche élégante et ses vêtements très tendance ce qui lui a valu ce prix de Mister.

35 Cette année 2009, les Sports scolaires ont eu lieu du 12 au 20 septembre à Manakara, et les jeunes scolarisés en situation de handicap ayant participé à ces manifestations étaient issus des Régions BOENY, DIANA, ATSINANANA, ANALAMANGA, VAKINANKARATRA, ATSIMO ANDREFANA – Source : HI.

regroupe plusieurs disciplines dont le basket sur fauteuil, l'athlétisme pour non voyants ou mal voyants, la pétanque et le torbal. Les Jeux des Iles de l'Océan Indien de 2007 qui se sont déroulés à Madagascar, et les Jeux paralympiques « Beijing 2008 » ont constitué une occasion pour chaque personne handicapée passionnée de sport de montrer que derrière le handicap, il y a des capacités.

Il est certes difficile de mesurer de manière quantitative la situation de handicap des enfants du fait que « la loi du silence » entoure le phénomène au niveau du cercle familial[36]. Toutefois, les deux enquêtes nationales menées par le Ministère de la Santé, en 2003 et 2004/2005, ont fait ressortir une prévalence globale du handicap estimée à 7,5 %, soit une population handicapée estimée à 1 347 150 en 2007[37]. Selon les tranches d'âge de la population handicapée, 0,3 % étaient des enfants ayant moins de 12 mois, 16,1 % étant âgés de 1 à 5 ans et 21,1 % entre 6 à 18 ans, soit en tout 37,5 % pour les moins de 18 ans. Pour 2007, l'effectif des enfants en situation de handicap était estimé à 505 181[38]. Et, au niveau mondial, 80 % des 200 millions d'enfants porteurs d'un handicap vivent dans les pays en développement[39] .

III – LA PERSISTANCE DE L'INVISIBILITE MALGRE UN CADRAGE INSTITUTIONNEL ET DES PROJETS DE DEVELOPPEMENT

La nécessité d'accorder une protection spéciale à l'enfant, avant comme après sa naissance, et ce, compte tenu de son manque de maturité physique et intellectuelle a été énoncée dès la Déclaration de Genève de 1924 sur les droits de l'enfant, et dans la Déclaration des droits de l'enfant adoptée par l'Assemblée générale le 20 novembre 1959. Cette protection a été également proclamée dans la Déclaration universelle des droits de l'Homme (DUDH) qui précise la notion de « droit à une aide et à une assistance spéciales », dans le Pacte international relatif aux droits civils et politiques en particulier à l'article

36 Voir supra : cas de Madagascar, de la Suisse.

37 Source : Rapport périodique de Madagascar valant troisième et quatrième rapports sur l'application de la Convention relative aux droits de l'enfant. Année 2003 à 2008 p. 56, 57.

38 Ibidem, p. 57.

39 Intervention de KABENGELE MPINGA Emmanuel sur « l'enfant et handicap dans les sociétés africaines contemporaines : pour une contre culture du handicap » - Séminaire IDE octobre 2006.

24 alinéa 1er[40], et dans celui relatif aux droits économiques, sociaux et culturels en son article 10. 3[41]. Quant à la Convention sur les droits de l'enfant (CDE) ratifiée sans réserve par Madagascar le 19 mars 1991 qui engage l'Etat malgache, elle prévoit en son article 23-1 que ... « les enfants mentalement ou physiquement handicapés doivent mener une vie pleine et décente, dans des conditions qui garantissent leur dignité, favorisent et facilitent leur participation active à la vie de la collectivité ». La Convention énonce des principes fondamentaux dont l'intérêt supérieur de l'enfant, et la non discrimination. D'ailleurs, sur ce dernier principe, l'article 3 de la loi n° 2007-023 du 20 août 2007 sur les droits et la protection des enfants mentionne expressément le mot « incapacité » qui pourrait constituer un facteur de discrimination.

L'analyse des dispositions de la Constitution malgache du 27 avril 2007 notamment en son article 21[42] permet de dire que la protection de l'enfant porteur de handicap dont l'objectif étant son épanouissement est assurée par l'Etat grâce à une « législation et à des institutions sociales appropriées ». C'est ainsi que des textes particuliers ont été prévus, mais ils restent lacunaires tant dans leur contenu que dans leur effectivité. Relevons, entre autres :

(i) la loi n° 97-044 sur les personnes handicapées qui prévoit en son article 6 leur accès aux soins sans pour autant pourvoir les formations sanitaires d'un personnel qualifié, ni de les doter d'équipements médicaux appropriés dans le domaine du handicap, ni prévoir un budget spécifique pour assurer le respect de ce droit à la santé. Le pourcentage des dépenses publiques affectées aux secteurs Santé et Protection sociale qui reste dérisoire confirme d'ailleurs cette lacune. Secteur Santé : de 7,0 % en 1995 à 5,9 % en 2007[43] ; Protection sociale : de 1,1 % en 2000 à 0,4 % en 2007[44]. L'article 14 qui traite du droit à l'éducation, n'engage en rien l'Etat qui ne fait qu'« encourager » toutes formes d'aides publiques et / ou privée adaptées à la situation de l'élève handicapé et à la situation de ses parents ou des individus

40 « Tout enfant, sans discrimination aucune fondée sur la race, la couleur, le sexe, la langue, la religion, l'origine nationale ou sociale, la fortune ou la naissance, a droit de la part de sa famille, de la société et de l'Etat, aux mesures de protection qu'exige sa condition de mineur »

41 « Les Etats parties au présent Pacte reconnaissent que : ... 3. Des mesures spéciales de protection et d'assistance doivent être prises en faveur de tous les enfants et adolescents sans discrimination aucune... ».

42 Article 21. « L'Etat assure la protection de la famille pour son libre épanouissement ainsi que celle de la mère et de l'enfant par une législation et par des institutions sociales appropriées »

43 Rapport périodique de Madagascar valant troisième et quatrième rapports sur l'application de la CDE – Année 2003 à 2008 – p. 63.

44 Sources : OGT Ministère des Finances et du Budget, Ministère de la Santé, Tableau de bord social -Secteur Santé.

à qui il est confié. Ainsi, l'Ecole privée Le Poulain d'Ankadikely Ilafy - Antananarivo, qui accueille les enfants non entendants de l'Association Mirana a sollicité, en 2008, l'intervention du Ministère en charge de l'éducation pour une exonération de la taxe douanière sur les matériels et auxiliaires pédagogiques dont elle a bénéficié de ses donateurs. Aucune suite n'a été donnée, et le conteneur était reparti privant ainsi les écoliers de cette « égalité de chance » dans l'acquisition des savoirs.

L'inclusion d'un enfant vivant le handicap dans une école « ordinaire » exige un environnement protecteur nécessitant la mobilisation de la communauté scolaire, le renforcement des capacités du personnel enseignant, des matériels pédagogiques adaptés, l'accessibilité aux infrastructures et équipements...ce qui est loin d'être réalisable pour bon nombre d'écoles, faute de volonté des acteurs et de ressources de l'école ;

(ii) le décret d'application de la loi de 1997 portant le n° 2001-162 du 21 février 2001 en ses articles 9, 19 et 20[45], consacre la notion de « possibilité »[46] et non d'une « obligation » pour le respect du droit à la santé et à l'éducation des personnes en situation de handicap, alors même qu'aucune réserve quant à l'application de la Convention sur les Droits de l'Enfant (CDE) n'a été émise lors de sa ratification. Quelles sont donc ces « institutions sociales appropriées » aux enfants porteurs de handicap que l'Etat est « tenu » de mettre en place en vue de leur épanouissement et de leur participation ?

---

45 Article 9 : « L'Etat peut pourvoir les centres et établissements publics spécialisés dont il a la charge, d'appareils ou équipements médicaux appropriés et adaptés aux besoins des handicapés physiques, mentaux et sensoriels qui y sont admis » ; article 19 : « L'éducation des personnes handicapées fait partie intégrante du système éducatif national, pouvant nécessiter la mise en place d'aménagements spécifiques à leur accueil, suivant les possibilités » ; article 20 « Outre les centres spécialisés, tous les établissements scolaires publics et privés sont accessibles aux élèves handicapés, autant que le permettent leurs capacités d'adaptation sociale, les infrastructures sociales et les compétences pédagogiques existantes ».

46 Il doit donc s'agir de la conséquence de la déclaration et de la réserve émise par Madagascar sur le Pacte international relatif aux droits économiques, sociaux et culturels (Loi n° 70-005 du 23 juin 1970) : « Madagascar se réserve le droit de différer l'application du paragraphe 2 de l'article 13 du Pacte, notamment en ce qui concerne l'enseignement primaire, car si le Gouvernement malgache accepte pleinement les principes édictés par ledit paragraphe et s'engage à faire le nécessaire pour en assurer l'application intégrale à une date aussi rapprochée que possible, les difficultés de mise en œuvre, et notamment les incidences financières, sont telles que l'application intégrale desdits principes ne peut être présentement garantie » – Source : Ministère des Affaires Etrangère / ONU : Les Conventions ratifiées par Madagascar, 63ème session ordinaire de l'Assemblée générale de l'Organisation des Nations Unies, New York, Septembre – Décembre 2008, p. 5.

Certes, l'Etat a déployé des efforts en créant à Antsirabe le Centre de rééducation motrice de Madagascar (CRMM), et à Ampandrianomby, Antananarivo le Centre national de formation professionnelle des personnes handicapées (CNFPPH)[47]. Pour ce dernier, l'article 2 alinéa 2 du Décret n° 2001-304 du 11 avril 2001 portant refonte du Décret n° 90-058 du 13 février 1990 lié à la création et à l'organisation du Centre national de réadaptation professionnelle des personnes handicapées prévoit, une fois de plus, la « possibilité » de la décentralisation de ce centre au niveau régional. Et encore, leur insertion sociale reste difficile notamment dans le secteur de l'emploi malgré la performance et les compétences dont ils font preuve comme l'a affirmé le Directeur du CNFPPH[48].

Le non respect du droit à l'éducation traduit donc l'invisibilité de ces enfants. En effet, l'accès à l'école constitue un « luxe » pour bon nombre de familles en milieu rural étant entendu que la gratuité de l'éducation est d'abord devenue l'« exception »[49], et les enfants ont, des fois en milieu rural, à parcourir une certaine distance[50], si bien que ceux vivant avec le handicap, surtout moteur, ont besoin d'un moyen de locomotion[51]. Une question se pose alors, celle de savoir si l'objectif de l'Education Pour Tous serait atteint d'ici 2015. Faute d'établissements publics spécialisés en nombre suffisant, en l'absence d'appui et d'intervention de l'Etat, des familles se regroupent pour créer des centres lesquels ne bénéficient aucunement de la part du MEN de subventions des écoles privées[52] car n'ayant pas un statut

47 Le CRMM est sous la tutelle technique du Ministère de l'Education Nationale (MEN) et les instituteurs / enseignants se déplacent jusqu'au centre afin de permettre aux enfants de jouir de leur droit à l'éducation ; le CNFPPH relève, quant à lui, du Ministère chargé de l'enseignement technique et de la formation professionnelle, et prépare des enfants et jeunes handicapés titulaires d'au moins du diplôme du CEPE pour le niveau I et du BEPC pour le niveau II.

48 *in* « Insertion sociale des handicapés – La discrimination encore et toujours présente » – Le journal La Vérité du 11 septembre 2009, p. 6.

49 Le CEREJ – Laboratoire des Droits de la Personne et de la Famille – Département DROIT, Faculté DEGS l'a déjà mentionné dans son étude menée durant l'année universitaire 2007-2008 et qui s'intitule « L'enfant et le droit à l'éducation ». Les parents doivent verser, dès la rentrée scolaire, une contribution financière qui varie de 5000 Ar à 10 000 Ar.

50 « Ils font 12 km par jour » – Lire le journal L'Express de Madagascar du mercredi 24 juin 2009, p. 14.

51 Une mère de famille d'une école de la Circonscription scolaire de Miarinarivo Itasy, ciblée par le projet Education inclusive du MEN en collaboration avec l'ONG HI porte chaque jour sur son dos sa fille handicapée physique pour qu'elle puisse aller à l'école avant de travailler dans les champs ou de faire la lessive chez son patron. La petite fille qui était en première année du primaire refuse de rester à la maison et mobilise chaque jour sa mère à la porter pour aller à l'école.

52 21 838 enseignants relevant de 4 756 établissements privés ont bénéficié de subventions pour l'année scolaire 2006 – 2007, et 22 000 écoles publiques et privées ont été dotées de Caisse école en septembre 2007 – *in* Mise en œuvre du Plan Education pour tous, Rapport de suivi, Version provisoire – septembre 2007.

d'école, ni du ministère de tutelle qu'est le ministère en charge de la population et des affaires sociales[53]. Il convient, en outre, de mentionner que les frais de scolarité / de formation mensuels au niveau des centres prenant en charge les handicapés mentaux, par exemple, s'élèvent à vingt ou cent mille Ariary[54], ce qui n'est pas toujours à la portée des familles démunies ! D'ailleurs, la direction du SEJAFA[55] a du mal à recouvrir les cinq cent Ariary par parent pour les frais de scolarité mensuels de leurs enfants, et les deux mille Ariary par an pour les repas. Une situation plus alarmante est celle des enfants vivant avec le handicap qui, ayant suivi leurs études du primaire ou du secondaire, se trouvent dans l'impossibilité de se présenter aux examens officiels (de fin du premier ou du second cycles) du fait de leur éloignement des centres d'examen arrêtés par voie ministérielle. Il en est de même pour les candidats non voyants qui se trouvent confrontés à des difficultés lors des examens parce que l'Etat n'a pas prévu des sujets en braille[56]. En un mot, l'invisibilité des enfants porteurs de handicap puise sa source dès la base : les pouvoirs étatiques chargés de leur protection et des prestations qui leur sont dues ont failli à leurs engagements ;

(iii) la loi n° 2007-023 précitée qui, en son article 48, met en évidence le rôle du juge des enfants quant à la prise de mesures d'assistance éducative lorsque la sécurité, l'intégrité physique ou morale, la santé ou l'éducation d'un enfant sont compromises. Combien d'enfants porteurs de handicap ou de familles ont pu faire l'objet de telles mesures suite à des signalements, ou à une saisine d'office de cette

---

53 CAIT La Source n'a pu bénéficier d'une subvention du Ministère en charge de la Population qu'en 1990, date de sa création. Les autres centres approchés déclarent n'avoir reçu aucun appui de la part de l'Etat.

54 Entretien avec le Pasteur Jean Norbert RAZAFINJATOVO, Directeur du Centre d'Aide Intégré par le Travail ou CAIT La Source pendant la visite du Centre en octobre 2009. Une somme supplémentaire de 18 000 Ar est à verser au cas où l'enfant intègre la cantine du centre.

55 Ecole pour non voyants citée plus haut avec 36 enfants du primaire dont 6 en formation artisanale, agricole et en élevage, et 4 sont au niveau du collège. L'école reçoit annuellement de l'Etat la « Caisse école » dont le montant varie suivant les critères suivants : effectif des élèves inscrits, zone d'appartenance (il y a zones 0, 1, 2, 3), statut de l'école (publique ou privée). Le montant par élève en zone 0 pour le public est de 3 200 Ar et 2 300 Ar pour les autres zones. Pour les écoles privées, le montant est de 2 000 Ar pour la zone 0 et 2 100 Ar pour les autres zones ; cependant ces fonds n'arrivent que tardivement à l'école, soit à la fin de l'année scolaire. Font partie de la Zone 0 : Antananarivo ville, les chefs-lieux de Faritany et Antsirabe. Les autres zones sont les autres districts.

56 Cas des 3 candidats au Brevet d'Etudes du Premier Cycle (BEPC) de l'Ecole des Aveugles de Fierenana –Toliara ou SEJAFITO qui a nécessité 30 mn pour la traduction des sujets – *in* le quotidien La Vérité du 22 novembre 2009, p. 7 ; ce problème a été également soulevé par un enseignant du SEJAFA qui se plaint des suspicions des responsables du centre d'examen dont il a fait l'objet lors de la traduction en braille des sujets.

autorité judiciaire dont les moyens humains et matériels sont déjà limités ?[57] ;

(iv) la loi n° 2008-012 portant institution du Conseil National des Droits Humains conformément aux Principes de Paris, qui constitue un mécanisme de recours habilité à recevoir et à examiner des plaintes sur des cas de violation des Droits Humains incluant les droits de l'enfant n'a pas pour autant insisté sur le cas des groupes vulnérables que sont les enfants porteurs de handicap[58].

Enfin, pour ce qui est de l'Etat, seul le rapport périodique sur l'application de la CDE fait mention en cinq pages de la situation des enfants handicapés. Le Rapport national de suivi des OMD de 2007, et le rapport alternatif complémentaire à celui des ONG nationales sur « La situation des droits de l'Homme à Madagascar » – mars 2007 ne comportent aucun paragraphe sur le respect des droits des personnes handicapées.

Madagascar n'est pas en reste des pays qui connaissent une limite dans leurs législations sur les personnes handicapées et leur application. Le cas de la Suisse, un pays développé, mérite d'attirer notre attention : la loi fédérale de 2004 sur les personnes handicapées parle surtout de « non discrimination », mais n'a pas prévu les modalités de mise en œuvre de l'accessibilité des bâtiments publics ou d'éducation, ni aux services privés qui relèvent de la compétence cantonale[59]. L'absence de règles favorisant l'embauche des personnes porteurs de handicap par les entreprises privées (ex : allègements fiscaux) reflète l'invisibilité des enfants qui ont suivi une formation scolaire et / ou professionnelle. La loi se limite à « soutenir » l'embauche des personnes handicapées dans le secteur public fédéral sans pouvoir imposer de véritables « quotas » en leur

---

57 Sauf le cas du Tribunal de première instance d'Antananarivo, le juge des enfants est en même temps juge d'instruction ou assure une autre fonction. Faute d'une assistance sociale, il doit réaliser lui-même les enquêtes sociales et le suivi des mesures d'assistances éducatives décidées.

58 Lire à cet effet l'article 3 : « Le Conseil procède à des études, enquêtes, et publications sur toutes les questions concernant les Droits Humains et les libertés fondamentales. Le Conseil saisit les autorités compétentes sur les cas de violations liées : a) à la pratique de la torture, ou aux autres peines et traitements cruels, inhumains ou dégradants pendant la garde à vue ou pendant la détention en milieu carcéral ou dans les centres d'éducation et de réinsertion ; b) à l'existence de lieux où se pratique la détention secrète ; aux disparitions forcées, aux transferts secrets ; c) à la pratique de discrimination raciale, des pires formes de travail des enfants et de traite des personnes »

59 La Suisse compte 26 Cantons, ce qui suppose l'existence de 26 régimes législatifs différents.

faveur (article 13 LHand)[60]. Par ailleurs, la faiblesse de la société civile face au respect des personnes en situation de handicap s'explique par les interventions ponctuelles et sporadiques des associations et fondations malgré les subventions dont elles bénéficient de l'Etat. Des progrès ont quand même été effectués depuis 2007 à travers la mise en place d'un organisme national (DOK) chargé de coordonner et de promouvoir le travail de lobbying au niveau fédéral, et la réforme des politiques en faveur des personnes handicapées grâce à la nouvelle répartition des tâches entre la Confédération et les Cantons[61].

A Madagascar, l'invisibilité des enfants porteurs de handicap se situe également au niveau de la communauté s'il est fait référence aux difficultés rencontrées par le centre CAIT La Source dont l'objectif est de rééduquer et de former les jeunes handicapés mentaux pour trouver une meilleure intégration sociale et économique dans la société. Ces derniers sont de jeunes citoyens à part entière, des producteurs et consommateurs. Malheureusement, les produits de l'artisanat exposés dans l'unité de production du centre restent invendus car méconnus du public, et les produits de la pâtisserie ont fait l'objet de vives critiques puisque certaines personnes pensent que ces produits faits par les handicapés mentaux ne sont pas sûrs d'être propres[62]. Le zonage des centres connaît également des limites s'il est fait référence aux données ci-après : 44,5 % des structures qui s'occupent des personnes en situation de handicap se trouvent dans trois régions (Analamanga, Amoron'i Mania, Analanjirofo) ; 75 % des associations qui les prennent en charge se focalisent dans les chefs-lieux de région comme le cas de l'Association Sembana Mijoro[63] qui, cette année avec l'appui de ses partenaires[64], a inauguré à Ambohibao – Antananarivo un nouveau centre d'accueil pour trente enfants atteints d'IMC et qui vont bénéficier de séances de rééducation[65]. Or, selon M. Falihery RAZAFINDRAKOTO, Coordinateur exécutif du Collectif des organisations des personnes handicapées (COPH) « les personnes handicapées en milieu rural ont eux aussi besoin de soutien, d'assistance et d'accompagnement »[66]. Même la Plateforme

---

60 Rapport 12ème Séminaire de l'IDE – 10 au 16 octobre 2006, Institut international des droits de l'Enfant (IDE) – Institut Universitaire Kurt Bosch – Droits des enfants en situation de handicap, Rights of children living with disabilities p. 154.

61 Ibidem, p. 155, 157.

62 Au motif que il est possible que les handicapés bavent sur ces produits.

63 Le centre, dont le siège est à Ambohimanarina – Région Analamanga a un statut d'association.

64 La Fondation MAILLON et ANBER, l'Ambassade d'Allemagne.

65 *in* Le journal La Vérité, jeudi 13 août 2009, p. 7.

66 « Personnes handicapées, Près de 400 structures opérationnelles » in le journal La Vérité du 24 septembre 2009, p. 6.

de la société civile pour l'enfance (PFSCE) qui vient d'organiser le 20 novembre 2009 une manifestation pour marquer la journée internationale sur les droits de l'enfant n'a pas prévu le cas des enfants porteurs de handicap car aucun des membres de la plateforme ne s'occupe de ce groupe d'enfants. La plupart de ces enfants dont les familles sont démunies sont livrés à eux-mêmes, mendiant dans les rues des grandes villes. Ils restent pourtant encore invisibles étant donné qu'ils sont le dernier souci des passants.

Quant au niveau de la famille, l'invisibilité se traduit sous plusieurs formes compte tenu de sa situation sociale (monoparentale, disloquée...) et économique (pauvreté intellectuelle et / ou monétaire). Seuls les enfants « valides ou normaux », comme disent certains familles et des membres de la communauté, vont à l'école, à l'église, jouent avec leurs camarades.... Dans certains cas, l'enfant lourdement handicapé, dès la naissance, n'a aucune existence juridique du fait de l'absence d'un acte de naissance[67]. Les parents étant souvent analphabètes[68] et vivant dans des zones enclavées ont des difficultés à rejoindre le centre d'état civil ou l'endroit où se déroule la régularisation de l'enregistrement de naissance ou Ezaka Kopia ho an'ny Ankizy (EKA)[69]. Il s'agit donc de situations contraires à l'article 9 de la loi n° 2007-023 sur les droits et la protection des enfants qui prévoit que l'enfant occupe au sein de la famille une place privilégiée dans la mesure où il a droit à une sécurité matérielle et morale aussi complète que possible. Faute d'acte de naissance, il perd ses droits dont celui à l'héritage[70]. Et le premier obligataire est la famille, et si

---

67 Pour répondre aux articles 7 et 8 de la CDE, le Gouvernement malgache a mis en place suivant le Décret 2004/ 495 du 20 avril 2004, le programme national de réhabilitation de l'état civil. A titre d'exemple, des enfants handicapés du District de Mahatsinjo (route nationale 4 vers Mahajanga) n'ont même pas de nom patronymique, ni de prénom. Le programme EKA a noté, qu'entre 2004-2007, 234 132 enfants n'ont pas d'acte de naissance sur les 593 551, et en 2008, sur les 2 192 457 enfants recensés, 738 809 n'ont pas les leur. 626 128 jugements ont été rendus, 408 997 jugements transcrits et 302 812 de copies délivrées – Source : Ministère de l'Intérieur – Bureau de Coordination du Programme EKA.

68 1 chef de ménage sur 4 est classé sans instruction, c'est-à-dire n'ont jamais fréquenté l'école ou qui ont atteint au maximum la 3ème année du primaire – *in* Enquêtes périodiques auprès des ménages 2005 – Rapport principal – Avril 2006, p. 37.

69 La Loi 61-025 du 9 octobre 1961 relative aux actes de l'état civil prévoit que toute naissance survenue sur le territoire malagasy doit faire l'objet d'une déclaration à l'officier d'état civil dans un délai de 12 jours (article 24). Au-delà de ce délai la loi permet la régularisation de la situation par un jugement supplétif. Toutefois, compte tenu de l'insuffisance du nombre de magistrats, du personnel judiciaire et l'éloignement des tribunaux, la loi 2007-040 du 14/01/08 relative à la délivrance des jugements supplétifs de naissance a habilité les autorités administratives du district à délivrer des jugements dans ce domaine.

70 Pour atteindre les objectifs de l'EPT, le directeur d'école est tenu d'accueillir tous les enfants, même ceux qui n'ont pas un acte de naissance ; il incite les parents à procéder à la régularisation de la situation de l'enfant, ce qui est parfois difficile selon les dires des directeurs d'école approchés. En effet, des enfants sont à l'école depuis 3 à 5 années scolaires sans que

celle-ci se trouve en difficultés, il est toujours fait référence à l'article 21 de la Constitution de 2007 qui oblige l'Etat à la soutenir afin qu'elle assume ses responsabilités. L'article 10 de la loi n° 2007-023 précitée énumère clairement les obligataires vis-à-vis de tout enfant : la famille (d'origine ou élargie), les pouvoirs publics et l'Etat.

De cet état des lieux sur la situation de handicap qui risque de rendre l'enfant plus pauvre à cause du manque d'opportunités d'éducation, de formation, de participation et l'exposant davantage à la discrimination, et en se référant aux engagements pris par l'Etat à travers sa loi fondamentale, il y a lieu de fournir un peu plus d'efforts pour le respect des Droits humains. Car, peut-on encore parler de progrès vers le développement humain durable, intégré et inclusif si un groupe de personnes reste encore invisible ?

IV – DES ACTIONS FAISABLES ET REALISABLES EN FAVEUR DES ENFANTS VIVANT AVEC LE HANDICAP

Nous sommes tous unanimes à reconnaître que l'enfance est une période clé de l'accumulation du capital humain. Et pour atteindre les objectifs du Millénaire en faveur des enfants, y compris de ceux qui sont invisibles du fait de leur handicap, il faut des actions à impacts rapides, immédiates, réalisables à court et à moyens termes en augmentant la visibilité de ces enfants. Il faut alors évoluer leur environnement notamment la famille, la communauté, l'Etat ; les intéressés eux-mêmes doivent vivre avec leur handicap sans frustration aucune et faire valoir leurs capacités. Et les atouts majeurs dont dispose Madagascar sont qu'il est d'abord un Etat unitaire[71] et non un Etat fédéral, ce qui écarte l'existence de régimes législatifs différents comme le cas de la Suisse ; qu'ensuite, le pays n'a qu'une langue nationale qui est le malagasy[72] permettant à tout un chacun de communiquer et de se faire comprendre, ce qui n'est pas le cas par exemple en Guinée où les différentes langues sont sources de difficultés[73]. Et enfin, Madagascar a, à son actif, une société civile

---

les parents arrivent à régulariser la situation de l'enfant. Or, le défaut d'acte de naissance ou de jugement supplétif tenant lieu a des conséquences graves pour l'élève, comme par exemple, l'impossibilité de se présenter aux examens officiels ni bénéficier d'une assurance scolaire en cas d'accident.

71 Article 1er al 1er de la Constitution de 2007.

72 Les 18 tribus se comprennent aisément

73 Ce qui a été mentionné comme l'un des facteurs bloquants la communication dans le pays (Atelier de partage sur l'amélioration qualitative de l'éducation – Conakry, 1995)

dynamique et engagée qui dispose de beaucoup d'expériences modélisables et dont les efforts méritent d'être soutenus pour relever le défi d'« Un monde digne des enfants »[74].
La liste des actions à entreprendre n'est pas exhaustive, mais les prioritaires sont les suivantes :

A – Améliorer la représentation du handicap

Le changement de regard en faveur de l'enfant vivant avec le handicap constitue un point de départ de l'élimination de la discrimination, et confirmera la place privilégiée de l'enfant dans la famille malgache comme le prouvent les expressions « Sombin'ny aina » (une partie de soi-même), « Menaky ny aina » (sève de la vie), « Ry aiko » (ma vie), « Dimbin'ny aina, Solofon'ny aina » (l'héritier), « Tsirin'ny aina » (jeune pousse). Dans le cas échéant, nous risquons tous de nous poser la question, celle de savoir pourquoi notre société, si attachée à l'enfant, tolère-t-elle des atteintes aux droits et à la dignité des enfants porteurs de handicap ?

Les attitudes, les opinions familiales et sociétales seront améliorées du fait de l'acceptation de la situation de handicap et cela grâce à la disponibilité des informations ; les médias auront alors un rôle à jouer en privilégiant davantage les faits sociaux avec des rubriques qui donneront une image positive des personnes vivant avec le handicap. Tel est le cas des enfants et jeunes non entendants ou non voyants réussissant les examens officiels, ou ceux fréquentant les Facultés des Universités ou devenus des médecins, ingénieurs, secrétaires, informaticiens... des médaillés durant les activités sportives nationales, régionales et internationales...Les médias qui sont déjà engagées auront le soutien et l'appui des autorités administratives / traditionnelles / spirituelles locales ayant bénéficié au préalable de séances d'information et de formation sur le handicap. En effet, nul n'ignore les intérêts du pluralisme de la source d'informations pour aboutir à un changement de comportement. C'est d'ailleurs l'une des stratégies de mobilisation sociale préconisée par le COPH depuis 2000 en collaboration avec les médias, même si les impacts du mouvement sont encore des moindres[75]. C'est ainsi que lors du Colloque national « Enfant, Famille, Emploi et Développement social » en septembre 2009, un des intervenants a mobilisé l'assistance sur le respect des droits des enfants en préconisant un « regard neuf sur soi et sur les autres ».

74 Expression consacrée par l'UNICEF
75 Selon M. Falihery RAZAFINDRAKOTO, Coordinateur exécutif du COPH, octobre 2009

En un mot, changer le regard signifie qu'il ne faut pas se focaliser sur le handicap en tant que tel sans pour autant le dénier. Il faut oser en parler afin de dissiper toute appréhension, et répondre au questionnement de chacun grâce à la maîtrise du concept. La Semaine du Handicap qui a débuté le 03 décembre 2009 va augmenter certainement la visibilité des personnes vivant avec le handicap ; et ce qui est à espérer est que toutes les semaines de l'année vont permettre à la communauté de changer de regard aux fins de vivre ensemble mais différemment.

B – Maîtriser les besoins spécifiques d'un porteur de handicap

Il ne faut pas perdre de vue que c'est le savoir qui engage les attitudes et les comportements. Pour mieux accompagner l'enfant vivant avec le handicap en tant que personne juridique, il faut comprendre ses besoins spécifiques outre ceux reconnus à tout enfant. Et l'appropriation des principes de diversité, d'éducabilité[76] et d'aménagement de l'environnement[77] est alors fondamentale. Il appartient, en premier lieu, à la famille (nucléaire ou élargie) de jouer un rôle fondamental dans l'identification de ces besoins aux fins d'établir, avec les professionnels, un projet individuel pour l'enfant (projet de soins et/ ou projet éducatif). Ces professionnels, en associant la famille, vont travailler en équipe pour partager les problèmes et trouver des solutions appropriées : les médecins à travers des conseils après un bon diagnostic (ils doivent connaître le vécu émotionnel de la famille), les travailleurs sociaux pour les enquêtes et l'accompagnement moral et affectif de la famille et de l'enfant, le personnel enseignant collaborant avec la famille pour assurer la continuité des acquis à l'école ou au centre, les associations et réseaux de protection pour leur appui technique, matériel et financier[78]. Ces derniers pourront rassembler les familles ayant un enfant handicapé pour les aider à contribuer activement à son épanouissement et à son intégration / inclusion dans la communauté ; mais encore faudra-t-il que ces associations et réseaux disposent d'une équipe mobile pluridisciplinaire, compétente

---

76 Selon E. KANT, « L'homme est la seule créature susceptible d'éducation » - Traité de Pédagogie.

77 Il faut rendre effectif, à titre d'exemple, l'article 2, al. 1er de l'Arrêté inter ministériel n° 23 144 : 2004 portant application des droits des personnes handicapées dans le domaine éducatif : « Dans le but de faciliter leur intégration, les jeunes handicapés et les enfants handicapés doivent être scolarisés, de préférence dans le système scolaire ordinaire. A cet effet, les bâtiments scolaires doivent être aménagés pour pouvoir accueillir des élèves handicapés ».

78 Cas d'octroi de micro crédit après une formation en activités génératrice de revenu.

et dévouée pour gagner la confiance des familles en la préservation de l'attachement à l'enfant.

L'important est donc de reconnaître les difficultés de l'enfant, de s'adapter à ses moyens, et de ne pas le laisser en situation de ressenti d'échec que ce soit en milieu familial, scolaire ou d'apprentissage.

C – Partager, mobiliser, sensibiliser

Une fois, le concept de handicap maîtrisé, il faut partager le regard et promouvoir l'inclusion et la pleine participation de l'enfant porteur de handicap pour rejoindre les propos de J. FICHTE l'« l'Homme ne devient l'Homme que parmi les Hommes ».

La mobilisation et la sensibilisation sur le droit des enfants en situation de handicap ne peuvent être effectuées qu'après une maîtrise de l'état des lieux du site ou de la cible. La stratégie de mobilisation varie donc d'un lieu à un autre, d'une personne à une autre ; sera pris en considération l'environnement socio-économique et culturel de la cible, et les catégories de personnes qui disposent d'un pouvoir de décision pour orienter les politiques d'inclusion seront privilégiées (Chef Fokontany, Chefs traditionnels, Maire...). L'analyse de la perception, du niveau de connaissance et de la sensibilité sur le Handicap de la cible doit faire ressortir les points forts et les faiblesses sur lesquels seront basées les activités et les stratégies de mobilisation.

Six Fédérations[79] représentant chaque type de handicap sont déjà instituées pour prôner leur mot d'ordre : « l'égalité dans la différence ». Elles pourront constituer un groupe de pression à tous les niveaux (local, régional et national) et surtout pour le plaidoyer auprès des institutions étatiques ou non comme les entreprises. Les sept cent réseaux de protection de l'enfant mis en place[80], les quatre réseaux de

79 Ce sont : le Collectif des organisations des personnes Handicapées (COPH), la Fédération malgache de handisport (FMH), la Fédération des associations des aveugles de Madagascar (2AM), l'Union Nationale des associations œuvrant pour les personnes Handicapées mentales à Madagascar (UNAPHAM), la Fédération des sourds de Madagascar (FMM), l'Union Nationale des Associations des Handicapés à Madagascar (UNAHM). Les fédérations sont déjà établies au niveau de 15 régions – Source : COPH.

80 En 2000, 65 réseaux étaient fonctionnels et en 2009, ils sont au nombre de 700 : Source : intervention de M. PILAZA Tsakorien Jaona Adolphe, Directeur de la Protection de la Famille et de l'Enfance – Ministère de la Population et des Affaires Sociales durant le Colloque national sur « Enfant, famille, Emploi et Développement social », 18 septembre 2009 – Motel Anosy – Antananarivo.

professionnels en éducation inclusive qui ont vu le jour en 2007[81] sont autant de ressources pour la sensibilisation des familles, des communautés civiles et professionnelles et le plaidoyer auprès des institutions. La sensibilisation portera, entre autres, sur les aspects du handicap, la nécessité d'un changement du regard pour une jouissance effective par l'enfant porteur de handicap de ses droits fondamentaux et une réponse à ses besoins spécifiques, la synergie des petites actions faisables à tous les niveaux (famille, communauté, institutions étatiques ou non).

D – Agir

Une fois la mobilisation / sensibilisation effectuée, il faut agir à tous les niveaux et simultanément : famille, école / centre, communauté, Etat et ses collectivités territoriales. Il convient de noter l'importance du temps qui va permettre aux familles et communautés d'accepter les enfants porteurs de handicaps comme tels, et laisser le temps aux familles de s'exprimer. Les plans individualisés des enfants en situation de handicap vont toujours servir de référence aux activités. Les leçons tirées des expériences nous montrent quelques exemples de petites actions faisables :

1) Pour la famille

- Donner à l'enfant son identité civile dès sa naissance, l'entretenir et lui assurer l'accès aux soins de santé
- Laisser l'enfant en situation de handicap acquérir des connaissances et compétences nécessaires pour gérer ses propres chances dans la vie et de se rendre utile pour ne plus constituer un « fardeau » de la famille. C'est de l'éducation dont dépend le développement du pays, et c'est un investissement qui ne devrait donner lieu à aucune concession : il faut alors l'envoyer à l'école ou l'intégrer dans des centres d'accueil ou de formation
- Confier à l'enfant des responsabilités en tenant compte de ses capacités, et valoriser ses efforts

81 Réseaux d'Amoron'i Mania, de Vakinakaratra, du Sud, d'Analamanga et de l'Est ont pour objectif la vulgarisation du droit à l'éducation de l'enfant en situation de handicap. Ils sont constitués par des groupes d'enseignants (instituteurs, directeurs, conseillers pédagogiques encadrant les classes intégrées), des éducateurs des centres privés s'occupant du handicap mental et quelques représentants des organisations in Beazo – Revue semestrielle d'informations sur l'éducation et les personnes en situation de handicap – Numéro 3 – Décembre 2007, p. 8.

– Rencontrer régulièrement le personnel soignant ou enseignant et les accompagnateurs sociaux pour discuter des progrès de l'enfant ou réajuster le projet personnalisé
– Collaborer aux activités para scolaires de l'enfant comme le sport, la chorale, le jardin ou les sorties scolaires.

2) Pour l'école / le centre

Si l'Etat prévoit l'Education Pour Tous, il appartient aux parents et aux écoles / centres de faire vivre ce droit à l'enfant en situation de handicap. Certes, ces établissements ne peuvent soigner la déficience de l'enfant, mais ils vont changer son environnement pour que l'effet de cette déficience soit moins perceptible. Ils doivent ouvrir leurs portes et rester accueillants et attrayants. Ainsi, ils vont :

– rendre accessibles les bâtiments, salles de classe/de formation et les sanitaires ainsi que les équipements (tables-bancs, tableaux noirs…)
– inclure l'enfant en situation de handicap dans la classe ordinaire, et en cas de besoin créer au sein de l'école ou du centre de formation une classe intégrée ; à cet effet, l'enseignant de la classe ordinaire et celui de la classe intégrée vont collaborer pour permettre l'inclusion de l'enfant dans la classe ordinaire, ne serait-ce que pour une discipline à laquelle il a manifesté des capacités notoires
– cultiver chez les élèves / apprentis la solidarité et la tolérance envers les différences : la levée des couleurs en début de semaine constitue une opportunité pour transmettre des informations sur les activités de chaque classe ou groupe d'enfants et auxquelles a participé l'enfant en situation de handicap notamment les activités péri et para scolaires sans omettre le sport scolaire
– différencier les méthodes d'enseignement / de formation pour répondre à la diversité des élèves grâce à des partages d'expériences entre enseignants /formateurs d'un même établissement et entre plusieurs établissements
– travailler régulièrement avec les parents de l'enfant handicapé pour parler de ses progrès : les visites à domicile vont permettre de voir comment l'enfant est traité chez lui
– collaborer avec le personnel de santé et les assistants sociaux et leur donner la parole au cours de réunions de parents.

3) Pour la communauté

La communauté est un acteur incontournable qui doit faciliter la participation de l'enfant en situation de handicap dans la vie quotidienne. Elle aura alors pour missions de/ d' :

- mobiliser tous ses membres sur la nécessité de changer le regard envers l'enfant
- rendre accessibles les infrastructures comme les sentiers, chemins, routes, bâtiments publics et les moyens de transport
- intégrer le concept de handicap dans tout programme ou projet de développement de la communauté
- utiliser la ligne verte 805 (poste ZAIN) pour dénoncer les abandons, négligences et maltraitance d'enfants en situation de handicap afin qu'ils puissent bénéficier de mesures protectrices appropriées
- redynamiser les réseaux de protection des enfants au niveau des fokontany.

4) Pour l'Etat et ses collectivités territoriales

Les engagements pris par l'Etat font de l'institution un véritable obligataire envers l'enfant en situation de handicap et sa famille ; ainsi, il doit :

- renforcer les formations sanitaires par l'utilisation des équipes sanitaires mobiles et la construction ou réhabilitation d'infrastructures sanitaires périphériques pour améliorer l'accès aux soins comme le prévoit le Plan de Développement du Secteur Santé et de la Protection Sociale (PDSSPS) – 2007-2011 et ce compte tenue de la non disponibilité d'un programme national de protection sociale
- améliorer les programmes ministériels de l'inclusion à travers l'appui aux acteurs comme le personnel médical, les enseignants/éducateurs, les travailleurs sociaux[82] qui ont besoin de reconnaissance malgré leurs limites, d'autant plus qu'ils sont sujets à un risque de lassitude. La formation continue de ces acteurs constitue une garantie de la qualité de l'accompagnement de l'enfant et de sa famille
- assurer l'accessibilité en éliminant les barrières architecturales des bâtiments et espaces publics, en redynamisant le système de la

82 Le syndicat des professionnels diplômés en travail social est déjà fonctionnel et travaille déjà avec l'UNICEF et des ONG.

« carte verte » des personnes en situation de handicap pour le transport commun et de prendre de sanctions sévères à l'encontre des transporteurs refusant la prestation[83], en prévoyant la traduction en langue des signes de toute émission télévisée

– soutenir les familles en redynamisant le système de « bourses d'études » dès la petite enfance (niveau Préscolaire)
– appuyer les efforts de la société civile prenant en charge des enfants et jeunes porteurs de handicap en leur facilitant les démarches administratives et financières (ex : importation d'équipements et de matériels spécifiques à la situation de handicap) et en rendant visibles les efforts fournis à travers des lettres de reconnaissance.

E – Suivre, évaluer les actions entreprises

Il faut tenir compte des progrès de l'enfant et adapter en conséquence la prise en charge ou le projet individualisé. Le suivi évaluation est fait pour aider à prendre une décision pour une meilleure performance du projet.

F – Prévoir un budget

Les engagements pris par l'Etat nécessitent l'affectation de ressources financières pour la mise en œuvre des programmes intégrant le handicap. Plusieurs questions doivent se poser avant toute prise de décision sur l'ajustement du budget de l'Etat pour diminuer les privations des porteurs de handicap :

– un budget particulier est-il prévu pour les activités liées au handicap, ce qui suppose la disponibilité de données statistiques ? Si oui, quelle en est la proportion attribuée à ces activités ?
– l'approche Handicap prévoit-elle des modalités de répartition du budget ? Et existe-t-il un dispositif de suivi de ce budget ?
- les responsables impliqués dans la prévision budgétaire sont-ils au courant du budget sensible au Handicap ?

Dans tous les cas, il convient d'avancer les propositions suivantes :

– former et recruter des spécialistes pour le diagnostic des déficiences, des assistants sociaux et éducateurs spécialisés qui pourront constituer des équipes mobiles pour la prise en charge des enfants porteurs de handicap, le soutien et la formation des parents

83 Puisqu'il s'agit d'un contrat de concession de service public.

- réviser le budget de fonctionnement des services médical et paramédical avec leurs équipes pluridisciplinaires qui établissent le diagnostic, rééduquent, évaluent et apportent un soutien moral et des conseils
- prévoir, tout comme dans le cadre du système éducatif, des subventions aux centres, associations, ONG, Fédérations prenant en charge des enfants en situation de handicap avec un système de suivi régulier ; le cas du Mali pourrait servir de référence, car une subvention de 50 millions de francs Cfa a été, en juillet 2007, versée à la fédération malienne des Associations de Personnes Handicapées (FEMAPH)[84]
- inciter le recrutement des personnes en situation de handicap en prévoyant des quotas et un système de bonus (ex : exonération partielle des charges fiscales) tout en assurant la vulgarisation de tels efforts.

Nous ne saurions terminer cette écriture sans avancer qu'ensemble, nous pouvons faire beaucoup plus pour les enfants porteurs de handicap.

84 In Solidarité Magazine – revue trimestrielle de la FEMAPH – Bamako, Mali, Editorial p. 4.

Quelques particularités de la procédure d'information sommaire en droit malgache

Alain RAZAFIMAHEFA

Introduction

Le Code de Procédure pénale malgache promulgué par l'ordonnance n° 62.052 du 20.09.1962 a adopté un type accéléré de poursuite organisé sous le nom d'information sommaire. Il s'agit de l'extension de la procédure des flagrants délits instituée par la loi du 20.05.1863 qui avait pour but de rendre plus rapides les poursuites correctionnelles en simplifiant les règles ordinaires de l'instruction et du jugement.

La principale caractéristique de la procédure d'information sommaire est qu'elle est entièrement conduite par les magistrats et les officiers du ministère public. Il n'y a ni intervention du juge d'instruction ni transmission obligatoire du dossier à la chambre d'accusation de la Cour d'appel. Celle-ci n'intervient que si elle est saisie par la voie de l'appel ou de l'opposition dans certains cas limitativement prévus par la loi.

Le ministère public comprend, outre les magistrats des parquets et des sections de tribunal, une nouvelle catégorie : celle des officiers du ministère public composée des sous préfets et chefs d'arrondissement siégeant dans les chefs lieux dépourvus de tribunal ou de section de tribunal (article 150 CPPM). Ces officiers exercent dans l'étendue de leur circonscription, les pouvoirs du procureur de la république concernant la recherche et la poursuite des crimes et des délits (article 164 CPPM). Ils sont en même temps Officiers supérieurs de police judiciaire (article 125 CPPM).

L'information sommaire permet de juger l'auteur d'un délit dans les vingt quatre heures de son arrestation, ou quelques jours après, et même de juger l'auteur d'un crime quelques semaines après son arrestation si une session de cour criminelle est ouverte.

Elle a aussi pour avantage de dégager le cabinet du juge d'instruction et de réduire la durée de la détention préventive. Le mandat de dépôt décerné par le magistrat du parquet pour ce type de procédure a, en effet, une validité limitée à trois mois au maximum. Mais ce délai peut être prorogé, en cas de crime, jusqu'à la prochaine session de la cour criminelle au moyen d'une ordonnance de prise de corps.

I – DOMAINE D'APPLICATION DE LA PROCEDURE D'INFORMATION SOMMAIRE

L'information sommaire est applicable non seulement aux délits mais également à certains crimes. Aux termes de l'article 178 CPPM, la procédure peut être utilisée pour la poursuite :

- des crimes flagrants autres que ceux punis par la loi de la peine de mort ou des travaux forcés à perpétuité ou de la déportation ;
- des délits flagrants et réputés flagrants ;
- des délits établis par des procès-verbaux faisant foi jusqu'à inscription de faux ou jusqu'à preuve contraire ;
- des délits non flagrants dont les auteurs sont identifiés et contre lesquels peuvent être retenus soit des aveux confirmés, soit des charges manifestes.

La procédure ne s'applique donc, qu'aux infractions assez graves pour justifier les pouvoirs élargis des enquêteurs et l'atteinte portée en conséquence aux libertés individuelles.

En tout cas, l'information sommaire ne concerne ni les crimes punis de mort ou de peine perpétuelle, ni les contraventions. Elle ne peut non plus être employée pour les délits prévus par les articles 419 à 421 du code pénal ou pour les infractions prévues par des lois particulières rendant nécessaire l'intervention d'un juge d'instruction (article 179, al. 4°CPPM). Elle suppose un délit correctionnel contre lequel la loi prévoit une peine d'emprisonnement

Enfin, quant au domaine d'application de l'information sommaire aux délinquants, l'ordonnance n° 62.038 du 19.09.1962 sur la protection de l'enfance l'exclut à l'égard des mineurs de 18 ans.

Il convient de remarquer que dans le cadre d'une infraction flagrante, les règles ordinaires de la procédure sont assouplies afin de permettre l'arrestation rapide de l'auteur, d'effectuer un constat immédiat et de recueillir le maximum de preuves avant qu'elles ne disparaissent. Pour ces raisons, l'Officier de police judiciaire tient des articles 206 à 219 CPPM des pouvoirs exceptionnels qui font de lui un véritable substitut du procureur de la république.

En effet, les enquêtes de l'O.P.J. font déjà partie de l'information sommaire et peuvent comporter les opérations suivantes : transport sur les lieux et conservation des preuves (article 207 CPPM) ; perquisitions et saisies (article 210 CPPM) ; auditions de témoins (article 214 CPPM) et interrogatoires de l'auteur présumé avec assistance d'un greffier et aide d'un interprète (articles 216 et 217 CPPM).

II – PARTICULARITES DE LA PROCEDURE

Le code de procédure pénale contient des dispositions qui sont communes aux crimes et aux délits. Ainsi, la procédure peut être diligentée aussi bien par les magistrats du ministère public (article 223 CPPM) que par les officiers du ministère public (articles 165 et 225 CPPM).

Les membres du parquet ont presque les mêmes pouvoirs que les juges d'instruction. Néanmoins, ils ne peuvent pas faire des perquisitions chez des tiers. La durée de validité d'un mandat de dépôt décerné par un magistrat du ministère public ne peut, non plus, dépasser trois mois à compter de la date d'écrou (article 103 CPPM). Quant à l'officier du ministère public, il ne peut décerner contre l'inculpé qu'un billet d'écrou, valable pour quinze jours (délai renouvelable une fois depuis l'ordonnance n° 75.023 du 01.10.1975). Il rend compte immédiatement au magistrat dont il dépend aux fins, s'il y a lieu, de confirmer la mise en détention par la délivrance d'un mandat de dépôt.

Dans tous les cas, la chambre de détention est seule compétente pour statuer sur la mise en liberté provisoire.

A – De la manière de procéder pour les délits

Le code fait la distinction entre le cas où l'inculpé est présenté à un magistrat du ministère public (article 223 CPPM) et celui où il comparait devant un officier du ministère public (article 225 CPPM). La procédure débute au moment de l'inculpation. Cette inculpation résulte de l'interrogatoire de l'inculpé auquel procède le magistrat du ministère public. S'il choisit un avocat, il peut librement communiquer avec lui (article 227 CPPM), mais le magistrat n'est pas tenu de lui donner l'avertissement prévu par l'article 53 CPPM pour les juges d'instruction.

En ce qui concerne les actes d'information, les articles 229 et 230 CPPM confèrent au représentant du parquet procédant par voie d'information sommaire des pouvoirs très étendus : recherche des coauteurs ou complices ; audition des témoins ; nouvel interrogatoire de l'inculpé et confrontation avec les témoins ; commission d'experts ; délivrance des mandats de justice.

Pratiquement, il a tous les pouvoirs d'un magistrat instructeur sauf celui de perquisitionner chez des tiers. Il ne peut faire une visite domiciliaire que chez l'inculpé ou dans les lieux publics et ouverts au public.

Quant à l'Officier du ministère public, dès que son information lui paraît complète, il doit transmettre le dossier de la procédure au magistrat du ministère public dont il dépend, seul compétent pour décider des suites à donner à la poursuite.

S'il n'y a pas de charges suffisantes, le membre du parquet rend une décision de classement sans suite datée, succinctement motivée et signée.

Si les charges sont confirmées, et que le maintien en détention s'impose, l'inculpé sera cité à comparaître à la première audience utile, avant l'expiration d'un délai de trois mois à compter de l'écrou. Il s'agit d'un renvoi sous une forme simplifiée car la citation peut être verbale (article 224 CPPM). L'article 226 CPPM précise que lorsqu'un individu est arrêté et conduit devant un officier du ministère public et qu'une audience ordinaire ou foraine est tenue à bref délai, l'inculpé peut être traduit directement devant le tribunal sans citation et sur simple avertissement.

Si la peine encourue est supérieure à cinq années d'emprisonnement, le magistrat fait désigner au prévenu un défenseur (article 228 CPPM).

Il faut souligner que l'inculpé faisant l'objet de citation doit comparaître devant le tribunal dans le délai de trois mois suivant la date de son écrou (article 231 CPPM). Cependant, dans les sections des tribunaux, lorsque l'inculpé est cité pour un délit puni d'une peine d'emprisonnement supérieure à cinq ans, la validité du mandat de dépôt pourra être prorogée sur demande du ministère public par décision de la chambre de détention jusqu'à la première audience utile, sans que cette prorogation puisse excéder deux mois.

La mise en liberté peut être demandée à tout moment de la procédure par l'inculpé ou son conseil. La requête est alors communiquée au ministère public qui doit prendre ses réquisitions dans les vingt quatre heures en indiquant expressément qu'il s'oppose à la demande, ou qu'il ne s'y oppose pas, ou qu'il s'en rapporte à la justice.

La chambre de détention devra statuer par jugement motivé sur le bien fondé de la mise en liberté au plus tard dans les trois jours (loi n° 97.036 du 30.10.1997).

B – De la manière de procéder pour les crimes

L'inculpation résulte de l'interrogatoire de l'inculpé comme pour les délits. Mais, les articles 53 à 56 du code de procédure pénale malgache sont applicables (article 234 CPPM), c'est-à-dire, que le magistrat doit aviser l'inculpé de son droit de choisir un avocat. Et dès que celui-ci est choisi, il a le droit d'assister son client pour interrogatoire ou confrontation.

D'une manière générale, l'information sommaire, en matière criminelle, se rapproche beaucoup de la procédure d'instruction préparatoire. En effet, lorsque le magistrat du ministère public estime la procédure complète, il procède à un interrogatoire définitif de l'inculpé. Si ce dernier a fait choix d'un conseil, le dossier de la procédure doit être mis à la disposition de celui-ci pendant les trois jours précédant ledit interrogatoire.

S'il y a des charges suffisantes de crime puni de réclusion ou de travaux forcés à temps, le magistrat du ministère public signe un ordre de renvoi en cour criminelle. Celui-ci est notifié dans les vingt quatre heures à l'inculpé et s'il y a lieu, à son conseil. L'ordre de renvoi contient, en outre, une ordonnance de prise de corps à exécution immédiate et se substituant au mandat de dépôt initial au cas où l'accusé doit être maintenu en détention préventive. Cet ordre peut faire l'objet d'opposition aux fins d'annulation dans les trois jours de sa notification. Mais cette voie de recours ne peut être fondée que sur des moyens tirés d'une irrégularité ou d'une nullité de la procédure.

Enfin, si des charges de crime puni de travaux forcés à perpétuité ou de mort apparaissaient, il faudrait requérir l'ouverture d'une instruction préparatoire confiée au juge d'instruction.

La procédure d'information sommaire, dans le souci de parvenir à la manifestation de la vérité, doit dans la mesure du possible, concilier deux exigences contradictoires :

- il faut qu'elle soit efficace et rapide pour satisfaire l'intérêt général et empêcher les réactions spontanées, forcément sommaires de la victime de l'infraction, qui risqueraient d'être injustes ;
- il faut que la répression soit équitable, c'est-à-dire proportionnelle à la culpabilité, et organisée de façon que celle-ci puisse être déterminée avec exactitude et à ce que les droits de l'accusé et de la défense ne soient pas sacrifiés.

Contrats et obligations

L'actualité de la théorie générale des obligations malgache (TGO)

Philippe DELEBECQUE

1. Inutile de souligner l'importance de la théorie générale des obligations. Les règles qui l'innervent sont au cœur du droit civil et du droit des affaires. Le contrat n'est-il pas le meilleur instrument des échanges ? La cession de créances n'est-elle pas le vecteur de nombreuses opérations de crédit ? La prescription n'incarne-t-elle pas la vertu de l'oubli si nécessaire dans les relations humaines ? Ces institutions sont essentielles pour organiser les rapports sociaux. C'est vrai en droit français ; ce l'est naturellement en droit malgache. En cela, la théorie des obligations est actuelle et le restera. Celle du Code civil est ancienne[1], celle du droit malgache est plus récente (cf. Loi n° 66-003 du 2 juillet 1966 sur la TGO), mais elles ont, l'une comme l'autre, une portée quasi universelle. La TGO a cependant un mérite supplémentaire : elle est sur certains points particulièrement en avance et moderne, même si l'on doit concéder que sur d'autres aspects, elle reste en retrait. L'histoire est une éternelle dialectique. C'est en tout cas de cette actualité dont nous voudrions faire état, en hommage à l'un des plus fins juristes malgaches[2] contemporains, Alisaona Raharinarivonirina, Professeur écouté de ses pairs, de ses étudiants et du monde professionnel.

2. Nous le ferons toutefois en prenant certaines précautions, car si nous avons eu la chance et l'honneur de travailler à Madagascar avec Alisaona Raharinarivonirina à la réforme du droit des affaires bâtie autour de la TGO, le temps a passé et il se peut que quelques

---

1 V. G. Cornu, Regards du le Titre III du Livre III du Code civil « Des contrats ou des obligations conventionnelles en général », Paris, Les cours de droit.
2 Ce qui est, dans une large mesure, un pléonasme.

dispositions nouvelles nous aient échappé et que quelques décisions importantes de jurisprudence nous aient également glissé entre les doigts. Les lecteurs nous pardonnerons donc de nous en tenir au texte lui-même de la TGO et uniquement à ce texte, dont la richesse et l'actualité sont pour les juristes un étonnement permanent.

3. Le plan de la TGO est ordonné autour de cinq titres : dispositions générales, actes juridiques, faits juridiques, modes de preuve relatifs aux obligations civiles, extinction des obligations. On en perçoit immédiatement la modernité : la distinction devenue classique entre les actes et les faits juridiques est dès l'article 2 consacrée, au demeurant avec peut être trop de scrupule, dans la mesure où le texte fait l'impasse sur les obligations statutaires, de plus en plus importantes et sur les obligations quasi-délictuelles en plein renouveau. En tout cas, si l'on s'en tient au plan actuel, il est permis de se demander s'il ne serait pas opportun d'intégrer la question de la transmission des obligations et d'envisager clairement les cessions de créances civiles, les cessions de créances professionnelles et en même temps les cessions de contrat.

4. Nous limiterons nos remarques aux seuls actes juridiques et mettrons donc de côté, les faits juridiques, les faits juridiques volontaires, à l'exemple de la gestion d'affaires et du paiement de l'indu, comme les faits juridiques involontaires trouvant leur expression dans la responsabilité extra-contractuelle. Cette matière obéit aujourd'hui à une logique qui lui est propre. Une réflexion sur son actualité est sans doute nécessaire, mais cela appellerait de trop longs développements qui n'ont pas leur place dans un simple article. On relèvera néanmoins les intéressantes dispositions de l'article 241 posant la validité des clauses par lesquelles une personne cherche à s'exonérer de sa responsabilité pour fait d'autrui, ce qui vise spécialement la responsabilité des commettants pour les agissements de leurs préposés. Ces clauses sont très utiles et parfaitement concevables[3], dans la mesure où, comme le texte le prévoit, elles ne couvrent ni le dol ni la faute lourde de celui qui s'en prévaut. De même la TGO est-elle très actuelle en reconnaissant expressément la force de l'engagement unilatéral (art. 197 s.)[4]. Il faut cependant convenir que ses applications sont limitées et que, malgré ce que dit le texte,

---

3 Par un exemple, dans un contrat de location d'engin avec chauffeur, pourrait-on stipuler que le loueur n'assume plus de responsabilité pour les éventuelles fautes dudit chauffeur.

4 Comp. Cass. soc. 25 nov. 2003, Bull. civ. V, n° 494 : le non respect par l'employeur de son engagement unilatéral de maintien de l'emploi ouvre droit à réparation pour les salariés victimes d'un préjudice.

on a du mal à admettre que l'on puisse s'obliger envers autrui par une simple déclaration de volonté, fût-elle causée.

5. La TGO, même ainsi délimitée, reste d'une portée considérable. Elle couvre tout le droit des contrats et l'ensemble du régime des obligations, questions qui sont au cœur de la vie des affaires, comme de la vie quotidienne. Pour autant, de nombreuses dispositions, règles ou prescriptions ne méritent pas une attention particulière. Le droit de la condition (art. 5 s.) ou du terme (art. 18 s.) n'est pas l'occasion d'un grand contentieux. De même en est-il de la solidarité[5]. Dans cette période de réforme, néanmoins, au moment où l'on parle de repenser le droit des contrats aussi bien en France[6] ou en Europe que dans le système OHADA ou dans le système Unidroit[7], au moment surtout où les échanges ne cessent de se développer, il est intéressant de se demander si les principaux mécanismes qu'offre la TGO et qu'elle met à la disposition des entreprises sont appropriées et peuvent favoriser le développement économique et social. La TGO malgache qui a maintenant un peu plus de quarante ans, est entrée dans sa période de maturité. Si elle a pris quelques rides, ce sont celles de l'expérience. Aucun de ses mécanismes n'appelle une remise en cause. La TGO est bien la pièce centrale du droit civil, mais aussi du droit des affaires : elle mérite certainement d'être défendue et illustrée. C'est un véritable Code d'inspiration libérale où les principes du consensualisme, de la force obligatoire des conventions, de la liberté contractuelle se conjuguent avec les exigences de l'ordre public (cf. art. 90), pour organiser d'une manière juste et efficace les relations entre les particuliers, entre les professionnels et entre les professionnels et les particuliers. C'est une œuvre qui a su allier classicisme et modernité et qui reste donc très actuelle (I), ce qui ne veut pas dire qu'elle ne doive pas, sur certains points, être actualisée (II).

5 Etant précisé que « l'obligation solidaire rend chaque codébiteur tenu de la totalité de la dette envers le créancier, sans préjudice de son recours contre ses coobligés ». L'obligation solidaire est conçue très classiquement comme une exception, l'obligation conjointe étant le principe (cf. art. 29, al. 2).

6 Cf. D. Mazeaud, La réforme du droit français des contrats, trois projets en concurrence, Mélanges Larroumet 2009, 329.

7 Cf. Principes d'Unidroit 2004 relatif aux contrats du commerce international.

I – L'ACTUALITÉ DE LA TGO

6. Au-delà des obligations naturelles au sein desquelles l'engagement d'honneur occupe la place qui, à juste titre – on reconnaît là la distinction, l'élégance et la finesse malgaches – lui revient (art. 48)[8], l'actualité de la TGO peut être illustrée à travers le droit des contrats et, d'une manière plus générale, ce qu'il est convenu d'appeler chez les juristes le régime de l'obligation, c'est-à-dire les mécanismes de paiement et d'extinction des obligations ; nous nous en tiendrons ici aux seules dispositions intéressant les droits des créanciers.

A – L'actualité de la théorie des contrats

7. La TGO organise dans ses articles 64 à 176 tout le droit commun des contrats, autour d'un plan chronologique : formation du contrat, théorie des nullités, effets des contrats, inexécution des contrats. Curieusement, la responsabilité contractuelle (art. 177 à 196) fait l'objet d'un chapitre particulier, mais cette séparation ne s'explique que par des raisons pédagogiques[9]. La responsabilité contractuelle est l'une des sanctions de l'inexécution des obligations contractuelles. Elle appelle cependant davantage de précision que la résolution ou l'exception d'inexécution et c'est pourquoi le législateur malgache a préféré la traiter dans un chapitre distinct du chapitre réservé à la théorie des contrats. Quoi qu'il en soit, les précisions données sur la mécanique de formation du contrat (art. 81 s.), laissée dans l'ombre par le Code civil, ne manquent pas d'intérêt. On observera les réserves, voire l'hostilité du législateur, à l'égard de la théorie des contrats réels[10], ce qui rejoint les conceptions modernes dégagées en matière de prêt d'argent. De même, la théorie de l'offre est-elle très développée et l'ensemble des dispositions qui lui sont consacrées restent-elles parfaitement pertinentes[11].

---

8 Comp. Cass. 23 janv. 2007, Bull. civ. IV, n° 12 : l'engagement moral de ne pas copier les produits d'une société concurrente caractérise une volonté non équivoque et délibérée de s'obliger : une telle clause a une valeur contraignante et est juridiquement opposable.

9 La pédagogie est l'une des premières qualités d'un Code, qui n'est pas une simple boîte à outils.

10 Art. 68 : « Lorsqu'un contrat porte sur une chose, la remise matérielle ne constitue pas une condition de validité du contrat : l'obligation de livrer la chose est parfaite par le consentement des parties contractantes ».

11 V. notam. art. 86 : « l'offre devient caduque par l'expiration du délai fixé par l'offrant ou découlant des usages ou des modalités particulières de l'offre, sauf manifestation contraire de volonté de la part de l'offrant ; l'offre est également caduque lorsque l'incapacité ou le décès de l'auteur de l'offre intervient avant réception de l'acceptation de l'acceptation ». égal. art. 82, consacrant la théorie de la réception (de l'acceptation) dans la problématique des contrats entre absents.

L'article 87 est d'une grande utilité : ne donne-il pas une solution à la question de savoir si l'acceptation doit épouser tous les éléments de l'offre ou seulement ses éléments essentiels ? Le texte dispose que « dès lors que les parties sont d'accord sur les causes essentielles du contrat, celui-ci est réputé conclu lors même que les clauses secondaires seraient réservées »[12]. Toutefois, en ajoutant, qu'« à défaut d'accord sur ces clauses secondaires, le juge décide selon les éléments de la cause », la TGO sacrifie le consensualisme sur l'autel de l'efficacité.

8. Les dispositions sur la théorie de l'objet (art. 68 s.) et sur la théorie de la cause (art. 91 s.) n'ont pas vieilli et permettent d'assurer un contrôle raisonnable sur la validité des conventions. Au moment où la notion de cause est curieusement attaquée par certains projets de réforme en France[13], on se félicitera de la pérennité, en la matière, des textes malgaches.
La théorie des nullités est également très actuelle, en ce qu'elle raisonne en termes de droit de critique et considère ainsi que la nullité est absolue lorsqu'elle sanctionne la violation d'une condition édictée dans l'intérêt général (art. 101, al. 1er), mais relative lorsqu'elle sanctionne la violation des règles destinées à assurer la protection d'un intérêt privé (art. 101, al. 2). L'article 108 organise, ce qui est encore novateur, une action déclaratoire, en prévoyant que « dès que sont réunies les conditions pour la confirmation, toute personne qui y a intérêt peut, en précisant la cause exacte de la nullité, sommer celle ayant pouvoir d'y procéder d'avoir à le faire ou agir en annulation dans un délai indiqué à la sommation ». Relevons encore l'article 111 disposant que « tant que le contrat n'a pas été exécuté, la nullité peut être opposée par la partie défenderesse », ce qui revient à dire que, si les exceptions, contrairement aux actions, sont perpétuelles, cela ne vaut que lorsque la mise en œuvre de l'exception ne cause aucun trouble[14]. Observons enfin que si la nullité joue d'une manière rétroactive, il est néanmoins indiqué que les parties doivent « autant que faire se peut » être remises dans le même état que si elles n'avaient pas contracté. Cette limite à la rétroactivité permet de traiter d'une manière pragmatique – la seule méthode concevable en

12 Comp. Convention de Vienne sur la vente internationale de marchandises, art. 19, al. 2 : « ... une réponse qui tend à être l'acceptation d'une offre, mais qui contient des éléments complémentaires ou différents n'altérant pas substantiellement les termes de l'offre, constitue (en principe) une acceptation ».

13 Pour une défense de la théorie, v. X. Lagarde, D. 2007, Chron. 740.

14 Ce qui est le cas si le contrat n'a pas reçu un début d'exécution (« quieta non movere »). Si le contrat a été exécuté, l'exception, du moins si la cause de nullité est relative, redevient temporaire, v. par ex. Cass. 1ère civ. 1er déc. 1998, Bull. civ. I, n° 338.

l'occurrence – les questions qui se posent lorsque la chose objet de la restitution a été endommagée ou améliorée ou encore lorsque les restitutions ne peuvent se faire qu'en valeur.

9. La TGO traite des effets du contrat, en distinguant très classiquement les effets entre les parties et les effets à l'égard des tiers. Dans les rapports entre les parties contractantes, le contrat est dûment obligatoire et doit être scrupuleusement respecté : il leur tient lieu de loi (art. 123). Il reste que la volonté des parties peut ne pas être parfaitement claire ; le juge est alors, c'est-à-dire en cas de doute, d'obscurité ou encore d'ambiguïté, autorisé à exercer son pouvoir d'interprétation. Cette interprétation se fait toutefois en faveur du débiteur (art. 126)[15]. On notera que l'article 124 invite les juges à compléter le contenu du contrat, si celui-ci est lacunaire, en se fondant sur la théorie des suites du contrat (cf. C. civ. art. 1135), étant précisé que le droit malgache semble admettre la validité des clauses contraires[16]. Enfin, il faut souligner que le droit malgache se refuse catégoriquement à reconnaître aux juges un pouvoir de révision lorsque les circonstances ayant présidé à la conclusion du contrat ont changé : « le contrat conserve sa force obligatoire même si des circonstances exceptionnelles ont rompu l'équivalence des prestations » (art. 128). On ne saurait mieux dire : le contrat est l'affaire des parties et non l'affaire du juge. Il appartient aux parties elles-mêmes d'envisager leur avenir et de stipuler les clauses d'adaptation qui s'imposent (*hardship*, indexation…). Mais il est bien évident que ces clauses doivent être, elles-mêmes, dûment respectées : les obligations de renégociation qu'elles prévoient et organisent ne sont pas de simples obligations morales.
Pour ce qui est des relations des parties contractantes avec les tiers, tout est excellemment dit dès l'article 129 : « les contrats ne produisent d'effets qu'entre les parties contractantes ; toutefois, les situations juridiques qu'ils créent doivent être respectées par les tiers ». On a reconnu la distinction aujourd'hui classique, mais essentielle, entre la question de la relativité du lien contractuel et celle de son opposabilité. Le contrat est d'abord un lien entre deux personnes, mais c'est aussi un fait que les tiers ne peuvent ignorer, si du moins ils en ont connaissance.

---

15 Il serait peut-être plus pertinent de dire que l'interprétation se fait « contra proferentem », *i.e.* contre celui qui a pris l'initiative du contrat.
16 En droit français, les obligations de renseignement de conseil, de sécurité … que les juges intègrent volontiers dans le contenu contractuel sont généralement considérées comme d'ordre public.

10. Le thème de l'exécution du contrat et dans le prolongement celui de son inexécution donnent lieu à des dispositions précises quoique dispersées. En effet, comme on l'a vu, la section consacrée à l'inexécution du contrat (art. 164 s.) n'envisage que deux sanctions, la résolution et la résiliation (ainsi que son diminutif, l'exception d'inexécution, art. 171), et renvoie à des chapitres distincts le soin de développer la question de l'exécution forcée ou encore celle de la responsabilité contractuelle. L'article 53, néanmoins, est clair, puisqu'il nous dit très bien que « lorsque le débiteur n'exécute pas l'obligation, le créancier peut l'y contraindre par toutes les voies de droit ».[17] Le principe n'est donc pas discutable : la sanction de principe de l'inexécution d'une obligation contractuelle est l'exécution forcée, si du moins celle-ci s'avère encore possible[18].

La résolution est abordée, mais c'est surtout la résiliation unilatérale qui mérite l'attention : la TGO ne consacre-t-elle pas la théorie de l'« anticipatory breach » qui permet à une partie contractante de sortir du contrat lorsqu'il a la certitude ou la quasi certitude de la défaillance de son partenaire (art. 167, 2°, 3°)[19] ? Le droit français qui, à ce jour, n'admet la rupture unilatérale du contrat qu'en cas de comportement gravement répréhensible du partenaire contractuel[20] tirerait avantage à s'inspirer de la TGO.

Quant à la responsabilité contractuelle, il faut d'abord se féliciter de sa consécration en tant que telle. Inutile de rappeler les débats récents sur l'existence même du concept, qualifié par certains de « faux »[21]. On relèvera aussi le fameux article 179 qui consacre la distinction si pédagogique entre les obligations de résultat et les obligations de moyens : cette disposition n'a pas pris une ride et conservera encore longtemps son actualité. On pourrait dire la même chose des dispositions des articles 180 et suivants qui valident les clauses d'exonération ou de limitation de responsabilité[22], sous réserve du dol ou de la faute lourde du débiteur, sans s'encombrer d'un renvoi au thème de l'obligation essentielle du contrat contenu dans l'idée de cause-contrepartie (cf. à cet égard, art. 91, définissant, en premier lieu, la cause comme « le but immédiat et direct poursuivi par la partie

---

17 Rappr. L. 9 juill. 1991, sur les procédures civiles d'exécution, art. 1er.

18 Cf. dans le même sens, Cass. 1ère civ. 16 janv. 2007, Bull. civ. I, n° 19.

19 La résolution ou la résiliation peut résulter d'une décision unilatérale de l'une des parties contractantes ... quand l'exécution est devenue matériellement impossible, quand l'autre partie a fait savoir par écrit qu'elle n'exécuterait pas son obligation ou n'en continuerait as l'exécution ; ... ».

20 Cass. 1ère civ. 13 oct. 1998, Bull. civ. I, n° 300.

21 Comp. C. Larroumet, Pour la responsabilité contractuelle, Mélanges Catala, Litec 2001, 543.

22 Du fait personnel comme pour fait d'autrui (art. 181). Les textes admettent également les clauses par lesquelles les parties répartiraient entre elles les risques d'inexécution dus à la force majeure (art. 180, al. 2).

qui s'oblige »). Notons également la pertinence et même la préscience de l'article 191, al. 2, disposant – ce qui est aujourd'hui généralement admis – que « le créancier doit faire tout ce qui est en son pouvoir pour diminuer la perte résultant de l'inexécution de l'obligation, sous peine d'une réduction des dommages-intérêts correspondant à cette négligence ». Comment soutenir après cela que la théorie de la « mitigation » est récente et d'inspiration anglaise ? En tout cas, si le créancier de l'inexécution d'une obligation peut avoir des obligations, il a avant tout des droits et, au demeurant, des droits bien cernés par la TGO.

B – L'actualité de la théorie des droits des créanciers

11. La TGO offre aux créanciers les outils nécessaires pour assurer leur protection. D'abord, à travers le droit de gage général dont ils jouissent sur le patrimoine de leur débiteur (art. 1er, 58 et 60), mais ensuite grâce aux diverses mesures qu'elle organise en leur faveur : les mesures d'exécution forcée (art. 58 et 51 s.), les mesures conservatoires (art. 60), les actions pauliennes (art. 59) et les actions obliques (art. 61), ainsi que les mesures autorisant la prise de sûretés (art. 62). On le voit, la TGO met en musique les droits des créanciers à partir de la théorie la plus fondamentale qui soit, d'origine romano-germanique, la théorie du patrimoine. Tout le régime des obligations est conçu sur le fondement de cette théorie. Les greffes modernes inspirées de tel ou tel concept de *common law* auraient donc les pires difficultés pour prendre et se développer.

12. Tous les créanciers sont envisagés. Le créancier muni d'un titre exécutoire peut exercer ses droits sur tous les biens de son débiteur et s'engager dans des procédures d'exécution forcée. Le créancier ne justifiant pas d'un titre exécutoire, mais dont la créance est certaine, liquide et exigible devrait pouvoir se protéger par l'action oblique et exercer ainsi tous les droits de son débiteur, à l'exception toutefois de ceux qui sont exclusivement attachés à sa personne. Le créancier dont la créance est certaine dans son principe devrait bénéficier de l'action paulienne[23]. Quant au créancier dont la créance paraît fondée en son principe, quant au créancier qui ne peut justifier que d'une apparence, il est en droit de se protéger par une mesure conservatoire. L'article 60 fait état des mesures conservatoires

23 L'article 59 vise ici le créancier muni ou non d'un titre exécutoire. Le texte n'en dit pas davantage. On peut estimer que l'action paulienne dont le caractère conservatoire est marqué est ouverte à tout créancier dont la créance est certaine en son principe, en ce sens : Cass. 1ère civ. 17 janv. 1984, D. 1984, 437, note Malaurie.

« prévues par la loi ». Il ne faudrait cependant pas prendre à la lettre ce texte, car les mesures conservatoires sont également celles auxquelles a pensé la jurisprudence (cf. contrôle de gestion, administration provisoire, mesures d'instruction préventives ...).
A ces actions exécutoires et conservatoires, il faut ajouter les actions en déclaration de simulation (art. 163) et les actions directes. La TGO ne contient cependant pas de disposition particulière sur ces dernières actions, qu'il s'agisse d'actions en paiement ou d'actions en responsabilité. Une mention est cependant faite par l'article 150 qui reconnaît, très exactement, au bénéficiaire d'une stipulation pour autrui un droit propre et direct à l'encontre du promettant.

13. S'agissant des sûretés, la TGO ne s'en occupe pas, laissant à des textes spéciaux le soin de prévoir les dispositions appropriées. Observons toutefois, sous le bénéfice de ce qu'indiquent ces dispositions, que certaines techniques du droit des obligations constituent en elles-mêmes d'excellentes garanties.
Au titre des garanties personnelles, relevons la délégation dont les articles 355 et suivants traitent en même temps du reste que la novation. La délégation se définit comme l'opération par laquelle le débiteur « délègue » au créancier un tiers qui reprend la dette à son compte et devient donc le nouveau débiteur. Le débiteur originaire est le délégant, le nouveau débiteur le délégué et le créancier à qui l'on délègue un nouveau débiteur, le délégataire. La délégation est d'abord une technique simplifiée de paiement, mais c'est aussi une garantie, dans la mesure où le délégué, qu'il soit ou débiteur du délégant, prend un engagement personnel envers le délégataire. En droit malgache, c'est même une excellente garantie, puisque la loi prévoit que « le délégué ne peut opposer au délégataire les exceptions et moyens de défense qu'il avait contre le délégant » (art. 363). Mais cette règle n'est sans doute pas impérative, car rien n'empêche le délégué de s'engager dans la mesure de ce qu'il doit au délégant, ce qui le fait nécessairement bénéficier, par exemple, d'une exception de compensation avec le délégant. On peut imaginer aussi que le délégué s'engage à payer ce que le délégant doit au délégataire. En s'engageant ainsi à payer la dette d'autrui, le délégué ne devrait pas bénéficier de la règle de l'inopposabilité des exceptions. Au demeurant, dans ce cas de figure, l'article 363 de la TGO n'est pas applicable.
La compensation est également une excellente technique de garantie. Elle l'est particulièrement lorsqu'elle est appelée à jouer entre des dettes connexes, ce que la TGO prévoit expressément (art. 365-4°).

14. La cession de créance peut aussi être utilisée à des fins de garantie : c'est ce que l'on appelle la cession fiduciaire. La TGO ne l'évoque pas, ayant, comme nous l'avons déjà relevé, fait l'impasse sur les mécanismes de transmission des obligations[24]. Du reste, la subrogation que l'on présente volontiers aujourd'hui comme un instrument de transfert d'obligation, est envisagée au titre du paiement. Il est néanmoins précisé que la subrogation « emporte, au profit du subrogé, cession de la créance, avec tous ses accessoires et actions jointes ». Cela dit, si la subrogation peut être conventionnelle et consentie aussi bien par le créancier que par le débiteur, elle est le plus souvent légale et résulte de l'importante disposition de l'article 344 : « si le tiers (*solvens*) était lui-même tenu au paiement de la dette, il est subrogé dans les droits du créancier ». Toutefois, ce texte mériterait d'être élargi, car il est fréquent que le paiement pour autrui émane d'une personne qui s'acquitte d'une dette qui lui est propre. Ne faudrait-il pas admettre alors que celui qui s'acquitte d'une dette personnelle peut prétendre bénéficier de la subrogation lorsqu'il a, par son paiement, libéré envers leur créancier commun ceux sur qui doit peser la charge définitive de la dette[25] ? Sur ce point, l'actualisation de la TGO serait sans doute bienvenue. Il en est d'autres peut-être plus importants.

II – L'ACTUALISATION DE LA TGO

15. C'est le lot de toute théorie que d'avoir quelques lacunes. Il est impossible de tout prévoir et du reste, il vaut mieux ne pas s'engager dans la voie de l'exhaustivité. Elle est pleine d'embûches. La méthode de la famille romano-germanique faite de syllogismes, de principes généraux et abstraits favorisant le raisonnement déductif est, semble-t-il, préférable. La jurisprudence est là pour préciser le sens de la loi et lui donner une juste et bonne orientation. C'est ce qui a été fait par la TGO sur de très nombreux points. Il reste que le juge peut se heurter à de vraies difficultés lorsque la lettre de la loi est dépassée et n'autorise plus le raisonnement soit par analogie, soit *a contrario*. Seul le législateur peut alors remédier à cet état de fait et restaurer ainsi l'état de droit. En la matière, il y a peut-être deux domaines dans

24 Les textes ne disent rien du reste de la cession de dette. Cette opération est pourtant essentielle : elle peut être réalisée de différentes façons, cf. stipulation pour autrui, reprise de dette, délégation, indication de paiement. La TGO semble admettre cette dernière technique, cf. art. 343 prévoyant que le « paiement peut être fait par un tiers ».

25 Rappr. Cass. 1ère civ. 27 mars 2001, Bull. cv. I, n° 90.

lesquels une intervention législative serait bienvenue pour actualiser la TGO : celui de la prescription et celui de la preuve.

A – L'actualisation du droit de la prescription

16. La TGO contient deux sections sur la prescription extinctive, l'une traite de la prescription de droit commun, l'autre des courtes prescriptions. Le délai de prescription de droit commun est toujours fixé à 30 ans en matière civile et 5 ans en matière commerciale (art. 379). Ce délai court du jour où l'obligation est exigible, ce qui rejoint les solutions communément admises et semble particulièrement logique. On peut simplement se demander s'il ne serait pas opportun de tenir compte de la connaissance de ses droits par le créancier. La récente réforme du droit français est en ce sens, puisque le nouvel article 2224 du Code civil (issu d'une loi du 17 juin 2008) dispose que le délai de prescription (qui est désormais de 5 ans en matière civile comme en matière commerciale) court du jour où le titulaire du droit a connu ou aurait dû connaître les faits lui permettant de l'exercer.
Les autres précisions de la TGO sur la prescription n'appellent guère d'observations, si ce n'est l'article 383 qui interdit toute modification conventionnelle des « délais fixés par la loi » (art. 383, al. 1er).

17. Précisément, ne serait-il pas opportun d'admettre en l'occurrence le jeu de la liberté contractuelle et de permettre aux parties d'allonger ou même de réduire tel ou tel délai de prescription ? Les délais contractuels d'action sont importants dans la pratique : on les trouve notamment dans le domaine bancaire, dans celui des ventes commerciales, dans le droit de l'arbitrage, dans les transports... De plus, il n'est pas rare que les parties précisent les conditions dans lesquelles un délai peut être suspendu ou encore interrompu.
En visant « les délais fixés par la loi », la TGO ne semble toutefois prohiber que les clauses par lesquelles les parties chercheraient à allonger ou à réduire le délai de droit commun. De même, rien ne paraît s'opposer à la validité des clauses de suspension[26] ou même des clauses d'interruption[27] qui iraient au-delà des prescriptions légales. Mais le texte de l'article 383 prohibe les clauses d'allongement des délais, puisqu'il prévoit que l'on ne peut renoncer d'avance à la prescription. Du reste, l'ancien article 2220 C. civ. était en ce sens. De même, la TGO interdit-elle les clauses qui

26 Cf. une clause prévoyant une suspension en présence de telle ou telle difficulté d'exécution et non pas seulement en cas d'« impossibilité absolue d'agir » (art. 382).
27 Cf. une clause stipulant que la prescription est interrompue par l'envoi d'une lettre recommandée avec AR.

« modifient » les délais légaux. Quelle est cependant la raison d'être de ces interdictions ? N'est-elle pas par ailleurs en contradiction avec les articles 180 et suivants qui valident clairement les clauses de responsabilité ? En jouant sur la prescription, ne fait-on pas qu'aménager les conditions de mise en œuvre de la responsabilité ? Peut-être serait-il temps d'ouvrir la voie en la matière à la liberté contractuelle. Dans le prolongement, les clauses de prorogation d'une prescription en cours, si utiles dans la pratique, pourraient être expressément reconnues. Un pas supplémentaire pourrait même être franchi en affirmant également que les clauses sur la preuve sont en principe valables.

B – L'actualisation du droit de la preuve

18. Comment ne pas souligner l'importance du droit de la preuve ? La TGO est très complète sur la question en développant la preuve par écrit, la preuve par témoins, l'autorité de chose jugée ainsi que l'aveu et le serment. Les trois types d'écrit ayant une valeur légale – l'acte authentique, l'acte authentifié[28], l'acte sous seing privé – méritent certainement d'être conservés, avec du reste la plupart des autres dispositions sur le commencement de preuve par écrit (art. 295), sur l'impossibilité matérielle ou morale de se procurer un écrit (art. 296), sur la production des lettres missives (art. 289) ou encore (cf. art. 290, dont l'actualité n'échappera pas) sur les copies, photographies, photocopies ou toute autre reproduction par un procédé mécanique (ayant la même force probante que les originaux, du moins lorsqu'elles ne sont pas contestées). Il reste que quelques dispositions sur la preuve informatique paraissent s'imposer. Ne faudrait-il pas poser la règle de l'équivalence du document papier et du document informatique ? Cette solution ne devrait pas soulever d'opposition.

19. Il paraît encore plus utile de marteler la distinction entre les procédés de preuve du droit substantiel et les modes de preuve judiciaire. Les mesures d'instruction ne sont que les instruments procéduraux qui permettent la mise en œuvre de certains modes de preuve. Les règles relatives à l'administration judiciaire de la preuve ne doivent pas être confondues avec les règles relatives à l'admissibilité des modes de preuve. Il n'est pas certain que ces choses soient parfaitement claires dans la TGO (cf. art. 291, sur le

---

28 L'acte authentifié est un acte rédigé ou transcrit à la demande des parties par un officier public compétent sur un registre spécial (art. 264). Cet acte a la même valeur et la même force que l'acte authentique. Toutefois, il ne peut être revêtu de la formule exécutoire qu'avec l'autorisation du juge.

témoignage ; comp. art. 292, sur la preuve testimoniale). Si les questions de procédure et les questions de fond sont proches, elles ne sont cependant pas du même ordre. En tout cas, de nombreux intérêts s'attachent à leur distinction (détermination de la loi applicable, *lex fori* dans un cas, *lex causae* dans un autre ; détermination de la loi dans le temps, application immédiate ou non).
Dans le prolongement, ne pourrait-on pas poser quelques principes généraux : sur la loyauté de la preuve, sur l'interdiction de se contredire au détriment d'autrui ? Ils auraient, nous semble-t-il, davantage leur place dans la TGO que dans le Code de procédure civile.

20. Concluons ces quelques lignes trop rapidement écrites en observant que si quelques aménagements pourraient se justifier, ils ne devraient se faire, comme toujours en matière législative, que d'une main tremblante. Beaucoup de réformes ont été entreprises ces dernières années à Madagascar : en droit commercial, en droit des sociétés, en droit des procédures collectives... Doivent-elles désormais s'atteler au droit des obligations ? Nous n'avons certainement pas de conseil à donner, mais nous oserons dire, d'un point de vue scientifique, que la TGO donne encore et toujours une excellente réponse aux questions que peuvent se poser les juristes. La TGO permet, en elle-même, d'assurer la sécurité et l'honnêteté des affaires. Si un toilettage pourrait se comprendre ici ou là, il ne faudrait sans doute aller au-delà, sous peine de mettre en cause l'équilibre de ce beau Code des obligations. La TGO appartient à la famille romano-germanique. Ce caractère et cette authenticité mériteraient d'être conservés, ce qui ne veut pas dire, une fois encore, qu'il ne faille pas réfléchir, comme Alisaona Raharinarivonirina a su le faire tout au long de sa carrière, à l'opportunité de telle ou telle retouche.

L'Assurance à Madagascar

Hanitra Rindra ANDRIAMANANTENA

Introduction

L'Assurance est l'un des piliers du développement économique d'un pays et la forme la plus importante de la solidarité. En effet, l'objet de l'assurance est, d'une manière générale, de partager le fardeau de la perte ou de la destruction d'un bien à la suite d'un évènement précis et d'apporter ainsi la sérénité aux assurés, personnes physiques ou morales, dans leur vie quotidienne, dans l'exercice d'une activité ou la réalisation d'un projet.

Ce qui présente un intérêt économique incontestable car de la continuité d'une activité dépend la survie d'une famille ou d'une entreprise.

L'Assurance est donc le meilleur moyen pour se prémunir contre les risques de la vie quotidienne car aucune autre forme de solidarité ne le permet ; et ce risque soit incertain comme l'incendie, l'accident, le vol, ou certain comme le décès. En effet, la totalisation de primes relativement modestes, payées par l'ensemble des assurés, permet de parer à un sinistre d'une valeur importante survenant à l'un ou plusieurs d'entre eux.

Malgré ces avantages, on constate que la souscription d'un contrat d'Assurance n'est pas encore ancrée dans la culture malgache ; mais l'implantation de nouvelles Compagnies étrangères depuis quelques années témoigne de la volonté de faire avancer les choses.

Une question se pose alors : quels sont les risques assurables à Madagascar ?

Vu que le législateur malgache n'a pas établi une liste exhaustive des risques assurables à Madagascar, il incombe à l'assureur de sélectionner les risques qu'il va garantir, dans le respect des lois en vigueur. Il arrive aussi à certaines compagnies de lancer de nouveaux produits d'Assurance pour faire face à la concurrence et surtout pour répondre à la demande des consommateurs avertis qui se soucient de la bonne marche de leur entreprise.

Les bienfaits de l'assurance se manifestent de différentes manières :

- Dans chacune des étapes de la vie de l'individu, l'Assurance lui donne le moyen d'exercer son droit en toute sérénité, sans craindre l'avènement d'un sinistre : le droit à la santé et à la vie (Assurance maladie), le droit de circuler (Assurance auto), le droit d'entreprendre (Assurance crédit) .... ;
- Pour une personne physique comme pour une personne morale, l'Assurance apporte une sécurité certaine du point de vue économique. En effet, la crainte de la réalisation d'un risque peut être un obstacle à l'initiative d'investir ou de développer une activité ;
- En ce qui concerne l'Etat, le bien être de sa population ne peut que se répercuter sur son économie. En outre, les entreprises d'Assurance emploient une part importante de la population active et permettent ainsi la création d'autres activités connexes comme l'intermédiation en Assurance.

Néanmoins, pour être efficace, l'Assurance nécessite un cade juridique bien conçu qui garantit aussi bien la sécurité des assureurs que celle des assurés. Les lois et règlements qui la régissent se doivent de respecter et de mettre en valeur ses principes.

Malheureusement à Madagascar, l'Assurance n'est pas à l'abri de l'incohérence de certains textes de loi ; et c'est surtout dans un souci d'apporter des éclaircissements à ce sujet que s'inscrit la présente étude, tantôt le législateur ne respecte pas la hiérarchie des normes, tantôt, il édicte des lois qui sapent le mécanisme de l'Assurance qui repose sur le principe de la mutualisation et de la solidarité ; et une insécurité juridique est engendrée par cette prolifération de texte de loi dont l'absence de fondement juridique est évidente.

Historique

Historiquement, l'Assurance est née à Gênes, en Italie, en 1347 car on y a conclu le premier contrat d'assurance maritime. A cette époque, le développement des échanges des produits incitait les commerçants à assurer leurs marchandises.

De là venait l'idée d'assurer la vie des marins qui se chargeaient du transport de ces produits. D'où la naissance de l'assurance sur la vie.

Par la suite, le développement de l'assurance a été généralement conditionné par la survenance de différents évènements ; par exemple l'incendie du 2 septembre 1666 qui a ravagé 13 000 maisons à Londres a conduit Edward Lloyd, dont l'habitation a été épargnée, à créer un office d'Assurance qui deviendra les Lloyds de Londres, la plus importante compagnie d'Assurances à l'échelle mondiale qui est présente dans plus de 200 pays et territoires.

Le Droit malgache des Assurances

A Madagascar, le concept même de l'Assurance était méconnu avant l'arrivée des français sur le territoire. Pendant la colonisation, on appliquait le Droit français et la loi française du 13 juillet 1930 continuait à régir l'assurance même après l'indépendance ; d'autres lois et Ordonnances ont aussi été adoptées[1],notamment :

- L'Ordonnance n° 60-162 du 3 octobre 1960 et son Décret d'application n° 63-031 du 16 janvier 1963 instituant une obligation d'Assurance en matière de circulation des véhicules terrestre à moteur,
- L'Ordonnance n° 62-034 du 19 septembre 1962 et les Décrets n° 62-668 et 63-526 du 27 décembre 1962 et du 5 septembre 1963 concernant l'octroi de l'agrément, les provisions techniques, le contrôle de l'Etat et les Intermédiaires d'Assurance,
- La Loi n° 66-007 du 5 juillet 1966 sur l'Assurance maritime.

Actuellement, Madagascar a son Code des Assurances : la Loi n° 99-013 du 2 août 1999 dont les décrets d'application sont :

1 * source : NY FIANTOHANA (L'Assurance) boky nosoratan'ny Sosaiety Mpanao Fiantohana sy Tokim-piatohana ny HAVANA : Edmond Henri RABARIJOHN, Tale Jeneral : Sylvain RATOVOSON, Tale ; Alain Georges RAVOAJA, Tale, MADPRINT 1978.

- Le Décret n° 2000-986 relatif aux opérations d'assurance,
- Le Décret n° 2001-1120 relatif aux au contrôle de l'Etat et le cadre institutionnel du secteur des Assurances,
- La Décret 2001-1121 relatif aux régimes juridique et financier des entreprises d'Assurances

Le Code de 1999 est composé de deux livres dont le premier traite des opérations d'Assurance et le second, du contrôle de l'Etat et le cadre institutionnel.

On peut dire que le code de 1999 a été calqué sur la loi française du 13 juillet 1930 et sur d'autres lois qui composent le code des assurances Français actuel car on y retrouve les mêmes principes. Des améliorations sont donc à faire car il faut tenir compte de la réalité malgache.

En outre, comme il a été signalé plus haut, certains textes méritent une attention particulière en raison de l'insécurité juridique qu'ils créent et afin d'essayer d'y apporter une solution : l'un des ses textes ne respecte pas la hiérarchie des normes (I) et l'autre le principe de la mutualisation des risques (II)

I – LE NON RESPECT DE LA HIERARCHIE DES NORMES

La notion de hiérarchie des normes a été formulée par le théoricien du Droit Hans Kelsen (1881-1973). Selon Kelsen, toute norme juridique reçoit sa validité de sa conformité à une norme supérieure, formant ainsi un ordre hiérarchisé.

En d'autres termes, les pouvoirs législatif et réglementaire sont limités dans leurs actions et doivent obligatoirement se référer à une norme supérieure avant d'édicter une loi ; ce qui est un gage de sécurité juridique en ce sens que le législateur n'est pas tenté de légiférer ou d'abroger un texte existant dans l'intérêt d'une minorité ou dans un contexte politique ou économique donné.

On va donc voir en premier lieu la hiérarchie des normes en Droit malgache ; ensuite, un cas de non respect de cette hiérarchie sera étudié et enfin, des solutions seront proposées.

A – La hiérarchie des normes en Droit Malgache

- En droit malgache, c'est la Constitution ou la Loi fondamentale qui est la référence ; et une norme inférieure qui n'est pas conforme à la Constitution, dite aussi inconstitutionnelle, risque de ne pas être promulguée car un contrôle de constitutionalité est effectué par la Haute cour Constitutionnelle (article 113 de la Constitution de 2007).
- Viennent ensuite les traités et conventions internationales qui, pour être applicables doivent respecter les principes édictés par la Constitution.
- La loi organique, qui détermine l'organisation, le fonctionnement, et les attributions des pouvoirs publics (article 84 et suivants de la constitution de 2007), se situe après les traités et conventions internationales.
- La loi ordinaire, qui est un texte pris par le Pouvoir Législatif, est adoptée dans des cas limitativement énumérés par la constitution (article 89 et suivants de la constitution) ; tandis que l'ordonnance est un texte pris par le Pouvoir exécutif mais qui a valeur de loi.
- Les règlements (décrets et arrêtés) sont édictées par le Pouvoir Exécutif en vertu de son pouvoir réglementaire pour l'application d'une loi.
- La circulaire est un texte émanant d'un Ministère et destiné à donner une interprétation d'un règlement, afin que ce texte soit appliqué de manière uniforme sur le territoire. Ce sont des recommandations, elles ne s'appliquent qu'aux agents du service public (circulaire d'ordre intérieur). Dans certains cas, les circulaires introduisent des nouvelles règles (circulaires réglementaires)et sont aussi destinées aux usagers ; on peut donc formuler un recours pour excès de pouvoir à l'encontre de cette deuxième catégorie de circulaires sous certaines conditions.

D'après ce schéma, on peut tirer la conclusion suivante : pour être applicable, une décision administrative doit respecter les lois, les traités et la Constitution.

Toutefois, un cas de non respect de la hiérarchie des normes a été observé dans le domaine de l'assurance, une circulaire relative à la sécurité de la navigation maritime prise par le Ministère de Transports et de la Météorologie le 26 juillet 2001en est un exemple concret.

B – Le cas de la circulaire du Ministère des Transports et de la Météorologie du 26 juillet 2001

Contrairement à son homologue français (code des Assurances français, DALLOZ, édition 2007,13e édition, page 975 et suivants), le législateur malgache n'a pas établi une liste des Assurances obligatoires à Madagascar. Il faut donc s'en tenir aux dispositions du Code des Assurances et des autres textes qui prévoient des obligations d'Assurance pesant sur l'assuré :

Le Code des Assurances de 1999 a rendu obligatoire uniquement l'assurance de responsabilité civile des propriétaires de véhicules terrestres à moteur.

Aux termes de l'article 60 alinéa premier du code « Toute personne physique ou toute personne morale autre que l'Etat au sens du droit interne, dont la responsabilité civile peut être engagée en raison de dommages subis par des tiers résultant d'atteintes aux personnes ou aux biens et causés par un véhicule terrestre à moteur, ainsi que remorques ou semi remorques, doit, pour faire circuler lesdits véhicules, être couverte par une Assurance garantissant cette responsabilité, dans les conditions fixés par le présent Code. »

Ce qui implique qu'en matière d'assurance maritime, c'est aux dispositions du Code maritime qu'il faut se référer pour savoir si des Assurances obligatoire sont prévues dans ce domaine.

1) L'Assurance obligatoire édictée par le code maritime : l'Assurance Responsabilité civile des propriétaire de navire

Dans le Code maritime de 1999 (Loi 99-028 du 3 février 2000 portant refonte du code maritime), 3 articles édictent des Assurances obligatoires qui sont en réalité des Assurances de Responsabilité Civile :

- L'Article 4.1.03 du code maritime dispose au : « Tout navire entrant dans les eaux territoriales malgaches doit avoir une assurance ou une garantie financière dans les limites de responsabilité qu'il peut encourir conformément aux dispositions des articles 8.3.05 et 11.5.17 » Ces articles 8.3.05 et 11.5.17 auxquels l'article 4.1.03 fait référence prévoient les limitations de responsabilité du propriétaire de navire pour les dommages corporels et matériels causés aux tiers et aux passagers.

– L'article 4.01.04 sur la prévention de la pollution par les hydrocarbures dispose que « tout pétrolier d'une jauge brute égale ou supérieure à 150 tonneaux et tout navire autre que pétrolier d'une jauge brute égale ou supérieure à 300 tonneaux opérant dans la mer territoriale malgache, doit avoir une assurance ou une garantie couvrant les risques de pollution du milieu marin par les hydrocarbures .En outre, il doit être en possession des documents suivants :
  - Un certificat international de prévention de la pollution contre les hydrocarbures délivrés par une société de classification (IOPP certificate) ;
  - Un plan d'urgence contre la pollution par les hydrocarbures (SOPEP)

– Et aux termes de l'article 4.1.05 sur l'obligation pour les navires étrangers : « tout navire étranger ayant une jauge brute de plus de 50 tonneaux et entrant dans une rade ou dans un port malgache doit
  - Être assuré auprès d'un « Protecting and Indemnity club »
  - Prendre un consignataire de droit malgache qui sera responsable conformément aux dispositions de l'article 10.5.04 du présent Code. »

De ce qui précède, on peut dire que le code maritime a rendu obligatoire l'Assurance de responsabilité civile des propriétaires de navire pour les dommages corporels et matériels causés à des tiers et aux passagers, l'Assurance de responsabilité civile des pétroliers de plus de 150 tonneaux et des navires de plus de 300 tonneaux de jauge brute contre les risques de pollution et l'Assurance de responsabilité civile des navires étrangers.

Ce qui amène à conclure qu'en matière d'Assurance maritime, seule l'Assurance de responsabilité civile des propriétaires de navire édictée par le code maritime est obligatoire.

2) L'Assurance obligatoire édictée par la circulaire du 26 juillet 2001 : l'Assurance corps des navires

Curieusement, la circulaire du Ministère des Transports et de la Météorologie du 26 juillet 2001 relative à la sécurité de navigation maritime dispose dans sa section 4 alinéa 3 sur les visites de partance que : « le bon de partance ne devrait être délivré que lorsque les conditions suivantes sont satisfaites :

– marque de franc-bord non immergé ce qui signifie que le navire n'est pas en surcharge ;
– certificat de franc-bord et permis de navigation en cours de validité ;
– matériels énumérés ci-dessus au complet ;
– *polices d'assurance en cours de validité (corps pour le navire, responsabilité civile pour les marchandises, Assurance pour les passagers autorisés, l'Assurance vie pour les membres de l'équipage*) ;
– prévisions météorologiques favorables ;
– plans de voyage et manifestes ».

En disposant ainsi, concernant les polices d'Assurance en cours de validité, la circulaire susvisée oblige le propriétaire à assurer le corps du navire pour pouvoir prétendre au bon de partance alors que ni le Code des Assurances ni le Code maritime n'a rendu obligatoire l'Assurance corps du navire. D'où l'intérêt de savoir quelle est la valeur juridique de cette circulaire car une circulaire est censée respecter les dispositions des normes qui lui sont hiérarchiquement supérieures.

L'histoire est que, suite à la fréquence des naufrages de bateaux constatée dans les eaux territoriales malgaches et dont l'APMF (Agence Portuaire, Maritime et Fluviale[2]) a été désignée comme premier responsable par l'ancien Ministre des Transports[3], ladite circulaire a été invoquée par les agents de l'APMF au cours du mois de septembre 2009 pour refuser le bon de partance à certains navires au motif que ces navires n'étaient pas assurés en corps.

Par définition, la circulaire ou note de service, qui est un document normalement destiné aux agents du service public, a pour fonction principale de donner une interprétation uniforme d'un texte de loi sur un territoire. En l'espèce, la circulaire du 26 juillet 2001 se réfère aux arrêtés n° 1843 du 23 août 1962, n° 2918-MTM/DT/SMM du 1er septembre 1972 et n° 4945/89-MTMT/DACMM/SMM du 08 septembre 1989 ; ladite circulaire est donc censée faciliter l'application de ces trois arrêtés. Pourtant, ces arrêtés ne prévoient aucun article sur l'obligation d'Assurance corps des navires. Une question fondamentale se pose alors : cette circulaire est-elle vraiment interprétative des textes auxquels elle se réfère ?

---

2 L'APMF est un établissement public à caractère industriel et commercial (EPIC) créé par le décret du 19 avril 2000 et opérationnel depuis 2004, autonome sur le plan administratif et financier, sous la tutelle technique du Ministère des Transports et la tutelle financière du Ministère des Finances et du Budget à Madagascar.

3 Madagascar Tribune, jeudi 31 juillet 2008.

Dans la pratique, une circulaire est soit interprétative soit réglementaire :

– une circulaire interprétative, qui est la règle générale, est prise pour l'application d'un décret ou d'un arrêté. Elle doit donc apporter une interprétation fidèle au règlement.
– une circulaire règlementaire est une circulaire qui édicte une loi nouvelle et à l'encontre de laquelle on peut formuler un recours pour excès de pouvoir.

Vu qu'elle édicte l'obligation d'assurer le corps du navire, on peut qualifier la circulaire du 26 juillet 2001 relative à la sécurité de navigation maritime de « réglementaire » malgré le fait qu'elle se réfère aux arrêtés susvisés. Elle a donné une fausse interprétation de la loi. En outre, elle va à l'encontre des dispositions du code maritime qui prévoit uniquement comme Assurance obligatoire en matière d'Assurance maritime, l'Assurance de la responsabilité civile des propriétaires et non le corps du navire.

D'où la situation d'insécurité juridique qui naît de l'application de cette circulaire car les assurés se trouvent face à une note de service qui, normalement ne leur est pas destinée mais qui leur enlève le droit de circuler librement ; d'autant plus que l'obligation d'assurer le corps du navire ne présente aucun intérêt pour la société mais uniquement pour le propriétaire. C'est un intérêt particulier que la circulaire tente de protéger et non l'intérêt général. Le propriétaire a le choix d'assurer ou non le corps de son navire. C'est une manifestation de son droit de propriété.

Par contre, il est normal que l'Assurance de la responsabilité civile soit obligatoire afin de garantir les dommages causés par le navire ou son chargement.

On pourrait remarquer que seule l'obligation d'Assurance corps édictée par la circulaire de 2001 fait l'objet d'une étude particulière par le présent article pour la raison que c'est cette assurance qui a été invoquée par les agents de l'APMF pour refuser les bons de partance aux propriétaires de navires du côte Est de Madagascar au cours du mois de septembre 2009. Mais les autres obligations d'Assurance nées de cette circulaire, comme celle d'assurer la responsabilité des marchandises ou d'assurer la vie des membres de l'équipage, méritent aussi d'être soulignées :

- concernant l'obligation d'assurance responsabilité civile pour les marchandises qui est aussi édictée par cette circulaire, elle ne doit s'imposer que sur les pétroliers dont les caractéristiques sont définies par l'article 4.1.04 du code maritime et non à tous les navires. En effet, les hydrocarbures sont réputés dangereux pour l'environnement et le naufrage de tels navires peut causer des dommages importants pour la faune et la flore.
- L'Assurance pour les passagers autorisés étant déjà prévue par l'article 15.5.17
- Quant à l'obligation d'assurer la vie des membres de l'équipage, l'article 3.6.07 du Code maritime dispose que : « La souscription d'une assurance couvrant les cas de décès et d'infirmité permanente ainsi que le remboursement des frais de traitement en cas d'accident peut être négocié entre l'armateur et les gens de mer dans les conditions générales d'engagement ». Ce qui revient à dire que l'Assurance vie des membres de l'équipage est une faculté et non une obligation. Il est à signaler que le marin (c'est-à-dire toute personne quel que soit son sexe, embarquée et inscrite au rôle d'équipage en vue d'entreprendre une expédition maritime, article 3.1.01 du code maritime) est à la charge du navire pendant l'embarquement, mais pendant le débarquement, il est soumis au régime général des accidents du travail et des victimes de maladies professionnelles, article 3.6.02 du code maritime.

C – La possibilité du recours pour excès de pouvoir

Néanmoins, les assurés peuvent intenter un recours pour excès de pouvoir auprès du tribunal Administratif à l'encontre de la circulaire du Ministère des Transports dans le cas où leur bon de partance a été refusé au motif que le corps du navire n'a pas été assuré. Ce recours est possible car ladite circulaire fait grief ; elle produit des effets juridiques en rendant obligatoire l'assurance corps du navire, une obligation qui n'est pas prévue par le code maritime.

Le Ministère des transports est aussi appelé, afin de rétablir la sécurité en matière d'Assurance, à revoir cette circulaire et à abroger l'alinéa 3 de l'article sur l'octroi du bon de partance qui institue des obligations d'Assurance non prévues par le code maritime

Outre cette circulaire de 2001, un autre texte, en l'occurrence la proposition de décret du mois de juillet 2009 fixant les principes et conditions d'indemnisation des opérateurs économiques victimes des troubles à l'ordre public vient s'ajouter à la liste des textes dont l'incohérence est évidente.

II – LE NON RESPECT DU PRINCIPE DE LA MUTUALISATION DES RISQUES

Il importe de rappeler ici le mécanisme de l'Assurance : les primes ou cotisations payées par les Assurés s'ajoutent pour pouvoir faire face à un sinistre qui survient à l'un d'entre eux à un moment donné. C'est la mutualisation des risques. Ce mécanisme est rendu possible grâce à la loi des grands nombres, démontrée par le mathématicien Bernoulli, qui gouverne les événements fortuits et permet de déterminer la moyenne des risques.

C'est une des manifestations de la solidarité dont la société moderne ne peut se passer en raison de son importance du point de vue économique.

On va développer en premier lieu la notion de mutualisation des risques en matière d'Assurance ; ensuite un cas de non respect de ce principe sera étudié et enfin, pour résoudre ce problème, le rôle de l'Etat sera rappelé.

A – La mutualisation des risques

L'Assurance étant basé sur la solidarité entre les assurés, ceux-ci cotisent pour pouvoir se venir en aide en cas de sinistre. Il y a là ce qu'on appelle « mutualisation des risques ». On répartit les risques entre les assurés afin que ces risques ne soient pas supportés par un seul individu au moment où ils se réalisent.

L'article 5 du code des Assurances de 1999 définit d'Assurance comme étant « une convention par laquelle une partie, l'assuré, se fait promettre moyennant une rémunération (la cotisation ou prime), par lui ou pour un tiers, en cas de réalisation d'un risque, une prestation par une autre partie, l'assureur, qui, prenant en charge un ensemble de risque, les compense conformément aux lois des statistiques ». On remarquera que cette définition met en exergue l'objet de l'Assurance : l'Indemnisation.

Une indemnisation qui est possible grâce à la mutualisation des risques en ce sens qu'en regroupant des primes de faible valeur, l'assureur arrive à indemniser un risque jusqu'à conccurence du montant du capital souscrit dans la police.

Et c'est le mérite du mécanisme de l'Assurance : une prime généralement modique peut s'ajouter à d'autres pour parer à un sinistre d'une valeur plus ou moins importante ; et pour cette raison, aucune autre forme de solidarité ne peut se substituer à l'assurance.

Cette prééminence que l'Assurance a acquise au fil du temps se manifeste par l'augmentation de la demande en matière d'Assurance et par l'émergence de nouveaux risques engendrés par l'évolution de la société et auxquels les assureurs doivent faire face .

Mathématiquement, si on admet par exemple, en matière d'assurance incendie que 200 000 personnes possèdent chacune 1 maison estimée à 20 000 000 Ariary ; que ces personnes soient assurées auprès d'une même compagnie d'Assurance et que les statistiques révèlent qu'en moyenne 160 maisons brûlent chaque année, une prime nette de 16 000 Ariary par assuré suffira à couvrir les risques. En effet, on divise la valeur des 160 habitations entre les 200 000 assurés pour obtenir la prime nette annuelle.

Néanmoins, cette statistique ne sera exploitable que si elle est récente et a porté sur des risques de même nature et suffisamment nombreux.

La compagnie d'Assurance a donc pour fonction principale de proposer un service : indemniser les sinistres, et par conséquent, de gérer les portefeuilles en regroupant les risque de même nature, d'où la classification en Assurance Transports, Assurance Auto, Incendie....

Aussi, pour survivre et pour pouvoir respecter ses engagements, l'Assureur a intérêt à ce que les sinistres ne surviennent pas en même temps et ne soient pas trop importants ; c'est la raison pour laquelle plusieurs précautions sont prises avant la conclusion de la police d'Assurance comme le remplissage par l'assuré d'un formulaire très détaillé (la proposition d'Assurance) dans lequel il doit déclarer minutieusement les risques ; la visite des risques par un agent de la compagnie d'assurance, ...et l'Assureur a même le droit de refuser un risque : c'est ce qu'on appelle la sélection des risques. Il peut aussi recourir à la coassurance et à la réassurance. La coassurance consiste à partager le risque en parts égales ou inégales entre plusieurs assureurs tandis que la réassurance est le fait pour un Assureur de s'assurer auprès d'une autre Compagnie.

L'Assureur a donc comme seule ressource les primes payées par les Assurés, et ces primes sont destinées en même temps à indemniser les sinistres, à couvrir les frais de gestion et de production de la Compagnie et à payer les taxes.

B – L'obligation d'appui et d'assistance imposée par la Proposition de décret du mois de juillet 2009 à l'encontre des compagnies d'Assurance

Malheureusement, le secteur de l'Assurance n'a pas échappé, encore une fois, à l'incohérence des textes de loi édictés par le Pouvoir public. Une proposition de Décret datant du mois de juillet 2009 à été faite conjointement par le Ministère de l' Economie et de l'Industrie d'un côté et le Ministère des finances et du budget de l'autre côté. Cette proposition a été motivée par le désir de venir au secours des opérateurs économiques victimes des actes de vandalisme durant les événements du début de l'année.

Bien que la proposition de Décret en question ne soit pas encore adoptée, celle-ci mérite d'être analysée du fait de son incompréhensibilité et des contestations qu'elles a entraînées en raison des obligations qu'elle édicte à l'encontre des Compagnies d'Assurance et des Institutions financières.

Vu que ladite proposition de décret ne comporte que sept articles, et pour une meilleure compréhension, il paraît loisible de la reproduire ci-dessous :

Article premier : Le présent décret établit les principes et les conditions d'indemnisation et/ou assistance aux opérateurs économiques victimes des troubles à l'ordre public survenus entre les mois de janvier et mars 2009.

Article 2 : Est considéré comme « victime des troubles à l'ordre public », tout opérateur économique, propriétaire de fonds de commerce, propriétaire de locaux ou signataire d'un bail, tout propriétaire d'équipements, de matériels d'usine, de marchandises et/ou d'autres matériels de production et d'exploitation ayant subi des dommages suite aux actes de vandalisme et de pillage, de vol, d'incendie, de destruction des biens, survenus sur toute l'étendue du territoire de la République de Madagascar.

Article 3 : Les actes ayant engendré des dommages tels que définis à l'article 2 sont des actes à caractère non politiques, ayant été perpétrés dans le seul but de détruire, de piller ou de saccager les biens d'autrui.

Article 4 : Les personnes physiques ou morales ayant subi les préjudices prévues et stipulés dans l'article 2 peuvent bénéficier de l'appui et de l'assistance de l'Etat, des Agences d'Assurance et/ou des Institutions financières dans les conditions qui sont précisées par voie d'Arrêté.

Article 5 : les personnes physiques ou morales ayant souscrit des contrats d'Assurance spécifiques couvrant les préjudices définis aux articles 2 et 3, ne peuvent prétendre à aucune indemnisation pécuniaire supplémentaire au montant des dommages subis.

Article 6 : Les procédures se rapportant au dépôt de déclaration de demande d'indemnisation et /ou de compensation, les formes d'appui, assistance, indemnisation ou compensation ainsi que la liste des victimes, sont définis par vois d'Arrêté.

Article 7 : Le Ministre chargé de l'Economie et de l'Industrie, le Ministre des finances et du budget, le Ministre du commerce, le Ministre de l'Intérieur, le Ministre de la Fonction Publique, du Travail et des Lois sociales, le Ministre de la Justice, sont chargés, chacun en ce qui le concerne, de l'exécution du présent décret qui sera publié au Journal Officiel de la République.

A la lecture de ce décret, force est de constater que le législateur à l'intention d'indemniser les opérateurs économiques dont les biens ont été détruits ou pillés durant les évènements de janvier à mars 2009. Par contre, en ce qui concerne les Assureurs dont il fait mention à l'article 4, c'est le mécanisme même de l'Assurance, reposant sur la mutualisation des risques, qui est ébranlé par la Proposition. Par ailleurs, les notions mêmes d'appui et d'assistance sont étrangères à l'Assurance. On ne peut pas obliger une compagnie d'Assurance à endosser la responsabilité des actes de vandalisme perpétrés à l'encontre des citoyens.

D'où l'incohérence de l'article 4 de la proposition de décret : contraindre une compagnie d'indemniser une personne physique ou morale qui n'a pas souscrit une Assurance équivaudrait à une sanction à l'encontre des Assurés qui ont cotisé pour des actes de vandalisme dont ils ne sont pas responsables. Les primes ne sont pas payées pour indemniser des personnes étrangères à l'Assurance.

Cette incohérence est accentuée par les dispositions de l'article 5 qui prévoient que les victimes des actes de vandalisme qui ont déjà souscrit une assurance spécifique couvrant ces préjudices ne peuvent prétendre à une indemnisation pécuniaire supplémentaire. Ce qui signifie que seront privilégiés, au détriment des assurés, ceux qui n'ont pas souscrit une Assurance car il n'y a pas de limitation à leur indemnisation.

C – Le rôle de l'Etat

Il est à souligner qu'en matière d'assurance, l'Etat a pour mission, d'une part, de contrôler les entreprises d'Assurances par l'intermédiaire du Ministère des Finances et, d'autres part, d'ériger un cadre institutionnel, LIVRE III du code des Assurances. Cette mission de contrôle se manifeste surtout par la vérification du respect du code notamment des dispositions relatives à la marge de solvabilité et à la comptabilisation des provisions techniques et celles relatives à la médiation de bons offices (article 223 du code des Assurances).

Ce contrôle de l'Etat en matière d'Assurance a pour finalité de protéger l'intérêt des assurés. Ce qui est de bon droit car l'une des fonctions régaliennes de l'Etat est la préservation de la sécurité et de la solidarité des citoyens, et la définition de la loi en ce sens.

Par conséquent, il incombe aussi au gouvernement de définir les actions à prendre dans une situation de mouvement populaire qui prend une dimension trop importante car le dernier recours est contre l'Etat. En effet, les émeutes et mouvements populaires font parties des garanties particulières et sont rarement couverts par une police d'Assurance.

Ce principe a été consacré par le Code Général des collectivités Territoriales français dans son chapitre VI relatif à la responsabilité (Loi 96-142 1996-02-21 jorf 24 février 1996) article L2216-3 : « l'Etat est civilement responsable des dégâts et dommages résultant des crimes et délits commis, à force ouverte ou par violence, par des attroupements ou rassemblements, armés ou non armés, soit contre les personnes soit contre les biens.

Il peut exercer une action récursoire contre la commune lorsque la responsabilité de celle-ci se trouve engagée »

Ce qui signifie qu'il revient à l'Etat et ses démembrements de trouver le moyen d'indemniser les victimes en faisant appel à la solidarité nationale ou internationale ; ce qui est déjà prévu par l'article 4 de la proposition de décret de 2009 qui fait référence à l'appui et l'assistance de l'Etat ; ainsi, on évite de remettre en cause le principe de la mutualisation des risques.

En effet, les Compagnies d'Assurances sont incapables de supporter les conséquences économiques de tels évènements. C'est la raison pour laquelle la sélection des risques est admise en matière d'assurance. En outre, la sauvegarde de l'intérêt des assurés ne doit elle pas passer par la protection de la santé financière de la Compagnie d'Assurance ?

L'adoption de ce décret équivaudrait donc à l'ignorance des droits des assurés et du principe de la mutualisation des risques. La police d'assurance est un contrat établi entre l'assureur et l'assuré. Celui qui n'a pas souscrit une Assurance n'a pas droit à indemnisation.

Conclusion

Pour conclure, afin d'éviter qu'à l'avenir l'Assurance fasse encore l'objet d'une prolifération de textes aussi incohérents et incompréhensibles les uns que les autres, le législateur est invité à consulter les compagnies d'Assurance et les représentants des autres secteurs concernés avant de proposer ou d'adopter un texte. La sécurité juridique et la création d'un Etat de droit tant clamée par les dirigeants politiques en dépendent ; les administrés seront ainsi plus respectueux, et moins contestataires envers la loi car comme on dit : « Quand le droit bavarde, le citoyen ne lui prête qu'une oreille distraite[4] »

---

4 Rapport public du conseil d'Etat français, 1991.

De la protection de l'acheteur consommateur dans les ventes de biens meubles corporels à Madagascar

Manitra R. RALANTONIRINA

La vente, un contrat qui fait naître respectivement à la charge des parties une obligation de livrer une chose et une autre de s'acquitter d'un prix, est également la forme de contrat de consommation le plus fréquent à Madagascar. Elle est effectivement une opération que tout un chacun est amené à conclure dans la vie de tous les jours. On y a d'autant plus recours que la société devient une société de consommation dans laquelle une ligne de démarcation se trouve de plus en plus marquée entre le vendeur professionnel et l'acheteur consommateur qui est celui qui acquiert un bien pour son usage personnel ou hors de sa sphère d'activité habituelle, moyennant le paiement d'un prix. Un des principaux terrains sur lequel une telle démarcation a son importance est celui de la protection du consommateur face à la force de vente du professionnel, protection qui procède d'une idée d'équité et qui est prévue dans plusieurs pays de tradition romano germanique. La question qui se pose est de savoir comment se présente cette protection à Madagascar ? Il s'avère alors nécessaire d'aborder la question sous l'angle de deux caractères : embryonnaire, d'une part, principalement tributaire de l'existence de différentes structures, d'autre part.

I – UNE PROTECTION EMBRYONNAIRE

A – Des dispositions ponctuelles soucieuses de l'attente légitime et de la sécurité du consommateur

Le constat qui s'impose est l'**absence d'une loi** exclusivement consacrée au droit de la consommation proprement dit dans la législation malgache. L'esquisse d'un **projet de loi sur la protection des consommateurs** qui vient d'être élaborée est encore dans l'attente des retouches finales en fonction des observations émanant des différentes entités concernées notamment le S.I.M[1]. Il y a toutefois des textes, souvent règlementaires, touchant des domaines différents les uns des autres qui ont vocation à régir des aspects de la question. Outre la loi sur la théorie générale des obligations[2] et de celle, plus récente, sur la concurrence ainsi que de son décret d'application[3], il est aussi possible de recenser d'autres dispositions principalement règlementaires. Celles-ci ont en commun un souci d'assurer la protection de la santé du consommateur[4] en ce qu'elles règlementent **la qualité et la sécurité**.

La **qualité** dont il est question ici est celle des produits, des biens, que le consommateur va acquérir. Elle implique une conformité à des normes homologuées et aux dispositions légales et réglementaires qui le concernent et le caractérisent. Les normes correspondantes varient en fonction du produit et prévoient par exemple des règles à satisfaire pour les locaux de transformation et de stockage ; le respect de certaines exigences d'hygiène ou de bonnes pratiques de fabrication ...Il appartient au bureau des normes de Madagascar[5] d'élaborer les normes nationales.

Corollairement, la **sécurité** envisagée est avant tout celle du consommateur moyen qui peut être victime soit de la mauvaise qualité du produit qu'il achète soit des denrées alimentaires avariées qu'il pourrait acquérir sur le marché.

---

1 Syndicat des Industries de Madagascar, créé en 1958.
2 Loi n° 65-003 du 9 juin 1965.
3 Loi n° 2005-020 du 17 octobre 2005.
4 Par exemple le décret n° 93-243 du 27 mars 1993 et son arrêté d'application n° 3961/93 du 06/08/93 fixant les modalités de contrôle et de détermination des taux de concentration des radionucléides dans les denrées alimentaires.
5 Prévu par le décret n° 2004-316 Portant Statut et Organisation du Bureau de Normes De Madagascar.

Dans tous les cas, le bien doit satisfaire à l'attente légitime du consommateur. Cette attente porte, entre autres, sur l'essence même du bien en cause, notamment de par sa provenance, ses qualités ou sa composition ; mais également sur les points dont dépend la finalité que l'acheteur compte donner à cet objet. Il s'agit par exemple des dates de fabrication et de péremption, de la date limite de consommation, ou des modes d'utilisation.

Dans le souci d'éviter à l'acheteur consommateur une déception quant aux espoirs qu'il met dans le bien acquis ou à acquérir, de le prémunir contre une confusion entre ses propres attentes, celles du législateur ou, plus généralement, sur celles des qualités intrinsèques du bien à livrer, les textes[6] réprimant les fraudes et les falsifications condamnent toute atteinte à ces attentes légitimes du consommateur[7].

Pour le cas des denrées alimentaires expressément prévues par les textes, les atteintes aux règles d'importation et de production locales font l'objet de contrôles effectués de concert par des services de tous les ministères concernés par le produit. La charge de contrôler et de s'assurer de la qualité des denrées alimentaires incombe en premier lieu à l'Unité de Contrôle de Qualité des Denrées Alimentaires.[8]

Le contrôle prévu par les dispositions légales, le contrôle de « consommabilité », est effectué préalablement à l'arrivée des produits d'importation, avant de leur permettre d'intégrer le marché national. Une fois sur le marché, les produits périssables – ceux qui ne peuvent être commercialisés au-delà de leur date de péremption – font, en principe, l'objet de contrôles tout aussi sévères. Seulement, dans la pratique, ces contrôles ne sont pas systématiques, surtout parce que nombre de ces produits sont « distribués » par des agents du secteur informel. Ensuite, comment envisager une protection effective et efficace lorsque dans les laboratoires, plusieurs réactifs manquent, nécessitant même parfois un appel aux opérateurs privés ? La volonté de protéger le consommateur est certes louable, mais encore faudrait-il s'en assurer les moyens. Il est à signaler que la problématique des produits douteux reste entière, puisque aucun test de conformité n'est effectué, et que seul un test de consommabilité peut être réalisé.

---

6 Essentiellement la loi du 1er août 1905 sur la répression des fraudes dans la vente de marchandises et des falsifications des denrées alimentaires et des produits agricoles.

7 Constituent notamment une atteinte à l'attente légitime de l'acheteur la tromperie de la personne de l'acheteur, ou la tentative de tromperie, et l'altération de l'objet de la vente.

8 Créée par le décret n° 2004-0103 du 27 janvier 2004

A Madagascar, la pratique ne reflète cependant pas souvent les prévisions des textes. Pour ne citer par exemple que le cas particulier des articles qui font l'objet de reconditionnement, le professionnel doit en premier lieu obtenir une autorisation émanant de l'autorité administrative compétente, à savoir le ministère du commerce. Dans le cas où il lui en est délivré une, il a l'obligation de respecter le conditionnement d'origine, en reprenant notamment la température de conservation du produit ou sa composition chimique, pour assurer bien évidemment la sécurité de l'acheteur. Sur le marché, le reconditionnement des biens mis en vente est loin d'être rare, les vendeurs, soit ignorent ces prescriptions, soit s'encombrent peu de ce qu'ils considèrent comme étant des formalités. De même peu de professionnels, dans la pratique, transmettent la notice des produits présentant un danger plus ou moins grave, passant par là même sous silence les différentes précautions à prendre dans la manipulation de l'objet de la vente.

Les dispositions légales traitant de la qualité des objets de la vente sont assorties de sanctions. La quasi-totalité des infractions à ces dispositions légales revêt un caractère délictuel.

Tout d'abord, ces sanctions existent mais sont loin d'être dissuasives. Le caractère dérisoire des amendes y est pour beaucoup. A titre d'illustration, la loi sur la répression des fraudes dans la vente des marchandises et des falsifications des denrées alimentaires et des produits agricoles stipule que ceux qui exposent, mettent en vente ou vendent des denrées servant à l'alimentation de l'homme, des boissons ou des produits agricoles ou naturels qu'ils sauront être falsifiés ou corrompus ou toxiques seront punis notamment d'une amende de 100 francs au moins et de 5000 francs au plus. Celui qui expose, met en vente ou vend des substances médicamenteuses falsifiées tombera également sous le coup de la même disposition.[9]
Ensuite des peines d'emprisonnement sont également prévues. Toutefois, dans la réalité, celles-ci sont jugées trop sévères par les agents chargés de constater ces infractions dans des procès verbaux. De plus, les vendeurs choisissent de se plier volontairement aux saisies suivies des destructions des produits défectueux.
Enfin, des textes existent, mais une carence de moyens humains est à noter ce qui fait que les contrôles ne sont pas suffisants.

9 Loi du 1er août 1905 sur la répression des fraudes dans la vente de marchandises et des falsifications des denrées alimentaires et des produits agricoles. Articles 1, alinéa 1 ; et 3, alinéa 2 et 3.

Tout acheteur bénéficie de la garantie légale des vices cachés pour tous types de biens et quel que puisse être son cocontractant.[10] La règle vaut également pour le consommateur qui acquiert un meuble corporel et ce quelles que soient les stipulations contractuelles[11].

Il y a lieu de faire jouer la garantie légale pour un vice apparent qui n'aurait donc pas échappé a la vigilance minimale attendue de l'acheteur moyen et qui altère ou fait disparaître l'intérêt de l'acheteur pour l'objet de la vente. Ces états de fait auraient impliqué que la vente n'aurait pas été conclue ou l'aurait été mais à des conditions différentes, tel le paiement d'un prix moins élevé. Dans le cas où ces conditions sont réunies l'acheteur peut intenter une action dans les plus brefs délais et espérer obtenir des dommages intérêts.

Cette garantie légale, pris à la lettre, est une mesure de protection du consommateur. Seulement, dans la pratique, la majorité des consommateurs ne sont pas au fait de cette garantie. Et surtout, une solution amiable est beaucoup plus prisée, à savoir l'échange du bien dans les cas des choses de genres, ou bien sa réparation dans les autres cas. Dans le meilleur des cas, et l'observation de la pratique le révèle dans bien de cas, le consommateur qui a acquis le bien en question pourra le rendre et obtenir remboursement du prix dont il s'est acquitté. Il faut remarquer toutefois que peu de vendeurs offrent d'autres garanties ou un service après-vente. La raison invoquée est souvent qu'il n'y a pas de code de la consommation à Madagascar qui prévoirait ce genre de dispositions.

Généralement, le consommateur malgache moyen ne saisit pas les tribunaux pour défendre ses intérêts et obtenir une indemnisation ou pour exiger une réparation des dommages et défauts du produit en cause. Aussi, soit il ne fait aucune réclamation au vendeur, soit il en formule et dans la quasi-totalité des cas trouve un terrain d'entente avec ce dernier pour un mode de règlement amiable. Ce que le consommateur moyen partie à une vente d'objets corporels – ce qui représente la majeure partie des consommateurs – peut espérer et obtient souvent dans la pratique, c'est l'échange du bien litigieux avec un nouveau. Une autre solution, moins fréquente, est, ainsi qu'on l'a relevé plus haut, le remboursement du prix dont il s'est acquitté.

---

10 Art. 1641 Code civil français – « Le vendeur est tenu de la garantie à raison des défauts cachés de la chose vendue qui la rendent impropre à l'usage auquel on la destine, ou qui diminuent tellement cet usage que l'acheteur ne l'aurait pas acquise ou n'en aurait donné qu'un moindre prix s'il les avait connus.».

11 Dont celles offrant d'autres garanties.

Peu d'acheteurs, voire même aucun, ne veulent se hasarder à ester en justice dans de tels cas, soit en raison de l'ignorance de leurs droits, soit tout simplement parce que le dommage est insignifiant comparé à l'investissement tant au niveau du facteur temps que celui du facteur coût.

Bref, autant de raisons – notamment l'insuffisance de moyens, de matériels, de contrôle – rendent le peu de textes qui existent peu effectifs en ce qui concerne la qualité, la sécurité et la principale garantie due au consommateur alors que ce dernier a, par principe, le droit d'acheter en parfaite connaissance de cause.

B – Un comportement empreint de loyauté dû au consommateur

La protection de l'acheteur consommateur se traduit par l'imposition des mesures tendant à lui assurer l'obtention d'une information de choix, une exactitude dans les mesures, bref l'adoption d'un comportement loyal par le professionnel.

Si les dispositions légales ne reprennent pas le terme d'« obligation générale d'information », elles prévoient dans la loi sur la théorie générale des obligations[12] des dispositions qui permettent d'insérer dans le paysage juridique une idée d'obligation d'information. En effet, le législateur malgache a intégré, dans cette loi, les évolutions jurisprudentielles issues de l'interprétation des différentes formes de dol en application du Code civil français et a consacrée la réticence dolosive en son article 77, alinéa 2.[13] En reconnaissant que taire des informations utiles au cocontractant est constitutive de dol, l'article précité implique donc que la partie, la plus « sachante », selon la jurisprudence, est tenue d'informer l'autre.
Cette disposition faisant partie du corps du droit commun des obligations, elle a donc aussi vocation à s'appliquer en matière de contrat de vente portant sur un bien meuble corporel entre un consommateur et un professionnel. Ce dernier est alors soumis à une obligation d'information.
Néanmoins, il appartiendra au consommateur de prouver l'existence d'un silence gardé par un tiers ou le vendeur sur des faits qui l'auront dissuadé d'acquérir le bien.

---

12 Loi n° 65-003 du 9 juin 1965.

13 « Le silence intentionnellement gardé sur une circonstance que l'autre partie était excusable de ne pas connaître équivaut au dol ».

Le même article en son alinéa 2 in fine dispose qu' : « Il en est de même de l'exploitation de l'inexpérience manifeste du contractant ». Cela sous-entend que le législateur a voulu faire la différence entre celui qui peut peser le pour et le contre et celui qui n'aurait pas la capacité de jugement nécessaire ou au moins minimale pour pouvoir bien mesurer les conséquences de son consentement à la vente portant sur le bien proposé. Ces termes prévus par la loi peuvent également désigner celui qui aurait le minimum de bon sens et de vigilance d'un consommateur moyen mais qui n'a par contre pas les connaissances nécessaires concernant le produit en question. Bref, ce serait donc l'acheteur qui n'a pas le minimum d'aptitude intellectuelle pour faire la part des choses entre les boniments du vendeur et la simple publicité.

Appliqué à nos propos, cet article 77 de la LTGO offre un minimum de protection au consommateur sans le faire d'une manière accrue ou exagérée. Il est cependant dommage qu'il ne donne pas de critères plus précis, moins flous. Qualifiée de « manifeste », l'ignorance est une notion qui se veut moins vague mais la détermination du caractère manifeste peut être variable. Ce qui réduit la volonté de clarification que le texte a voulu prévoir. En pratique cela relève de la casuistique et il appartiendra alors au juge qui aurait à connaître du litige faisant valoir cette exploitation manifeste de définir si les faits reprochés ou soulevés sont à classer dans cette catégorie.

La réticence dolosive étant un vice du consentement, le consommateur acheteur peut donc introduire une action en nullité pour vice du consentement. Cependant, dans la pratique, la perte ou le prix payé ne représente qu'une infime partie des frais occasionnés par le recours à une procédure judiciaire. Aussi, l'acheteur consommateur n'agit-il quasiment pas sur ce terrain.

La récente loi de 2005 sur la concurrence a pour objectif d'assurer l'existence d'une concurrence libre et saine. Elle protège également, même si c'est souvent d'une manière indirecte, le consommateur. Selon son article 11 alinéa 1 « le détaillant (...) doit, par voie de marquage, d'étiquetage, d'affichage, ou par tout autre procédé approprié, informer le consommateur sur les prix et les conditions et modalités (...) ». Ainsi, la loi soumet le vendeur détaillant à une obligation de transparence, qu'elle introduit dans le paysage de la législation en matière des relations entre ce dernier et son acheteur non professionnel. Le décret d'application de la loi sur la concurrence, qui y consacre un titre spécifique, précise les contours de cette obligation[14].

D'une part, ces dispositions prévoient une obligation de publicité des prix. Le vendeur doit par conséquent fournir une information qui a un effet au niveau du portefeuille de l'acheteur. Ce qui n'est d'ailleurs pas étonnant puisque c'est de la loi sur la concurrence dont il s'agit. En effet, l'article premier de cette loi précise que pour assurer son rôle essentiel, elle « vise dans ce cadre à promouvoir (...) le bien des consommateurs ».

Le décret précité définit de manière indicative **les modalités de l'information** laquelle n'est pas restreinte aux formes et modalités qu'il prévoit[15]. Ceci procèderait de la précarité des moyens des petits commerçants : il suffit juste que le consommateur ait connaissance du prix et pour cela, l'indication du prix peut utiliser tout support à partir du moment où elle est lisible de loin à partir d'une distance jugée moyenne.

Le décret vise spécialement les ventes et met en évidence le cas de la vente au détail parce que c'est la forme de vente la plus courante mettant en présence un consommateur et un professionnel. Mais tous les produits susceptibles de vente sont concernés par le texte, avec des mentions particulières pour ceux qui ne sont pas « exposé(s) à la vue du public mais disponible pour la vente au détail »[16], et ceux « vendus au poids ou à la mesure.». Ceci répond à la prise en compte des modalités pratiques de l'information sur les prix. En effet, le premier groupe de produits doit être « muni d'une étiquette » puisqu'ils vont encore être susceptibles d'être déplacés, une étiquette collée à son emballage ne peut s'en détacher. Quant au second type

---

14 Décret n° 2008-771 fixant les conditions d'application de la loi sur la concurrence d'application, Titre II « de l'obligation de transparence dans la vente de produits et dans les prestations. »

15 Article 38, alinéa 1 : « Le marquage consiste en l'indication du prix soit sur le produit lui-même ou sur son emballage, soit par le moyen d'un écrite au apposé sur le produit ou à proximité immédiate, de façon qu'il n'existe aucune incertitude quant au produit ou service auquel il se rapporte. » et l'alinéa 2 précise : « L'**affichage** consiste en l'apposition d'un tableau rédigé distinctement, situé à l'entrée du local destiné à l'accueil du public et comportant la liste des produits mis en vente ou des services offerts ainsi que le prix net de chacun d'eux. Ce document doit être parfaitement visible par la clientèle et lisible. L'affichage est obligatoire pour des produits dispensés d'étiquetage, déterminés par arrêté du Ministère chargé du commerce, et pour les prestations de service. L'**étiquetage** consiste en l'apposition sur le produit d'une étiquette permettant d'en connaître la nature exacte et le prix de vente au détail, que ce produit soit ou non exposé à la vue du public. »

16 Décret n° 2008-771 fixant les conditions d'application de la loi sur la concurrence article 38, alinéa 1.

de produits visé, le prix correspondant est celui d'une unité de mesure et non d'un produit.[17].

Par ailleurs, **l'indication du prix** est faite toutes taxes comprises[18], les taxes représentant une portion assez importante par rapport au prix hors taxes du produit[19]. Le prix n'intéresse en effet le consommateur que parce qu'il pense à acquérir le produit ou qu'il va le faire. Ce prix doit être « exprimé en ariary »[20]. Force est de constater qu'encore un grand nombre de commerçants n'affichent pas leur prix, ou le font mais encore en francs malgaches, l'ancienne unité monétaire de Madagascar. Il y a aussi une pratique de certains vendeurs au détail qui affichent ces prix mais interdisent au consommateur de les noter pour éviter que ce dernier ne les compare à ceux de leurs concurrents. Le fait de changer les prix en fonction de l'acheteur ou de les modifier chaque jour ou chaque demi-journée est aussi de pratique courante.

D'autre part, les dispositions sur la concurrence mettent à la charge du vendeur une obligation d'informer le consommateur sur **les conditions de vente**, obligation qui se retrouve renforcée en fonction de l'objet de la vente en question. L'article 38 du décret fixant les conditions d'application de la loi sur la concurrence en son alinéa 8 admet et énonce en effet que « la nature ou les conditions particulières de vente de certains produits ou prestations de service peuvent exiger une information différente ou plus complète des consommateurs. ». Par la même, le décret adopte une considération consumériste particulière. Cette disposition formulée en des termes très généraux accroît en effet et l'étendue et les modalités possibles de l'obligation de transparence se traduisant par une information accrue de la part du professionnel. L'obligation d'informer sur les conditions de vente obéit aux mêmes procédés que ceux utilisés pour les prix. Il en est de même pour les supports.

Il faut remarquer par rapport au **mode de paiement** le cas particulier du consommateur qui achète **à crédit**. Le vendeur qui conclut un acte de vente prévoyant que le prix sera payé à crédit, n'est pas soumis à des obligations particulières par des dispositions spécifiques à ce type de contrat. Cet état de fait est contestable puisque l'attrait des

17 Décret n° 2008-771 fixant les conditions d'application de la loi sur la concurrence article 38, alinéa 7.
18 Décret n° 2008-771 fixant les conditions d'application de la loi sur la concurrence article 39
19 Décret n° 2008-771 fixant les conditions d'application de la loi sur la concurrence article 38, alinéa 1.
20 Décret n° 2008-771 fixant les conditions d'application de la loi sur la concurrence article 39.

conditions de vente est surtout trompeur pour le consommateur moyen qui ne mesure ni l'ampleur ni les conséquences dommageables de son engagement. Surtout qu'il y a, depuis ces dernières années, l'incursion de ce nouveau type de commerce dans l'île.

A côté de la vérité due au consommateur lors des ventes, la loi sur la concurrence intervient sur un aspect qui peut déterminer ou qui joue un rôle important dans la détermination du choix de l'acheteur. Elle réprime **la publicité mensongère comparative** si elle n'est pas loyale et véridique et qu'elle est de nature à induire en erreur le consommateur. L'article 9 de cette loi rajoute d'ailleurs qu'elle engage la responsabilité de son auteur. Cette disposition semble mettre l'accent sur l'idée de loyauté, d'éthique uniquement dans les rapports entre commerçants[21] mais elle peut néanmoins servir à protéger l'acheteur puisque l'article précité empreint de loyauté la course effrénée au gain de l'auteur de la publicité. Or, l'enjeu premier, dans cette guerre de publicité, c'est d'attirer le client. Pour le vendeur c'est d'attirer à lui le plus d'acheteurs potentiels et l'usage des expressions « loyale et véridique » par le législateur semble sous-entendre une idée de publicité « objective » en d'autres termes en faveur et au bénéfice d'une clientèle à acquérir à sa cause. Ce qui n'est, il faut le reconnaître, quasiment jamais le cas en pratique.

La violation de dispositions concernant les obligations contenues dans la législation sur la concurrence expose son auteur au paiement d'amendes d'un certain montant[22]. L'amende est cette fois d'un montant moins dérisoire, mais reste cependant, dans certains cas, pour le consommateur à prouver les faits reprochés. Ce qui est une autre question...

L'acheteur consommateur bénéficie de stipulations qui imposent au vendeur d'utiliser des **instruments de mesure et de pesage** qui sont justes. En principe, tout usage dans le commerce de tels instruments de mesure ou de pesage est conditionné par une vérification préalable de leur conformité avec des instruments de référence caractérisée par une extrême précision. Ce contrôle, appelé la vérification primitive[23],

---

21 De même que l'interdiction du dénigrement.

22 Art. 44 loi sur la concurrence « Toute violation des dispositions des articles 11 et 12 relatives à l'obligation de transparence et de loyauté des transactions est punie d' une amende de 500 000 ariary et 10 000 000ariary. ».

23 Décret n° 67-170 du 13 avril 1967 portant réglementation du contrôle de métrologie légale, article R11.

revient au service de la métrologie légale. Au-delà de cette vérification préalable, une fois que les instruments n'ont pas fait l'objet de l'apposition d'un poinçon de refus, donc ont satisfait au contrôle de métrologie légale, ils font l'objet d'une vérification périodique pour s'assurer de leur bon état et de la continuité de leur conformité[24]. En cas de défectuosité des instruments des mesures, la loi stipule qu'il faut les confier à des réparateurs agréés.

Des sanctions sont prévues, à juste titre: peines d'amende et/ou d'emprisonnement accompagnées de la saisie des différents poids et instrument de mesure. Cependant, les amendes prévues par exemple par le décret n° 67-170 du 13 avril 1967 portant réglementation du contrôle de métrologie légale méritent d'être mises à jour car telles quelles, restées au quantum prévu il y a une quarantaine d'années, et face à l'érosion monétaire, elles sont ridicules. Ce qui n'est sûrement pas pour assurer une pleine effectivité des textes.

L'acheteur consommateur a donc droit à plus de choix, plus de qualité, plus d'information que son cocontractant quand bien même le droit malgache n'aurait pas de code de la consommation. Néanmoins la mise en œuvre de ces dispositions va-t-elle de soi ?

II – UNE PROTECTION ESSENTIELLEMENT TRIBUTAIRE DE DIFFÉRENTES STRUCTURES

A – Le rôle important des entités administratives

Le décret de 2008 fixant les conditions d'application de la loi sur la concurrence fixe le cadre institutionnel des autorités compétentes en matière de concurrence et définit respectivement les attributions dévolues aux deux entités qui ont compétence en matière de concurrence. Elles ont néanmoins des rôles communs, s'articulant autour de la mise en œuvre et de l'application des dispositions légales et règlementaires pour s'assurer de l'existence effective de la concurrence sur le marché. Pour ce faire, elles sont investies de certains pouvoirs[25].

24 Décret n° 67-170 du 13 avril 1967 portant réglementation du contrôle de métrologie légale, article R17.

25 Article 2 alinéa 3 « Elles ont un pouvoir d'initiative, d'enquête et d'instruction pour mettre en œuvre les prérogatives dont elles sont titulaires pour l'application de ladite loi et ses textes subséquents. »

D'une part, la mise en œuvre des mesures de protection des intérêts du consommateur acheteur prévues par la loi sur la concurrence[26] et son décret d'application[27] revient particulièrement au **conseil de la concurrence**. La création de celui-ci traduit la considération, pour le législateur, que l'effectivité d'une libre et saine concurrence augmente la compétitivité des entreprises et, partant, contribue au développement économique du pays. Pour l'heure, Le conseil n'a pas encore été mis en place.
Ce conseil est une nouvelle structure administrative indépendante[28]. Ses membres, les rapporteurs et le commissaire général ont pour caractéristique commune leur expertise (juridique ou économique) en matière de concurrence, puisque c'est de celle-ci et de l'application des dispositions législatives et règlementaires à son sujet dont il s'agit. Ils doivent être indépendants d'une manière effective. De cela dépendra l'effectivité des textes relatives à la concurrence.[29]

Le conseil de la concurrence a des attributions consultatives[30]. Néanmoins, il est doté d'un rôle juridictionnel très marqué, lui permettant par exemple d'ordonner des mesures conservatoires. Il statue en respectant la procédure du contradictoire et rend après délibéré une décision que son président revêt de la formule exécutoire. Sa décision ne peut faire l'objet de recours que devant le Conseil d'Etat. Dans le cas où les faits reprochés sont vérifiés, c'est le conseil qui prononce des sanctions assurant en fait l'effectivité des textes, notamment au bénéfice de l'acheteur consommateur.

Les articles 7 à 8 du décret de 2008 sont relatifs à la saisine du Conseil en ces termes[31] : « Le Conseil de la concurrence peut se saisir

---

26 loi n° 2005-020 du 17 octobre 2005.
27 Décret n° 2008-771 fixant les conditions d'application de la loi sur la concurrence article 38, alinéa 1.
28 Les sept conseillers qui la composent sont nommés par décret, article 30 alinéa 1 de la loi n° 2005-020 sur la concurrence. Il faut noter que le conseil a des rapporteurs permanents et un commissaire du gouvernement représente le gouvernement lors des séances du conseil (décret n° 2008-771 fixant les conditions d'application de la loi sur la concurrence article 4).
29 Dans ce but, l'article 12 du décret ° 2008-771 fixant les conditions d'application de la loi sur la concurrence dispose que : « Les fonctions de membre du Conseil de la concurrence sont incompatibles avec les fonctions judiciaires, avec l'exercice d'un mandat public électif, avec toute fonction ou charge publique rémunérée d'ordre politique ou administratif, avec les charges de notaire et d'huissier de justice, avec la profession d'avocat, avec l'état de militaire et avec la fonction de ministre de culte.
Les agents de l'Etat et fonctionnaires membres du Conseil de la concurrence sont en position de détachement ».
30 Loi n° 2005-020 du 17 octobre 2005, article 34.
31 Cette disposition complète celle de la loi sur la concurrence en son article 35.

d'office ou être saisi par les entreprises ou, pour toute affaire qui concerne les intérêts dont il a la charge, par les organismes visés à l'alinéa 2 de l'article 34 de la loi n° 2005-020 du 17 octobre 2005 sur la concurrence ».

La saisine du Conseil de la concurrence fait l'objet d'une lettre recommandée avec demande d'avis de réception ou d'un dépôt au bureau de la procédure avec certificat de remise, en quatre exemplaires. Elle peut être accompagnée de pièces annexes. Aux termes de l'article 8 du décret, – La saisine précise 1) son objet et les dispositions du droit de la concurrence sur lesquelles la partie saisissante fonde sa demande 2) les nom, prénoms, dénomination ou forme sociale, profession ou activité, et adresse du domicile ou du siège social du demandeur, ainsi que, le cas échéant, ses statuts et le mandat donné à son représentant. Le Conseil de la concurrence est informé sans délai de tout changement d'adresse par lettre laissant trace écrite.

Si la saisine n'est pas accompagnée de ces éléments, une demande de régularisation est adressée au demandeur (ou à son représentant mandaté), qui doit y répondre et apporter les compléments dans un délai de deux mois. » Cette dernière disposition traduit la volonté du législateur de vouloir assurer la loyauté et la liberté de la concurrence mais, surtout, le mécanisme profite également au consommateur[32]. Celui-ci aura en effet la possibilité de faire valoir ses droits dans le cas où la saisine ne répondrait pas aux spécificités légales. Elle ne sera en effet pas tout de suite déclarée irrecevable.

Le dispositif textuel en matière de concurrence prévoit ainsi des dispositions qui protègent plus ou moins directement les intérêts du consommateur, notamment celui acheteur d'un bien meuble corporel. Ce dernier ne pourra donc compter sur l'effectivité des dispositions en question que par le biais du Conseil de la concurrence qui a la charge de les mettre en œuvre[33]. Or, encore une fois, le conseil de la concurrence n'est pas encore mis en place.

L'autre entité composant le cadre institutionnel en matière de protection des consommateurs est le **ministère chargé du**

---

32 Il faut remarquer que le consommateur fait partie des personnes désignées par les mots « par tout intéressé » dans la loi n° 2005-020 sur la concurrence en son article 35.

33 Art. 13 : – Le Conseil de la Concurrence exerce une action de contrôle et de sanction des pratiques anticoncurrentielles susceptibles de relever des articles 21 à 27 de la loi n° 2005-020 du 17 octobre 2005 sur la concurrence.

commerce. Parallèlement au Conseil de la concurrence, il y a ainsi **le service de la concurrence** qui, pour l'instant, est le seul élément concret du cadre institutionnel sur la concurrence qui ait une existence fonctionnelle. Ce service se charge, entre autres, de recevoir des plaintes mais la plupart, pour l'heure, restent sans suite. La principale raison de cette situation réside généralement dans la fausse compréhension soit du rôle du service de la concurrence soit des objectifs des dispositions légales et règlementaires traitant de la concurrence. Le service de la concurrence est perçu plus par les opérateurs économiques, y compris les vendeurs, comme une instance de protection de leurs propres intérêts que comme un service gouvernemental destiné à promouvoir l'esprit d'un droit de la concurrence en soi.

Les conditions de recevabilité des plaintes par le service sont les mêmes que celles prévues pour la saisine du conseil de la concurrence. Dans la pratique, peu de plaintes émanant de consommateur aboutissent car soit celles-ci émanent de personnes qui veulent garder l'anonymat, soit aucune preuve appuyant les faits reprochés à un vendeur censé entraver la libre concurrence ou ne pas la respecter, n'est produite.

Mais le premier concerné en matière de protection des consommateurs est l'ancien **service de la répression des fraudes** au sein du ministère du commerce à Madagascar récemment devenue celui de la **protection des consommateurs**. Ses rôles et attributions principales sont de procéder à tout contrôle de conformité des produits sur la base des dispositions légales. Le service de la protection des consommateurs est également l'autorité administrative à laquelle les consommateurs s'estimant avoir été lésés s'adressent. Même si elles sont encore peu nombreuses, le nombre de plaintes déposées a sensiblement augmenté. Ceci est dû notamment à l'élaboration d'un guide du consommateur suivi, à une époque relativement récente, d'une campagne de sensibilisation menée par le ministère chargé du commerce. Si pareilles manifestations représentent une initiative en faveur de la protection du consommateur, un dépliant de six pages peut-il néanmoins être considéré comme un guide suffisant du consommateur ?
Toujours est-t-il que le peu de plaintes qui atterrissent devant le service de la protection des consommateurs concernent surtout les produits périmés, sauf un cas unique où un acheteur consommateur s'est plaint de la différence entre le prix affiché et le prix que le vendeur professionnel lui a demandé d'acquitter.

Une fois parvenue aux services de la consommation, les tests relatifs au contrôle de la qualité sont systématiques. Un contrôle de consommabilité, bactériologique et physico-chimique, est réalisé soit au sein du laboratoire du ministère du commerce, soit en faisant appel à un des centres collaborant avec le service[34]. Si les plaintes se trouvent être justifiées, il est opéré normalement à la saisie des produits non-conformes. Les vendeurs professionnels préfèrent d'ailleurs le plus souvent accepter de se plier à ces contrôles puis, éventuellement, aux saisies. Bien évidemment, les biens, objets de la vente, seront détruits et/ou retirés du marché. Une telle solution ne satisfait-elle pas plus le vendeur professionnel que l'acheteur qui n'obtient souvent que le remboursement des prix des produits ?

Les agents de l'administration effectuent également des contrôles de routine, souvent inopinés, pour s'assurer du respect des dispositions légales relatives à la protection du consommateur. Si des cas de non-conformité aux exigences légales des produits mis en vente se présentent, ces agents établissent un procès verbal de constatation. Les sanctions à ces infractions aux dispositions de la loi sur la concurrence consistent en des amendes et des peines d'emprisonnement. A l'épreuve de la pratique et dans la totalité des cas, les agents administratifs en charge des poursuites optent pour le règlement amiable entre les intérêts antagonistes du vendeur et de l'acheteur consommateur. En effet, eu égard aux peines d'amendes jugées dérisoires, les prononcer à l'encontre de l'auteur d'une infraction s'avère ridicule ; d'un autre côté, l'emprisonnement est considéré comme trop excessif. De plus, les effectifs des agents concernés sont trop faibles face au foisonnement des petits commerces sur le marché. Aussi, sont-ils moins prompts à édicter des sanctions pour des infractions estimées somme toute insignifiantes…

La **direction du ravitaillement et de la régulation des marchés** nouvellement créée au sein du ministère chargé du commerce veut notamment répondre à un souci d'assurer une meilleure protection du consommateur qui acquiert des produits sur le marché. Une des raisons qui ont soulevé la question de la nécessité d'une telle direction est le fait que le domaine du ravitaillement englobe tout produit touchant la vitalité du pays : en gros les produits de première

34 Le Laboratoire du Centre National de Recherche sur l'Environnement (CNRE) le Laboratoire de Contrôle Qualité des Denrées Alimentaires, le Laboratoire de l'Institut National des Sciences et Techniques Nucléaires (INSTN) ; Service de Contrôle de Qualité de l'UCQDA ; le Laboratoire d'Hygiène Alimentaire et Environnement (LHAE) de l'Institut Pasteur de Madagascar (IPM) ; le Laboratoire de Contrôle du Ministère chargé, du Commerce.

nécessité, indispensables de manière quotidienne. Ainsi, avant même d'arriver au concept de protection de la qualité d'un produit, il faut commencer par assurer au consommateur sa survie en pourvoyant le marché de produits vitaux de base et en en règlementant le cadre. Or la maîtrise de ce marché passe entre autres par la prise en compte du secteur dit informel comprenant les activités qui échappent par définition à toute tentative de réglementation. Le fait qu'un commerçant échappe aux impératifs légaux implique une augmentation des risques auxquels tout acheteur potentiel sera exposé. Dans certains cas, l'acheteur consommateur peut être amené à acquérir un bien auprès d'un agent de ce secteur informel alors même que l'exercice de la profession par ce vendeur n'obéit pas aux prescriptions légales et règlementaires, pour ne citer que l'exemple des ventes de plantes médicinales[35]. La régulation du marché que la direction en charge du même nom au sein du ministère de commerce peut entreprendre va donc en même temps profiter au consommateur.

Au sein du ministère chargé du commerce, il y a également un **service de la qualité**, mais dont le champ d'action se limite aux importations. Il est de même possible de citer le rôle joué par l'« Unité de Contrôle de Qualité des Denrées Alimentaires » ou UCQDA, un Etablissement Public à caractère Administratif sous tutelle du Ministère de la santé et du planning familial dont l'objet social est, comme son nom l'indique, de se consacre uniquement au contrôle de qualité des denrées alimentaires. L'UCQD collabore étroitement avec le Ministère de la santé et avec le ministère chargé du commerce.

Les structures étatiques ou semi étatiques sont-elles les seules structures appelées à contribuer à la mise en œuvre de la protection du consommateur acheteur ?

B – La protection et l'existence des associations de consommateurs

La possibilité pour le consommateur, dont le consommateur acheteur, d'adhérer à une association chargée de défendre ses intérêts peut

35 Decret n° 2003-1097 Réglementant la Vente des Plantes Médicinales, la Fabrication et la Vente des Médicaments à Base de Plantes ,article 8, « La vente au public des plantes médicinales doit avoir l'autorisation conjointe du Ministère de l'Industrialisation, du Commerce et du Développement du Secteur Privé et du Ministère de la Santé. » et article 9, Nul ne peut exercer la profession de « mpivarotra zavamaniry fanao fanafody » (herboriste) que s'il réunit les conditions suivantes : « (...) 2) être titulaire d'une autorisation de commercialisation de plantes médicinales délivrée conjointement par le Ministère de l'Industrialisation, du Commerce et du Développement du Secteur Privé et du Ministère de la Santé (...).

être considérée comme une mesure de protection. Une telle association aura donc pour objectif d'assurer la défense des intérêts des consommateurs. Ses principaux rôles sont d'informer le consommateur, de le conseiller, de l'orienter dans ses prises de décision.

Les statuts des associations sont prévus par le régime général des associations[36]. Le guide du consommateur[37] comprend les directives relatives aux associations de consommateur.
Ainsi, pour créer ou régulariser une association de consommateur, il faut procéder au dépôt d'un statut auprès du service des administrations territoriales et en adresser une copie au ministère chargé du commerce la justice et à celui de la justice.

La demande d'agrément se fait par écrit sur papier libre et adressée au Ministère du commerce. Pour pouvoir obtenir cet agrément, il est nécessaire de réunir les conditions suivantes : avoir au moins une année d'existence, être en mesure de justifier d'une activité effective et publique en vue de la défense des intérêts des consommateurs, obtenir un arrêté conjoint des ministres chargés du commerce et du ministre de la justice pour le cas des associations nationales, ou, pour les autres associations, un arrêté de l'autorité de tutelle compétente ou équivalent est nécessaire.

De telles associations sont encore peu nombreuses à Madagascar. Elles sont actuellement au nombre de cinq[38]. Cela est en grande partie dû au fait que le consommateur moyen n'a pas connaissance de ses droits, dont précisément celui d'adhérer à de telles associations. Une autre raison réside dans la simple ignorance de l'existence de ces dernières. Dans la réalité, ces organismes n'agissent pas encore comme une association de consommateurs digne de ce nom. Leurs actions se résument à des interpellations ponctuelles, souvent lors des hausses de prix dans un secteur. Néanmoins, certaines d'entre elles font office d'interface entre consommateurs et autorités compétentes. Elles se chargent par exemple de déposer les plaintes de consommateurs au service de la protection des consommateurs. Elles prennent part à des séances d'information et de conscientisation sur les droits du consommateur mais leurs actions bien que présentes

---

36 Ordonnance n° 60-133 du 3 octobre 1960 modifiée par l'ordonnance n° 75-017 du 13 août 1975.
37 Produit par le ministère de l'industrialisation, du commerce et du développement du secteur privé.
38 La PLADDIC, la FIMZOMPAM, la FIMPA, la GARDUC et l'ASCOMA.

sont encore insuffisantes pour assurer une défense des intérêts des consommateurs et par conséquent une protection effective notamment en ce qui concerne l'application des dispositions ayant vocation à assurer cette protection en matière de vente.

Bref, il reste beaucoup à faire au niveau de la protection de l'acquéreur de biens meubles dans le droit positif malgache. De tout ce qui précède il faut reconnaître qu'en l'état actuel des dispositions législatives et réglementaires qui contiennent néanmoins quelques obligations dont peu ont une portée générale, la protection du consommateur acheteur est loin d'être effective. Le code de la consommation devrait tenir compte des raisons de cette quasi-ineffectivité. Le législateur pourrait entre autres considérer le possible effet néfaste que pourrait engendrer la prévision d'un trop-plein d'informations, et faire sienne l'expression : excès de forme n'informe !

Le devoir de loyauté des intermédiaires de commerce

Hobinavalona Ramparany-RAVOLOLOMIARANA

1. L'uniformisation de la notion d'intermédiaire. Il existe une variété impressionnante d'intermédiaire en droit[1], mais la notion « *suscite un indéniable sentiment d'insatisfaction : sa présence dans le discours juridique semble aussi diffuse que confuse* »[2]. Dès lors, elle semble être réfractaire à toute tentative d'uniformisation, laissant ainsi certains auteurs assez sceptiques[3]. Mais une étude récente a pu démontrer qu'une telle démarche est non seulement possible mais également utile. Cette étude fait état de l'existence d'une « *prestation caractéristique de l'activité d'intermédiaire (qui) consiste à favoriser la conclusion d'un contrat. En d'autres termes, tous les intermédiaires sont par définition au service d'un contrat, le contrat principal* »[4]. A partir de ce constat, il est donc possible d'unifier la notion et de comprendre ses différents aspects.

---

1 Pour une liste non exhaustive : les mandataires, les représentants, les gérants d'affaires, les agents matrimoniaux, les courtiers, les franchisés, les VRP, les concessionnaires, les groupements d'achat.

2 N. DISSAUX, *La qualification d'intermédiaire dans les relations contractuelles*, préf. Ch. JAMIN, BDP. Tome 485, LGDJ 2007, n° 1, p. 1.

3 V. par exemple : J. MESTRE, RTDCiv. 1992, n° 7, pp. 86-87 : « (...) si par commodité, on peut parler d'intermédiaires pour désigner toute cette masse de personnes, sans cesse croissante, qui s'entremettent entre les différents partenaires civils ou commerciaux, il est permis de souhaiter que les rédacteurs d'actes et les magistrats se méfient de cette qualification *new look* bien imprécise et lui préfèrent les bonnes vielles qualifications légales de mandataire, courtier, commissionnaire ou autres agents commerciaux ».

4 N. DISSAUX, La qualification d'intermédiaire dans les relations contractuelles, thèse. préc., n° 813, p. 367. Dans le même sens, à propos du courtier, V. Ph. DEVESA, L'opération de courtage, préf. J.-M. MOUSSERON, BDE, Litec 1993, n° 69, p. 46 : « Quant au courtier, de par sa situation d'intermédiaire, il aura pour tâche de permettre la conclusion d'un contrat entre le donneur d'ordres et le tiers, de faciliter la conclusion du contrat objet-conséquence de l'accord de courtage ».

2. L'uniformisation de la notion d'intermédiaire de commerce. Certaines législations, à l'instar de l'Acte uniforme relatif au droit commercial général (OHADA) et la loi malgache relative aux intermédiaires de commerce, ont opté pour une uniformisation de celle-ci dans le cadre du droit commercial, ce qui n'est pas le cas de la législation française. En l'état actuel du droit français, il n'existe pas une unification de la notion d'intermédiaire du commerce[5]. Le Code de commerce réglemente différentes professions d'intermédiation en matière commerciale mais de manière séparée. Ainsi, existe-t-il une suite de dispositions relatives aux courtiers (art L. 131-1 et s.), aux commissionnaires (art L. 132-1 et s.) et aux agents commerciaux (art L. 134-1 et s.) sans aucune volonté de les rassembler sous un statut commun. A 10000 km de la France, à cause de l'importance et de l'évolution des activités d'intermédiation en droit commercial, et compte tenu du fait que la plupart d'entre elles « *sont en marge des définitions légales et judiciaires* »[6], le législateur Malgache, inspiré par le droit OHADA, a voulu harmoniser les réglementations relatives à ces activités et a adopté la loi du 31 août 2006 consacrée aux intermédiaires de commerce. Contrairement au droit français, le droit malgache prévoit des dispositions communes suivies de dispositions spécifiques à chaque catégorie d'intermédiaires ; ce qui marque bien la volonté de consacrer la qualification d'intermédiaire du commerce dans son langage juridique[7]. L'article premier de ladite loi définit l'intermédiaire de commerce comme « *celui qui a le pouvoir d'agir, ou entend agir, habituellement et professionnellement pour le compte d'une autre personne, pour conclure avec un tiers un contrat de vente ou de prestation de services à caractère commercial* ». La loi de 2006 règle une « trilogie »[8] d'intermédiaires de commerce[9] : le

5 La catégorie des « agents intermédiaires » était consacrée par l'ancien article 74 du Code de commerce (abrogé par l'ord. du 18 septembre 2000). Puis, vient l'arrêté du 5 novembre 1946 applicable « aux intermédiaires du commerce », annulé par le Conseil d'Etat (CE, 30 avril 1948, JCP, 1948, II, 4401, note HEMARD).

6 RAMAROLANTO-RATIARAY et RAJAONA ANDRIANAIVO RAVELONA, « Tendances et évolution du droit des affaires à Madagascar », RIDC 1992-2, p. 409 et s., spéc., n° 31, pp. 427 et 428. Les auteurs ont pris l'exemple des « "Mpanera" à Madagascar, mandataire, courtier, commissionnaire, agent commercial (ou les quatres à la fois) qui proposent leurs services en tout genre (de la location d'un véhicule aux spéculations immobilières en passant par la proposition de pierres précieuses), en tous endroits (en plein milieu d'une place publique, à domicile ou dans les salons luxueux d'un hôtel de la capitale) ».

7 A rappr. V. N. DISSAUX, La qualification d'intermédiaire dans les relations contractuelles, thèse. préc., n° 42, p. 15 : « Il n'est dès lors possible de parler de qualification d'intermédiaire dans les relations contractuelles que si deux éléments qui, soudés par leurs points communs, forment un groupe homogène d'une part ; elle cristallise une série de conséquences juridiques communes d'autre part ».

8 J. HUET (sous la dir. de J. GHESTIN), Traité de droit civil, Les principaux contrats spéciaux, LGDJ 2001, n° 31133.

9 Il faut toutefois remarquer que d'autres intermédiaires de commerce ne faisant pas partie de cette trilogie peuvent être régis par les dispositions communes de ladite loi ; c'est le cas des agents immobiliers et des agents d'affaires.

commissionnaire[10], le courtier[11] et l'agent commercial[12]. Il existe trois critères qui permettent d'identifier les intermédiaires de commerce au sens de la loi de 2006 : la qualité de commerçant, la qualité de représentant et l'objet de l'entremise (un contrat de vente ou de prestation de service à caractère commercial). Elle exclut donc de son champ d'application les VRP qui sont des salariés, les distributeurs de biens qui ne sont pas des mandataires et les intermédiaires civils et sociaux qui ne sont pas des commerçants. Le droit malgache se démarque ici du droit OHADA puisque ce dernier ne règle pas les activités d'intermédiation ayant pour objet un contrat de prestation de service[13]. Cette loi unificatrice reconnaît aux intermédiaires leur statut d'incontournables acteurs de la vie des affaires.

3. La loyauté des intermédiaires. Dans un monde de plus en plus tourné vers l'affairisme et vers « *le mercantilisme glacé* »[14], plusieurs voix se sont élevées pour souligner la place que la morale devrait avoir dans la conduite des affaires[15]. Mais le monde des affaires est si grand et la notion de loyauté si floue qu'une telle exhortation peut, au pire,

10 Article 22 de la loi du 31 août 2006 : « *celui qui agit en son propre nom, mais pour le compte du commettant moyennant une commission* », à rapp. Article L. 132-1 al. 1er du Code de commerce français : « Le commissionnaire est celui qui agit en son propre nom ou sous un nom social pour le compte d'un commettant ».

11 Article 38 de la loi du 31 août 2006 : « *celui qui fait habituellement profession de mettre en rapport des personnes en vue de faciliter, ou de faire aboutir, la conclusion de conventions, opérations ou transactions entre ces personnes* ».

12 Article 46 de la loi du 31 août 2006 : « *(...) un mandataire, qui à titre de profession indépendante, est chargé de façon permanente de négocier, et éventuellement, de conclure, des contrats de vente, d'achat, d'achat, de location ou de prestation de services, au nom et pour le compte de producteurs, d'industriels, de commerçants, ou d'autres agents commerciaux, sans être lié envers eux par un contrat de travail* ». A rapp. Article L. 134-1 du Code de commerce : « L'agent commercial est un mandataire qui, à titre de profession indépendante, sans être lié par un contrat de louage de services, est chargé, de façon permanente, de négocier et, éventuellement, de conclure des contrats de vente, d'achat, de location ou de prestation de services, au nom et pour le compte de producteurs, d'industriels, de commerçants ou d'autres agents commerciaux (...) ».

13 Article 137 de l'Acte Uniforme : « L'intermédiaire du commerce est celui qui a le pouvoir d'agir, ou entend agir, habituellement et professionnellement pour le compte d'une autre personne, le représenté, pour conclure avec un tiers un contrat de vente à caractère commercial ». Le législateur Malgache, en adoptant cette définition large de l'intermédiaire de commerce, a ainsi voulu « *remédier à la difficulté posée par l'AU OHADA, restrictif en ce qui concerne ses dispositions générales, mais qui prévoit pourtant que l'activité des agents commerciaux peut inclure la négociation et la conclusion des contrats de location ou de prestations de services et envisage également les commissionnaires en douane et de transport (...)* ». (D. PONSOT, Les intermédiaires de commerce, Textes et commentaires, éd. 2007, Jurid'ika, com. sous article 1er de la loi du 31 août 2006, p. 6).

14 D. TALLON, « *L'évolution des idées en matière de contrat : survol comparatif* », in *Le contrat*, Droit, n° 12, 1990, p. 87.

15 V. Ph. Le TOURNEAU, (sous la dir. de), La morale et le droit des affaires, Actes du colloque organisé à L'université des Sciences Sociales de Toulouse le 12 mai 1995, Montchrestien, 1996 ; P. DIENER, « Ethique et droit des affaires », D. 1993, p. 17 et s. ; H. Le NABASQUE, « Le développement du devoir de loyauté en droit des sociétés », RTD Com. 1999, p. 273 et s.

sonner dans le vide, au mieux, retentir dans tous les sens au risque de se déformer. Si « *l'émergence d'une morale spécifique aux affaires est dans la logique de la morale et des affaires* »[16], notre analyse va encore se restreindre pour ne toucher qu'une catégorie d'acteurs de la vie des affaires : les intermédiaires du commerce. En effet, les intermédiaires n'ont vraiment pas une bonne réputation. Pour certains, ils seraient des « *(…) parasite(s) dont les agissements éveilleraient les soupçons et justifieraient la proscription* »[17]. Face à une telle méfiance à leur égard et pour pouvoir rétablir l'image de la profession d'intermédiation qui est, sans conteste, indispensable au bon fonctionnement des affaires, le fait de leur imposer un certain devoir de loyauté est largement justifié. Ce devoir est, dans ce sens, rappelé à plusieurs reprises par la loi du 31 août 2006[18].

Mais de quelle loyauté parle-t-on ? Serait-ce une loyauté qui oblige à l'abnégation ou à l'amour du prochain comme certains auteurs soutiennent[19] ? Ou s'agit-il d'une morale plus « modérée », celle qui « ne prône pas l'abdication de ses intérêts »[20] et qui « *ne condamne ni l'ambition, ni l'émulation, ni l'efficacité, ni le goût du gain (parce que) ce sont (..) des conditions de la vie économique et sociale (…)* »[21] ? De toute manière, la notion est trop vague et elle doit être précisée[22]. Ce qui ne fait aucun doute, c'est qu'elle est une émanation de la bonne foi et en ce sens, elle postule la probité, la fidélité ou encore la droiture. Ainsi définie, elle « *ne vise pas un schéma préétabli, mais correspond à une infinité d'attitudes qui varient dans le temps et dans l'espace* »[23].

Confrontés au droit français, ces textes qui consacrent d'une part, la notion d'intermédiaire et d'autre part, le démembrement de la profession d'intermédiation peuvent profiter à l'étude du devoir de

16 Ph. Le TOURNEAU, « Existe-t-il une morale des affaires ? », in La morale et le droit des affaires, Actes du colloque organisé à L'université des Sciences Sociales de Toulouse le 12 mai 1995, Montchrestien, 1996, n° 8, p. 10.

17 N. DISSAUX, La qualification d'intermédiaire dans les relations contractuelles, thèse.préc, n° 18, p. 7. L'auteur cite en ce sens, M. YOURCENAR, Mémoire d'HADRIEN, NRF, Gallimard, 1974, p. 125 : « aucune loi n'est trop dure qui permette de réduire le nombre d'intermédiaires dont fourmillent nos villes : race obscène et ventrue, chuchotant dans toutes les tavernes, accoudée à tous les comptoirs, prête à saper toute politique qui ne l'avantage sur le champ ».

18 V. par exemple l'article 24 al. 1er : « Le commissionnaire doit agir loyalement pour le compte du commettant ». ; article 47 al. 2 : « Les rapports entre l'agent commercial et le mandant sont régis par une obligation de loyauté (…) ».

19 V. Le raisonnable en droit des contrats, préf. J. BEAUCHARD et RAMAROLANTO-RATIARAY, Collection de la Faculté de droit de Poitiers, LGDJ, 2009, p. 380 et s.

20 Ph. Le TOURNEAU, « Existe-t-il une morale des affaires ? », art. préc., n° 19, p. 17.

21 *Ibid.*, n° 21, p. 18.

22 V. Le raisonnable en droit des contrats, préf. J. BEAUCHARD et RAMAROLANTO-RATIARAY, Collection de la Faculté de droit de Poitiers, LGDJ, 2009, p. 369 et s.

23 B. JALUZOT, *La bonne foi dans les contrats, Etude comparative de droit français, allemand et japonais. Dalloz, Nouvelle Bibliothèque de Thèses*, 2001, n° 24, p. 8.

loyauté qui pèse sur chaque acteur de la vie des affaires. Quelques unes de ces attitudes pourront effectivement y être identifiées. Pour ce faire, notre analyse va porter sur la détermination aussi bien du contenu (I) que des sanctions (II) du devoir de loyauté des intermédiaires de commerce.

I – LE CONTENU DU DEVOIR DE LOYAUTÉ DES INTERMÉDIAIRES DE COMMERCE

Si l'on exige à tout un chacun d'agir loyalement, le contenu de cette exigence doit varier d'une circonstance à une autre, d'un type de profession à un autre, d'une catégorie de personne à une autre. Celui des intermédiaires de commerce est déterminé par leurs statuts. Rappelons que l'intermédiaire de commerce est celui qui agit pour autrui et cela à titre professionnel. De ce fait, unis par une relation contractuelle, ils sont soumis au devoir général de bonne foi commun à tous les contractants (A). En tant qu'intermédiaires, ils sont tenus d'agir loyalement comme le serait un mandataire (B). Enfin, la qualité de professionnel qu'ils endossent les oblige à respecter certains devoirs que la jurisprudence et la doctrine qualifient de devoir de loyauté (C).

A – Le devoir de loyauté identifié dans le droit commun des contrats

1. La loyauté : émanation de la bonne foi. On s'accorde à affirmer que le devoir de loyauté qui s'impose aux contractants puise sa source, en droit français, dans l'article 1134 al. 3 du Code civil[24] et en droit malgache, dans l'alinéa 2 de l'article 123 de la loi relative à la théorie générale des obligations (LTGO)[25]. Cette exigence permet de savoir « *(...) d'une part, comment elles (les parties) exécutent ce dont elles sont tenues, et d'autre part, comment* elles se comportent dans l'exercice des droits qu'elles tirent du contrat »[26] : il s'agit de la bonne

---

24 Article 1134 alinéa 3 du Code Civil : « Elles (les conventions) doivent être exécutées de bonne foi ».

25 Article 123 alinéa 2 de la LTGO : « *Elles (les parties) doivent l' (le contrat) exécuter de bonne foi, dans le sens qu'elles ont entendu lui donner* ».

26 Ph. **STOFFEL-MUNCK**, *L'abus dans le contrat : essai d'une théorie*, préf. R. BOUT, BDP tome 337, LGDJ, 2000 , n° 86, p. 85.

foi-loyauté que l'on oppose à la bonne foi ignorance[27]. Inscrite dans le cadre de l'exécution du contrat, cette exigence de bonne foi ne constitue qu'une transposition de l'obligation générale de ne pas nuire à autrui imposée par les articles 1382 du Code civil[28] et 204 de la LTGO[29]. Elle « *est omniprésente pour tempérer les comportements individuels. Elle aseptise en quelque sorte les relations contractuelles* »[30]. Elle doit bannir « *(...) des contrats les ruses et les manœuvres astucieuses, les procédés malhonnêtes, les calculs frauduleux, les dissimulations et les simulations perfides, la malice, (...)* »[31] et elle rappelle « *aux parties que leur situation contractuelle ne les exempte pas de se comporter l'une envers l'autre avec honnêteté et urbanité* »[32].

5. Les critères de la bonne foi-loyauté. Ainsi identifiée, la bonne foi-loyauté dans le droit commun des contrats n'est pas vraiment précisée et « *l'immensité de (son) étendue donne le vertige à quiconque tente d'en déterminer les limites* »[33]. Cela étant, pour rendre compte de son utilité et de son efficacité ainsi que pour pouvoir distinguer ses véritables applications et ses fausses expressions, il est nécessaire de poser des critères permettant de la reconnaître parmi d'autres exigences de comportement. Selon nous, deux critères peuvent être retenus : la morale et l'intention. La bonne foi-loyauté doit être identifiée par rapport à sa connotation « *purement morale* »[34], une

27 En droit romain, le terme *bona fides* désignait à la fois la croyance erronée et la loyauté. Conformément à cette conception romaine de la bonne foi, on constate que les législations du système romano- germanique adopte également une double définition de la notion. Il en est ainsi par exemple en droit allemand où l'on distingue la « *guter glaube* » qu'est la croyance erronée et la « *treu und glauben* » qui signifie loyauté et confiance. Le Code civil fait également état de ces deux conceptions dualistes de la bonne foi. La première est par exemple celle visée par l'article 550 du Code civil (« Le possesseur est de bonne foi quand il possède comme propriétaire, en vertu d'un titre translatif de propriété dont il ignore les vices. Il cesse d'être de bonne foi au moment où ces vices lui sont connu » tandis que la deuxième fait l'objet de l'article 1134 al 3.

28 Article 1382 du Code civil : « *Tout fait quelconque de l'homme, qui cause à autrui un dommage, oblige celui par la faute duquel il est arrivé, à le réparer* ».

29 Article 204 de la LTGO : « *Chacun est responsable du dommage causé par sa faute, même de négligence ou d'imprudence* ».

30 S. DARMAISIN, Le contrat moral, Préf. B. TEYSSIE. BDP, tome 343, LGDJ 2000, n° 181, p. 127 ; A. BENABENT, « La bonne foi dans l'exécution du contrat », rapport français in « La bonne foi », Journées louisianaise, TAHC, tome 43, p. 293 : « Sans doute, dans la plupart des contrats, les parties ont des intérêts opposés et il reste légitime que chacun défende son intérêt propre- mais cela doit se faire avec un minimum d'honnêteté et de loyauté de part et d'autre ».

31 LAROMBIERE, Traité théorique et pratique des obligations, vol I, p. 331, n° 5, sous l'article 1134.

32 Ph. STOFFEL-MUNCK, L'abus dans le contrat, essai d'une théorie, thèse. préc., n° 82.

33 J.- P. CHAZAL, « Les nouveaux devoirs des contractants. Est-on allé trop loin ? », in La nouvelle crise du contrat, Dalloz-Sirey 2003., p. 99 et s., spéc. p. 123.

34 ROUBIER, Théorie générale du droit, 2ème éd., Sirey, 1951, p. 128.

sorte de « *test de la moralité du contractant (...)* »[35]. De ce fait, toutes les exigences de comportement qui n'ont pas comme finalité première la moralisation de la relation contractuelle doivent être évacuées du contenu de la bonne foi. De même, la bonne foi-loyauté doit être le fruit de l'intention. Il est largement admis par la doctrine française que la bonne foi entretient un rapport étroit avec l'intention[36]. Elle est « *l'intention qui anime une partie lors de son acte. Si cette intention est bonne, la personne est de bonne foi, si elle est mauvaise, la personne est de mauvaise foi* »[37]. On peut alors affirmer que la bonne foi-loyauté est une « *bonne et droite intention* »[38] et qu'on peut la définir de manière négative par « *l'absence d'intention malveillante* »[39]. Mais le défaut de bonne foi n'est pas, selon nous, réduit à une intention malveillante. Cette dernière est considérée comme « *le degré ultime du manquement à la bonne foi* »[40]. La mauvaise foi peut être tout de même caractérisée même si son auteur n'a pas l'intention de nuire à autrui. Tel est, par exemple, le cas de l'inexécution dolosive lorsque le débiteur, sans intention de nuire, refuse d'exécuter intentionnellement ses obligations[41]. Il y a là mauvaise foi par le fait même qu'il se soustrait volontairement à une obligation à laquelle il s'est engagé ; il

---

35 P. JOURDAIN, « La bonne foi dans la formation du contrat, rapport français », in « La bonne foi », TAHC, t. XLIII, Litec, 1992, p. 121.

36 J. CARBONNIER, Droit civil, Les biens, Les obligations, QUADRIGE / PUF, 2004, n° 932, p. 1947.

37 V. par exemple. G. RIPERT, La règle morale dans les obligations civiles, op. cit., n° 159 : « L'évolution du droit civil ne tend nullement à éliminer la recherche d'intention. Bien au contraire, ce droit se perfectionne dans la mesure où il peut tenir compte de la bonne foi des sujets de droit. » ; Ph. MALAURIE, D. 1996, note sous Cass. Civ. 3e, 22 novembre 1995, p. 004 : « Ce qui est interdit, c'est la mauvaise foi contractuelle : faire croire qu'on s'est engagé, alors qu'on n' avait pas l'intention » ; P. JOURDAIN, La bonne foi dans la formation du contrat, rapport français, préc., p. 121 : «... la bonne foi... est une règle de conduite qui exige des sujets de droits une loyauté et honnêteté exclusive de toute intention malveillante. ». V. Cependant. Ph. LE TOURNEAU, Répertoire Civil Dalloz, Bonne foi, 1995, n° 5, pour qui la notion de bonne foi est « loin d'être purement psychologique, elle s'apprécie de façon objective : l'intention de l'agent compte moins que son comportement effectif, comparé à celui qui aurait été celui du bon père de famille ».

38 B. JALUZOT, La bonne foi dans les contrats. Etude comparative de droit français allemand et japonais, Thèse. préc., n° 340, p. 94.

39 A. A. VOLANSKY, Essai d'une définition expressive du droit badée sur l'idée de bonne foi, Thèse. Paris, 1929, n° 76, p. 163.

40 G. LYON-CAEN, « De l'évolution de la notion de bonne foi », RTDCiv. 1946, p. 77. V. déjà. PAUL, Dig. 17. 2.3.3 in fine : « fides bona est contraria fraudi et dolo »V. Toutefois V. Y. PICOD, Le devoir de loyauté dans l'exécution du contrat, Préf ? BDP, tome 208, LGDJ. 1989, n° 13 : « le contraire de la bonne foi, c'est l'absence de bonne foi (et non la mauvaise foi) tout comme le contraire de la mauvaise foi, c'est l'absence de mauvaise foi (et non la bonne foi) ». L'auteur fait un rapprochement avec l'amour et la haine: « serait-il possible d'affirmer dans le langage littéraire qu'aimer, c'est s'abstenir de toute haine ? Ce serait une conception bien triste et bien pessimiste de l'amour ! » ; Ph. STOFFEL-MUNCK, L'abus dans le contrat, essai d'une théorie, thèse. préc. n° 15 : « faire le mal n'est pas simplement omettre de faire le bien ».

41 Ph. STOFFEL-MUNCK, L'abus dans le contrat, essai d'une théorie, thèse. préc., n° 179, p. 169.

ne fait pas preuve de bonne intention. Il nous semble donc plus approprié de définir le manquement à la bonne foi par son antonyme : la mauvaise foi[42] qui a une acception plus large que celle de l'intention de nuire. Le manquement à la bonne foi désigne alors toute forme de mauvaise *intention*[43] et l'intention étant définie comme la recherche d'un résultat[44], elle est mauvaise lorsque le résultat voulu est mauvais au sens moral du terme. La mauvaise intention ou la mauvaise foi rassemble donc en son sein la malice, la fraude[45], le dol[46], l'abus[47],... Elle se présente comme le « genre » et les autres « des espèces » qui en ressortent[48].

---

42 Cass. Civ. 1ère, 4 février 1969, D. 1969, JP, p. 601, note J. MAZEAUD : « Attendu que le débiteur commet une faute dolosive lorsque, de propos délibérée, il se refuse à exécuter ses obligations contractuelles, même si ce n'est pas dicté par l'intention de nuire à son cocontractant ».

43 Voir cependant Y. LOUSSOUARN, Rapport de synthèse, in La bonne foi, TAHC, t. XLIII, Litec, 1992, p. 9 : « Une telle affirmation renferme une grande part de vérité, tant il est vrai que, comme les gens heureux, les rapports juridiques heureux n'ont pas d'histoire et que c'est lorsque les choses vont mal que le droit intervient. Elle n'est cependant pas rigoureusement exacte. Certes, en bonne logique, bonne foi et mauvaise foi se présentent comme les deux faces d'un même problème. Mais l'approche n'est pas la même selon que l'on envisage la question sous l'angle de la bonne foi ou celui de la mauvaise foi ».

44 Par exemple sur deux formes distinctes. J. CARBONNIER, Droit civil, t. IV, Les obligations, 22ème éd., PUF, coll. « Thémis », 2000, n° 228 : « Il y aurait (...) une autre distinction à faire : avec les actes que l'on pourrait qualifier spécialement d'actes de méchanceté, où l'agent paraît souhaiter le mal et se l'approprier d'avance par le désir, personne ne confondra moralement certaines fautes techniquement intentionnelles, mais sans couleur affective, où l'agent veut bien le résultat dommageable, mais pour le résultat plutôt que pour le dommage ». V. sur la distinction entre faute intentionnelle et intention de nuire. Ch. AUBRY et CH. RAU, Droit civil français, t. VI, Petits contrats, Responsabilité, 6ème éd. par P. ESMEIN, Librairies techniques, Juris-classeur, 1951, § 444 bis, p. 432 ; P. JOURDAIN, J.-Cl. Responsabilité civile, art 1382-1386, Droit à réparation, responsabilité fondée sur la faute, notion de faute : fautes qualifiées, Fasc. 120-2, n° 14 ; Les principes de la responsabilité civile, 4ème éd., Dalloz, coll. « connaissance du droit », 1998, p. 59 et s. ; Ph. STOFFEL-MUNCK, L'abus dans le contrat, essai d'une théorie, thèse. préc., n° 42 et s.

45 L. JOSSERAND, Les mobiles dans les actes juridiques du droit privé, éd. du CNRS, 1984, n° 14, p. 17 : « L'intention (...) est la volonté appliquée aux conséquences qui découleront directement de cet acte, (...) une adaptation de cette volonté à des fins extérieures à l'acte et par rapport auxquelles cet acte devient un simple moyen ». Plus simplement, il définit l'intention comme « le vouloir appliqué aux résultats immédiats de l'acte. »

46 V. G. RIPERT, La règle morale dans les obligations civiles, préc., n° 157 et s. Pour qui la fraude est une manifestation de la mauvaise foi. ; G. BRIERE de L'ISLE, « La faute dolosive », D. 1980, chron., p. 137 : « Le dol, tout le monde semble-t-il s'accorde sur ce point, c'est la fraude (...) que l'on parle de fraude ou de mauvaise foi importe peu. »

47 V. par exemple, G. LYON-CAEN, « De l'évolution de la notion de bonne foi », préc., p. 86 : « l'article 1150 parlait de dol, l'article 1153 parle de mauvaise foi. Il n'y a pas de différence ». ;

48 V. P. GODE, RTDCiv. 1978, p. 745 : « La notion d'abus est naturellement fuyante, et en tout cas difficilement objectivable en ce qu'elle a une charge symbolique, passionnelle et moralisatrice ».

Même si il est difficile, à partir de ces textes à caractère très général, de déterminer précisément le contenu du devoir de loyauté dans le droit commun des contrats, l'analyse de l'exigence de moralité dans le contrat nous a permis de délimiter le contenu ainsi que le contour de la bonne foi -loyauté : elle ne peut aller au-delà de la bonne intention ou plus clairement, elle impose d'adopter un comportement dépourvu de mauvaise intention susceptible de nuire à autrui. Il en est ainsi du dol, de la fraude et de l'abus.

6. Illustrations. Pour illustrer ce propos, prenons l'exemple de l'abus dans la formation du contrat et du dol. Pendant la phase précontractuelle, il est largement admis que les parties doivent procéder à la négociation de manière loyale[49]. Une telle exigence se justifie naturellement : on rentre en relation avec quelqu'un, il est interdit de lui causer un préjudice. Pour autant, il n'est pas vain de le rappeler dans la mesure où au cours de cette phase, une confiance particulière naît entre les parties et elle sera intensifiée au fur et à mesure de l'avancement des négociations ou lorsqu'une des parties agit en tant que professionnel[50]. A la fois partie au contrat d'intermédiation et acteur de la phase de la conclusion du contrat objet de l'entremise, l'intermédiaire commet un acte déloyal en rompant abusivement, dans les deux cas, les pourparlers. Il faut rappeler que le droit de ne pas continuer les négociations et de ne pas conclure un contrat fait partie de la liberté de chacun. Une telle rupture ne saurait donc engager la responsabilité de l'intermédiaire que lorsqu'elle est entachée d'un acte fautif. De ce fait, pour M. DESHAYES, il serait inexact de parler de faute de *rupture* et « *seule serait concevable une faute dans la rupture, c'est-à-dire une faute étrangère à la rupture mais commise ou révélée à l'occasion de celle-ci* »[51]. Même si dans certains cas, une simple « légèreté blâmable »[52] suffit à mettre en œuvre la responsabilité de l'auteur de la rupture, l'analyse du droit

---

49 A rappr. Ph. STOFFEL-MUNCK, L'abus dans le contrat, essai d'une théorie, thèse. préc., n° 88-89, pp. 86-87 : « A ce stade, la loyauté qu'exige du contractant l'article 1134 al. 3 peut être définie comme non seulement une absence de dol et de fraude, mais plus généralement comme une exigence de conformité extérieure à certaines vertus morales... En somme, si l'exigence morale de loyauté est d'un seul tenant, elle est une règle graduée susceptible d'une infinité de variations. » ; A. BENABENT, « La bonne foi dans l'exécution du contrat » rapport français, in « Bonne foi », journées Louisianaises, TAHC, tome 43, Litec. 1992, p. 291 : « Fraude, dol, faute, abus de droit,… les mécanismes sont nombreux pour permettre au juge de sanctionner la mauvaise foi d'une partie (…) ».

50 V. P. JOURDAIN, « La bonne foi dans la formation du contrat », TAHC, 1992, p. 121 et s.

51 F. TERRE, Ph. SIMLER, Y. LEQUETTE, Droit civil, Les obligations, 10e éd. Dalloz, 2009, n° 185, p. 191.

52 O. DESHAYES, « Le dommage précontractuel », RTDCom. 2004, p. 187 et s. spéc., p. 195.

positif révèle qu'un acte déloyal est souvent recherché : l'abus[53]. Pour ne pas compromettre la liberté contractuelle, une faute patente, indiscutable est exigée[54], mais le comportement déloyal est pris en compte sans que l'on exige une intention de nuire[55], la preuve d'une simple mauvaise foi est suffisante.

Dans la même veine, l'intermédiaire qui commet un dol aussi bien à l'égard du représenté qu'à l'égard du tiers-contractant manque à son devoir de loyauté. Le comportement déloyal qualifié de dol commis au moment de la formation du contrat consiste à utiliser des « *manœuvres frauduleuses ou (des) allégations mensongères dont le but est d'induire l'autre partie en erreur pour avoir son consentement* »[56]. Il s'agit de toute forme d'agissements malhonnêtes[57]. Un simple mensonge non accompagné d'acte matériel est même considéré comme un comportement dolosif[58] . Dès lors, la « *remise par le représentant de la société venderesse (d'une documentation qui) décrivait le matériel proposé comme ayant des qualités techniques et fonctionnelles très différentes de celles effectivement constatées et promettait une assistance complémentaire, qu'elle n'avait pas la capacité d'assumer (...)* » est considérée comme des agissements dolosifs[59]. La réticence dolosive, c'est-à-dire le silence malintentionné, est également constitutive de dol[60], et il en va de même de « *l'exploitation de l'inexpérience manifeste du contractant* »[61]. Pendant l'exécution, le contractant qui, de manière délibérée et même sans intention de nuire, refuse d'exécuter le contrat manque également à son devoir de loyauté[62]. L'inexécution dolosive concerne donc le contrat d'entremise et dans

---

53 Cass. Com. 22 février 1994, Bull. civ. IV, n° 79, p. 61 ; RJDA 1994, n° 765, p. 611 ; RTDCiv. 1994, p. 849, obs. J. MESTRE.

54 F. TERRE, Ph. SIMLER, Y. LEQUETTE, Droit civil, Les obligations, 10e éd. Dalloz, 2009, n° 185, p. 190.

55 V. CA. Pau, 14 janvier 1969, D. 1969, p. 716 et s., obs. G. DURRY : « on ne saurait , sans porter gravement atteinte à la liberté individuelle et à la sécurité commerciale, admettre à la légère qu'un commerçant puisse être responsable pour n'avoir pas donné suite à des pourparlers et pour avoir traité avec un concurrent ; la faute in contrahendo, en d'autres termes, doit être une faute patente, indiscutable ».

56 Cass. Civ., 1ère, 12 avril 1976, Bull. civ. I, n° 122, p. 98, Defrénois, 1977, p. 389 et s., obs. J.-L. AUBERT ; Cass. com., 26 novembre 2003, Bull. civ. IV,

57 Article 77 al. 1er de la LTGO dont la rédaction est beaucoup plus précise et plus claire que celle de l'article 1116 du Code civil.

58 CA. Colmar, 30 janvier 1970, D. 1970, 270, note ALFANDARI ; JCP 1971. II. 16609, note LOUSSOUARN.

59 Cass. civ. 3ème, 6 novembre 1970 ; JCP 1971. II. 16942, note J. GHESTIN.

60 Cass. com., 24 mai 1994, Bull. civ. IV, n° 184, p. 147, RTDCiv., 1995, p. 99, note J. MESTRE ; D. 1995, somm. comm., p. 88, note Ph. DELEBECQUE ;

61 Article 77 al. 2 de la LTGO ; Cass. civ. 3ème, 15 janvier 1971, Bull. civ. III, n° 38 ; RTDCiv. 1971. 839, obs. LOUSSOUARN.

62 Article 77 al. 3 de la LTGO.

certains cas, le contrat principal objet de l'intermédiation lorsque l'intermédiaire agit en son propre nom ; tel est le cas du commissionnaire.

B – Le devoir de loyauté rattaché au statut d'intermédiaire

7. Des devoirs issus du contrat de mandat. On remarque qu'en dehors de l'existence d'un devoir légal de loyauté expressément spécifié, les intermédiaires « *répondent à leur déontologie propre : respect de la parole donnée (...)* »[63]. Avec l'entrée en vigueur de la loi de 2006, les intermédiaires de commerce sont appelés de manière expresse à se comporter loyalement envers leurs partenaires[64]. Sans empiéter sur les développements qui vont suivre, notons que l'un des traits caractéristiques des intermédiaires de commerce réside dans l'agissement pour le compte d'autrui. A partir de ce critère, il est possible de retracer une certaine unité quant aux devoirs de loyauté que ceux-ci doivent respecter. Ces devoirs sont alors issus du contrat de mandat, l'opération pour le compte d'autrui type.

8. La qualité de mandataire des intermédiaires de commerce. Selon l'article 2 de la loi du 31 août 2006, « *l'intermédiaire du commerce est celui qui a le pouvoir d'agir, ou entend agir, habituellement et professionnellement pour le compte d'une autre personne, le représenté, (...)* ». L'article 6 de ladite loi rajoute que : « *les règles du mandat s'appliquent aux relations entre l'intermédiaire, le représenté et le tiers, (...)* ». Sans aucun doute, l'unification de la notion d'intermédiaire de commerce se cristallise dans la qualification de mandataire. Mais alors, ici, la notion de mandat ne correspond pas exactement à celle du Code civil.
Dans la conception classique, on considère que la représentation est le trait caractéristique du mandat et qu'elle est de l'essence même de celui-ci[65]. En effet, aux termes de l'article 1984 du Code civil, « *le mandat ou procuration est un acte par lequel une personne donne à une autre le pouvoir de faire quelque chose pour le mandant et en son nom* ». Selon cet article, la représentation est de l'essence même du

---

63 En application de l'article 1150 du Code civil, V. Cass. civ. 1er, 4 février 1969. 601, note J. MAZEAUD ; JCP 1969. II. 16030, note PRIEUR.
64 RAMAROLANTO-RATIARAY et RAJAONA ANDRIANAIVO RAVELONA, « Tendances et évolution du droit des affaires à Madagascar », RIDC 1992-2, n° 31, p. 428.
65 V. notamment l'article 24 : « Le commissionnaire doit agir loyalement pour le compte du commettant » ; article 25 : « le commissionnaire doit donner au commettant tout renseignement utile relatif à l'opération, objet de la commission, le tenir informé de ces actes, et lui rendre compte loyalement une fois l'opération effectuée » ; article 47 al. 2 : « Les rapports entre l'agent commercial et le mandant sont régis par une obligation de loyauté (...) ».

contrat de mandat et cette idée est même confortée, en ce qui concerne le contrat de commission, par l'article L. 132-1 al. 2 du Code de commerce aux termes duquel les règles du mandat s'appliquent au contrat de commission uniquement lorsque le commissionnaire agit au nom du commettant[66].

L'idée selon laquelle, la représentation est un élément essentiel[67] du mandat est toutefois contredite par une partie de la doctrine[68]. Cette dernière considère que la représentation n'est qu'un élément accidentel du mandat. Toujours selon cette dernière, ce qui importe c'est qu'un acte ait été passé pour le compte d'autrui. Tout en prenant en compte la représentation dans le mandat, certains auteurs pensent que même si certaines personnes agissent en leur nom, à partir du moment où elles agissent pour le compte d'autrui, il y a de ce fait une sorte de « *représentation de fait, ou, plus exactement, une représentation imparfaite* »[69] : il s'agit des commissionnaires.

La jurisprudence française a tendance à admettre la qualité de mandataire au commissionnaire mais rappelle régulièrement, en revanche, que la qualité de courtier n'emporte pas nécessairement celle de mandataire[70]. Le courtier n'engage ni l'une ni l'autre partie pour lesquelles il s'est entremis. N'étant pas un contrat de mandat, « *le courtage est un contrat sui generis, présentant les particularités d'avoir pour objet une activité d'entremise, à titre indépendant, et en faveur de deux parties aux intérêts opposés* »[71]. Il faut toutefois

---

66 V. **Ph. Le TOURNEAU**, Droit de la responsabilité et des contrats, Dalloz Action 2008-2009, 7ème éd. Dalloz 2008, n° 3989 ; « De l'évolution du mandat », D. 1992, p. 157 et s. ; Cass. civ. 14 avril 1886, D. 1886, I, 220 ; Cass. com., 3 mai 1965, Bull. civ. III, n° 280 ; Cass. com., 8 déc. 1980, Bull. Civ. IV, n° 414.

67 V. Cass.com. 9 déc. 1997, Bull. Civ. IV, n° 333 ; JCP E 1998, pan. P. 2022, note LITTY ; D. Aff. 1998, 195, obs. S. P ; 20 mai 2002, Bull. Civ. IV, n° 96 ; D. 2002, AJ. 2187 ; JCP E 2003, p. 1381, obs. BONGARCIN; RTDCom. 2003, p. 160, obs. BOULOC.

68 Ph. DIDIER, De la représentation en droit privé, préf. Y. LEQUETTE, BDP, tome 339, LGDJ, 2000, p. 28, note 1 : « *Depuis les travaux de la Glose, la tradition savante distingue trois catégories d'éléments susceptibles d'influer la qualification d'un contrat. Un élément est dit essentiel à la qualification si l'on ne peut pas imaginer le contrat en cause sans lui (Ainsi en est-il du prix dans la vente) ; il est dit naturel s'il est présumé être présent mais peut être écarté par les parties au moyen d'une stipulation expresse ; il est dit accidentel s'il n'est présent que si les parties l'ont spécialement voulu* ».

69 V. par exemple, Ph. DIDIER, De la représentation en droit privé, thèse préc., n° 38 : « Cette présentation (la représentation est un trait essentiel du mandat) n'emporte (...) pas la conviction. En effet, l'étude des origines de l'institution révèle que la représentation n'a longtemps été qu'un élément naturel du mandat. Ce n'est que par accident de l'histoire que le droit français a lié mandat et représentation, prenant ainsi le contre-pied des autres droits de la famille romano-germanique ».

70 F. COLLART-DUTILLEUL et Ph. DELEBECQUE, Contrats civils et commerciaux, 8ème éd. Dalloz 2007, n° 666 (à propos des commissionnaires). V. également dans ce sens, J. HUET (sous la dir. de J. GHESTIN), Traité de droit civil, Les principaux contrats spéciaux, LGDJ 2001, n° 31128.

71 Cass. civ. 1ère, 18 octobre 2005, Bull. civ. I, n° 366, CCC 2006, n° 20, note LEVENEUR.

remarquer que dans certains cas, le courtier, après avoir mis en contact deux personnes, confirme lui-même la conclusion du contrat. Lorsque les parties ne dénoncent pas rapidement la confirmation, le contrat est conclu et le courtier a la qualité de mandataire des deux parties[72]. Il en va de même lorsqu'il reçoit, par une clause du contrat, un mandat spécial. Il est alors appelé : « courtier-mandataire »[73]. La qualification de mandataire de l'agent commercial ne pose, quant à elle, aucune difficulté[74]. L'agent commercial est un mandataire indépendant[75] disposant ainsi d'une totale liberté dans la conduite de la négociation ou la conclusion du contrat[76] et il agit de manière permanente. Le contrat d'agence commerciale a également reçu la qualification de mandat d'intérêt commun[77] par le législateur[78]. On considère qu'il y a mandat d'intérêt commun lorsque les parties sont liées par une sorte de convergence d'intérêt[79]. Or, en négociant ou en concluant des contrats au nom et pour le compte d'autrui, l'agent d'affaire développe en même temps sa clientèle ; il y a donc incontestablement une convergence d'intérêt[80]. Une telle qualification (mandat d'intérêt commun), emporte, au niveau du régime dudit contrat, l'irrévocabilité unilatérale de celui-ci par le mandant sans motif légitime[81].

---

72 M. LE TOURNEAU, Droit de la responsabilité et des contrats, Dalloz Action 2008-2009, 7ème éd. Dalloz 2008, n° 5556.

73 V. par exemple : Cass. com., 13 mai 2003, Bull. civ. IV, n° 82.

74 V. Cass. civ. 1ère, 2 déc. 1997, Bull. civ. I, n° 342 ; RJDA 1998, n° 282.

75 V. toutefois, M. LE TOURNEAU, Droit de la responsabilité et des contrats, Dalloz Action 2008-2009, 7ème éd. Dalloz 2008, n° 5525 : « (...) la qualification de mandat laisse à désirer car de par la définition légale elle-même de la mission de l'agent, le mandat de conclure un contrat paraît l'accessoire, du reste facultatif, de l'activité principale de négociation au sens large (incluant la prospection et le développement de la clientèle). Or, celle-ci relève du contrat d'entreprise ; d'où cette dernière qualification est la seule qui convienne ; la représentation n'intervient qu'à titre accessoire ».

76 Cass. com., 10 déc. Bull. civ. IV, n° 198 ; D. 2005, pan. 150, obs. D. FERRIER; D. 2004, AJ, 210, obs. E. CHEVRIER ; JCP E 2004, n° 7, p. 252 ; CCC 2004, n° 34, note L. LEVENEUR ; RTDCiv. 2004, p. 285, obs. J. MESTRE et B. FAGES ; RDC 2004, p. 731, obs. M. BEHAR-TOUCHAIS.

77 CA Paris, 12 mai 2000, RJDA 2000, n° 972 ; CA Versailles, 16 déc. 2004, JCP E 2005, pan. n° 292 ; CA Paris, 23 février. 2006, JCP G 2006, II, 10108, note Ph. STOFFEL-MUNCK.

78 Sur la notion d'intérêt commun et de mandat d'intérêt commun : A. BRUNET, « Clientèle commune et contrat d'intérêt commun », Mélanges A. WEIL, Dalloz, 1983, p. 85 et s. ; T. HASSLER, « L'intérêt commun », RTDcom. 1984, p. 581 et s. ; J. GHESTIN, « Le mandat d'intérêt commun », Mélanges DERRUPE, Litec, 1991, p. 105 et s.

79 Article L. 134-4, al. 1er du Code de commerce et article 47 al. 1er de la loi du 31 août 2006 : « Les contrats intervenus entre les agents commerciaux et leurs mandants sont conclus dans l'intérêt commun des parties ».

80 V. par exemple Cass. com. 2 mars 1993, D. 1994. 48, note T. AUBERT-MONTPEYSSEN ; JCP 1993. II. 22176, note M. BEHAR-TOUCHAIS, D., 1994, chron. 73, obs ? J. GHESTIN ; 20 fév. 2007, Bull.civ. IV, n° 57, CCC. 2007, n° 145, note L. LEVENEUR.

81 Cass. com., 8 octobre 1969, Bull. civ. IV, n° 284 ; RTDCom., 1970, p. 474, obs. J. HEMARD : « La réalisation de l'objet du mandat présentait (pour le mandat et le mandataire) l'intérêt d'un essor de l'entreprise par création et développement de la clientèle ».

Dans la loi malgache sur les intermédiaires de commerce, la représentation n'est pas de l'essence même du mandat puisque certains intermédiaires, notamment le commissionnaire et le courtier qui n'agissent pas au nom d'autrui sont considérés comme des mandataires et que les règles du mandat leur sont applicables. La position prise par les rédacteurs de la loi rompt ici avec la conception classique du mandat en droit français et consacre ainsi la distinction entre le mandat parfait (avec représentation) et le mandat imparfait ou « quasi-mandat » (sans représentation)[82] dont l'élément fédérateur est l'agissement pour le compte d'autrui. D'ailleurs, on remarque que dans la définition de l'intermédiaire proposée par la loi du 31 août 2006, il n'est fait aucune mention à l'agissement au nom d'autrui. On pourrait considérer que la notion d'intermédiaire impose de concevoir autrement la notion de représentation dans le mandat classique ; elle pourrait s'identifier dans la représentation de l'intérêt d'autrui[83] plutôt que de la personne de celui-ci[84]. La notion de représentation est donc, pour certains contrats d'intermédiation qui ne correspondent pas exactement à la conception classique, affinée et « réduite dans ses conditions à l'action pour autrui, et dans ses effets réels (...), (et il est) plus précis de recourir à la formule de *représentation réduite aux effets réels de l'opération* »[85].

9. Le devoir de loyauté du mandataire. S'agissant maintenant du devoir de loyauté du mandataire, il faut rappeler que le contrat de mandat était à l'origine un contrat gratuit. Avant tout, il était question d'un service à rendre à un ami qui est fondé sur la *fides*. Puis, plusieurs pratiques de « *cadeaux de reconnaissances* » (honor) ont vu le jour[86] jusqu'à sa forme moderne : un mandat rémunéré. Mais, malgré le fait que l'intermédiaire soit rémunéré, le contrat de mandat repose toujours sur cette confiance solide du mandant dans le

82 Par exemple : Cass. civ., 13 mai 1885, D.P, 1885. I. 350 : « Lorsque le mandat a été donné dans l'intérêt du mandat et du mandataire, il ne peut pas être révoqué par la volonté de l'une ou même la majorité des parties intéressées, mais seulement de leur consentement mutuel, ou pour une cause reconnue en justice, ou enfin suivant les clauses et conditions spécifiées par le contrat ».

83 Ph. MALAURIE, L. AYNES, P-Y. GAUTHIER, Les contrats spéciaux, Défrénois, 3e éd. 2007, n° 532, p. 277. V. toutefois M. Le TOURNEAU, Droit de la responsabilité et des contrats, Dalloz Action 2008-2009, 7ème éd. Dalloz 2008, n° 3994 : la qualification de mandat sans représentation est « (...) commode, mais inexacte car antinomique (...) Ces contrats, faute de représentation totale, sont de faux mandats, des mandats incomplets, tout au plus des mandats conditionnels ».

84 V. M.-L. IZORCHE, « A propos du " mandat sans représentation" », D. 1999, p. 369 et s., spéc. n° 28.

85 Dans le même sens, à propos du contrat de commission, M.-P. DUMONT, L'opération de commission, préf. J. M. MOUSSERON, BDE, Litec, 2000, n° 631, p. 487 : « (...) l'agissement du commissionnaire pour le compte d'autrui rend compte de sa qualité d'intermédiaire (...) ».

86 M.-P. DUMONT, L'opération de commission, thèse.préc., n° 632, p. 488.

mandataire[87] ; il est conclu *intuitu personae*. On souligne que « *les conséquences de la loyauté sont (…) exacerbées* »[88] dans ces types de contrats.

Il existe deux principales obligations du mandataire : l'obligation d'exécuter la mission et l'obligation de rendre compte. Le devoir loyauté du mandataire, selon la doctrine, semble trouver sa place dans l'obligation d'exécuter la mission[89] et elle recouvre plus généralement l'exigence d'un comportement exclusif de dol[90]. La rédaction de l'article 12 de la loi de 2006 est en ce sens explicite. Selon l'article : « *l'intermédiaire est responsable envers le représenté de la bonne et fidèle exécution du mandat* ». On souligne que la loyauté est essentielle dans le contrat de mandat et spécialement à la charge du mandataire dans la mesure où il agit dans l'intérêt du mandant. Ainsi, adopte-t-il un comportement déloyal dès lors qu'il agit dans son intérêt personnel ou dans l'intérêt d'un tiers. Il manque, par exemple, à son devoir de loyauté lorsqu'il se porte contrepartie sauf en présence d'une autorisation du mandant, c'est-à-dire lorsqu'il met à son profit une opération qu'il devait conclure avec une autre personne[91]. Il en va de même lorsqu'il ne respecte pas les instructions données par son mandant.

On peut affirmer que le devoir de loyauté qui concerne généralement les mandataires s'applique à tous les intermédiaires de commerce[92]. Il faut qu'ils accomplissent leur mission conformément à ce qui a été prévu[93] aussi bien dans leur totalité[94] que dans leurs modalités[95]. Dans

---

87 Fr. CAGNINACCI, Le mandat dans la doctrine française de l'Ancien Régime, XIIIe- XVIIIe s., Thèse Nancy, 1959 p. 20 : « l'honor n'est qu'un cadeau de reconnaissance, il ne transforme pas le mandat contrat gratuit, en un contrat onéreux, car il émane du mandat et ne correspond jamais au prix du service rendu ».

88 V. Ph. MALAURIE, L. AYNES, P-Y. GAUTHIER, Les contrats spéciaux, Défrénois, 3e éd. 2007, n° 520, p. 269 et n° 574 et s.

89 LE TOURNEAU, Droit de la responsabilité et des contrats, Dalloz Action 2008-2009, 7ème éd. Dalloz 2008, n° 3695.

90 V. Ph. PETEL, Les obligations du mandataire, préf. CABRILLAC, Litec 1998.

91 Article 1192 al. 1er du Code civil : « Le mandataire répond non seulement du dol, mais encore des fautes qu'il commet dans sa gestion ».

92 V. par exemple : Cass. civ. 1re, 27 janvier 1987, Bull. civ. I, n° 32 ; Cass. Ass. Plén., 9 octobre 2006, Bull. civ. Ass. Plén, n° 1 ; D. 2006, AJ. 2525, note X. DELPECH et p. 2933, note D. HOUTCIEFF ; JCP G 2006. II. 1. 10175, note Th. BONNEAU ; RTDCiv. 2007, p. 145, note P.-Y. GAUTHIER.

93 Comme le disent certains auteurs, « il n'y a (…) pas de distinction tranchée entre mandat et courtage pour l'application des règles spécifiques à la profession, imposées pour la moralisation du contrat » (J. HUET (sous la dir. de J. GHESTIN), Traité de droit civil, Les principaux contrats spéciaux, LGDJ 2001, n° 31133).

94 Article 10 de la loi de 2006 : « L'intermédiaire qui a reçu des instructions précises ne peut s'en écarter, sauf à établir que les circonstances ne lui ont pas permis de rechercher l'autorisation du représenté et lorsqu'il y a lieu d'admettre que celui-ci l'aurait autorisé s'il avait été informé de la situation ».

95 Cass. com., 13 novembre 1990, Bull. Civ. IV, n° 269.

certains cas, ce devoir peut être renforcé et précisé, le mandat est alors qualifié de mandat express ou spécial. Il en est ainsi du cas de l'agent commercial qui ne peut pas accepter de représenter une entreprise concurrente sans l'autorisation de son mandat[96] (article L. 134-3 du Code de commerce, article 48 de la loi de 2006) ou se livrer lui-même à une concurrence interdite après l'expiration du contrat[97]. Il faut souligner que l'agent commercial n'est pas un simple mandataire, il est mandataire d'intérêt commun. On conçoit dès lors l'importance de la confiance que le mandat porte à son égard. De la sorte, le devoir de loyauté de celui-ci est nécessairement plus marqué. La détermination de l'étendue du devoir de loyauté de l'agent commercial doit prendre en compte l'intérêt commun qui l'unit avec son contractant[98]. Mais il faut être prudent. En effet, de cette affirmation peut émerger l'idée de solidarisme contractuel faussement rattachée à l'exigence de bonne foi par une partie de la doctrine[99]. Certains devoirs sont en effet « *poussés au paroxysme dans certains contrats d'intérêt commun* »[100] et cela pourrait nuire à la bonne compréhension du devoir de loyauté qui s'impose aux contractants. Dans les contrats de commission ou de courtage, les instructions données aux commissionnaires ou les courtiers peuvent être impératives, facultatives ou simplement indicatives. Le devoir du courtier est ici assez particulier : parce qu'il a deux clients, il a « *une double fidélité à assumer, ce qui correspond à une situation que ne partage aucun autre intermédiaire du monde du commerce* »[101]. Mais comme il a été précisé ci-dessus, « *dans tous les cas (...), l'intermédiaire favorise la conclusion d'un contrat en vertu d'un pouvoir, c'est-à-dire d'une aptitude à définir un intérêt partiellement distinct du sien. En tant que tel, il est donc tenu d'une obligation de fidélité aux intérêts du bénéficiaire du contrat principal* »[102]. Il s'agit d'agir fidèlement, conformément au respect de la confiance de son cocontractant.

---

96 Cass. com., 18 novembre 1969, Bull. civ. IV, n° 343.

97 Cass. com., 15 mai 2007, Bull. civ. IV. n° 128 ; D. 2007, AJ 1592; JCP E 2007, n° 2395, note V. PERRUCHOT-TRIBOULET.

98 Article 49 de la loi de 2006.

99 A. rappr. LE TOURNEAU, Droit de la responsabilité et des contrats, op. cit., n° 3666 : « (...) dans tous les cas, le juge doit scruter le contrat pour déterminer in specie, non seulement à quoi et comment s'est engagé expressément le professionnel, mais encore à quoi l'oblige la bonne foi , (...), quelles solutions sont imposées par la raison ou découlent de l'existence d'un intérêt commun ».

100 V. Le raisonnable en droit des contrats, *thèse. préc.*, p. 380 et s.

101 LE TOURNEAU, Droit de la responsabilité et des contrats, op. cit., n° 3666.

102 Ph. DEVESA, L'opération de courtage, préf. J.-M. MOUSSERON, BDE, Litec 1993, n° 384, p. 258.

Le devoir de loyauté du mandataire interdit également à l'intermédiaire de se porter contrepartiste[103]. La contrepartie est « *le fait pour le mandataire de prendre à son propre compte l'opération qu'il était chargé de conclure avec un tiers* »[104]. La contrepartie en elle-même n'est pas prohibée, il en est ainsi lorsqu'elle fait l'objet d'une convention préalable. L'opération est interdite lorsqu'elle est occulte ; c'est ce caractère qui prouve la déloyauté et qui justifie la sanction. Une telle pratique trahit la confiance du mandant, ce dernier compte, en effet, à ce que le mandataire agisse au mieux de ses intérêts. Or, en se portant contrepartiste, il est à craindre que le mandataire ne les défende pas avec « *la force et la sincérité qui doivent être attendues de lui* »[105]. La contrepartie occulte constitue alors un « *manquement au devoir de loyauté, un détournement de pouvoir, si elle a pour but l'obtention d'un avantage contraire aux intérêts du mandant* »[106]. Mais même, sans intention de nuire aux intérêts du mandant, la contrepartie occulte peut constituer un comportement déloyal. On peut supposer que le mandant, en confiant une mission de défendre ses intérêts, n'autoriserait pas le mandataire à prendre à son propre compte l'opération puisque « *le conflit d'intérêts qui naîtrait d'une telle opération créerait un danger inacceptable pour lui (...)* »[107]. On peut alors affirmer qu'« *en faisant la contrepartie alors que le mandant a implicitement exclu cette possibilité, le mandataire méconnaît ses instructions* »[108]. En agissant ainsi, il manque à son devoir de fidélité.

C – Le devoir de loyauté rattaché à la qualité de professionnel

10. La qualité de professionnel des intermédiaires de commerce. Aux termes de l'article premier de la loi du 31 août 2006, les intermédiaires de commerce sont des professionnels qui agissent dans le but de conclure ou de favoriser la conclusion d'un contrat de vente ou d'une prestation de service à caractère commercial. De ce fait, la loi leur attribue assez naturellement le statut de commerçant

103 N. DISSAUX, La qualification d'intermédiaire dans les relations contractuelles, thèse. préc., n° 817, p. 368.

104 Article 24 de la loi du 31 août 2006 : « Le commissionnaire doit agir loyalement pour le compte du commettant. (al. 2) Il ne peut en particulier acheter pour son propre compte les marchandises qu'il est chargé de vendre, ou vendre ses propres marchandises à son commettant » ; article 24 : « Dans le cadre de l'exécution de sa mission, le courtier ne peut réaliser des opérations de commerce pour son propre compte, soit directement, soit indirectement, soit encore sous le nom d'autrui ou par personne interposée ».

105 G. CORNU, Vocabulaire juridique.

106 F. DERRIDA, « Les obligations du commissionnaire et les garanties du commettant », in Le contrat de commission ; études de droit commercial sous la dir. de J. HAMEL, Dalloz, 1949, p. 100.

107 V. Ph. PETEL, Les obligations du mandataire, thèse. préc., n° 218, p. 141.

108 *Ibid.*

(article 2)[109]. Il ne s'agit ici que d'un rappel des articles 1-1 et 1-2 du Code de commerce malgache qui disposent d'une part, que « *les commerçants sont ceux qui accomplissent des actes de commerce à titre indépendant et dans un but lucratif et en font leur profession habituelle* »[110] et d'autre part, que les opérations d'intermédiaires de commerce ont le caractère d'actes de commerce[111]. Le critère de « commercialité »[112] caractérise donc ce type d'activité et ne peuvent entrer dans cette catégorie les intermédiaires qui n'ont pas le statut de commerçant ; ce qui justifie l'exclusion de certains intermédiaires de son champ d'application. Le droit malgache se démarque ici du droit français dans la mesure où, en droit français, certains intermédiaires de commerce n'ont pas la qualité de commerçant. Il en est ainsi des agents commerciaux[113]. Ces derniers agissent pour le compte et au nom de leur mandants; ils ne sont donc pas assez indépendants pour avoir la qualité de commerçant[114] ni pour être propriétaire d'un fonds de commerce[115].

11. Le devoir de loyauté de l'intermédiaire professionnel. L'intermédiaire de commerce régi par la loi de 2006 est nécessairement un professionnel et son devoir de loyauté est, de ce fait, assez marqué. Selon M. Le TOURNEAU, « *dès qu'il (le professionnel) contracte (avec quiconque) certains devoirs se èèrenforcent ou même s'ajoutent aux obligations générales* »[116]. On

---

109 *Ibid.*, pp. 141-142.
110 Article 2 : « *L'intermédiaire du commerce est un commerçant ; il doit remplir les conditions prévues par les textes relatifs au statut du commerçant* ».
111 Article 1-1.
112 Article 1-2.
113 Or, « c'est un trait caractéristique du droit commercial que sa difficulté d'être. Depuis le XIXe siècle, les commercialistes s'interrogent sur la définition de l'objet de leurs études. Il se demandent s'il est légitime de l'examiner indépendamment du droit civil et, par conséquent, de rejeter *a priori* les principes et qualifications civils ; c'est la célèbre querelle de l'autonomie » (Ch. ATIAS, « Hypothèse sur la doctrine en droit commercial (1898-1947-1975), in Aspects actuels du droit commercial français, Etudes dédiées à R. ROBLOT, LGDJ, 1984, p. 32.
114 Le Code de commerce français ne cite pas les activités d'agence commerciale comme des actes de commerce comme le fait expressément le Code de commerce malgache (Position contestée par certains auteurs. V. par ex : **Ph. Le TOURNEAU**, Droit de la responsabilité et des contrats, op. cit., n° 3987, n° 5528 ; C. DILOY, Le contrat d'agence commerciale en droit international, avant-propos J. -M. JACQUET, préf. D. FERRIER, Litec, 1998, n° 60 et s.
115 V. Cass. com. 29 oct. 1979, D. 1980. 69 ; 24 oct. 1995, D. Aff., 1996. 195. D'une manière générale, en France, lorsqu'une personne n'agit pas en son propre nom, elle n'accomplit pas un acte de commerce. Pour avoir la qualité de commerçant, le critère de l'indépendance est habituellement admis. Or, les agents commerciaux agissent pour le compte et au nom de leur mandants ; ils ne sont donc pas assez indépendants pour avoir la qualité de commerçant. De même, l'activité des agents commerciaux ont toujours été qualifiées de civile.
116 Cass. com. 26 février 2008, RJDA 8 septembre 2008, n° 901 ; JCP E 2008, n° 22, p. 19, obs. DISSAUX ; JCP 2008. II. 10094, note MAINGUY ; CCC 2008, n° 95, obs. MATHEY Il faut toutefois remarquer que si l'agent commercial exerce l'activité d'entremise sous couvert d'une société commerciale, celle-ci a une nature commerciale.

remarque à la fois la multiplication et le renforcement des devoirs et obligations des intermédiaires professionnels qui sont en grande partie œuvre de la jurisprudence. Dès lors, dans le cadre du contrat de mandat qui s'est largement professionnalisé, on constate que les obligations des mandataires ont été renforcées[117] et le juge fait souvent abstraction de certains manquements lorsque le mandat est gratuit[118], ou du moins l'apprécie moins sévèrement[119]. Dans le même ordre d'idée, même si le courtier n'est pas responsable de la conclusion du contrat avec la personne qu'il a proposée, « *(...) en tant que professionnel, il répond de ses fautes et de ses négligences que les tribunaux doivent apprécier avec rigueur* »[120].

12. L'obligation d'information : une expression du devoir de loyauté du professionnel ? L'une des principales obligations imposées à l'intermédiaire du fait de son statut de professionnel est l'obligation d'information[121] ou de conseil[122]. Cette obligation peut également être analysée comme une manifestation de l'obligation du mandataire de rendre compte[123]. Mais, en vérité, « *le devoir d'information ne suscite guère de contentieux que dans le mandat professionnel* »[124]. D'abord d'origine jurisprudentielle, cette obligation a ensuite été consacrée par l'article L. 111-1 du Code de la consommation qui dispose que « *tout professionnel vendeur de biens ou prestataire de service doit, avant la conclusion du contrat, mettre le consommateur en mesure de connaître les caractéristiques essentielles du bien ou du service* ». Si l'obligation d'information s'impose à tous les intermédiaires de commerce régis par la loi de 2006, elle est très marquée pour le courtier compte tenu de son rôle[125].

117 LE TOURNEAU, Droit de la responsabilité et des contrats, op. cit., n° 3666.
118 V. Ph. PETEL, Les obligations du mandataire, préf. CABRILLAC, Litec 1998.
119 En application de l'article 1192 al. 2 du Code civil (« Néanmoins, la responsabilité relative aux fautes est appliquée moins rigoureusement à celui dont le mandat est gratuit qu'à celui qui reçoit un salaire ».) V. Par exemple : Cass. civ., 14 juin 2000, CCC. 2000, 156, note LEVENEUR ; Cass. Civ. 1ère civ. 16 mai 2006, Bull. civ. I, n° 241.
120 En application de l'article 1992 al. 2 du Code civil : « Néanmoins, la responsabilité relative aux fautes est appliqué moins rigoureusement à celui dont le mandat est gratuit qu'à celui qui reçoit un salaire ».
121 F. COLLART-DUTILLEUL et Ph. DELEBECQUE, Contrats civils et commerciaux, op. cit., n° 668.
122 V. en ce sens, Ph. LE TOURNEAU, Droit de la responsabilité et des contrats, Dalloz Action 2008-2009, 7ème éd. Dalloz 2008, n° 3657.
123 V. en ce sens, R. SAVATIER, « Les contrats de conseils professionnels en droit privé », D. 1972. chron. 137, n° 8 : « Donné par un profane à un initié, tout mandat est générateur d'un devoir de conseil ».
124 En ce sens, V. l'article 25 de la loi de 2006 : « comme le prévoit, à titre d'exemple, l'article 25 relatif au commissionnaire aux termes duquel celui-ci doit donner au commettant tout renseignement utile relatif à l'opération, objet de la commission, le tenir informé de ses actes, et lui rendre compte loyalement une fois l'opération effectuée ».
125 V. Ph. PETEL, Les obligations du mandataire, thèse. préc., n° 373, p. 240.

Il faut aussi remarquer que si l'agent commercial est tenu d'informer son mandant de l'évolution de sa mission, son devoir de loyauté lui interdit aussi de divulguer des informations qui lui ont été délivrées, par celui-ci, de manière confidentielle[126].
L'obligation d'information ou de transparence est souvent considérée comme une expression du devoir de loyauté du mandataire[127]. Les juges qualifient l'absence d'information de la part d'un professionnel comme un manquement à l'obligation de contracter de bonne foi[128]. Ce rattachement systématique du devoir d'information à la bonne foi nous semble assez exagéré dans la mesure où le manquement à ce devoir peut relever d'une simple maladresse et non d'un acte malhonnête. Il nous semble que la preuve de l'intention déloyale est ici nécessaire ; il peut y avoir des réticences non dolosives[129].
Pendant la phase d'exécution du contrat, à la frontière du respect de la loyauté et de la recherche d'efficacité, l'obligation d'information qui pèse sur le professionnel correspond beaucoup plus à cette dernière parce qu'elle poursuit, en réalité, une finalité plus utilitariste qu'altruiste. L'obligation de rendre compte prévue par l'article 1993 du Code civil s'inscrit dans cette perspective. « *Cette obligation est imposée par la logique du mécanisme au sein duquel elle prend place : si le mandataire n'agit pas nécessairement au nom du mandant, il agit toujours pour le compte de celui-ci ; cette situation implique le droit pour le mandant de savoir à tout moment (pendant et après l'opération) ce qui est fait ou ce qui a été fait pour lui, notamment en vue de percevoir les sommes susceptibles de lui revenir* »[130]. L'obligation d'information de l'intermédiaire est ici destinée, comme celle dans la vente[131], « *à optimiser la réalisation de l'objectif*

---

126 D. PONSOT, Les intermédiaires de commerce, Textes et commentaires, éd. 2007, Jurid'ika, com. sous article 40, p. 33 : « (...) l'essentiel de son rôle (le courtier) consistera à fournir aux parties les informations utiles en vue de les amener à conclure : ces informations porteront naturellement sur l'affaire à traiter mais également sur les parties elles-mêmes ».

127 Article 49 al. 1 de la loi du 31 août 2006 : « l'agent commercial ne peut, même après la fin du contrat, utiliser ou révéler les informations qui lui ont été communiquées par le mandant à titre confidentiel, ou dont il a eu connaissance à ce titre en raison du contrat.

128 Par exemple : Cass. Ass. Plén., 9 octobre 2006, Bull. civ. Ass. Plén, n° 11 ; D. 2006, AJ. 2525, note X. DELPECH et p. 2933, note D. HOUTCIEFF ; JCP G 2006. II. 1. 10175, note Th. BONNEAU ; RTDCiv. 2007, p. 145, note P. -Y. GAUTHIER. V. également sur l'obligation de transparence du mandataire à la fin du contrat : Cass. civ. 1re, 11 juillet 1983, Bull. civ. I, n° 202 ; Cass. com., 9 décembre 1986, Bull. civ. IV, n° 234, JCP E 1987, I, 16071.

129 Cass. civ. 1re, 15 mars 2005, Bull. civ. I, n° 136 ; D. 2005, 1462.

130 V. par exemple : Cass. com. 3 juin 1988, Bull. civ. IV, n° 178 ; D. Aff. 1998. 1452, obs. M. B ; Cass. com. 24 septembre 2003, RTDCiv. 2004, p. 86, obs. J. MESTRE et B. FAGES ; RDC 2004, p. 260, obs. D. MAZEAUD.

131 V. Ph. PETEL, Les obligations du mandataire, thèse. préc., n° 367, p. 235.

contractuel »[132]. Pour le courtier, l'importance de l'obligation d'information dans la réalisation de l'opération poursuivie est indiscutable. Chargé de rapprocher les parties, le courtier doit mettre son donneur d'ordre en état de conclure ; ce qui implique une bonne connaissance de l'affaire à traiter et de la partie envers laquelle il va contracter. De ce fait, il ne s'agit pas, selon nous, d'une émanation du devoir de loyauté qui ne poursuit que la moralisation des relations contractuelles mais un simple devoir de comportement indispensable à la réalisation du résultat attendu. Les dispositions de l'article 47 de la loi 2006 nous semblent assez révélateurs de cette distinction. En effet, aux termes de cet article, « *les rapports entre l'agent commercial et le mandat sont régis par une obligation de loyauté et un devoir réciproque d'information* ». L'utilisation de la conjonction de coordination « *et* » marque bien la distinction qu'il convient d'opérer entre la loyauté et l'information. Cela étant, le manquement à l'obligation de loyauté peut être animé par une intention déloyale ; la déloyauté se greffe donc au manquement et de ce fait, l'aggrave.

II – LES SANCTIONS DU DEVOIR DE LOYAUTÉ DES INTERMÉDIAIRES DE COMMERCE

L'étude du droit positif ainsi que l'analyse des propositions doctrinales révèlent qu'il existe un véritablement flottement concernant les sanctions des comportementaux déloyaux. Tantôt la déloyauté est sanctionnée par la responsabilité contractuelle[133], tantôt elle l'est par la responsabilité délictuelle[134]. Elle est également sanctionnée par

---

132 En effet, l'exemple de l'obligation d'information dans la vente est en ce sens très éclairante En effet, l'objectif principal poursuivi par la vente, abstraction faite du transfert de propriété, est pour l'acheteur la possibilité de jouir de l'utilité de la chose. L'exécution de la délivrance conforme par le vendeur est la condition essentielle et indispensable à la réalisation de cet objectif. Toutefois, elle ne permet pas de satisfaire totalement cette attente. En effet, si le vendeur a procédé à la mise à disposition de la chose, que celle-ci correspond à ce qui a été prévu et que par dessus tout, elle ne présente aucun vice, encore faut-il que l'acheteur sache utiliser le bien notamment lorsque celui-ci présente certaines complexités (par exemple pour la vente de matériel informatique : Cass. civ. 1ère, 25 juin 1996, D. 1996, IR, p. 188) ou encore lorsqu'il s'agit d'un produit nouveau (Cass. com., 2 mai 1990, Bull. civ. IV, n° 133 : le fabricant a l'« obligation de donner à l'acquéreur d'un produit nouveau, fût-il utilisateur professionnel de ce produit, les renseignements nécessaires à son usage et de l'informer, le cas échéant, des risques pouvant en résulter, (…) »).

133 M. FAURE-ABBAD, Le fait générateur de la responsabilité contractuelle, thèse. préc., n° 103, p. 84 ; V. également dans ce sens, E. LAMAZEROLLES, Les apports de la Convention de Vienne au droit interne de la vente, thèse, préc., n° 326, p. 307 ; L. LEVENEUR, « Le solidarisme contractuel : un mythe », in Le solidarisme contractuel, op.cit., p. 183.

134 V. par exemple, Cass. soc., 1er avril 1997, Dr. Soc. 1997, 646, obs. J. E. RAY.

l'inefficacité d'une clause, la résolution du contrat[135], la perte d'un droit, d'une prérogative[136] comme elle pourrait l'être par la poursuite forcée de l'opération[137]. Il en va de même pour les sanctions du devoir de loyauté des intermédiaires de commerce. Ces différentes sanctions peuvent être divisées en catégories, d'un côté les sanctions dites d'opportunité (A) et de l'autre, les sanctions véritables du devoir de loyauté (B).

A – Les sanctions d'opportunité

Les sanctions d'opportunité sont celles qui ne sont pas de la nature même des choses mais que l'on utilise parce qu'elles paraissent mieux adaptées à la situation. Les explications ainsi que les justifications du choix de ces sanctions sont souvent d'ordre pratique, notamment la facilitations des démarches et actions de la victime. Pour sanctionner les comportements déloyaux des intermédiaires de commerce, les juges ainsi que le législateur ont souvent recours à celles-ci. Nous allons reprendre ici les plus significatives d'entre elles : la nullité, l'opposabilité ou l'inefficacité de l'opération effectuée par l'intermédiaire et l'attribution forcée de la qualité de partie à ce dernier. Il en va de même de la responsabilité contractuelle.

13. La nullité de l'acte objet de l'entremise. A propos de la nullité de l'acte comme sanction de la déloyauté de l'intermédiaire, il convient de parler, en premier lieu, du dol commis par celui-ci dans le cadre de la conclusion du contrat principal objet de l'entremise. La question qu'il convient de poser ici est celle de savoir si le dol de l'intermédiaire constitue un vice du consentement emportant la nullité du contrat faisant l'objet de l'entremise, en application de l'article 1116 et s. du Code civil ? En effet, l'alinéa 1er dudit article dispose que le dol emporte la nullité du contrat lorsqu'il est commis par une des parties, ce qui exclut le cas du dol commis par un tiers. Dans cette perspective, l'admission de la nullité du contrat du fait du dol de l'intermédiaire ne

135 V. par exemple : Cass. soc., 11 juin 1953, D. 1953, JP, p. 661 : « L'abus de droit commis dans le domaine contractuel ou quasi-contractuel engendre, dans tous les cas, la responsabilité délictuelle ou quasi-délictuelle de son auteur » ; Cass. com., 4 janvier 1994, D. 1995, JP, p. 355, note G. VIRASSAMY ; D. 1995, somm., p. 69, obs. D. FERRIER ; Cass. 1ère civ., 17 mars 1998, Défrenois 1998, 807, obs. J.-L. AUBERT.

136 V. par exemple, Cass. civ. 1ère, 31 janvier 1995, Bull. civ. I, n° 57 ; D. 1995, JP., p ; 389, note ch. JAMIN et som. Com., p. 230, obs. D. MAZEAUD ; Défrénois, 1995, p. 749, obs. Ph. DELEBECQUE ; RJDA, 1995, n° 682 ; RTDciv., 1995, p. 623, n° 6, obs. J. MESTRE.

137 V. par exemple : Cass. civ. 3ème, 11 mai 1976, Bull. civ. III, n° 199, p. 155 ; D. 1978, JP, p. 269, note J.-J. TAISNE ; Défrenois 1977, p. 456, obs. J.-L. AUBERT : « (...) la faculté de dédit ayant été exercée de mauvaise foi , ce dédit ne pouvait produire aucun effet juridique ». V. également mais d'une manière plus générale et théorique supra.

peut être que limitée. En effet, elle ne concernerait que le dol commis par un commissionnaire qui, en agissant en son propre nom, est lié par le contrat. Ce qui exclut le cas de l'agent commercial qui n'agit pas en son propre nom et celui du courtier qui n'intervient même pas à la conclusion du contrat. Mais il faut souligner que la jurisprudence, à plusieurs reprises, a dû admettre la nullité du contrat à cause du dol d'un « tiers »[138] et pour justifier ces exceptions, certains auteurs font appel à la théorie de la représentation. Ils avancent alors que : « *quand un contrat est obtenu par le dol du mandataire, on admet que la représentation du mandant par le mandataire s'applique au dol, qui est inséparable du contrat où joue cette représentation, le mandant subit donc les conséquences de ce dol, comme si lui-même l'avait commis* »[139].

Récemment, un auteur, pour justifier l'admission de l'annulation du contrat à cause du dol de l'intermédiaire, invoque la notion de « *partie à la procédure contractuelle* ». Selon cet auteur, « *le dol du représentant est assimilé au dol d'une partie non parce qu'il émane d'un représentant mais parce qu'il émane d'un intermédiaire, c'est-à-dire d'une partie à la procédure de conclusion du contrat pour autrui. Ce n'est pas tant la qualité de représentant que celle, plus générale, d'intermédiaire qui importe. (…) C'est plutôt l'insertion du représentant dans la catégorie plus large des intermédiaires qui constitue le véritable fondement de la règle selon laquelle le dol d'un représentant peut emporter la nullité du contrat principal* »[140].

---

138 V. D. MAZEAUD, « Le solidarisme contractuel et réalisation du contrat », in Le solidarisme contractuel, préc., p. 55 et s. , spéc., 71 : « quelques décisions récentes laissent à penser qu'une rupture contractuelle abusive pourrait être sanctionnée, (…), par la prolongation forcée du lien contractuel ». Toujours selon l'auteur, « le solidarisme contractuel pourrait tout à fait justifier une telle sanction » et qu'il n'y a pas vraiment un obstacle majeur à l'adoption d'une telle sanction dans la mesure où, « la responsabilité civile ne se solde pas nécessairement par une réparation par équivalent et que le juge peut prononcer une réparation en nature. Réparation en nature qui peut parfaitement consister en un maintien forcé des effets du contrat unilatéralement et abusivement rompu, résilié ou non-renouvelé ». V. quelques exemples de ces arrêts : Cass. civ. 1ère 7 novembre 2000, D. 200, 253, note Billau et Jamin, somm. Comm., 2001, 1137, obs. D. MAZEAUD ; RTDCiv. 2001, p. 135, obs. J. Mestre et B. Fages.

139 V. par exemple, à propos de « représentants de fait » : Cass. com., 24 mai 1994, Bull. civ. IV, n° 184, p. 147, RTDCiv., 1995, p. 99, note J. MESTRE ; D. 1995, somm. comm., p. 88, note Ph. DELEBECQUE ; Cass. com., 13 juin 1995, PA., 12 juillet 1996, p. 37 et s., note Y. DAGORNE-LABBE ; JCP 1995, I, 3880, note Ch. JAMIN. A propos des représentants légaux d'une société : Cass. com., 27 novembre 1972, Bull. civ., IV, n° 308, p. 287. A propos d'un dol commis par un porte-fort : Cass. com., 27 février 1996, Bull. civ., IV, n° 65, p. 50, Défrénois, 1996, I, article 36399, p. 1205, note Y. DAGORNE-LABBE ; JCP, 1996, II, 22665, note J. GHESTIN ; D. 1996, 518, obs. Ph. MALAURIE.

140 M. PLANIOL et G. RIPERT, Traité pratique de droit civil, 2ème éd. t. XI, par R. SAVATIER, n° 1502. Dans le même sens à propos de l'arrêt du 24 mai 1994 préc. V. Ph. DELEBECQUE, « Le dol du représentant », note sous Cass. com. 24 mai 1994, préc., p. 88 : « il est sûr que si cet agent n'avait été que le mandataire de la société venderesse, le dol commis n'aurait eu aucune incidence, en tant que dol émanant d'un tiers. Mais l'agent été mandaté par la société de crédit-bail elle-même et avait ainsi entrepris la qualité de représentant de cette société ».

Une fois admise, la sanction de la déloyauté par la nullité de l'acte s'explique assez facilement. En vérité, la sanction est de circonstance puisque ce n'est pas directement l'agissement malhonnête qui justifie la sanction mais l'erreur qu'il a provoquée ; il ne fait que rendre excusable une erreur qui sans un tel comportement ne le serait pas. La véritable sanction de l'acte déloyal est ailleurs : la responsabilité délictuelle.

La question se pose également de savoir si la nullité de l'acte pourrait constituer la sanction adéquate d'une contrepartie occulte. En matière de commission, par exemple, pour justifier cette sanction on avance l'argument de l'opposition d'intérêts : « *le commissionnaire qui achète ou vend à son commettant devient, en quelque sorte, son adversaire. (...). En concluant l'opération pour son compte, le commissionnaire a un intérêt directement opposé à celui de son commettant, alors que sa mission est de prendre en charge les intérêts du commettant* »[141]. On justifie également la nullité par l'inexécution du contrat d'intermédiation. Celui-ci consistant à rechercher à conclure un contrat avec un tiers, il n'est point exécuté si les trois personnes exigées pour son exécution ne sont pas réunies[142]. On invoque enfin le vice ou l'absence du consentement[143] qui pourrait entacher l'opération de contrepartie. Dans le premier cas, le mandant a été induit en erreur par le dol du mandataire tandis que dans le second, « *le contrat émane d'une volonté unique* »[144]. Mais on voit bien que quelle que soit la justification avancée, la sanction puise sa source dans un vice qui affecte le contrat et non directement dans le comportement déloyal de l'intermédiaire.

14. L'inopposabilité ou l'inefficacité de l'acte et l'attribution forcée de la qualité de partie au contrat. Lorsque l'intermédiaire commet un excès de pouvoir ou se porte contrepartiste, l'opposabilité, l'inefficacité de l'acte qu'il a passé sont également utilisées pour sanctionner de tels agissements déloyaux. Ces sanctions sont tirées

---

141 N. DISSAUX, La qualification d'intermédiaire dans les relations contractuelles, thèse ; préc., n° 743, p. 341.

142 M.-P. DUMONT, L'opération de commission, thèse.préc., n° 86, p. 79.

143 *Ibid.*, n° 87, p. 80.

144 La thèse du vice du consentement est contestée par M. PETEL : « Le mandataire agissant pour le compte d'un donneur d'ordre manifeste sa propre volonté quand il conclut un acte juridique, de sorte que la validité du consentement donné à cet acte doit être appréciée à sa personne. Or, lorsque le mandataire se porte contrepartiste, il sait qu'il passe un contrat avec lui-même : en ce qui le concerne, il n'est pas trompé sur l'identité du contractant qu'il fournit au mandant. Le consentement qu'il donne à ce contrat est donc éclairé. L'opération est inattaquable sur le terrain des vices du consentement ». (M. PETEL Les obligations du mandataire, thèse. préc., n° 215, pp. 139-140).

de l'interprétation de l'article 1998 du Code civil[145] et des l'article 11[146] et 13[147] de la loi 2006. Selon certains auteurs, lorsqu'un intermédiaire, notamment celui qui n'agit pas à son propre nom, commet un excès de pouvoir, l'acte qu'il a conclu est inopposable au représenté[148]. Dans cette optique, le contrat reste valable mais les effets ne sont pas supportés par le représenté. Autrement dit, l'intermédiaire devient partie au contrat. Pour M. PETEL, la lecture stricte de l'article 1998 du Code civil peut renvoyer à l'idée de l'inefficacité du contenu du contrat faisant l'objet de cette forme de déloyauté et non pas celle de l'acte en entier[149]. Selon l'auteur, « *en présence d'un acte accompli par un mandataire doté de pouvoirs suffisants mais dans des conditions non conformes aux instructions reçues, ou avec un contenu différent de ce qu'exigeait le mandant, l'article 1998 n'a pas toujours la même portée. Le mandant n'est tenu par l'acte que dans la mesure de l'utilité qu'il attendait de l'action du mandataire. Cela signifie qu'il peut échapper à l'acte dans son intégralité si l'indiscipline du mandataire est irréparable. En revanche le mandant restera tenu si un simple aménagement de l'acte permet de lui procurer le résultat qu'il attendait de l'action du mandataire : il échappera seulement dans ce cas aux éléments de l'acte non conforme à ses instructions* »[150].

L'adoption de telles sanctions implique, pour l'inopposabilité, que le représenté soit maintenu « *dans le statut quo* » et reste en dehors « *du sort de l'acte du représentant* »[151]. Alors, le contrat reste valable et le tiers-contractant ne supportera pas les conséquences de la déloyauté de l'intermédiaire envers le représenté (une relation qui lui est extérieure). Avec la thèse de l'inefficacité, les tiers seront protégés par la possibilité d'une ratification (en l'absence de ratification, une indemnisation[152]), le mécanisme de la gestion d'affaire ou encore la théorie du mandat apparent[153].

---

145 M.-P. DUMONT, L'opération de commission, thèse. préc.,n° 88, p. 83.

146 Article 1998 du Code civil : « Le mandant est tenu d'exécuter les engagements contractés par le mandataire, conformément au pouvoir qui lui a été donné. Il n'est tenu de ce qui a pu être fait au-delà, qu'autant qu'il a ratifié expressément ou tacitement ».

147 Article 11 de la loi du 31 août 2006 : « L'intermédiaire agissant pour le compte d'un représenté dans la limite de son pouvoir n'engage par ses actes que le représenté vis-à-vis des tiers (...) ».

148 Article 13 al. 1er de la loi du 31 août 2006 : « Lorsque l'intermédiaire agit sans pouvoir, ou au-delà de son pouvoir, ses actes ne lient ni le représenté ni le tiers ».

149 V. par exemple : G. RIPERT et J. BOULANGER, Traité de droit civil d'après le traité de PLANIOL, Les obligations, les droits réels, tome 2, 1957, n° 227, p. 93 ; Ph. DIDIER., De la représentation en droit privé, LGDJ, coll. BDP, tome 339, 2000, n° 170 et s., p. 120 et s.

150 V. dans ce sens, Cass. civ. 1ère, 26 janvier 1999, Bull. civ. I, n° 30, p. 20 ; JCP 1999, IV, 1509.

151 Ph. PETEL, Les obligations du mandataire, thèse. préc., n° 95, p. 70.

152 Ph. DIDIER, De la représentation en droit privé, thèse. préc., n° 172, p. 121 et s.

153 Article 15 al. 1er de la loi de 2006 : « Un intermédiaire qui agit sans pouvoir est tenu, en l'absence de ratification, d'indemniser le tiers afin de rétablir celui-ci dans la situation qui aurait été la sienne si l'intermédiaire avait agi en vertu d'un pouvoir et dans les limites de ce pouvoir ».

Lorsque la sanction conduit à attribuer à l'intermédiaire la qualité de partie, elle est contestée par M. DISSAUX. Selon lui, le contrat principal doit être frappé de nullité parce que le « *tiers-contractant n'a jamais souhaité contracter avec l'intermédiaire* »[154]. De même, toujours selon l'auteur, en citant l'article 1997 du Code civil, « *Issu d'un excès de pouvoir, le contrat principal n'en a pas moins été conclu au nom d'autrui. Dès lors, sauf stipulation contraire, l'intermédiaire ne peut être lié par ses effets juridiques. Le respect de la liberté contractuelle impose ne pas l'y contraindre* »[155]. Il explique alors qu'il faut faire le départ entre la nécessité de sanctionner un comportement fautif et la qualification de partie ou de tiers au contrat et que « *les règles qui ont vocation à sanctionner le comportement d'un tiers aux effets juridiques d'un contrat sont en principe celles de la responsabilité civile délictuelle. La qualité de partie aux effets juridiques d'un contrat ne peut être érigée en sanction d'un comportement* »[156]. De ce fait, l'auteur explique que la sanction la plus adéquate serait la nullité dans la mesure où « *en excédant ses pouvoirs, l'intermédiaire a conclu un contrat sans le consentement du pseudo-représenté ; le consentement étant une condition essentielle à la validité du contrat (art. 1108 du C. civ), le contrat principal serait nul* »[157]. Mais l'auteur précise qu'il ne peut s'agir que d'une nullité relative[158]. Mais ici, on conçoit bien que la nullité relative ainsi proposée ne tend qu'à sanctionner l'acte vicié ; la sanction véritable du comportement déloyal est ailleurs.

Dans la même veine mais dans une autre configuration, la loi de 2006 attribue la qualité de partie au commissionnaire en guise de sanction lorsqu'il a fait preuve de mauvaise foi envers le commettant. Ici, on fonde cette sanction sur « *le mécanisme de l'exception d'inexécution : le commissionnaire ayant commis une faute dans l'exécution de ces obligations, le donneur d'ordre n'est plus tenu de le libérer des obligations auxquelles il s'est personnellement soumis (…), c'est-à-*

154 Ph. PETEL, Les obligations du mandataire, thèse. préc., 1988, n° 95, p. 70.

155 N. DISSAUX, La qualification d'intermédiaire dans les relations contractuelles, thèse. préc., n° 844, p. 378.

156 *Ibid.*, n° 845, p. 379.

157 *Ibid.*, n° 847, p. 379. L'article 15 de la loi de 2006 semble aller dans ce sens. Pour le commentateur de cet article, « (…) l'intermédiaire (qui) ne s'est pas engagé en son nom, mais au nom de son mandat (engage) sa responsabilité à l'égard du tiers auquel le mandant oppose l'absence de pouvoirs (et) ne peut donc se concevoir qu'en équivalent (dommages intérêts fondés sur la responsabilité civile délictuelle ou quasi-délictuelle) et non en nature (exécution du contrat), puisque, contractuellement, l'intermédiaire ne s'est pas engagé vis-à-vis du tiers ».

158 N. DISSAUX, La qualification d'intermédiaire dans les relations contractuelles, thèse. préc., n° 849, p. 380. L'auteur cite en ce sens l'arrêt de la 3ème chambre civile de la Cour de cassation en date du 15 avril 1980, Bull. civ. III, n° 73, p. 53 ; D. 1981, I.R., p. 314, obs. J. GHESTIN, Défrénois, 1981, p. 853 et s., obs. J.-L. AUBERT ; RTDCiv., 1981, p. 155 et s., obs. Fr. CHABAS.

dire de reprendre à son nom l'opération effectuée pour son compte par le commissionnaire »[159]. La mauvaise foi du commissionnaire consiste en un mensonge sur le prix de vente ou d'achat. Si l'on devait proposer une justification à la consécration de l'attribution forcée de la qualité de partie à cette sanction, il ne faut pas invoquer le mécanisme de l'exception d'inexécution mais plutôt l'octroi au créancier de la somme qu'il aurait pu perdre ou ne pas gagner. C'est là que réside son véritable préjudice. Il s'agit donc d'une sorte de réparation du préjudice sans recourir à la responsabilité civile délictuelle. Il s'agit d'une sanction d'opportunité, une sorte de raccourci offert à la victime de déloyauté pour obtenir réparation.
On voit bien que les arguments en faveur de la nullité, de l'opposabilité, de l'inefficacité de l'acte se rattachent plus à d'autres éléments, notamment le vice ou l'absence de consentement ou encore l'exécution du contrat principal, qu'au comportement de l'intermédiaire. Ainsi, dans le cas où l'anomalie qui affecte l'acte est rétablie, ces sanctions n'ayant plus de raison d'être, le comportement déloyal peut rester impuni. Mais il faut admettre que l'adoption de ces sanctions pourrait se justifier dans la mesure où le délit que constitue l'acte déloyal se mêle assez souvent avec d'autres anomalies, de même qu'il est assez souvent difficile pour l'autre partie de prouver l'existence de préjudice distinct. Ces sanctions sont donc effectivement de circonstance, d'opportunité et il en va de même de l'adoption de la responsabilité contractuelle comme sanction de la déloyauté de l'intermédiaire.

15. La responsabilité contractuelle. La nature juridique de la responsabilité civile de l'intermédiaire semble varier en fonction de la personne qui l'invoque. Il s'agit du clivage classique entre la responsabilité contractuelle et la responsabilité délictuelle auquel on ajoute une sorte d'autonomie de la responsabilité professionnelle. Si la nature de la responsabilité de l'intermédiaire à l'égard du tiers-contractant ne pose pas vraiment problème, il en va autrement de celle à l'égard du bénéficiaire de l'entremise.
N'étant pas propre aux intermédiaires, on remarque qu'une telle position a été consacrée de manière explicite par la Cour de cassation. Dans un attendu de principe, la troisième chambre de la Cour de cassation en date du 14 septembre 2005 a décidé que

159 N. DISSAUX, La qualification d'intermédiaire dans les relations contractuelles, préf. Ch. JAMIN, BDP. Tome 485, LGDJ 2007, n° 855, p. 382. V. dans ce sens : Cass. 2e civ., 2 novembre 2005, D. 2005, IR., 28 ; JCP 2005, IV, 3546 ; RTDCiv. 2006, p. 138 et s., obs. P.-Y. GAUTHIER : « La nullité d'un contrat en raison de l'absence de pouvoir du mandataire, qui est relative, ne peut être demandée que par la partie représentée ».

« *l'obligation de bonne foi suppose l'existence de liens contractuels, (...)* »[160].Selon cette dernière, le caractère d'obligation contractuelle de l'exigence de bonne foi est acquis dès lors qu'on est en présence d'un lien contractuel. Dans ce sens, la responsabilité contractuelle est souvent invoquée pour sanctionner la déloyauté entre deux personnes liées par un contrat. La décision peut paraître irréprochable dans la mesure où la qualification d'obligation contractuelle suppose effectivement l'existence d'un contrat. Ce qui dérange en revanche c'est qu'il s'agit de la bonne foi : une exigence à caractère moral qui ne participe pas prioritairement à la fonction économique du contrat, seul critère permettant de caractériser les obligations contractuelles[161]. Cela étant, il est nécessaire d'admettre l'adéquation de la responsabilité contractuelle comme sanction d'un acte déloyal lorsque une telle déloyauté « *s'imbrique dans l'inexécution de l'obligation et ne peut faire l'objet d'une action propre aussi longtemps qu'on poursuivra en même temps la sanction de la défaillance* »[162]. Tel est le cas de l'inexécution dolosive, sanctionnée généralement par la responsabilité contractuelle au titre de l'article 1150 du code Civil. Dans ce cas, la responsabilité contractuelle ne constitue aucunement la sanction naturelle de l'acte déloyal mais elle est opportune, de circonstance, puisque ce dernier constitue, une inexécution contractuelle. Plus clairement, l'acte déloyal aggrave l'inexécution et en tant que délit civil, il est source de responsabilité, de réparation, mais par le fait même qu'il réside dans l'inexécution, il ne peut être séparé de celui-ci et appelle donc une sanction contractuelle[163]. Tel est le cas, par exemple, lorsque l'inexécution de l'obligation d'information contractuelle s'analyse en une rétention délibérée de renseignement.

B – Les sanctions véritables de la déloyauté

16. La responsabilité civile délictuelle. La responsabilité civile délictuelle est la première sanction véritable de la déloyauté de l'intermédiaire de commerce. La nature délictuelle de la responsabilité encourue par l'intermédiaire du fait de sa déloyauté envers le tiers-contractant est triplement justifiée. La première justification tient à la période de son intervention : il agit en phase précontractuelle. Même

---

160 D. PONSOT, Les intermédiaires de commerce, Textes et commentaires, jurid'ika, 2006, éd. 2007, commentaires sous l'article 33, p. 30).

161 Cass. civ. 3ème, 14 septembre 2005, *D.* 2006, n° 11, p. 761 et s., note D. MAZEAUD ; *JCP*, n° 50, *JP*, 2313 ; *Droit et pat.* n° 144, chron. p. 86 et s., L. AYNES et PH. STOFFEL-MUNCK.

162 V. dans ce sens, Le raisonnable en droit des contrats, thèse. Préc., p. 80 et s. ; M. FAURE-ABBAD, Le fait générateur de la responsabilité contractuelle, thèse. préc., p. 23 et s.

163 Ph. STOFFEL-MUNCK, L'abus dans le contrat. Essai d'une théorie, thèse. préc., n° 289, p. 248.

si certaines voix se sont élevées pour réclamer l'application du régime contractuel aux fautes précontractuelles[164], une telle proposition n'a jamais emporté la totale conviction des juges[165]. Il faut en effet reconnaître, comme le soutenait ROUBIER, qu'il est artificiel de « *rattacher au contrat une obligation antérieure à sa formation : alors même qu'on admettait que les contractants sont sortis par les pourparlers du cercle des relations extracontractuelles, cela n'autoriserait pas à rattacher à un contrat qui n'est pas encore conclu des fautes qui se sont déjà produites. Toujours subsiste l'objection que l'effet ne peut précéder la cause* »[166]. La deuxième justification tient à la qualité de tiers de l'intermédiaire. Même si pour certains auteurs, le fait de participer à la conclusion du contrat lui donne une qualité autre qu'un simple tiers et qui justifierait l'application de la responsabilité contractuelle[167], il faut reconnaître qu'il n'est pas totalement partie au contrat ; il n'est partie qu'à la procédure de conclusion de celui-ci. Et « *l'outil juridique que représente le concept de partie procédurale n'apporte à cet égard aucune solution nouvelle. (…) Parce qu'il manifeste le lien qu'une personne entretient avec la conclusion d'un contrat, ce concept explique, à défaut de la justifier, l'attraction que la considération de ce contrat a exercé dans le débat sur la nature de la responsabilité précontractuelle ; parce qu'il ne manifeste que ce lien, il justifie que cette dernière demeure dans le giron de la responsabilité extracontractuelle* »[168]. Les Principes du droit européen des contrats sont allés dans ce sens. Son article 3.204 prévoit, en effet que : « *le représentant est tenu de payer au tiers les dommages-intérêts qui*

---

164 V. dans ce sens, Ph. STOFFEL-MUNCK, L'abus dans le contrat. Essai d'une théorie, thèse. préc., n° 290, p. 284 : « (…) le siège du dommage réside principalement dans la défaillance, le dol ou la déloyauté n'en constituant qu'une caractéristique accessoire ». ; M. FAURE-ABBAD, Le fait générateur de la responsabilité contractuelle, thèse. préc., n° 339, p. 280 : « En réalité, le dol est une vraie faute civile. (…) Mais le dol est un délit qui fait échouer un contrat. C'est parce qu'il est un délit que le dol est un fait générateur et crée un e obligation nouvelle – couvrir les conséquences imprévisibles de l'inexécution ; mais parce qu'il provoque l'inexécution d'une obligation contractuelle, sa sanction doit rester dans le champ du contrat ».

165 V. par exemple : R. SALEILLES., La théorie générale de l'obligation, 3ème éd., 1925, reprint Mémoire du Droit, 2001, p. 168 : « la responsabilité spéciale, qui devait dériver du contrat, s'attache déjà à la proposition de contrat ».

166 La jurisprudence opte pour la nature délictuelle de la responsabilité précontractuelle. V. par exemple : CA Nîmes, 13 mars 1932, D.H., 1932, p. 404 et s. ; Cass. com., 20 mars 1972, JCP 1973, II, 17543, note D. SCHMIDT ; RTDCiv., 1972, p. 779, obs. G. DURRY ; Cass. com. 12 février 2002, CCC, 2002, n° 90, obs. L. LEVENEUR.

167 P. ROUBIER, Essai sur la responsabilité précontractuelle, Thèse Lyon, Librairie nouvelle de droit et de jurisprudence, Paris, 1911, p. 60 et s.

168 V. par exemple : J. LABBE, note sous CA. PAU, 2 juin 1880, S. 1882, II, p. 250 : « la faute qui se produit au début du contrat… est une faute contractuelle. (…) Celui qui contracte doit examiner les qualités de la personne avec laquelle il se met en relation. Il n'est pas dans la situation d'un tiers victime d'un délit. Ce point de vue domine et absorbe le délit ».

rétabliront ce dernier dans la situation où il se serait trouvé si le représentant avait agi en vertu d'un pouvoir ».

Concernant maintenant la déloyauté commise par l'intermédiaire envers le bénéficiaire de l'entremise, malgré l'existence d'un lien contractuel entre les parties, la sanction la plus naturelle et la plus adéquate est aussi la responsabilité civile délictuelle. La conception restrictive de la bonne foi-loyauté met en évidence sa finalité première ainsi que sa nature par essence extérieure au contrat ; ce qui justifie la nécessaire extériorité de sa sanction par rapport aux sanctions contractuelles. Ainsi, est-il possible d'affirmer que sa sanction véritable est la responsabilité délictuelle. Comme la thèse de M. STOFFEL-MUNCK le démontre, en tant que délit civil dans le contrat[169], le manquement à la bonne foi est, par essence, source de responsabilité de nature délictuelle[170]. « *Ne constituant pas dans l'inexécution d'une obligation contractuelle, principale ou accessoire, il ne se saurait être considéré comme une défaillance contractuelle* »[171].

Il faut toutefois remarquer qu'une partie de la doctrine rejette la responsabilité délictuelle comme sanction exclusive du manquement à la bonne foi. Ainsi, selon M. CHAZAL, « *même si l'on parvenait à isoler le devoir de loyauté de l'exécution des obligations contractuelles, il n'est pas sûr qu'il faille en sanctionner la violation par les règles de la responsabilité délictuelle. Certes, certains mécanismes contractuels ne lui (sont) pas applicables. (...). Toutefois, ces arguments ne suffisent pas à écarter, par principe, l'application du régime de la responsabilité contractuelle à la déloyauté d'un contractant* »[172]. Pour notre part, nous sommes d'avis de consacrer, par principe, la responsabilité délictuelle pour sanctionner la déloyauté du contractant ; ce qui n'enlève en rien la possibilité d'appliquer, par exception, la responsabilité contractuelle ou encore les autres sanctions contractuels susceptibles d'être invoquées. Ces dernières doivent rester des sanctions de circonstance. En ce sens, M. PETEL distingue la contrepartie animée par une mauvaise intention de la contrepartie occulte qui n'est pas constitutif d'un acte déloyal[173]. Pour ce qui est de la sanction de la contrepartie constitutive de

---

169 N. DISSAUX, La qualification d'intermédiaire dans les relations contractuelles, thèse. préc, n° 1037, p. 453.

170 Ph. STOFFEL-MUNCK, L'abus dans le contrat, thèse. préc. p.106 et s.

171 *Ibid.*, p. 236 et s.

172 LE TOURNEAU, Droit de la responsabilité et des contrats, Dalloz Action 2008-2009, 7ème éd. Dalloz 2008, n° 3695.

173 J.-P. CHAZAL, « les nouveaux devoirs des contractants. Est-on aller trop loin ? », in La nouvelle crise du contrat, (sous la dir. de Ch. JAMIN et de D. MAZEAUD, actes du colloque organisé le 14 mai 2001 par le centre René-DEMOGUE de l'Université de Lille II, Dalloz, 2003, p. 99 et s., spéc. p. 116.

comportement déloyal, M. PETEL soutient que celle-ci peut engager la responsabilité du mandataire et il appartient au mandant de prouver l'existence d'un préjudice[174]. La responsabilité délictuelle du commissionnaire est également engagée lorsqu' il agit en outrepassant les instructions du commettant ; cet excès de pouvoir ne peut justifier l'annulation du contrat principal puisqu'il n'y a point de défaut de consentement (le commissionnaire contracte en son propre nom). En revanche, cet acte constitue une déloyauté à l'égard du commettant, un délit civil qui peut lui causer un préjudice. Il en va de même, comme il a été évoqué ci-dessus, de la sanction du dol commis par l'intermédiaire ; il est, sur ce point, admis qu'en cas de dol vice du consentement, la victime de la manœuvre dolosive peut exercer une action en responsabilité civile en application de l'article 1382 du Code civil[175].

17. La perte du droit à rémunération. La loi de 2006 dispose qu'en cas d'agissement déloyal de l'intermédiaire, celui-ci peut perdre sa rémunération[176], et le droit à une indemnité compensatrice en fin de contrat accordé à l'agent commercial n'est pas épargné par cette sanction[177]. La perte de rémunération ne s'identifie pas à la réduction de rémunération consacrée par la jurisprudence dès la seconde moitié du 19ème siècle. En effet, en 1867, La Cour de cassation a décidé, à propos du contrat de mandat, qu'il « *appartient aux tribunaux de réduire le salaire convenu lorsqu'il est hors de proportion avec le service rendu* »[178]. Cette solution a été étendue pour accorder aux juges le pouvoir de réduire les honoraires des experts comptables[179],

174 Ph. PETEL, Les obligations du mandataire, thèse. préc., n° 218, p. 141.
175 *Ibid.*
176 V. Cass. Civ. 1ère, 4 février 1975, JCP, 1976, II, 18100, note Ch. LARROUMET : « le droit de demander la nullité d'un contrat par application des articles 1116 et 1117 du Code civil n'exclut pas l'exercice, par la victime des manœuvres dolosives, d'une action en responsabilité délictuelle pour obtenir de leur auteur réparation du préjudice qu'elle a subi ».
177 Article 33 : « Le commissionnaire perd tout droit à la commission s'il s'est rendu coupable d'actes de mauvaise foi envers le commettant, notamment s'il a indiqué au commettant un prix supérieur à celui de l'achat ou inférieur à celui de la vente ». ; l'article 45 : « Le courtier perd sa rémunération s'il a agi dans l'intérêt du tiers contractant au mépris de ses obligations à l'égard de son donneur d'ordre, ou s'il s'est fait remettre à l'insu de ce dernier, une rémunération par le tiers contractant ». ; l'article 55 : « La commission n'est pas due s'il est établi que le contrat entre le tiers et le mandant ne sera pas exécuté, et que cette inexécution résulte de circonstances imputables à l'agent commercial ».
178 Article 60 : « L'indemnité compensatrice prévue à l'article précédent n'est pas due, en cas : 1. de cessation du contrat provoquée par la faute grave de l'agent commercial, (...) ». Et, il a été décidé que le manquement de l'agent commercial à son devoir de loyauté constitue une faute grave. (Cass. com. 16 octobre 2001, RGDA2002, n° 149 ; Cass. com. 30 novembre 2004, RJDA 2005, n° 541 ; Agen, 20 février 2008, D. 2009, AJ. 1442, obs. GOMY.
179 Cass. civ., 29 janvier 1867, D.P. 1867, I, p. 53 ; S. 67, I, p. 245.

des avocats[180], des conseils juridiques[181], des conseils en gestion[182], etc. Dans le cas de la réduction de la rémunération, il s'agit de rechercher l'équilibre entre deux prestations dont l'une présente un caractère excessif. La perte de la rémunération prévue en cas de déloyauté des intermédiaires de commerce consiste, en revanche, à sanctionner un comportement.

On peut essayer de fonder cette sanction sur le mécanisme de l'exception d'inexécution[183]. L'exception d'inexécution s'analyse en *« un droit qu'a chaque partie à un contrat synallagmatique de refuser d'exécuter la prestation à laquelle elle est tenue tant qu'elle n'a pas reçu la prestation qui lui est due* »[184]. On pourrait alors avancer que l'intermédiaire de mauvaise foi n'a pas respecté son obligation de loyauté et que son représenté est autorisé à ne pas exécuter la sienne qui consiste à rémunérer celui-ci. Mais, une telle justification se heurte à plusieurs obstacles majeurs tenant à la nature et aux conditions de mise en œuvre de l'exception d'inexécution.

L'exception d'inexécution est d'abord un remède à l'inexécution d'une obligation contractuelle. Or, il est à rappeler que le devoir de loyauté ne peut en aucun cas être considéré comme une obligation contractuelle au sens strict du terme ; elle n'est que l'ambassadrice du devoir général de ne pas nuire à autrui dans le contrat, son manquement constitue un délit civil dans celui-ci. Pour justifier l'application du mécanisme de l'exception d'inexécution, il est possible d'arguer que ce délit civil se mêle avec l'inexécution du contrat et justifie le déclenchement d'une sanction contractuelle. Mais si un tel raisonnement est soutenable, l'exception d'inexécution ne constitue pas la sanction adéquate ; ce serait plutôt la responsabilité contractuelle « aggravée » (article 1150 du Code civil). En effet, l'exception d'inexécution est une sorte de justice privée qui peut être invoquée sans l'accord du juge. Elle reste provisoire et sert de moyen de pression pour amener le cocontractant à exécuter ; celui qui l'invoque ne fait donc que suspendre l'exécution de ses propres obligations. Dans ce cas, le non paiement de la rémunération ne devrait être qu'ajourné jusqu'à ce que l'intermédiaire exécute l'obligation inexécutée. Une telle situation ne correspond pas au

---

180 V. Cass. civ. 1ère, 3 juin 1986, Bull. civ. I, n° 150 ; JCP 1988, II. 20791, note **A. VIANDIER**

181 V. par exemple, Cass. civ. 1ère, 3 mars 1998, Defrénois 1998, p. 734, obs. J.-L. AUBERT ; **R. MARTIN**, « La réduction des honoraires de l'avocat par le pouvoir judiciaire », JCP. 1999, I, p. 110.

182 V. Cass. civ. 1ère, 19 juin 1990, Bull. civ. II, n° 170.

183 Cass. com., 2 mars 1993, Bull. civ., IV, n° 83 ; D. 1994, som. p. 11, obs. **KULLMANN** ; RTDCiv. 1994, p. 346, obs. **J. MESTRE.**

184 V A. P. SANTOS et J. Y. TOE, OHADA, Droit commercial général, Bruylant, 2002, n° 483, p. 302.

manquement à la déloyauté puisque l'inexécution est consommée irrémédiablement. Sinon, doit-on alors attendre que l'intermédiaire se repente pour que la rémunération lui soit versée ? Si tel est le cas, on se trouverait devant une situation plus qu'absurde ! De même, l'exception d'inexécution ne peut concerner que des obligations corrélatives de sorte que la réplique n'est pas disproportionnée au mal[185]. Mais comment pourrait-on peser la loyauté ? « *La différence de nature qui sépare les deux types d'obligation qu'on voudrait mettre en balance, une "obligation morale", d'une part, et une obligation représentant une valeur économique, d'autre part, empêche toute comparaison quantitative entre elles* »[186].

Compte tenu de tout ce qui a été dit, le mécanisme de l'exception d'inexécution ne peut pas justifier l'opportunité d'une telle sanction. Il s'agit d'une sanction particulière qui vise à refuser définitivement à l'intermédiaire le bénéfice qu'il aurait pu tirer du contrat. De par ce caractère, elle s'identifie beaucoup plus à la déchéance[187].

La déchéance est la « *perte d'un droit, d'une fonction, d'une qualité ou d'un bénéfice, encourue à titre de sanction, pour cause d'indignité, d'incapacité, de fraude, d'incurie, etc.* »188 Elle « *implique toujours l'existence d'une faute du titulaire d'un droit (et) elle revêt le caractère d'une sanction à but répressif, ou parfois préventif, qui consiste en la perte, ou plus exactement en le retrait d'un droit* »[189]. En d'autres termes, c'est « *une extinction, par la volonté de la loi ou par l'effet de la convention d'un droit dont le titulaire est fautif par action ou par inaction* »[190]. Cette sanction nous semble correspondre beaucoup plus à la perte de rémunération prévue par la loi de 2006 en cas de mauvaise foi de l'intermédiaire. Par sa faute, son droit à rémunération est complètement éteint alors que dans le cadre de l'exception d'inexécution, la sanction n'est que provisoire.

---

185 F. TERRE, Ph. SIMLER, Y. LEQUETTE, Droit civil, Les obligations, 10e éd., Dalloz, 2009, n° 630, p. 643.

186 F. TERRE, Ph. SIMLER, Y. LEQUETTE, Droit civil, Les obligations, 10e éd., Dalloz, 2009, n° 638, p. 649.

187 **Ph. STOFFEL-MUNCK**, *L'abus dans le contrat : essai d'une théorie*, thèse. préc., n° 161, p. 146.

188 Sur la déchéance, V. M. SALLE de la MARNIERE, « La déchéance comme mode d'extinction d'un droit (essai de terminologie juridique), RTDCiv. 1933, p. 1037 et s. ; O. SAUTEL, « Sur la déchéance en droit privé (contribution à la théorie de la permanence de la cause), D. 1999, chron, p. 487 et s.

189 G. CORNU, Vocabulaire juridique.

190 M. SALLE de la MARNIERE, « La déchéance comme mode d'extinction d'un droit (essai de terminologie juridique), art. préc., n° 13, p. 1062. Cette affirmation est toutefois contredite par M. SAUTEL pour qui, la déchéance peut résulter d'un simple manquement non fautif. (O. SAUTEL, « Sur la déchéance en droit privé (contribution à la théorie de la permanence de la cause), art. préc., n° 9 et s., p. 489 et s.).

La déchéance, par sa nature punitive, permet véritablement de sanctionner l'auteur d'un acte déloyal. Cela étant, on peut se demander si elle permet, d'emblée, de réparer le préjudice subi par la victime ? A notre sens, rien n'interdit au représenté d'engager la responsabilité civile délictuelle de l'intermédiaire pour réparer son préjudice si la perte de rémunération n'est pas suffisante. On pourrait aussi s'interroger sur la question de la proportionnalité de la sanction. Selon certains, « l*a sanction ne priverait que d'un avantage à proportion du manquement (...)* » et dans ce cas, on se retrouve face au même problème ci-dessus invoqué à propos de l'exception d'inexécution. Une autre remarque concerne le domaine de la déchéance. Sanction de la déloyauté, elle devrait être admise pour réprimer toute forme de déloyauté même en dehors des cas visés par les articles 33[191], 45[192] et 55[193] de la loi de 2006. Mais dans la rédaction actuelle de la loi, cette sanction semble être expressément cantonnée à des cas bien précis. Or, « *il est nécessaire, pour qu'il y ait déchéance, que celle-ci soit prononcée expressément soit par la loi soit par le contrat* »[194]. Malgré ces remarques, celle-ci se révèle pouvoir réprimer, de manière autonome, l'acte malhonnête de l'intermédiaire, c'est la raison pour laquelle nous la considérons comme une sanction véritable, contrairement aux sanctions d'opportunité, de la déloyauté de celui-ci. Il en va de même de la révocation.

18. La révocation. Le contrat de mandat est un contrat conclu *intuitu personae*, il est donc révocable *ad nutum*. Ce caractère est maintenu dans le cadre du mandat de l'intermédiaire de commerce[195]. La révocation n'ouvre pas droit à des dommages-intérêts au mandataire sauf en cas de révocation abusive[196] ou encore dans le cadre du mandat d'intérêt commun : le cas du contrat liant l'agent commercial à son mandat. Ici, le mandat devient irrévocable, la révocabilité n'étant

---

191 *Ibid.*
192 Article 33 : « Le commissionnaire perd tout droit à la commission s'il s'est rendu coupable d'actes de mauvaise foi envers le commettant, notamment s'il a indiqué au commettant un prix supérieur à celui de l'achat ou inférieur à celui de la vente ».
193 Article 45 : « Le courtier perd son droit à rémunération s'il a agi dans l'intérêt du tiers contractant au mépris de ses obligations à l'égard de son donneur d'ordre, ou s'il s'est fait remettre à l'insu de ce dernier, une rémunération par le tiers contractant ».
194 Article 55 : « La commission ne sera pas due s'il est établi que le contrat entre le tiers et le mandant ne sera pas exécuté, et que cette exécution résulte de circonstances imputables à l'agent commercial ».
195 *Ibid.*, n° 27, p. 1101.
196 Article 18 al. 1er de la loi de 2006 : « Le mandat de l'intermédiaire cesse (...) ; par la révocation à l'initiative du représenté, (...) ».

pas d'ordre public[197] et l'agent commercial a droit à une indemnité en cas de rupture du contrat. Mais même dans le cadre du mandat d'intérêt commun, le contrat est conclu *intuitu personae* et repose toujours sur la confiance. De ce fait, il doit disparaître dès que cette confiance cesse d'exister. Il n'est pas difficile de concevoir qu'un comportement déloyal de la part de l'intermédiaire altère la confiance du représenté envers lui. Il est d'ailleurs consacré par la jurisprudence que la faute imputable au mandataire justifie la révocation du mandat et prive également celui-ci de son droit à indemnité lorsqu'il s'agit d'un mandat irrévocable[198]. Même si la loi de 2006 ne spécifie pas expressément que la révocation puisse être utilisée pour sanctionner un comportement déloyal de la part de l'intermédiaire, il est de la nature même des choses qu'il en aille ainsi. Elle est une sanction véritable du manquement au devoir de loyauté de celui-ci.

---

197 Article 18 al. 2ème de la loi de 2006 : « Toutefois, le représenté qui révoque de manière abusive le mandat confié à l'intermédiaire doit l'indemniser des dommages causés ».

198 Req. 8 avril 1857, DP, 1858. I. 134 : « Aucune disposition de la loi ne défend de modifier le contrat de mandat par des conventions particulières ; ainsi, est-il loisible aux parties de stipuler que la procuration ne pourra être révoquée sans que le mandataire reçoive une indemnité » ; Cass. civ. 1ère, 6 mars 2001, Bull. civ. I, n° 56 ; D ; 2001, somm. 3243, obs. Ph ; DELEBECQUE ; JCP G, 2002. II. 10067, note. Y. DAGORNE-LABBE.

199 Cass. civ. 1ère, 23 mai 1979, Bull. civ. I, n° 153 : « S'il est loisible aux parties de stipuler que le mandat ne pourra être révoqué sans que le mandat reçoive une indemnité, cette dérogation au principe posé par l'article 2004 ne s'applique pas lorsque la révocation du mandat est rendue nécessaire par une faute imputable au mandataire ; dans ce cas, le mandant n'est plus lié à son égard par la promesse d'indemnité ». ; Cass. civ. 1ère, 17 mars 1987, Bull. civ. I, n° 94 ; RTDCom., 1988, p. 291, obs. B. BOULOC ; Cass. com. 25 juin 1991 ; D. 1992. 249, note BATTEUR ; D. 1993. somm. 156, obs. PICOD ; Aix-en-Provence, 7 mars 2006, JCP G 2006. II. 10187, note D. MOURALIS.

Biens et sûretés

L'internationalisation du droit d'auteur

Henri-Jacques LUCAS

1. Juriste et philosophe, l'ami de longue date auquel sont dédiées ces lignes, inspirées de propos tenus en mai 2007 à Montpellier (colloque sur la « construction du droit d'auteur »), est aussi un complice en droit international privé. C'est dire qu'il fait partie de ces « passeurs de droit » que sont à leur manière – aux côtés des historiens et des comparatistes… sans parler des philosophes… – les internationalistes du droit privé, passeurs de systèmes par vocation, puisque leur premier objectif est d'établir des passerelles entre systèmes, et au besoin passeurs de fond, lorsque leur objectif, plus ambitieux, est de rapprocher les systèmes sur le fond lui-même, en harmonisant certaines de leurs solutions.

2. Or le droit d'auteur a toujours fait partie des matières comportant une réelle dimension internationale et apparaît donc, *a priori,* comme un terrain d'élection pour toutes ces formes d'internationalisation. Il y a longtemps, en effet, que les artistes et les œuvres circulent sans se laisser arrêter par les frontières, ce dont la France a d'ailleurs très largement profité, et ces échanges se sont encore amplifiés depuis que les satellites et surtout Internet assurent aux œuvres une diffusion à distance virtuellement universelle. Les systèmes de droit d'auteur, comme de *copyright,* ont donc dû en tenir compte, quitte à n'afficher leur internationalisme que pour mieux succomber à la tentation du nationalisme, voire de l'exclusivisme juridique… Le droit d'auteur français en est un bon exemple.

3. Pendant longtemps, les rapports entre droit international privé et droit d'auteur, surtout en France, n'ont guère été idylliques. Les difficultés sont venues à l'origine d'une évidente incompréhension

entre les internationalistes classiques (tels Bartin, Niboyet, Pillet ou, plus récemment, Batiffol) et les spécialistes du droit d'auteur (tels Plaisant ou Desbois). On peut même dire, en simplifiant, que l'approche des premiers, sur le droit d'auteur comme plus généralement sur la propriété intellectuelle, a été rejetée par les seconds. Sans récuser le rôle du droit international privé, les spécialistes du droit d'auteur ont estimé, en effet, que les solutions proposées par les internationalistes classiques, favorables à la loi du pays d'origine, ne convenaient pas au droit d'auteur, normalement soumis, selon eux, à la loi du pays de protection, qu'ils confondaient avec la loi du for. Le clivage a même dégénéré en dialogue de sourds, les spécialistes du droit d'auteur se disant incompris des internationalistes, qui leur ont à leur tour reproché de ne pas tenir assez compte du droit international privé… avant de leur abandonner plus ou moins le droit international d'auteur ! Ce « divorce », il est vrai, s'est en partie résorbé, pour faire peu à peu place à une redécouverte mutuelle qui a permis aux uns et aux autres de relativiser leurs divergences, pour l'essentiel dues à une approche internationale différente du droit d'auteur.
Les spécialistes de cette matière, en effet, se sont avant tout efforcés d'harmoniser le droit international d'auteur par voie conventionnelle, à commencer par la Convention de Berne, en assurant un minimum de protection aux auteurs dans les pays signataires. Aussi ont-ils tardé à prêter la même attention aux règles de conflit de lois, fussent-elles d'origine conventionnelle, dont la dimension internationale leur paraissaient d'ailleurs d'autant plus réduite que le seul intérêt de ces règles, selon eux, était de permettre l'application de la loi du for (en tant que loi du pays de protection). Tout cela jusqu'à l'apparition des satellites et plus encore d'Internet qui a changé la donne – leur donne – en remettant les conflits de lois à l'ordre du jour…
Familiers de la méthode conflictuelle, les internationalistes classiques ont eu tendance, à l'inverse, à minimiser le rôle des conventions internationales en la matière, surtout pour leurs règles matérielles, il est vrai peu nombreuses dans la version initiale de la Convention de Berne. C'est le développement des règles matérielles de cette Convention, comme d'ailleurs de beaucoup d'autres (le phénomène n'est pas propre aux conventions sur le droit d'auteur…) qui a changé la donne – leur donne – en les convainquant de donner toute sa place à cette approche matérielle, au lieu de se contenter de l'approche conflictuelle traditionnelle.

4. S'ils sont plus sereins, les rapports entre droit d'auteur et droit international privé n'en restent pas moins contrastés. Le contraste est d'abord de méthode, du fait de la coexistence, en ce domaine, de deux approches internationales : l'approche matérielle, issue pour l'essentiel des conventions internationales, reste l'approche dominante du droit d'auteur, source de ce qu'on peut appeler son internationalisation matérielle ; l'approche conflictuelle, que le droit conventionnel n'ignore pas, mais qui s'est plutôt développée à partir du droit commun, fait plutôt figure, aujourd'hui encore, d'approche complémentaire du droit d'auteur, source de ce qu'on peut appeler son internationalisation conflictuelle.

Or ce premier contraste en fait naître un autre, car ces deux approches exercent sur le droit d'auteur une influence qui demeure assez largement contradictoire, même si cette divergence tend désormais à se réduire : l'internationalisation matérielle du droit d'auteur, que Desbois n'hésitait pas à ériger en instrument de son « œcuménisme », va en effet dans le sens d'un réel internationalisme ; alors que l'internationalisation conflictuelle du droit d'auteur, au contraire, a (trop) longtemps été dans l'autre sens, en se faisant l'instrument d'un nationalisme inavoué de la part de ceux qui – ouvertement ou non – sont restés fidèles à l'application de la loi du for et au cloisonnement du droit d'auteur qu'elle implique dans l'ordre international.

I – INTERNATIONALISATION MATÉRIELLE DU DROIT D'AUTEUR

5. Les conventions internationales, sources majeures du droit international privé matériel applicable au droit d'auteur, se sont multipliées depuis la Convention de Berne (1886). Objet elle-même de plusieurs révisions, elle a en effet été rejointe par d'autres conventions qui l'ont prise pour modèle, tantôt en modérant ses exigences, comme l'a fait la Convention universelle de Genève (1952), tantôt en les actualisant comme l'ont fait l'Accord ADPIC (1994) et le Traité de l'OMPI sur le droit d'auteur (1996). Leur succès, particulièrement éclatant pour la Convention de Berne (qui réunit plus de 160 États), permet de dire qu'on est ici tout proche d'une couverture conventionnelle universelle. Au point que les États non contractants, en restant à l'écart d'un droit conventionnel dont l'objectif officiel est de rapprocher les systèmes, font de plus en plus figure de pays réfractaires. Ils refusent en somme de jouer le jeu de l'œcuménisme prôné par Desbois, au lieu de contribuer à ce que la protection internationale de l'auteur soit la meilleure possible. Ce qui ne veut d'ailleurs pas dire que cette harmonisation aille de soi, pour les États qui s'y risquent : elle soulève même de telles difficultés qu'elle reste le plus souvent en-deçà de leurs ambitions (ou de celles qu'ils affichent). Le choix de l'œcuménisme, aujourd'hui comme hier, atteint vite ses limites.

A – Le choix de l'œcuménisme

6. Cet œcuménisme d'origine conventionnelle peut prendre plusieurs formes. La première est évidemment celle des conventions internationales elles-mêmes, dont les règles matérielles visent par hypothèse à l'harmonisation du droit d'auteur. Mais ces conventions peuvent être encore à l'origine, indirectement, d'une harmonisation de second rang, en particulier dans les pays qui s'en inspirent pour élaborer leurs propres règles matérielles.

1) L'harmonisation directement conventionnelle

7. On ramène en général l'ensemble des règles matérielles des conventions internationales sur le droit d'auteur à deux principes fondamentaux : celui du traitement national et celui du minimum conventionnel.
Le *principe du traitement national* est en effet au cœur du droit d'auteur international, où il joue d'ailleurs un rôle à part. C'est certes un principe classique, dont l'objectif premier, commun à toute matière, est d'assurer aux auteurs étrangers conventionnellement protégés la pleine jouissance de leurs droits, en les soustrayant aux discriminations imposées aux auteurs étrangers ordinaires. Mais c'est aussi un principe spécifique, dont le second objectif, propre au droit d'auteur, est de justifier ces mêmes discriminations à l'égard des ressortissants des pays réfractaires au droit conventionnel. C'est d'ailleurs pour justifier l'exigence générale de réciprocité introduite par la loi du 8 juillet 1964 *(CPI, art. L. 111-4),* vivement critiquée par les internationalistes classiques, que Desbois, dans son Traité *(Le droit d'auteur, 2e éd., 1966, n° 793),* y a vu au contraire le moyen d'inciter « à la réflexion et à une évolution des États qui ont oublié la règle normale de l'œcuménisme des droits d'auteur ».

8. Le *principe du minimum conventionnel* vise, lui, à l'harmonisation du contenu même de la protection. Il s'agit de garantir à tous les auteurs relevant de telle ou telle convention internationale une protection minimum et de relever, autant que faire se peut, le seuil de ce minimum conventionnel, selon un processus cumulatif de révision (en particulier pour la Convention de Berne) ou d'adjonction (surtout pour les conventions les plus récentes, qui prétendent toutes reprendre et dépasser les précédentes, voire les englober à la manière de poupées russes…). Pour illustrer, en la matière, ce processus de relèvement progressif du seuil d'harmonisation du droit conventionnel, il suffit de citer quelques exemples symboliques (qui ont tous, en leur temps, suscité des résistances, notamment de la part des Etats-Unis), comme : la suppression des formalités (Berne, révision 1908 : protection du droit d'auteur pour lui-même) ; l'admission du droit moral (Berne, révision 1928 : protection de la personne même de l'auteur) ; l'admission d'un droit général de communication au public (Traité OMPI sur le droit d'auteur de 1996 : unification des droits patrimoniaux autres que de reproduction). Une liste à laquelle on pourrait évidemment ajouter bien d'autres exemples : sur la durée des droits, sur le jeu des exceptions (dont le fameux triple test), sur les mesures techniques de protection, etc.

2) L'harmonisation indirectement conventionnelle

9. L'harmonisation du droit d'auteur à partir des conventions internationales peut prendre une autre forme, cette fois indirecte, quand le droit conventionnel sert lui-même de base à une nouvelle harmonisation, nationale ou même transnationale.
L'*harmonisation nationale* du droit d'auteur s'inspire souvent du droit conventionnel, en particulier en France, où la propension du législateur à reprendre ici à son compte les règles matérielles des conventions internationales est notoire et d'ailleurs en général approuvée par les commentateurs. Il n'y a pas lieu d'insister sur ce phénomène, déjà bien analysé en doctrine (V. surtout *A. Françon, « Les conventions internationales du droit d'auteur comme facteur d'harmonisation des législations nationales », Mélanges J. Deruppé, Joly 1991, p. 391),* sauf à préciser : que cette forme d'harmonisation nationale vaut pour les droits voisins aussi bien que pour le droit d'auteur (comme en témoigne la large reprise de la Convention de Rome de 1961 par la loi française de 1985) ; et qu'elle peut en plus être communautaire (comme en témoigne la large reprise de l'Accord ADPIC de 1994 et des Traités de l'OMPI de 1996 par la directive DADVSI de 2001, transposée par la loi française de 2006).

10. Le droit conventionnel a aussi été à l'origine d'une *harmonisation transnationale* du droit d'auteur ; phénomène plus récent – et plus controversé – qui s'est manifesté de manière particulièrement frappante à propos du large débat international suscité en la matière par la diffusion par satellite. Ce débat, en effet, a d'abord porté sur l'article 11 *bis* de la Convention de Berne, relatif à la radiodiffusion, d'où l'on a tenté de tirer une définition de la diffusion à distance applicable aux satellites, à une époque où ceux-ci avaient encore besoin du relais du câble pour atteindre le public. Aucune solution tranchée n'ayant pu être déduite de ce texte, qui permette de départager les tenants d'une diffusion réalisée dès l'injection vers le satellite (théorie de l'émission) et ceux d'une diffusion liée à l'accès direct au public (théorie de la réception), le débat s'est malgré tout poursuivi. Il s'est même élargi, dans un optique quasi-conventionnelle (œcuménique aurait pu dire Desbois...), comme s'il demeurait possible de s'entendre, entre spécialistes et professionnels, pour aboutir à un résultat acceptable par tous, au moins sur certains points. Ce qui a effectivement permis de parvenir à quelques solutions communes, pré-conventionnelles en somme, proches d'usages professionnels. Bref, on est parvenu sur toutes ces questions à une relative harmonisation transnationale du droit d'auteur – phénomène étendu en l'occurrence aux droits voisins et naturellement extensible à d'autres aspects du droit d'auteur – en transposant la logique propre au commerce international de la *lex mercatoria* (au point d'avoir provoqué l'appellation parallèle de *lex mediatica...*).

B – Les limites de l'œcuménisme

11. Si souhaitable qu'elle puisse paraître, l'harmonisation du droit d'auteur à partir des conventions internationales ne va pas de soi, deux sortes de limites contribuant à affaiblir cet œcuménisme conventionnel : les unes tiennent au processus même d'harmonisation (directe ou indirecte) ; les autres à l'étendue particulièrement décevante de l'harmonisation recherchée (surtout directe), tant sont nombreuses les restrictions qui lui sont apportées, aussi bien dans son domaine que dans sa portée.

1) Les limites tenant au processus d'harmonisation

12. L'harmonisation du droit d'auteur à partir des conventions internationales est dans une large mesure tributaire du processus mis en œuvre pour atteindre un tel objectif. La démarche suivie pour harmoniser le droit d'auteur risque en effet de peser sur le résultat, en rendant plus ou moins laborieuse une harmonisation qui peut se révéler trompeuse, voire dangereuse.

13. Processus d'harmonisation directe. – Le constat vaut d'abord, aujourd'hui, pour le processus conventionnel lui-même, autrement dit pour le processus d'harmonisation directe, avant tout destiné à renforcer la protection conventionnelle de l'auteur. Nul n'ignore, en effet, la lourdeur de ce processus, conséquence paradoxale du succès rencontré par les conventions multilatérales sur le droit d'auteur et en particulier par la Convention de Berne. Celle-ci ne pouvant être révisée qu'à l'unanimité des États membres, il est devenu impossible ou presque d'en modifier le contenu, qui risque fort de ne plus aller au-delà de sa dernière version, déjà difficilement obtenue en 1971 (Acte de Paris). Ce blocage de la Convention de Berne a lui-même contribué à la prolifération de nouveaux traités, tantôt additionnels (Traité OMPI de 1996), tantôt concurrents (Accord ADPIC), dont le moins qu'on puisse dire est qu'ils forment un ensemble conventionnel si complexe qu'il devient difficile de le maîtriser (sans oublier le droit communautaire, conventionnel ou dérivé, qui peut encore le compléter... ou l'ébranler).

14. Il ne faut donc pas s'étonner de l'affaiblissement du processus conventionnel, fragilisé par la difficulté croissante de l'exercice. Le recours aux réserves – plus ou moins affichées – devient indispensable sur les points les plus débattus, au risque d'aboutir à des accords factices, de valeur plus pédagogique que juridique, dont le seul mérite est de sauvegarder les apparences en laissant aux États réservataires la possibilité largement théorique de se repentir... Comment ne pas rappeler, ici, l'exemple spectaculaire donné par la Convention de Rome, où la question sensible de la rémunération équitable pour diffusion des disques du commerce a sans doute donné lieu à un accord *(art. 12)*, mais aussitôt vidé de son sens par les multiples réserves qui ont permis aux États signataires d'en réduire la portée ou même de s'en défaire *(art. 16)*.
Une autre source de fragilité, certes moins radicale que la précédente, tient au recours récent (dans les Traités de l'OMPI de 1996) à des déclarations interprétatives, qui ont sans doute permis d'échapper à l'exigence d'unanimité, mais qui sont du même coup dépourvues de valeur contraignante pour les États signataires – fussent-ils du côté des majoritaires – et qui restent en tout cas incapables de prévaloir contre la lettre des accords qu'elles « interprètent » (sauf à les transformer en réserves).

15. Processus d'harmonisation indirecte. – Le processus d'harmonisation n'est pas non plus sans conséquences sur l'harmonisation indirecte du droit d'auteur. C'est déjà vrai pour son harmonisation transnationale, tributaire du caractère privé et non contraignant de sa formation (encore marginale). Mais c'est surtout vrai pour l'harmonisation des législations nationales à partir des conventions internationales sur le droit d'auteur. Le processus, en effet, ne va pas sans risques, pour les premières comme d'ailleurs pour les secondes.

Le risque, pour le droit national, est d'être déstabilisé par l'insertion de règles d'origine conventionnelle qui, contrairement aux idées reçues, peuvent correspondre à une logique autre que la sienne, ce qui ne vaut pas seulement pour des règles qu'une convention emprunterait à d'autres systèmes juridiques, mais encore pour celles qui répondent à sa logique propre (ne serait-ce que celle du minimum conventionnel). Qu'on songe à la perturbation créée, en droit français, par l'insertion du triple test dans son système d'exceptions au droit d'auteur !

Cet exemple montre, au demeurant, que le risque existe aussi pour le droit conventionnel, en tout cas ici pour la Convention de Berne. C'est bien d'elle, depuis 1971, que vient en effet l'exigence du triple test *(art 9.2),* selon laquelle l'autorisation de l'auteur peut être écartée pour les reproductions opérées : 1) dans « certains cas spéciaux » ; 2) sans « atteinte à l'exploitation normale de l'œuvre » ; 3) sans « préjudice injustifié aux intérêts légitimes de l'auteur ». Or ce triple test, que la Convention de Berne réserve au droit de reproduction, qu'elle se garde en plus d'appliquer à ses propres exceptions, qu'elle limite enfin et surtout à des « cas spéciaux » dont elle ne renonce à établir la liste que pour permettre à chaque État de la préciser lui-même, n'a cessé de lui être officiellement « emprunté » – par l'Accord ADPIC, les Traités de l'OMPI, la Directive et la loi DADVSI du 1er août 2006 – et en réalité déformé au point d'en devenir méconnaissable. Pas seulement parce que le triple test a été étendu à tous les droits patrimoniaux de l'auteur (ainsi d'ailleurs qu'aux droits voisins), mais parce que le législateur français a en réalité fait sauter le verrou des « cas spéciaux » (toutes les exceptions légales, désormais, sont visées), et parce qu'il a au surplus renoncé à s'assurer du respect des deux autres conditions du triple test, dont les juges français sont devenus seuls maîtres !... Tout cela au nom du respect affiché de la Convention de Berne !

2) Les limites tenant à l'étendue de l'harmonisation

16. Si l'harmonisation du droit d'auteur d'origine conventionnelle a malgré tout progressé, cela n'est vrai d'abord que pour l'harmonisation directe, car les seules règles matérielles assez nombreuses pour être significatives demeurent celles des conventions internationales elles-mêmes. Mais cette harmonisation conventionnelle directe, si étendue qu'elle puisse paraître, est de toute façon doublement limitée : elle le reste en réalité dans son domaine, qui souffre – délibérément ou non – de nombreuses restrictions ; et elle l'est surtout dans sa portée, dont la modestie tient au principe même du minimum conventionnel.

17. Domaine limité de l'harmonisation conventionnelle. – En droit d'auteur comme en toute autre matière, le domaine de l'harmonisation conventionnelle comporte évidemment une première limite qui est celle des *lacunes conventionnelles,* dues au sens strict à l'absence de règles conventionnelles précises portant sur telle ou telle question particulière. L'approche traditionnellement analytique des conventions internationales sur le droit d'auteur rend le constat plus frappant encore, même si le défaut d'harmonisation qui résulte de telles lacunes ne prête pas toujours à conséquence, puisqu'il reste possible d'y remédier tant qu'il s'agit de lacunes ponctuelles (sauf si le processus d'harmonisation progressive cesse de fonctionner...). Mais il en va tout autrement des lacunes essentielles, qui reflètent en général un désaccord ou en tout cas un sérieux risque de friction sur des points par hypothèse fondamentaux, comme par exemple : la notion d'auteur (qu'on ne saurait déduire, pour la généraliser, des dispositions particulières de la Convention de Berne visant le seul créateur de l'œuvre...) ; ou encore le droit moral (expressément exclu par l'Accord ADPIC, comme d'ailleurs, depuis 1971, par la Convention universelle...). L'harmonisation réalisée sur de telles bases demeure à l'évidence insuffisante, voire superficielle.

18. À ce problème des lacunes, s'en ajoute désormais un autre, celui de la *spécialisation conventionnelle,* qui tend aujourd'hui à limiter en quelque sorte de l'intérieur le domaine de l'harmonisation conventionnelle. L'objectif de cette spécialisation, en effet, est de réduire le champ d'application du traitement national et des autres principes généraux des conventions internationales sur le droit d'auteur (ou les droits voisins), qui avaient jusqu'alors vocation à s'appliquer à l'ensemble de la matière, en cantonnant leur application aux seuls droits visés par la convention. Le procédé, auquel recourent les conventions les plus récentes (Accord ADPIC, Traités de l'OMPI), rompt fâcheusement avec la tradition. Son extension aux plus anciennes, encouragée par une partie de la doctrine, constituerait à l'évidence une sérieuse régression, au demeurant contraire, pour le traitement national des auteurs étrangers, à la lettre même de la Convention de Berne *(art. 5.1),* où ce principe est bel et bien appliqué aux « droits que les lois respectives accordent actuellement ou accorderont par la suite à leurs nationaux » et non aux seuls « droits spécialement accordés par la présente Convention ».

19. Portée limitée de l'harmonisation conventionnelle. – Enfin, là même où elle existe, l'harmonisation conventionnelle du droit d'auteur se heurte plus encore à la limite intrinsèque du minimum conventionnel, qui oblige les rédacteurs des conventions internationales sur le droit d'auteur (ou les droits voisins) à la recherche d'un consensus qu'ils ne peuvent guère obtenir qu'en réduisant la portée de l'harmonisation. De deux choses l'une, en effet. Ou bien l'accord se fait au niveau le plus bas et aboutit à une harmonisation très modeste, pour ne pas dire au rabais, peu contraignante en tout cas pour les États signataires. Au-delà de sa valeur symbolique, l'article 6 *bis* de la Convention de Berne sur le droit moral en fournit une illustration saisissante, en ramenant le droit au respect de l'œuvre au rang de simple droit de la personnalité de l'auteur, protégé pour la seule atteinte « préjudiciable à son honneur ou à sa réputation » ; une rédaction dont les Etats-Unis n'ont pas hésité à se prévaloir pour adhérer – malgré tout – à la Convention, en assurant que le texte ne les obligeait pas à déroger à leur logique d'un *copyright* allergique au droit moral !
Ou bien l'accord se fait à un niveau plus élevé et aboutit à une harmonisation à première vue plus ambitieuse, mais le plus souvent artificielle, pour ne pas dire en trompe-l'œil. Le droit conventionnel devient alors le refuge du faux-semblant, des compromis verbaux, des formulations équivoques, des interprétations à double sens… Deux exemples récents, presque caricaturaux, peuvent être cités en ce sens, tous deux tirés du Traité de l'OMPI sur le droit d'auteur. Le premier tient à l'« interprétation » du texte relatif au triple test *(art. 10.2),* dont la déclaration commune affirme la conformité à la Convention de Berne au double motif qu'il ne lui ajoute rien (alors qu'il applique le triple test à de nouveaux droits) et qu'il ne lui retranche rien (alors qu'il applique le triple test à de nouvelles exceptions) ! Le second exemple, relatif au nouveau droit de communication au public *(art. 8),* tient à la « solution-parapluie » que lui applique le Traité *(art. 14.1)* ; solution selon laquelle ce nouveau droit… n'engagerait en rien, en dépit de leur signature, les États qui l'ignoraient auparavant, chacun étant censé y trouver son compte !

20. Le résultat, pour des pays comme la France, est que la protection conventionnelle, à s'en tenir au minimum conventionnel, est presque toujours inférieure à la protection que la loi française assure en pratique à l'auteur. Pour que la protection conventionnelle conserve un semblant d'utilité, en France, et puisse y jouer son rôle qui reste de relever à son niveau le seuil de la protection nationale en cause, il vaut donc mieux que la loi applicable à cette dernière ne soit plus la loi française, mais une loi étrangère, dont il est davantage à craindre qu'elle n'assure à l'auteur qu'une protection inférieure au minimum conventionnel.

Encore faut-il admettre que la loi applicable au droit d'auteur puisse être une loi étrangère. Or le moins qu'on puisse dire est que cette solution ne s'est pas imposée sans mal. Comme si l'œcuménisme affiché du droit d'auteur international, dans sa version matérielle, avait surtout servi, malgré toutes ses limites, à compenser le nationalisme larvé de sa version conflictuelle.

II – INTERNATIONALISATION CONFLICTUELLE DU DROIT D'AUTEUR

21. C'est un autre paysage que l'on découvre, en effet, en quittant les règles matérielles du droit d'auteur international pour ses règles de conflit de lois.

Celles-ci ont certes en partie les mêmes sources, puisque les conventions internationales, à commencer par la Convention de Berne *(art. 5.2),* comportent leurs propres règles de conflit de lois. Ce n'est donc qu'à défaut de telles règles qu'il faut en revenir au droit commun et recourir aux règles nationales de conflit de lois, fixées en France par la jurisprudence (sauf intervention exceptionnelle du législateur, comme pour la diffusion par satellite : *CPI, art. L. 122-2 et s.).*

Mais, quelle qu'en soit l'origine, ces règles de conflit de lois n'ont plus le même objectif, car elles ne visent plus, cette fois, à harmoniser les solutions ou plutôt à réduire les différences entre les systèmes, comme le font ou tentent de le faire les règles matérielles. Elles ne visent, plus modestement, qu'à aménager les rapports entre systèmes, considérés tels qu'ils sont... divergences comprises.

On peut pourtant s'étonner du changement d'inspiration qui a accompagné ce changement de méthode et qui a largement contribué à aggraver les divergences, propres au droit d'auteur international, entre ses règles matérielles et ses règles de conflit de lois. On aurait pu en effet attendre des partisans de l'œcuménisme qu'ils manifestent le même souci d'internationalisme pour les secondes que pour les premières. Or c'est le contraire qui s'est produit, puisque les mêmes en sont longtemps restés à des règles de conflit de lois marquées par le nationalisme. Au lieu d'instaurer un vrai dialogue entre leur système de conflit et celui des autres, ils ont donc succombé en la matière à la tentation du repli sur soi, préférant leur propre loi à toute loi étrangère, malgré les limites – de plus en plus évidentes – de ce nationalisme conflictuel.

A – La tentation du nationalisme conflictuel

22. Pas plus en droit d'auteur qu'ailleurs, les règles de conflit de lois n'ont normalement pour vocation de donner la préférence à telle ou telle loi. Dès lors qu'elles sont bilatérales (ou rendues telles), ce qui est le cas ordinaire, leurs critères de rattachement profitent *a priori* à la loi étrangère aussi bien qu'à la loi nationale. Aussi est-ce toujours de manière détournée que la vieille tentation de préférer la seconde à la première s'est donnée bonne conscience, en droit d'auteur, où ce nationalisme conflictuel use depuis longtemps de masques ou d'alibis qui lui ont permis – ou lui permettent encore ! – de donner le change.

1) Les masques du nationalisme

23. La première manière de pratiquer le nationalisme, en matière de conflit de lois, est de contourner la méthode conflictuelle classique, en recourant à d'autres instruments juridiques qui permettent de satisfaire la préférence pour la loi nationale et qui servent ainsi de masques au nationalisme conflictuel.

24. Le plus ancien de tous ces masques, encore largement utilisé en droit d'auteur, est le principe du *traitement national,* dont on sait qu'il relève de la condition des étrangers, mais qui n'en a pas moins été – et demeure trop souvent – érigé en règle de conflit de lois. Le rôle du traitement national est en effet le même en droit commun qu'en droit conventionnel (notamment dans la Convention de Berne), puisque le principe de l'assimilation des étrangers aux nationaux, admis en France depuis 1948, a été expressément étendu en 1959 (dans l'affaire du *Rideau de fer*) aux auteurs étrangers. Ce traitement national des auteurs étrangers a pourtant dégénéré en traitement de leur droit d'auteur par la loi nationale, en raison de la confusion de fait commise par les juges français qui n'envisageaient même pas, jusqu'au début du 20ème siècle, d'appliquer une autre loi que la leur aux auteurs étrangers assimilés aux auteurs nationaux. Or ce glissement de la condition des étrangers vers les conflits de lois vaut désormais confusion logique, confusion d'autant moins acceptable qu'elle a été condamnée par le droit conventionnel (la Convention de Berne n'a pas cessé, depuis 1908, de dissocier les deux problèmes) aussi bien que par le droit commun. Le traitement national ne peut donc plus servir de justification – de masque – à l'application exclusive de la loi nationale :

ce n'est pas parce que la loi française garantit une protection de principe aux auteurs étrangers (condition des étrangers) qu'elle doit pour autant s'appliquer au contenu de cette protection (conflit de lois).

25. Un autre masque possible du nationalisme conflictuel, apparu plus récemment, est celui des *règles de police.* Lorsqu'elles relèvent de la loi locale, celle-ci s'impose en effet au juge saisi, en amont même du conflit de lois, à l'exclusion de toute autre loi. Le procédé n'est pas contestable en soi, cette fois, même si le droit conventionnel ne lui réserve apparemment qu'une place limitée (V. *Berne, art. 17*). Il ne présente pas non plus de risque tant qu'il est utilisé ponctuellement, là où les intérêts de l'ordre juridique national sont clairement engagés. Mais il en va autrement lorsqu'il tend à se généraliser, risque d'autant plus grand qu'il reste toujours tentant pour un juge d'utiliser ce procédé pour justifier l'application de sa propre loi, surtout pour les juges français qui seront d'autant plus tentés d'appliquer la loi française, en la matière, qu'elle leur paraîtra la plus protectrice de l'auteur !
Or cette dérive n'est pas à exclure, depuis le célèbre arrêt *Huston (Cass. 1re civ., 28 mai 1991 : RIDA* 3/1991, p. 197), dont on sait qu'il a qualifié de « lois d'application impérative » deux dispositions françaises relatives à la titularité du droit moral et à certains de ses attributs, ce qui a été en général compris comme un recours au procédé des règles de police permettant aux juges français d'imposer leur propre loi, quelle que soit la loi applicable, afin d'assurer en l'espèce la protection de la loi française, en matière de droit moral, à des créateurs américains (plutôt que de leur appliquer, en tout cas, la loi américaine…). On peut certes regretter que l'arrêt ne soit pas parvenu au même résultat d'une autre manière, mais le recours aux règles de police y était au moins circonscrit. Le danger vient des propositions d'extension du procédé emprunté (ou prêté) à l'arrêt *Huston,* les règles de police risquant si l'on n'y prend garde d'envahir peu à peu l'ensemble du droit d'auteur : il faudrait d'abord, selon certains, étendre le procédé à tout le droit moral, au-delà des dispositions visées par l'arrêt *Huston* ; puis, selon d'autres, il faudrait étendre le procédé de la titularité du droit moral à la titularité des droits patrimoniaux, la désignation du titulaire originaire ne pouvant plus dès lors se faire en France qu'en vertu de la loi française, *a priori* au profit des créateurs ; enfin, la protection des créateurs semble suffire, pour beaucoup, à justifier l'application du procédé au-delà même des limites fixées par la Convention de Berne *(art. 17),* limites reprises, à travers elle, par les autres conventions internationales sur le droit d'auteur. Au nom de la protection des créateurs, c'est donc le droit

d'auteur dans son ensemble que le juge français devrait soumettre, de proche en proche, à la loi française. En définitive, l'extension du procédé servirait ainsi de masque à un nationalisme conflictuel inavoué, mais difficilement acceptable.

2) Les alibis du nationalisme

26. La seconde manière de pratiquer le nationalisme, en matière de conflit de lois, est de recourir à des critères de rattachement qui relèvent à première vue de la méthode conflictuelle classique, mais qui se révèlent à l'analyse comme de simples alibis que les ordres juridiques nationaux se donnent, en droit d'auteur, pour pouvoir appliquer leur propre loi. Ces alibis du nationalisme conflictuel sont pour l'essentiel de deux sortes.

27. Le plus répandu, dont la force tient largement à l'usage qui en est fait pour la propriété intellectuelle dans son ensemble, est l'*alibi territorialiste.* Le principe dit de territorialité est en effet constamment invoqué comme le principe de base du rattachement des divers droits de propriété intellectuelle, où il sert à justifier leur cloisonnement territorial. Il ne faut donc pas s'étonner qu'il ait été spontanément appliqué au droit d'auteur (en particulier en Allemagne). L'absence de dépôt (qui aurait pu inciter à ne pas traiter le droit d'auteur comme les autres droits de propriété intellectuelle...) n'y a rien changé parce que le principe de territorialité est si vague, si équivoque, qu'on peut tout lui faire dire. Il a d'ailleurs été récemment démontré *(N. Bouche, Le principe de territorialité de la propriété intellectuelle, L'Harmattan, 2002)* que ce principe se dédouble, puisque la territorialité qu'il vise est d'abord « de limitation » (aucun droit de propriété intellectuelle, ni d'ailleurs aucun droit subjectif, ne peut prétendre à l'existence s'il n'est reconnu par un ordre juridique), avant d'être « de conflit de lois »... ce qui suppose le choix d'une loi. Or le principe de territorialité, de ce point de vue, ne résout rien, car donner compétence à la loi « territoriale » ne permet pas de trancher parmi tous les critères de rattachement possibles. Sauf la loi nationale et la loi d'autonomie, en effet, toutes les lois sont « territoriales », leurs critères de rattachement ne pouvant être que territoriaux ! Invoquer le principe de territorialité pour appliquer sa propre loi n'est donc au mieux qu'une regrettable approximation, au pire un alibi pour ne pas tenir compte des lois étrangères.

28. Le nationalisme conflictuel s'est affiné, depuis, en recourant à un alibi beaucoup plus subtil, qu'on pourrait qualifier d'*alibi juridictionnel.*

Le procédé consiste à faire le choix d'un rattachement territorial unique, mais entendu de manière si large qu'il permette à n'importe quel juge, s'il se reconnaît compétent, d'appliquer sa propre loi, donc la *lex fori.*

Tel est le résultat auquel aboutit la doctrine dite du rattachement réel universel. Selon cette doctrine, en effet, si le droit d'auteur n'a pas en soi d'existence universelle, il n'en va pas de même de l'œuvre, qui est dotée d'une ubiquité telle qu'on peut la localiser dans n'importe quel ordre juridique. Autant dire, sur la base de ce rattachement réel universel, que tout juge, à le supposer compétent, ne peut appliquer que sa loi, l'œuvre litigieuse étant par hypothèse localisable dans son propre ordre juridique.

Le même résultat, ouvertement revendiqué cette fois, a été déduit ces dernières années du rattachement tiré non plus de l'œuvre, mais de l'atteinte portée au droit d'auteur, lorsqu'elle se démultiplie dans l'espace, tout particulièrement sur Internet. Ce n'est plus l'ubiquité de l'œuvre, en effet, mais celle de la contrefaçon qui suffirait à la localiser dans n'importe quel ordre juridique : celui certes du pays d'émission (fait générateur), mais aussi celui de tous les pays de réception (dommage). Autant dire l'univers entier, pour Internet ! Aussi la doctrine dominante (en France en tout cas) a-t-elle été tentée d'orienter la jurisprudence, qui a d'abord paru s'y prêter, vers un rattachement combiné des compétences judiciaire et législative en matière de droit d'auteur. Le juge et la loi du pays d'émission, comme les juges et les lois des pays de réception, auraient ainsi été de pair, sur Internet, tous ces juges n'ayant plus dès lors qu'à appliquer leur propre loi. Comme l'ubiquité de l'œuvre, celle de la contrefaçon (sur Internet) aboutit donc à ce résultat, franchement paradoxal, que l'universalité du phénomène sert d'alibi au particularisme, sans aucunement le justifier : à supposer, en effet, que l'œuvre ou la contrefaçon soient réellement présentes partout (et pas seulement virtuellement), cela n'autorise pas pour autant le juge saisi (même s'il se reconnaît compétent) à n'appliquer que sa propre loi...

B – Les limites du nationalise conflictuel

29. Si la tentation de préférer la loi nationale à la loi étrangère en matière de droit d'auteur reste toujours vivace, elle n'est plus à vrai dire aussi triomphante. Ce nationalisme conflictuel cède en effet la place, peu à peu, à une autre logique, seule vraiment conforme à la méthode classique de règlement des conflits de lois, celle du dialogue entre systèmes. Or ce dialogue suppose au moins que chaque système accepte de s'ouvrir aux autres, sans s'interdire bien sûr d'aller plus loin en coopérant avec eux sur certains points.

1) L'impératif d'ouverture

30. Le dialogue entre systèmes ne peut s'instaurer sans un minimum d'ouverture à l'égard des ordres juridiques étrangers. C'est pourquoi il faut en finir avec le cloisonnement du droit d'auteur international entre systèmes nationaux, surtout de la part de ceux – c'est le cas du système français – qui sont d'autant plus tentés de vivre en vase clos qu'ils se situent (ou du moins s'estiment) au-dessus d'un minimum conventionnel réservé à d'autres (supposés moins protecteurs). Il faut, autrement dit, revenir à la méthode classique des conflits de lois, dont le propre, précisément, est de rester ouverte aux systèmes étrangers, puisqu'elle fait appel à leurs lois, voire à leurs institutions propres.

31. Le premier pas à franchir, celui de l'ouverture aux *lois étrangères,* est heureusement en passe de l'être. Ce n'est pas que les lois étrangères aient été ignorées auparavant, comme en témoigne la place depuis longtemps faite, en la matière, à la loi du pays d'origine de l'œuvre. Mais le recours à cette loi a répondu – et souvent répond encore – à une tout autre logique, dite de réciprocité (le terme est révélateur, sinon toujours approprié), qui n'est pas celle de l'ouverture, mais celle de la discrimination à l'égard des ordres juridiques étrangers. La loi du pays d'origine a d'abord été opposée, en effet, aux auteurs étrangers (soumis à une condition de double protection), avant de l'être aux œuvres « étrangères » (soumises, par extension, aux exigences cumulées de la loi du pays d'origine et de la loi du pays de protection). Même si la loi du pays d'origine peut faire l'objet d'un usage plus classique, le droit conventionnel ne lui laisse plus de toute façon qu'un rôle très limité, sa survie n'étant pas pour autant assurée en droit commun, où son rôle est contesté (en France), voire ignoré (en Allemagne, en Autriche, en Italie, en Suisse...), le récent règlement n° 864/2007 du 11 juillet 2007, dit Rome II, sur la loi applicable aux obligations non contractuelles se bornant, pour sa part, à soumettre à la loi du pays de protection toute « atteinte aux droits de propriété intellectuelle » *(art. 8),* ce qui ne suffit sans doute pas à exclure un recours préalable à la loi du pays d'origine (V. en ce sens, *E. Treppoz, La* lex loci protectionis *et l'article 8 du règlement Rome II : D. 2009, p. 1643*).
Le progrès est donc venu de la loi du pays de protection, dont il est de mieux en mieux admis, en France comme à l'étranger, que sa coïncidence habituelle avec la *lex fori* ne justifie plus qu'on les

confonde, puisque cette loi n'est pas celle du pays **dans lequel** la protection est demandée (comme dit encore la Convention de Berne), mais celle du pays **pour lequel** la protection est demandée (comme dit désormais la loi suisse). Il suffit donc que la contrefaçon ait eu lieu à l'étranger pour que la loi applicable par le juge saisi, à le supposer compétent, soit bel et bien une loi étrangère. L'hypothèse n'a plus rien de théorique, surtout depuis que les satellites et à présent Internet ont rendu plus incertaine la localisation de la contrefaçon, donc plus ouvert le débat sur la loi applicable à ces contrefaçons complexes. C'est d'ailleurs à propos des satellites que le législateur français a pris parti pour la loi – française ou étrangère – du pays d'émission *(CPI, art. L. 122-2 et s.),* et à propos de contrefaçons complexes que la jurisprudence française a posé le principe que la loi française ne pouvait être préférée aux lois étrangères en cause, en tant que loi du lieu de la contrefaçon, que s'il était démontré qu'elle était la loi la plus proche de la situation litigieuse *(Cass. 1re civ., 5 mars 2002, Sisro : Rev. crit. DIP 2003, p. 440, note Bischoff.* V. aussi *Cass. 1re civ., 30 janv. 2007, Lamore : Rev. crit. DIP 2007, p. 771, note Azzi).*
Les lois étrangères ont donc bien vocation à s'appliquer en matière de droit d'auteur, en France comme ailleurs, leur accueil ne pouvant dès lors souffrir – à titre exceptionnel – que des limites classiques de la fraude à la loi et de l'ordre public international.

32. Le second pas à franchir, celui de l'ouverture aux *institutions étrangères,* permettrait d'aller un peu plus loin. Sans doute l'accueil des lois étrangères vaut-il déjà accueil de leurs institutions si elles ne heurtent pas les valeurs locales au point de se voir opposer l'exception d'ordre public international. Mais le problème se pose aussi en amont même du conflit de lois, au niveau de ce qu'il est convenu d'appeler les conflits de qualifications.
Chacun sait que l'œuvre ou l'auteur protégeables par le droit d'auteur ne sont pas définis de la même manière dans tous les pays, sans que ces divergences aient été réduites par le droit conventionnel (très discret sur tous ces points). Il n'en reste pas moins nécessaire de qualifier la création litigieuse ou son titulaire prétendu pour savoir s'ils relèvent du droit d'auteur, donc des règles applicables en la matière en vertu de la loi compétente, comme le cas échéant de la convention internationale compétente. Cette dernière hypothèse est même plus intéressante, en pratique, car elle est plus riche de conséquences, la qualification opérée commandant la compétence de la convention non seulement pour ses règles de conflit de lois, mais encore pour ses autres règles. Or, s'il n'est plus contesté que ces qualifications doivent se régler *lege fori,* donc sur la base des concepts propres au juge

saisi, c'est à la condition que ces concepts nationaux fassent l'objet d'une interprétation souple, ouverte aux institutions étrangères. Ce qui pourrait amener le juge français à élargir, par exemple, la compétence de la Convention de Berne, en l'appliquant à une création (un phonogramme ?) pouvant donner lieu à *copyright,* quand bien même il ne s'agirait pas d'une œuvre protégeable par la loi française ; ou – mieux encore – en l'appliquant à un titulaire originaire de *copyright,* quand bien même il ne ferait pas partie des auteurs ordinairement protégés par la loi française.

2) L'objectif de coordination

33. La méthode classique de règlement des conflits de lois permet de franchir un nouveau pas. Au-delà en effet des ouvertures que chaque système doit consentir aux autres, pour que leur dialogue puisse au moins s'amorcer, il y a place pour un échange plus actif, autrement dit pour une certaine coopération des systèmes en cause, le choix de la loi applicable pouvant dès lors résulter de leur coordination – dans le temps comme dans l'espace – au lieu de dépendre du seul système du for.

34. C'est d'abord aux *droits acquis* que l'on songe, en tant qu'instrument de coordination dans le temps, pour que chaque système de conflit puisse tenir compte, en la matière, de droits ayant pris racine dans des systèmes étrangers.
Il y a longtemps, à vrai dire, que l'on recourt à cette notion, en droit d'auteur international, car le respect des droits acquis n'a cessé d'être invoqué en doctrine pour justifier l'application au droit d'auteur de la loi du pays d'origine de l'œuvre, d'abord à titre exclusif, puis à titre au moins préalable (mais sans cumul, cette fois, donc hors de toute discrimination). Ce sont encore les droits acquis, plus récemment, qui ont servi à justifier une solution comparable à la précédente, mais sur la base des conflits mobiles, la loi du pays de protection pouvant être prise en compte au titre d'une exploitation antérieure à l'étranger et donc permettre aux droits acquis en vertu de cette ancienne loi de faire échec aux droits tirés de la nouvelle loi du pays de protection (correspondant à l'exploitation litigieuse). Enfin, il est certain que l'exception d'ordre public international opposable à une loi étrangère ne jouera pas aussi facilement à l'égard d'une situation déjà créée à l'étranger qu'à l'égard d'une situation que le juge français aurait à créer en France, selon le principe dit de l'effet atténué de l'ordre public à l'égard des droits acquis.

Peut-on déduire pour autant de ces trois hypothèses qu'elles donnent lieu à une véritable coordination entre systèmes ? La réponse, à la réflexion, ne peut être que négative. Outre que la première des hypothèses visées ne paraît plus conforme, en France, au droit positif (qui ne se contente plus des droits acquis pour justifier la compétence de la loi étrangère qui les a fait naître), aucune d'elles ne s'en remet entièrement aux systèmes étrangers en cause pour faire naître ces droits acquis, puisque ceux-ci ne peuvent y naître que de la loi étrangère... désignée par le système français (fût-ce avec plus d'ouverture qu'à l'ordinaire).
C'est donc seulement lorsque le système français acceptera de prendre en compte des droits acquis en vertu de lois étrangères dont il ne contrôlera plus la compétence, comme vient de l'admettre la Cour de cassation à l'égard de droits résultant de jugements étrangers *(Cass. 1re civ., 20 févr. 2007 : D. 2007, jur. 1115, note d'Avout et Bollée),* que l'on pourra vraiment parler de coopération entre systèmes. Or le droit positif ne semble pas prêt à abandonner ce contrôle aux systèmes étrangers en cause, du moins pour les droits non judiciairement acquis à l'étranger, bien que la solution ait été prônée en doctrine, à propos de situations n'ayant d'attache initiale qu'avec des systèmes étrangers désignant la même loi (ou *a fortiori* un seul système étranger), et qu'on puisse déceler la trace d'un tel « droit internationalement acquis » dans l'affaire *Huston,* où l'arrêt censuré par la Cour de cassation en a – peut-être – fait usage *(CA Paris, 6 juill. 1989 : D. 1990, jur. 152, note Audit).*

35. Il en va autrement de cet autre instrument de coordination entre systèmes, propre cette fois aux conflits de lois dans l'espace, qu'est le *renvoi,* car le droit positif français y recourt depuis longtemps. Il est en effet de principe, lorsque la loi étrangère compétente au regard des règles françaises de conflit de lois ne l'est pas au regard de ses propres règles, d'accepter le renvoi fait par le système étranger soit à la loi française, soit à une loi tierce (sous réserve là encore de sa compétence selon son propre système...). Rien ne s'oppose donc à l'application du renvoi en matière de droit d'auteur, dans l'hypothèse – que les satellites et Internet ne permettent plus de tenir pour théorique – où le droit français localise la contrefaçon dans un pays (pays d'émission ?) qui la situerait lui-même dans un autre pays (pays de réception ?), donnant ainsi compétence à une autre loi que la sienne. La seule limite, il est vrai capitale, vient de ce que la logique du renvoi ne semble pas compatible avec celle du minimum conventionnel, puisque le renvoi ne peut pas jouer à l'égard de règles de conflit présentant un caractère substantiel trop marqué. Or c'est bien le cas des règles conventionnelles de conflit de lois sur le droit d'auteur, notamment celles de la Convention de Berne, puisqu'elles ne donnent compétence de principe à la loi du pays de protection que dans la mesure où cette loi assure à l'auteur une protection supérieure au minimum conventionnel…

*

* *

36. Le bilan, il faut le reconnaître, ne peut qu'inciter à la modestie les internationalistes du droit d'auteur. Malgré le développement continu de son internalisation matérielle, à partir des règles issues pour l'essentiel des conventions internationales sur le droit d'auteur, il reste que les progrès accomplis sur ce terrain ne sont pas à la hauteur de l'œcuménisme prôné par Desbois, ne serait-ce qu'à cause du minimum conventionnel, qui vise certes au rapprochement des systèmes, mais seulement par le bas !… Aussi les systèmes les plus protecteurs ont-ils été paradoxalement incités à se contenter de leur propre loi, en ignorant plus ou moins les autres systèmes. Quel qu'en ait été l'habillage, leur vision spontanée de cette internationalisation conflictuelle du droit d'auteur, aussi bien à partir des règles conventionnelles de conflit de lois qu'à partir de leurs propres règles de conflit, a été longtemps strictement nationaliste (et trop souvent le reste), le « choix » de la loi applicable au droit d'auteur demeurant vide de sens pour des systèmes qui entendent n'appliquer que leur loi nationale. Certes, les progrès réalisés sur ce point ne sont pas niables, mais le moins qu'on puisse dire, surtout à l'échelle internationale, est que beaucoup reste à faire !

Poitiers, le 8 décembre 2009

Du secret des affaires au bien informationnel

Tahina Fabrice RAKOTOARISON

La société actuelle est profondément marquée par la dématérialisation. L'assertion n'a rien d'une révélation, elle n'est tout au plus que le simple constat de l'avènement d'un phénomène décrit en son temps par des textes doctrinaux peut-être prophétiques[1].

En effet, l'immatériel est en train de prendre le pas sur le matériel dans la vie de l'Homme moderne. Il n'est de meilleur exemple en la matière qu'internet. Il y fait ses courses, il s'y cultive (?), et le comble, c'est qu'il peut même s'y créer des liens d'amitié (ou autres ?). Il se socialise dit on sur le net. En d'autres termes, il vit grâce à internet, par internet et peut être, pour internet (n'a-t-on pas identifié des phénomènes d'addiction à internet).

Au cœur de cette société où l'immatériel est roi se trouve l'information. Elle acquiert de plus en plus d'importance. Tant d'importance que la société actuelle se caractérise par l'information. On est dans une société de l'information.

Pourtant, malgré cette situation prépondérante, il semblerait que le système juridique a du mal à saisir la matière. Pour preuve, malgré l'existence d'un corpus législatif et règlementaire sur la communication[2], qui a quand même pour objet l'information, le législateur n'en a pas donné la moindre définition[3]. Cette dernière, on

1 A RAHARINARIVONIRINA et A BERTONE, Droit Civil, Les Biens et les Sûretés spec P11 ; CATALA, Les transformations du patrimoine dans le droit civil moderne, RTD Civ 1966.185.

2 Notamment l'ordonnance n° 92 039 du 14 septembre 1992 sur la communication audiovisuelle, Loi 96034 du 27 janvier 1997 portant réforme institutionnelle du secteur de la télécommunication ; Loi 90031 du 21 décembre 1990 sur la communication. Et les décrets y afférents.

3 Cet etat des choses étant connu, que le lecteur ne s'offusque pas des multiples emprunts qui seront faits au droit français pour enrichir le débat.

la trouvera plutôt dans les constructions doctrinales[4]. On en retiendra une.

Ainsi le Professeur CATALA, dans son article[5] fondateur en la matière, définit l'information comme suit : « *l'information est d'abord expression, formulation destinée à rendre un message communicable ; elle est ensuite communiquée, ou peut l'être, à l'aide du signe choisi pour porter le message à autrui.* »

En tout état de causes, l'information innerve tous les aspects de la vie. Et celle des affaires n'y échappe pas. L'entreprise, dans son activité quotidienne de création de richesses est un pôle de convergence d'informations. Il est des informations qu'elle crée, qu'elle reçoit mais aussi qu'elle délivre. Il est vrai que du fait du besoin grandissant de transparence dans la société contemporaine, ce dernier aspect tend à gagner en importance[6].

Il reste que dans cette vague déferlante de transparence, il subsiste un îlot d'informations que l'entreprise n'a pas à communiquer parce que « *ce sont des informations dont non seulement la divulgation au public mais également la simple transmission à un sujet de droit différent de celui qui a fourni l'information peut gravement léser les intérêts de celui ci* »[7]. Ce sont les informations qui sont couvertes par le secret des affaires.

Ces informations jouent un rôle capital dans la vie de l'entreprise, puisque les intérêts sus mentionnés, même s'ils ne s'y rattachent pas tous, tendent certainement à assurer sa pérennité. Pour ce faire, elles doivent nécessairement receler une certaine valeur. Autrement dit, elles constituent un actif de l'entreprise. Ce qui suscite chez son détenteur un besoin de protection en vue de s'en assurer l'exclusivité. Est-ce que cela en fait pour autant des biens ?

Car le bien, à reprendre la définition du Professeur MOUSSERON est « *tout élément, matériel ou non, suscitant un double souci de*

---

4 Pour un panorama des différentes définitions avancées, v. JC GALLOUX, Ebauche d'une théorie juridique de l'information, D. 1994. 229.
5 CATALA, Ebauche d'une théorie juridique de l'information, D 1984 Chrn.97.
6 L'exemple le plus frappant est assurément celui des banques qui ont vu leurs obligations d'information et même de divulgation explosées du fait des impératifs de lutte contre la corruption ou encore contre le blanchiment d'argent. Sur ce point, Tahina Fabrice RAKOTOARISON, Du secret bancaire, mémoire DEA droit des affaires, DEGS avril 2006.
7 TPI CE 18/09/96 Post bank c Commission, REC II p. 921.

réservation et de commercialisation chez son maître du moment qui appelle et obtient la sollicitude de l'organisation sociale. »[8]

Or la réservation est d'une manière générale l'apanage de la propriété. Ce dernier étant le moyen le plus à même d'assurer l'exclusivité. Ainsi « *Une chose qui ne peut pas être l'objet de propriété ne peut pas être un bien* »[9]

L'on peut dès lors se demander si le Droit a les moyens de répondre au besoin de réservation sus évoqué, sachant qu'en matière d'immatériel, la propriété est enfermée dans les dispositions de droit de propriété intellectuelle.
Ce dernier n'organise l'exclusivité qu'à un nombre limité d'informations répondant aux conditions légales qui y sont posées. Et par voie de conséquence ne reconnaît la qualité de bien qu'à ces informations.

Le champ du Droit est donc limité et par là même exclut de la vie juridique des informations importantes pour l'entreprise et dont elle en a la maîtrise.
A partir de là on peut se demander si ces informations ne sauraient néanmoins constitutives de bien et si le secret des affaires n'a pas vocation à être un substitut à cette carence du droit positif ?

Pour cela il faudrait qu'il soit un moyen de réservation (II) des informations constitutives de valeur pour l'entreprise (I)

I – LES SECRETS D'AFFAIRES[10] CONSTITUTIFS DE VALEUR AU SEIN DE L'ENTREPRISE

L'information, considérée comme étant « une chose » (informationnelle) ne peut accéder à la qualité de « bien informationnel » qu'autant qu'elle ait acquis une certaine valeur, sinon une valeur certaine.

Or, il est constant que, comme tout autre bien, l'information n'a de valeur qu'à condition de présenter tout à la fois une utilité pour les

8 JM MOUSSERON, Valeur, biens et droits, Mélanges BRETON -DERRIDA, p. 279.

9 F ZENATI-CASTAING et T. REVET, les biens PUF, Droit 2008 p. 19.

10 Les secrets d'affaires sont le contenu du secret des affaires c'est-à-dire les informations qui sont confidentielles. En ce sens V Corinne VANDENBUSSCH, secret des affaires et informatique, thèse paris 1 Panthéon Sorbonne juin 1990 spec P 30.

hommes (A)et de se retrouver en quantité suffisamment rare[11] sur le marché. (B)

A – L'utilité de l'information

S'agissant des biens matériels, l'utilité de la chose comme l'a écrit M. Samuel BECQUET trouverait « *son socle* »[12] dans la substance comprise comme étant « la *réunion des qualités substantielles* »[13] de la chose. L'acception est compréhensible dans la mesure où l'utilité de la chose, c'est-à-dire « ses aptitudes à se soumettre à telle ou telle destination »[14] n'est pas tant fonction de la substance, matière dont elle est faite ou de ses qualités physiques mais de ses aptitudes à satisfaire les besoins de l'homme dans le cadre des relations économiques.

Par suite, accepter qu'une chose immatérielle, à l'instar de l'information, qui en soi, n'a pas de consistance physique[15] puisse avoir une utilité pour l'homme ne constitue en rien un non sens. Becquet, encore lui, n'a pas manqué de préciser que la « *substance de la chose informationnelle réside dans le message »*[16] qui constitue l'objet de l'information, « *son contenu intelligible »*[17].

De là, il est loisible de conclure que même si la vocation première de l'information est d'être communiquée, délivrée à son destinataire,[18] le fait que celle-ci soit retenue et maintenue secrète n'entame en rien son utilité puisque cette dernière réside dans le message intelligible-objet de l'information- et non dans la délivrance de l'information.

Le paradoxe est donc levé, l'information destinée à être communiquée peut ne pas l'être qu'elle n'en reste pas moins utile.

Néanmoins, cette affirmation doit être nuancée pour ces informations couvertes par le secret des affaires puisque, elles peuvent porter sur

---

11 JM MOUSSERON, art prec p. 278.

12 S. BECQUET, Le bien industriel, LGDJ 2005, p. 47.

13 ibid.

14 ibid.

15 En ce sens, il faut noter la formule du Professeur CATALA : « L'information ne se ramène ni à l'objet qui la porte ni au geste qui la communique, elle a une réalité intrinsèque » art prec. D. 1984. Chrn. 97.

16 S. BECQUET op cit 55.

17 CATALA, art prec.98.

18 A ce propos, il faut noter l'approche de l'information faite par le Professeur CATALA décrivant l'information comme un système tryptique dans lequel il y a l'émetteur, l'objet et le recepteur ou destinataire, article precit spéc p. 98.

des messages intelligibles développés en entreprise par une personne ou un groupe de personnes et être transmis à d'autres personnes qui seraient chargées de les mettre en œuvre ; mieux encore à des personnes qui, de par leurs statuts[19] dans l'entreprise, sont des destinataires (privilégiés !) de telles informations.[20]

En ce sens le système décrit par M. Catala est donc effectif, le rôle du secret se bornant dans ce cas à éviter que le récepteur ne devienne à son tour, émetteur.

Et c'est là que réside toute l'importance de la confidentialité, puisque l'objet de ces informations n'a pas vocation à être communiqué, ou à tout le moins de manière restreinte, puisque il assure ou procure à son détenteur un avantage concurrentiel.

Autrement dit, l'utilité de ces informations susceptibles d'être qualifiées de bien s'appuie sur la faculté de ces dernières à permettre à leur détenteur de conquérir un avantage concurrentiel sinon d'en conserver. Pour ce faire, elles devraient revêtir certaines qualités.

Au préalable, notons que ces informations frappées du sceau du secret, même si elles doivent toutes tendre vers la recherche de l'avantage concurrentiel, n'auront pas nécessairement les mêmes qualités.

D'une part, il est des informations, des secrets d'affaires, dont l'incidence sur l'avantage concurrentiel pourrait être qualifiée de directe en ce que le résultat puisse être objectivement ressenti, puisqu'elles aboutiraient à la création d'un produit, ou à l'exécution d'un service spécifique à l'entreprise.

Dans cette catégorie, notons que d'un côté, les informations peuvent concerner des inventions brevetables au sens du droit de la propriété industrielle[21], dans lequel cas il s'agirait d'informations susceptibles d'appropriation mais que leurs maîtres du moment ont préféré garder secrètes. Ici, l'avantage procuré coule de source en ce que ces informations permettraient, comme si elles étaient brevetées, des

19 Les membres du comité de l'entreprise par exemple, infra p.

20 En ce sens Virassamy parle même « de détention collective des secrets de l'entreprise », Les limites à l'information sur les affaires d'une entreprise » RTDcom Avril juin 1988 p. 183.

21 Ordonnance 89 019 du 31 juillet 1989 instituant un régime pour la protection de la propriété industrielle en République Madagascar notamment en son art 4 : « Dans tous les genres d'industrie est berevetable toute invention nouvelle résultant d'une activité inventive et susceptible au moins d'une application industrielle ».

applications industrielles qui distingueraient l'entreprise de ses concurrents à ceci près que le procédé ne sera pas dévoilé au public.

De l'autre côté, elles peuvent concerner des informations qui, sans pouvoir être qualifiées d'invention au sens du droit de la propriété industrielle, n'en demeurent pas moins essentielles à l'entreprise dans la mesure où elles lui permettent d'acquérir un savoir faire[22] qui lui est propre.

Précisons toutefois que le terme « propre » ici ne saurait être compris comme faisant l'écho d'une quelconque propriété[23] du savoir faire, mais plutôt comme l'accent mis sur le fait que le savoir faire évoqué permette de distinguer l'entreprise de ses concurrents.
Ce qui, en tout état de cause suppose que les informations qui s'en trouvent à la base soient empruntes « d'originalité » ou « de singularité » comme l'a relevé Mme MALAURIE – VIGNAL[24].

Dans sa conception, l'information dite originale ne coïncide pas forcément avec le critère traditionnel d'originalité développée par le droit de la propriété industrielle mais concerne plutôt, l'information qui « a permis la réalisation d'un produit ou d'un service qui distingue l'entreprise de ses concurrents. »[25] De même que d'autres informations, qui sans être « ni nouvelles ni originales »[26] procureraient la même utilité du fait de leur « réunion »[27] qui leur confèrerait « une singularité »[28]

D'autre part, certaines informations pourraient avoir une incidence indirecte sur l'avantage concurrentiel de l'entreprise, elles n'en sont pas pour autant moins importantes, puisqu'elles ont une fonction stratégique.

---

22 Vocabulaire juridique Association Henri Capitant sous la direction de Gérard CORNU, PUF 8ème édition 2000 V Know How:expression anglaise signifiant « savoir comment » à laquelle a été substituée, par francisation l'expression savoir faire, afin de désigner un ensemble de connaissances techniques (renseignements conseils, connaissances de procédé de fabrication ou de vente, etc.) ».
23 En tout cas pas dans le sens traditionnel de propriété.
24 Marie MALAURIE VIGNAL, La protection des informations privilègiées et du savoir faire, D.1997 Chrn. 208.
25 ibid.
26 ibid.
27 ibid.
28 ibid.

Pour s'en convaincre, prenons le cas de ces différents fichiers existant au sein de l'entreprise, tels le fichier clientèle ou encore le fichier fournisseur.

Assurément, ces informations ne servent pas à créer directement un bien ou un service, toute leur utilité réside dans le fait que la disposition de tels fichiers permette à son détenteur de s'adresser directement aux interlocuteurs susceptibles ici de s'intéresser à ses produits ou service et là, susceptibles de l'intéresser quant à l'approvisionnement de son entreprise.

Il va sans dire que, connaître au préalable les personnes cibles permet de réduire considérablement le circuit de distribution ou de production et par là même, de réduire les coûts y afférents. Ce qui, de toute évidence constitue un avantage non négligeable par rapport aux autres entreprises se trouvant dans le même secteur d'activité.

A côté de ces informations mentionnées ci-dessus, mention spéciale doit être faite aux informations d'ordre comptable et financier. Il est vrai que la transparence étant dans l'air du temps, la tendance est de les rendre public.

Toutefois, cette publicité ne se justifie que dans la mesure où elle permettrait d'avoir « *une image fidèle* »[29] de la santé financière de la société, ou d'une manière générale de l'entreprise.

Ce qui laisse supposer que les informations chiffrées qui n'ont pas pour finalité de retranscrire la santé financière actuelle de l'entreprise mais, d'en faire une projection, relèvent de la stratégie de l'entreprise et par là même, elles constituent un moyen de se positionner par rapport aux concurrents. Il en résulte que de ce point de vue, elles sont également des secrets d'affaires.

En somme, les secrets d'affaires entendus comme étant ces informations qui sont couvertes par le secret des affaires puisent leur utilité dans l'avantage concurrentiel qu'elles pourraient permettre d'octroyer ou, *a fortiori* qu'elles permettent d'octroyer à leur détenteur.

---

29 Loi 2003-036 du 30 janvier 2004 sur les sociétés commerciales, art 131 al 2 « il (le commissaire aux comptes) certifie que les états financiers de synthèse sont réguliers et sincères et donnent une image fidèle des résultats des opérations de l'exercice écoulé ainsi que de la situation financière et du patrimoine de la société à la fin de cet exercice. »

Ces informations y contribuent chacune à leur manière, tantôt par la création directe d'un produit ou d'un service, tantôt par la réduction des coûts, tantôt par les visées stratégiques qui les animent qui, à moyen ou long terme pourraient être bénéfiques à l'entreprise. Mais en tout état de cause, leur efficacité serait réduite à néant si tous les acteurs du même secteur disposaient des mêmes informations.

B – La rareté des informations

Une observation peut être faite sans qu'il ne soit absolument nécessaire de se glisser dans les bottes d'un économiste : c'est que seule ce qui est rare a de la valeur ou plus précisément la valeur d'une chose est fonction de sa rareté.

En effet, c'est parce que la chose utile ne se trouve pas en quantité suffisante pour satisfaire les besoins de tout un chacun que celui qui désire l'acquérir sera disposé à fournir une quantité de choses ou d'argent d'autant plus importante en contrepartie.

En d'autres termes, la fonction essentielle de la rareté est qu'elle suscite l'échange et qu'elle crée de ce fait une valeur.

Notons la réflexion de M. Zénati à ce propos : « *la rareté des choses utiles conduit à se les procurer par le commerce puis, de proche en proche, par l'argent, lorsque l'échange devient monétaire. Devenant aliénable, la chose acquiert une valeur qui la mesure par rapport à l'objet contre lequel elle est échangée (....)* »[30]

Par la suite, si on adhère à la définition « *la plus accueillante* »[31] du savoir faire dressée par M. Mousseron, Raynard et Revet l'analysant en « *toute information pour la connaissance de laquelle quelqu'un est prêt à verser des sous* »[32] alors il est loisible d'admettre que plus l'information est rare plus les intéressés seront « *prêts à verser des sous* »[33] pour l'acquérir. En somme plus elle aura de la valeur ou mieux encore, l'information sera constitutive de valeur.

Et il est clair que le secret en octroyant une exclusivité à son détenteur crée cette rareté qui fait d'une chose utile, en l'occurrence une

30 F ZENATI, l'immatériel et le chose APD, t. 43, le droit et l'immatériel, Sirey, 1999 p. 91 rappr.
31 Mousseron, Raynard, Revet, De la propriété comme modèle, Mélanges offerts à André COLOMER, ed LITEC 1993 p. 293.
32 ibid.
33 ibid.

information une valeur : l'information a de la valeur parce qu'elle est secrète.[34]

Reste à déterminer ce que le terme « *secret* » peut bien cacher car l'affirmation doit toutefois être nuancée.

En effet, il ne fait aucun doute que le secret fasse référence à l'exclusivité prise dans son sens le plus absolu. En d'autres termes, que l'information se trouve entre les mains d'une seule personne à l'exclusion de toute autre.

Dans ce cas, la rareté s'exprime dans toute sa quintessence puisque l'information est donc quasiment unique, situation idéale s'il en est de rareté.

Sauf que, dans la réalité, cette situation idyllique est elle même rare puisque le secret d'une manière générale, est difficilement absolu.
A moins d'admettre que ce soit la personne qui ait par exemple créé le savoir faire qui va lui même l'exploiter sans l'aide de personne.

Il s'en évince que le critère de secret, socle de la rareté et donc de la valeur, glisse vers une notion plus souple puisqu'il suffirait que le détenteur de l'information ait pris les moyens nécessaires pour la rendre « *difficilement accessible* »[35] [36] pour que l'information soit assimilée à une information secrète.

Mieux encore, la technique des affaires a depuis longtemps admis que le secret puisse être partagé. Il existe en effet divers moyens de transfert du savoir faire, notamment par des licences[37]. C'est là le paradoxe du secret c'est qu'on peut en tirer une plus value en le partageant.
Mais en réalité, il ne s'agit que d'une extension du cercle d'exclusivité. De la détention par une seule personne on est passé à la détention par un groupe de personnes.

---

34 Accord sur Les Droits de Propriété Intellectuelle qui touchent au Commerce (ADPIC) Art 39 2 b : « Les personnes physiques et morales auront la possibilité d'empêcher que des renseignements licitement sous leur contrôle ne soient divulguées à des tiers ou acquis ou utilisés par eux sans leur consentement et d'une manière contraire aux usages commerciaux honnêtes sous réserve que ces renseignements : (....)
b) aient une valeur commerciale parce qu'ils sont secrets.. »

35 Malaurie-Vignal art precit. 208.

36 Ce qui implique évidemment que l'on ait pris des mesures pour rendre cet accès difficile.

37 Sur ce sujet V notamment J-H GAUDIN, Stratégie et négociation des transferts de techniques, éd Du Moniteur 1982, JM DELEUZE, Le contrat international de licence de know how Masson, 4e Ed 1988.

Il reste que la rareté est tout de même sauve, en cela il suffirait que le cercle ne soit pas brisé pour que ceux qui sont à l'intérieur restent les seuls détenteurs « *d'informations privilégiées* »[38] à l'exclusion de ceux qui en sont à l'extérieur qui pourraient y être intéressés.

Mais la nuance ne s'arrête pas là, il faudrait encore savoir qui détermine le caractère secret de l'information. Autrement posé, le problème consiste à savoir s'il y a des informations objectivement secrètes ou s'il faille l'intervention de la volonté humaine pour donner à l'information la qualité de secret ou si on veut, la rareté est-elle une qualité innée de l'information ou est ce une qualité créée ou greffée par l'homme ?

La réponse pourrait être recherchée dans le droit du travail. En effet, sur l'obligation de discrétion pesant sur les membres du comité d'entreprise, l'article 11 du décret 2005-728 du 08 novembre 2005[39] dispose que : « *Les membres du comité d'entreprise sont tenus à une obligation de discrétion à l'égard des informations ayant un caractère confidentiel données comme telles par l'employeur ou son représentant* ».

La lecture de cette disposition règlementaire semble indiquer que l'employeur a (par un procédé performatif) le pouvoir de déterminer au sein de son entreprise quelles sont les informations qui sont confidentielles.
En d'autres termes le caractère secret est subjectif puisqu'il est donné par l'homme, le sujet.

Cela peut s'expliquer tant il est vrai que c'est l'employeur qui est le plus à même de déterminer ce qui est à rendre public ou non puisqu'il le fait à l'aune de l'intérêt de l'entreprise (dans notre cas l'avantage concurrentiel).
Ce dernier servant dans ce cas de critère de la confidentialité mais aussi en même temps sa limite.

Mais de l'autre côté, cette hypothèse offerte par le décret cité ci-dessus ne semble pas suffisante.

---

38 Le terme n'est pas pris dans le sens développé par Mme MALUARIE-VIGNAL qui voit dans « les informations privilègiées » une renaissance du secret des affaires sous « une forme plus étendue et plus floue » en ce qu'elles comprendraient outre les informations confidentielles, des informations qui ne le sont pas mais qui doivent être néanmoins protégées puisque « leur diffusion peut être déloyale » Article op cit.

39 Decret n° 2005-728 du 08 novembre 2005 portant organisation et fonctionnement du comité d'entreprise J.O n° 3066 du 13/11/2006 p. 4773 à 4776.

En effet, la logique, le simple bon sens et plus encore la bonne foi nous pousseraient à admettre qu'il puisse exister au sein de l'entreprise des informations qui sont objectivement secrètes. Comment ne pas reconnaitre le caractère confidentiel d'un procédé de fabrication propre à une entreprise par exemple ?

La bonne foi s'impose d'autant plus à l'égard des employés qui sont des maillons essentiels de la chaîne de production et qui sont donc parfaitement au fait des spécificités du savoir faire qu'ils mettent en œuvre pour la réalisation de leur travail.

On ne peut raisonnablement pas accepter que la personne qui « exploite »[40] quotidiennement le savoir faire puisse invoquer qu'il ne l'a pas considéré comme étant confidentiel puisqu'on ne le lui aurait pas signifié ; qu'il soit membre du comité d'entreprise ou non.

C'est la raison pour laquelle, l'on peut estimer que l'article 11 précédemment énuméré aurait gagné en efficacité si dans sa rédaction l'on y aurait incorporé la conjonction de coordination « ou » parce que l'obligation de discrétion à notre sens, doit couvrir non seulement les informations qui ont été frappées du sceau du secret par l'employeur mais également celles qui sont, de par leur nature même, secrètes. « *Les membres du comité d'entreprise sont tenus à une obligation de discrétion à l'égard des informations ayant un caractère confidentiel* ***ou*** *données comme telles par l'employeur ou son représentant* ».

De toute manière, le critère de base pour apprécier que telle ou telle autre information doit être confidentielle, parce que objectivement elle l'est , ou s'insérant dans un contexte, elle devrait l'être (ce qui justifie l'intervention de l'employeur) restera le même : l'avantage concurrentiel qu'elle procurerait, son utilité.

Ou, encore que la lecture de cet article 11 ne peut se détacher de celle de l'article 6 du code du travail[41] qui pose le principe général que le contrat du travail est soumis aux règles de droit commun, ce qui implique la bonne foi qui commanderait à ce que que l'obligation de discrétion qui pèse sur les membres du comité d'entreprise concerne

---

40 Le verbe est à comprendre dans le sens de l'utilisation du savoir faire et non dans le fait d'en retirer des bénéfices pécuniaires.

41 Loi n° 2003-044 du 28 juillet 2004 portant code du travail JO n° 2956 du 21 février 2005 article 6 : « les contrats de travail sont passés librement sous réserve des dispositions d'ordre public. Il sont soumis aux règles de droit commun (....) ».

non seulement les informations désignées comme telles par l'employeur mais aussi celles qui sont manifestement confidentielles.

Autrement, la lecture de l'article amènerait donc à conclure que les informations même si, leur confidentialité coule de source, ne sauraient être l'objet d'une obligation de discrétion que si l'employeur le rappelait ?! ce qui est pour le moins original.

Au demeurant, le secret qu'il soit inhérent aux informations même ou apposé par la volonté de leur détenteur crée la rareté de celles-ci puisque les maîtres du secret ont l'exclusivité de ces informations. Toutefois le secret qui est à la base de l'exclusivité n'est pas à prendre que dans son sens le plus strict puisque la qualité de secret est aussi supposée acquise du moment que ces informations sont difficilement accessibles aux tiers.

Ainsi, lorsque les informations ont pour destination de créer un avantage concurrentiel à leur détenteur et qu'elles ne sont pas à la portée de tout demandeur, elles ont de la valeur et en tant que telles, ont une expression pécuniaire, patrimoniale. Mais si la valeur est un critère nécessaire elle n'est pas suffisante pour faire d'une chose un bien, comme il a été démontré ailleurs les valeurs ne deviennent juridiquement des biens que lorsque le « *Droit intervient pour contribuer à les réserver à* tel ou tel (....) »[42].

II – LE SECRET DES AFFAIRES : MODE DE RÉSERVATION DU BIEN INFORMATIONNEL

Faut-il le rappeler, la propriété est le mode de réservation consacré par le droit positif. Néanmoins, comme il a été énoncé précédemment, les informations dont il est fait mention dans nos développements sont celles dont la propriété n'a pas été (explicitement ?) organisée par le droit mais dont la valeur n'est plus à démontrer.

L'inadéquation entre la vision économique qui a depuis longtemps élevé ces valeurs au titre de « ressources économiques »[43] et la vision

42 JM MOUSSERON, art prec p. 279.
43 Pierre TABATONI, L'incorporel comme ressource économique, propos introductifs, APD 1999 p. 149-152 : « car pour l'économiste l'incorporel, en anglais intangible, est devenu la plus précieuse des ressources économiques. ».

juridique qui à première vue semble avoir des difficultés à les qualifier de bien est donc manifeste[44].

Si manifeste que la pratique peut trouver dans le secret un mode de réservation opportun des informations-valeur- au sein de l'entreprise (A) mais en même temps, l'immatériel gagnant de plus en plus en importance et en assurance dans la société contemporaine on peut légitimement se demander si le secret ne serait pas un processus de réservation inachevé (B)

A – L'opportunité de la réservation des informations-valeurs de l'entreprise par le secret

De prime abord, l'idée « d'opportunité » risquerait d'être comprise comme étant la résultante de la nature même des informations secrètes. Ces dernières faisant partie de « *ces objets qui n'en sont pas* »[45], la tentation est grande d'affirmer que si le secret s'avère opportun comme mode de réservation, c'est surement parce que les secrets, n'ayant pas de matérialité, ils seraient de ce fait difficilement saisis par le droit de propriété, droit réel.[46]

En réalité, il n'en est rien. Car faut-il le rappeler, l'ensemble du système de propriété intellectuelle repose lui même sur la reconnaissance de ces biens informationnels[47].

De plus il a été démontré que ce qui importe n'est pas tant la matérialité ou non du bien mais plutôt sa valeur, en d'autres termes son expression patrimoniale qui ne peut se manifester que par les prérogatives juridiques dont les maîtres du bien sont titulaires.

Notons les propos de M. PIEDELIEVRE à cet égard : « *il faut donc relever ensuite que, du fait de cette discordance, la caractèristique essentielle du bien est sa valeur patrimoniale, valeur qui dans l'absolu ne présente pas de matérialité et ne s'apprécie que par rapport à une prérogative juridique.* »[48]

---

44 Ce qui pourrait par ailleurs interpeler sur l'idée du droit au service de l'économie.
45 CARBONNIER Droit civil t3 Les biens, ed PUF.
46 A RAHARINARIVONIRINA et A BERTONE Droit Civil, Les biens et les sûretés, ed CMPL p. 7 « (...) le droit réel est une prérogative, un pouvoir que la personne, qui en est titulaire, exerce directement sur une chose matérielle. ».
47 VIVANT, A propos des biens informationnels, JCP I 1984 3132.
48 Alain PIEDELIEVRE, le matériel et l'immatériel. Essai d'approche de la notion de bien, Mélanges De JUGLART ed LGDJ 1986 p. 56.

Voilà qui est dit, mais force est de reconnaître que les conditions d'appropriation des biens informationnels étant enfermées dans les dispositions de droit de propriété intellectuelle, les personnes qui sont titulaires d'informations qui ne répondent pas à ces exigences du droit positif n'ont d'autres choix que de se jeter dans les bras accueillants du secret.

Ou encore, les personnes qui, disposant d'informations éligibles au droit de propriété intellectuelle mais qui ne désirent pas se mettre sous sa protection y trouveront également refuge.
Après tout, le détenteur des informations est souverain dans son choix et d'ailleurs, n'a-t-il pas été affirmé par une doctrine éminente que : « *(....) la réservation et la commercialisation des biens immatériels ne recourent pas en premier à la technique de l'appropriation, c'est-à-dire de la constitution de propriété et de leurs démembrements sur les biens concernés.* »[49]

C'est que le premier mode de réservation des biens immatériels est le secret. Ce qui peut se comprendre aisément.
En effet, les informations sont le fruit d'une œuvre créatrice de l'activité humaine. N'étant pas le fruit de matières se trouvant déjà dans la nature, *de facto*, seul son premier détenteur en l'occurrence son créateur en a la maîtrise jusqu'à ce qu'il ne décide de les rendre publiques ou de les faire protéger par le droit de la propriété intellectuelle qui transformera donc en situation de droit la situation de fait qui prévalait jusqu'à lors.

Autrement dit si le premier détenteur des informations décide de les soustraire à la connaissance du grand public, il en a de fait la connaissance exclusive qui lui assure par voie de conséquence l'usage ou mieux l'exploitation tout aussi exclusive.

Le bénéfice est donc double, il y a la perspective d'engranger les fruits des investissements matériels et intellectuels engagés sans s'encombrer de la publicité ou même des coûts financiers de la protection par le droit de propriété intellectuelle, si tant est que les informations y sont éligibles.
Le secret en tant que mode de réservation des informations vient de nous donner un peu de son éclat.

---

49 JM MOUSSERON, art prec p. 282.

Néanmoins, comme il l'a été mentionné précédemment, le secret est en réalité une situation de fait. La réservation qu'elle procure peut donc paraître quelque peu « f*ragile* »[50]. Elle n'existe qu'autant que les secrets restent.... secrets. Ces bras accueillants ne seraient donc pas rassurants.

En effet, les informations ne faisant l'objet d'aucun droit privatif, leur détenteur ne peut interdire *« à autrui de les découvrir par lui même (....) »*[51]. Il ne pourrait se prévaloir d'une quelconque antériorité, et le caractère confidentiel des informations n'y ferait rien puisque tant qu'elles sont acquises de manière licite, elles peuvent être parfaitement exploitées par des tiers.[52]

Cette fragilité doit toutefois être nuancée parce que le système juridique dans une certaine mesure offre une protection au secret en ce qu'il « san*ctionne par le jeu des différentes responsabilités les curiosités associales....* »[53] Ce qui ne manque pas d'intérêts :

Ces curiosités associales sont certainement celles qui vont à l'encontre du désir du détenteur des informations de les garder secrètes sachant que ce désir se concrétise par la maîtrise des informations à l'exclusion de toute autre. Ce qui est donc, rappelons le, une situation de fait.

Or, si le Droit permet « la sanction des curiosités associales »[54] cela veut donc signifier qu'il reconnaît l'existence de la situation de fait établie : le secret[55] qui est, par voie de conséquence, opposable aux tiers.

Il y a donc là, d'un côté, reconnaissance juridique de la licéité du pouvoir du détenteur sur ces informations. Ce qui implique aussi bien entendu, la reconnaissance du pouvoir d'en disposer. En d'autres termes, qu'il peut les exploiter lui même comme il peut les aliéner.[56]

50 BERLIOZ op cit p. 183.
51 Marie MALAURIE VIGNAL, art prec p. 208.
52 V. sur ce point M. CREMIEUX, le secret des affaires, in l'information en droit privé, sous la dir. de Y Loussouarn et Lagarde, LGDJ 1978 p. 457.
53 JM MOUSSERON art prec 281.
54 ibid.
55 Le secret serait « une manifestation de la possession » A. PELISSIER, Possession et meubles incorporels, DALLOZ, Nouvelle Bibl de Thèse 2001 pref CABRILLAC p. 289
56 Par exemple par la cession du fichier clientèle, sur ce point V. RAMAROLANTO-RATIARAY, Les mutations du droit privé à Madagascar, extrait de : Annuaire des pays de l'Océan Indien XV 1997-1998 Mélanges en l'honneur du Doyen Charles CADOUX PUAM 1999, p. 79.

Il est néanmoins évident que cette reconnaissance ne peut se faire que sous certaines conditions. On peut en identifier trois à savoir que :

1. la rétention des informations soit licite : on ne pourrait se réfugier derrière le secret des affaires pour des informations dont la communication à des autorités administratives ou judiciaires est organisée par la loi.

2. La rétention soit justifiée par un intérêt légitime qui peut être compris comme étant l'utilité ultime des informations c'est-à-dire l'avantage concurrentiel.

3. et, bien évidemment les informations concernées doivent être confidentielles ou secrètes.

De l'autre côté, il y a la protection offerte par le Droit. En effet, lorsque les tiers méconnaissent la situation du détenteur des informations, leurs responsabilités civile et/ou pénale peuvent être recherchées.
A ce propos, notons que si la libre concurrence est la règle c'est à la condition d'être loyale[57]. Autrement dit, il est légitime de vouloir attirer la clientèle d'autrui, d'acquérir un avantage concurrentiel mais la démarche doit être faite dans le respect des usages de la profession.

Sinon l'on pourrait s'attirer les foudres de l'action en concurrence déloyale[58] ou parasitaire[59].
Et puisque selon la jurisprudence française, l'action en conccurence déloyale « *trouve son fondement dans les articles 1382 et 1383 du code civil a pour objet d'assurer la protection de celui qui ne peut se prévaloir d'un droit privatif.* »[60] elle a de ce fait vocation à s'appliquer dans le cadre de la protection du secret.

---

57 L 2005 020 du 17 octobre 2005 sur la concurrence JO 3011 du 26 janvier 2006 p. 1016-1028 art premier : « la présente loi a pour objectif de garantir la liberté et la loyauté de la concurrence »
58 L 2005 020 article 7 « Tout agissement non conforme aux usages d'une profession commerciale ou non tendant à attirer à attirer la clinetèle ou à la détourner d'un concurrent, constitue un acte de concurrence déloyale et engage la responsabilité de son auteur (.....) »
59 L 2005 020 art 10 « le parasitisme est tout comportement par lequel une entreprise, sans chercher nécessairement à créer une confusion, se place dans le sillage d'une autre, soit pour exploiter le même type de clientèle, soit profiter de sa réputation ou des efforts qu'elle déploie en exploitant une clientèle distincte ».
60 Cass com 03 oct 1978 D1980 jur.55 note J SCHMIDT-SZALEWSKI. Cass com 18 janv 1982 Bull Civ IV n° 14 p. 19.

Il s'en suit que la seule appréhension des informations ne peut être considérée comme *ipso facto* fautive. De même les informations communiquées dans le cadre des négociations contractuelles peuvent être librement exploitées sous réserve de la bonne foi.

En d'autres termes, si dans le cas de l'appréhension, la responsabilité, delictuelle, peut être recherchée c'est à la condition d'avoir été faite à l'encontre de la volonté du détenteur qui a voulu garder secrètes les informations et à son détriment[61], puisqu'il va de soi que l'information une fois révélée perd de sa valeur et qu'il n'en a de surcroît pas obtenu une contrepartie.

Tandis que lorsque les informations ont été communiquées dans le cadre des négociations, dans ce cas, la faute consistera en la violation des rapports de confiance qui est constituée si « les pourparlers avaient été engagés dans la seule intention d'obtenir un savoir faire ou une information »[62] ou encore, lorsque les négociations étaient conduites de telle manière à ce que l'autre partie pouvait légitimement croire en la conclusion d'un contrat et a de ce fait communiqué des informations secrètes.[63]

Mais en plus, l'auteur de la violation a donc pu obtenir les avantages procurés par les informations sans en avoir les charges c'est-à-dire, les investissements matériels et intellectuels effectués pour aboutir au résultat[64].

En d'autres termes, c'est la manière de s'enquérir de ces informations qui est d'abord repréhensible. En l'occurrrence parce qu'elle dénote une déloyauté de son auteur se manifestant par la violation du secret ou par le fait de s'être mis dans le sillage du titulaire des informations.

De même, lorsque le maître du secret, par des clauses contractuelles de confidentialité ou de non exploitation protège ses informations, la responsabilité contractuelle de son cocontractant peut évidemment être recherchée s'il y a méconnaissance de ces clauses.

---

61 A ce popos V P. VERON, la protection des informations par le droit de la concurrence déloyale et parasitaire, Cah Dr entr 1988/1.
62 M. MALAURIE VIGNAL, le parasitisme des investissements et du travail d'autrui, D 96 chron. 177.
63 Ibid.
64 En ce sens MALAURIE VIGNAL protection des informations privilègiées et du savoir faire prec.; spec p. 208.

D'une manière générale,le transfert se faisant par le biais de contrat, le détenteur des informations prendra soin de les réserver par une clause de confidentialité qui peut être doublée d'une clause de non exploitation[65] dont le non respect entrainera la mise en œuvre de la responsabilité de son auteur.

Néanmoins, on peut aussi admettre qu'à côté de ces dispositions explicites, il puisse y avoir des obligations implicites de confidentialité quand le contrat emporte ou a pour objet un transfert d'informations dont le caractère confidentiel ne peut être raisonnablement ignoré par le cocontractant. En d'autres termes il s'agit ici d'une application de la bonne foi.

Il reste que, la véritable appréhension par rapport à ces clauses consiste à déterminer leur étendue.
Si elles sont, de toute évidence valable pendant la durée du contrat, leur validité post contractuelle peut soulever des questions.

En effet, d'un côté, on peut comprendre que comme toute autre clause comportant des engagements, elles devraient être limitées, en l'occurrence dans le temps puisqu'il existe le principe de l'interdiction de l'engagement perpétuel.
Néanmoins, de l'autre côté l'on ne peut ignorer que l'efficacité de ces clauses réside dans le fait qu'elles maintiennent les secrets.... secrets. Or la valeur de ces informations n'est pas fonction du temps mais de leur rareté sur le marché.

Il s'ensuit donc qu'à notre sens, limiter les clauses de confidentialité dans le temps serait contre-productif. De plus, les clauses, même si elles ne sont pas limitées dans le temps, ne peuvent être assimilées à une atteinte intolérable à la liberté du commerce et de l'industrie, puisque les informations visées ne font pas l'objet d'un droit privatif et qu'en conséquence, les autres acteurs de la vie des affaires peuvent parfaitement les découvrir ultérieurement et les exploiter à leur guise sans contrevenir à la situation du premier détenteur.[66]

Par ailleurs, la responsabilité pénale peut être mise en jeu par les dispositions spécifiques relatives à la divulgation de secret tel l'article 378 du code pénal relatif à la divulgation de secret confié ainsi que l'article 418 du code pénal sur le secret de la fabrication. La

65 JM MOUSSERON, art prec.282.
66 Supra p. 10 puisque l'appréhension licite des informations même confidentielles n'est pas une atteinte à la situation de fait qu'est le secret.

jurisprudence française est même allée encore plus loin en admettant la possibilité du vol d'information seule indépendamment de son support ainsi que l'abus de confiance sur des biens immatériels, en l'occurrence un projet de borne électrique.

Il en résulte que, l'intervention juridique par le jeu de la responsabilité, qui serait « le révélateur »[67] qui fait d'une valeur économique un bien n'est en fait que le prolongement de la réservation déjà assurée par le secret.

La responsabilité la renforce en préservant les secrets dans les contrats ; elle en assure la réparation lorsque des agissements fautifs viennent troubler la situation du titulaire des informations. Elle réprime quand ces agissements sont tels que c'est la société dans son ensemble qui sent troublé dans son fonctionnement. Oui mais à la base, toutes ces vertus reposent sur une situation de fait, ce qui peut amener le doute....

B – Réservation par le secret : processus inachevé ?

L'interrogation puise sa source dans un constat, c'est que même si des écrits savants estiment que le premier mode de réservation dans le domaine de l'immatériel n'est pas la propriété, et que celle-ci même si, elle a largement prouvé son efficacité pour les biens matériels « n'a pas vocation à commander la réservation et la commercialisation de tous les biens. », il reste que le droit positif, ne reconnaît qu'un seul mode de réservation des biens matériels ou immatériels, l'appropriation.

Or comme il a été précédemment démontré, il est des choses, qui sans, avoir les qualités requises par le droit positif, n'en sont pas moins des ressources économiques de grande importance et qui de ce fait mérite une protection juridique.

De même, le maître des informations, même susceptibles d'être protégées par le droit de propriété intellectuelle peut choisir de passer outre.[68]

67 Le terme est de M BERLIOZ qui considère que la propriété est le révélateur qui fait d'une chose un bien.
68 *Supra* p. 10.

Il en résulte donc que la réservation de telles informations n'est pour lors assurée que par une maîtrise de fait sur ces ressources, il est vrai renforcé, par le jeu des responsabilités.

Ce qui pourrait laisser dire que le procédé est peut être certes opportun mais il serait imparfait, puisque le droit au secret n'est pas l'exercice d'un droit privatif.
La preuve, la sanction en est assurée par la responsabilité qui a « *pour objet d'assurer la protection de celui qui* » *justement* « *ne peut se prévaloir d'un droit privatif.* »[69]

Il n'en reste pas moins que l'on puisse affirmer que la protection assurée par la responsabilité civile n'est pas des moindres.
En effet, elle aboutit à la reconnaissance de l'exclusivité de la maîtrise des informations sur celles-ci en sanctionnant les agissements fautifs. Ce qui rend donc, l'exclusivité opposable au tiers[70].

Ce résultat, c'est-à-dire cette reconnaissance de l'exclusivité ne constitue pas la consécration d'un droit privatif, cela y ressemble. De telle manière que la responsabilité civile est en réalité un palliatif à la reconnaissance d'un droit privatif, « un substitut »[71] « *qui suffit amplement à protéger les auteurs de n'importe quel bien immatériel nouveau, les logiciels aussi bien que toute valeur économique* »[72]

De plus, l'application qui en est faite par la jurisprudence traduit une nette tendance à faciliter la mise en oeuvre de celle-ci.

Rendant ses conditions classiques plus souples, voir par « *une corruption des conditions traditionnelles de la responsabilité civile* »[73] elle se concentre surtout sur la notion de faute et largement moins sur la détermination du préjudice ou du lien de causalité.
La réparation est donc plus facile à obtenir puisqu'il suffirait de prouver qu'il y a eu utilisation déloyale du travail d'autrui qui entraine nécessairement un préjudice[74].

---

69 V. note 53.
70 Voir supra p. 14.
71 JM MOUSSERON, Responsabilité civile et propriété intellectuelle, Mélanges Chavanne ed Litec 1990p.
72 Ph. LE TOURNEAU, Le parasitisme dans tous ses états, D1993 Chrn.310.
73 S. BECQUET Th op cit p. 260.
74 Cass.com.21 avr 1992, PIBD 1992, 531.III.562 ; Paris 08 avr 1993 PIBD 1993. 549.III.471.

Ce qui assurément constitue une solution originale quant à la théorie de la responsabilité mais elle est toutefois compréhensible. En effet, les biens informationnels couverts par le secret puisent largement, sinon exclusivement leur valeur dans leur caractère confidentiel, la divulgation constitue de ce fait un préjudice en soi auquel s'ajoutera le cas échéant celui résultant de son exploitation indue, sans contrepartie pour son auteur.

De ce point de vue, on peut affirmer sans conteste que l'efficacité du secret en tant que mode de réservation est éprouvé en ce que la protection qui lui est offerte par la responsabilité civile crée de fait un droit privatif qui ne dit pas son nom mais prenant la propriété comme « modèle »[75]

Mais nous ne pouvons pas non plus nier qu'elle est relative, la responsabilité ne pouvant être mise en jeu que si et si seulement y a eu comportements fautifs.

L'on pourrait dès lors se demander si cette première forme de l'intervention juridique ne serait pas l'amorce d'une reconnaissance juridique mieux aboutie de ces types d'informations.
De telle sorte que l'on se trouverait à l'heure actuelle dans un espèce de sas d'attente, une situation intermédiaire mais qui n'a pas vocation à durer.

Dans ce cas, l'on s'acheminerait vers la consécration par le droit d'un véritable droit privatif sur ces informations. Ce qui peut être un droit privatif qui relèverait de la propriété elle-même.

L'idée de propriété de l'information n'est pas nouvelle. En effet, dès les années 1980, Le Professeur CATALA, dans son fameux article « *ébauche d'une théorie juridique de l'information* »[76] a déjà écrit que la « naissance de l'information » est « génératrice d'un bien ». Ceci résulte du fait qu'elle émane de l'activité humaine et donc est en principe, appropriée « dès son origine ».

La théorie est intéressante puisque dans son système, il est fait abstraction de l'étape de maîtrise de fait de l'information.
Cela est surement la conséquence de son postulat de départ qui est d'affirmer que « *l'information est un bien susceptible d'appropriation.*

75 MOUSSERON , RAYNARD, REVET art prec.
76 CATALA Art prec spec p. 99.

Sa vocation naturelle est de posséder, sauf exception, une valeur patrimoniale. »

Il en résulte que pour reconnaître le droit de propriété d'une personne sur l'information, il suffirait d'établir qu'elle en est l'auteur et par voie de conséquence, les critères d'originalité et autre antériorité posés par le droit positif deviennent de facto secondaires.
La condition sine qua non de la propriété résidant dans l'acte de création de l'information et non pas dans des conditions (artificielles ?) posées par le Droit. Ce qui rend inutile la référence à une situation de fait[77].

Cette « appropriabilité » de l'information à partir de sa création et donc de sa qualification de bien s'inscrit de ce fait dans le strict respect de la définition classique du concept, à savoir que le bien soit une chose susceptible d'appropriation.

Encore faudra-t-il déterminer les contours de ce nouveau droit de propriété qui, il est vrai, par son caractère innovant, peut être, inhabituel surement, bouscule la technique juridique déjà fortement ancrée dans les mœurs.
Quelques pistes ont déjà pu être avancées : il s'agirait « d'une protection qui pourrait être limitée dans le temps »[78], ou encore « d'une propriété réduite à une simple disposition de la valeur »[79]

Il reste que sans se prononcer sur ces éléments[80], la jurisprudence semble emboitée le pas de cette doctrine innovante. Il convient de signaler à cet égard l'arrêt de la cour criminelle française du 22 septembre 2004[81],

---

77 En ce sens Th REVET, Les nouveaux biens, journée française de l'association H. CAPITANT 2004, « Le mode central d'acquisition originaire, ce n'est plus la possession, ni l'accession, ni l'occupation mais la production. »
78 Ph LE TOURNEAU, folles idées sur les idées, Comm.com.Electr.n° 2, fevr 2001 Chrn n° 4 p. 8.
79 BERLIOZ th op cit p. 200.
80 Même si une partie de la doctrine l'y encourage.
81 Outre cet arrêt, de nombreux arrêts de réference marqauent le débat en la matière. Notamment l'arrêt logabax cass. crim 8 janv 1979 D79 p. 509 Note CORLAY, cass crim 12 janv 1989 Bull Crim N° 14 ; cass crim 1er mars 1989 bull. Crim N° 100 voir aussi, MP LUCAS DE LEYSSAC, une information seule est-elle susceptible de vol ou d'une autre atteinte juridique aux biens ? D1985 Chron. 43 ; du même auteur ; l'arrêt bourquin une double révolution : un vol d'information seule, une soustration permettant d'appréhender des reproductions qui ne constituerainet pas une contrefaçon. Rev sc crim 1990.507.

En l'espèce, M Roger, un employé sous contrat indéterminé avec une clause d'exclusivité. qui a été chargé d'élaborer la mise au point d'une borne informatique de station d'épuration destinée à « SAUR 16 », avec les moyens mis à la disposition par son employeur l'a envoyé deux fois successivement au client. Sauf que le premier envoi a été fait au nom de l'entreprise pour laquelle il travaillait alors que le second au nom d'une autre entreprise dans laquelle il était intéressé à laquelle, d'ailleurs, le client a finalement commandé la borne. Du reste le projet n'a jamais été réalisé.

Il n'empêche qu'ayant été mis au courant de ce comportement après la démission de M Roger, son ancien employeur déposa une plainte avec constitution de partie civile pour abus de confiance. Condamné par la cour d'appel de paris par son arrêt du 17 septembre 2003 au motif que « les produits développés devenaient la propriété » de l'employeur, il forma pourvoi en cassation et reproche à la cour d'appel d'avoir violé l'article 314-1 au motif que « (....) un tel devis (le devis de la borne) établi lui même étant insusceptible de constituer, au sens de la loi, un bien qui lui aurait été remis » et que ce devis formant « la reprise d'un projet établi (par le salarié), il en résultait que le détournement d'un projet d'œuvre de l'esprit qui de surcroît n'avait jamais été réalisé, ne pouvait constituer un bien matériel qui aurait été détourné »

La cour criminelle a rejeté le pourvoi considérant que *« en l'état de ces énonciations d'où il résulte qu'il (employé) a disposé au profit d'un tiers et comme **d'un bien propre d'un projet qui, dès sa réalisation, était propriété** de son employeur et dont il n'était devenu que détenteur »*.

Cet arrêt trouve son importance en ce qu'il marque de manière claire que le projet qui en l'éspèce n'a pas fait l'objet d'une protection par un droit spécifique est le bien de l'employeur (et non de l'employé parce que l'employeur utilise la force de travail de celui ci et en acquiert donc les produits)[82] du fait même de sa création. L'information est donc appropriée dès sa création et du fait de sa création.

Il n'empêche qu'entre la décision de la cour criminelle qui énonce peut être une reconnaissance du principe de la propriété de l'information comme bien résultant de l'œuvre de l'intelligence humaine et l'érection d'un véritable droit de la propriété de l'information, beaucoup reste à

82 Sur cette notion V Th REVET, Notion de bien: tout produit de l'activité humaine constitue un bien, RTD Civ 2005 p. 164, plus généralement Th. REVET, La force de travail, étude juridique, pref ZENATI, Litec Bibl Dr entr 1992 spec p. 257 et s.

définir, dont le fondamental est à notre sens de savoir si ce serait un droit détaché des propriétés intellectuelles, ou devrait il se développer dans le cadre celui-ci.

Toujours est-il que la propriété de l'information permettrait d'amener à la lumière des connaissances qui jusqu'alors couvaient dans l'ombre tout en assurant une juste compensation de leurs créateurs qui profiteraient de l'exclusivité de l'exploitation de celle-ci.

Au demeurant, dans cette dématérialisation croissante de la vie des affaires, le secret reste le seul moyen efficace pour prendre en considération un certain nombre de savoir faire et d'informations privilègiées, ces valeurs qui ne peuvent être protégées par le droit positif.

Néanmoins, il est évident que le système juridique actuel ne coïncide plus avec la réalité économique sauf à admettre que toute une source de richesses sera laissé aux portes du Droit juste parce qu'elle ne cadre pas avec les conditions qui y sont posées, alors même que dans la réalité ces choses constituent des richesses évidentes.

Il faudrait donc que le droit des biens, ce droit qui est devenu « f*urieusement tendance* »[83], pousse ses limites pour y incorporer ces choses qui ont la qualité de bien, qui en ont la finalité mais qui n'ont pas reçu le sacre du Droit. Ces quelques lignes n'ont pas eu pour prétention d'épuiser la matière.

Tant de pages restent encore à écrire sur le secret des affaires, sur les biens. Elles ne sont que les prémisses d'une longue démarche tant le droit des biens est repoussé dans ses retranchements par l'immatériel d'une manière générale et l'immatériel dans le droit des affaires en particulier.

C'est en raison de cette effervescence qui ne manquera pas d'animer le milieu juridique malgache qu'il nous a paru évident de rédiger ces quelques lignes, en l'honneur du Pofesseur RAHARINARIVONIRINA, co-auteur, entre autres, de cet ouvrage sur le droit des biens qui fait office de véritable monument à la Faculté de Droit d'Antananarivo, traversant les générations, se « léguant » peut-être même parfois d'une mère... à un fils.

---

83 J DEVEZE, A propos de l'évolution « des délits contre les biens », Mélanges Le TOURNEAU, Libre Droit Ed DALLOZ 2007 p. 359.

Du *Fehivava* (Contribution à l'étude du droit malgache des sûretes réelles)

RAMAROLANTO-RATIARAY

1 - Contexte - La véritable épreuve pour un système juridique en train de se faire, ce n'est point tant de rechercher à tout prix l'estampille du droit moderne que de rester en phase avec l'héritage de son passé coutumier. En effet, toute tentative au sein d'un tel système pour la mise en place de nouvelles règles de droit posera la question, lancinante, de savoir faire une juste part des choses entre, d'un côté, une volonté résolue d'intégrer les règles issues de systèmes plus évolués (quitte à faire table rase du passé)[1] et, de l'autre, une approche tout aussi décidée de ne pas se départir du droit existant et de le maintenir vaille que vaille nonobstant les impératifs du monde moderne. La vérité se situe bien souvent à mi-chemin de ces deux positions extrêmes. D'une part, l'Histoire du monde prouve que l'on ne peut effacer d'un trait de plume, sans séquelles, tout ce qui constitue le socle et les racines d'une nation ; d'autre part, la nécessaire évolution de celle-ci implique qu'elle doit savoir, sans les renier, refouler les éléments de son passé qui seraient de nature à nuire à sa croissance ou, du moins, les adapter aux nécessités du développement économique sous peine de rester irrémédiablement à la traîne des mutations du monde moderne.

La récente réforme du droit des sûretés en droit malgache s'inscrit dans cette perspective et a voulu dépasser les possibles contradictions que des positions antagonistes trop marquées pouvaient générer. En effet, face à la richesse du droit coutumier

1 Pour l'expérience de Madagascar et notamment en matière foncière, cf. *nos* réflexions sur « *la propriété sans titre ou l'érosion de la propriété coutumière*, (plaidoyer pour les droits coutumiers de propriété) », revue juridique de l'océan indien, n° spécial novembre 2006 p. 89 et ss.

codifié de Madagascar[2], la question a été posée pour la Commission de Réforme du Droit des Affaires, alors en charge de la rédaction et de la modernisation de certaines lois en matière économique et sociale[3], de savoir s'il fallait simplement transposer les règles du code civil français[4], celles du traité OHADA[5] qui venait d'entrer en vigueur, s'inspirer prioritairement des institutions coutumières malgaches ou procéder à une symbiose de ces différentes approches. Le choix de cette dernière formule a permis l'adoption de la loi nouvelle sur les sûretés[6] laquelle prône résolument l'ouverture sur des institutions modernes du droit des garanties. C'est ainsi, entre autres symboles, que le droit de rétention, la cession fiduciaire, le crédit-bail, ou la clause de réserve de propriété ont été intégrés en son sein sans aucune hésitation aux côtés des institutions classiques telles que les privilèges, le gage ou l'hypothèque.Toutefois, il a été fait remarquer que l'occasion est propice pour rendre justice à une sûreté du droit traditionnel malgache, encore très vivace en milieu rural, mais dont les différentes législatures ont mésestimé l'importance pratique ; qu'une modernisation des règles de droit en général, du droit des sûretés en particulier, ne doit pas être synonyme d'ostracisme des institutions traditionnelles mais au contraire, l'opportunité d'éprouver celles-ci à l'aune des situations concrètes et présentes. C'est ainsi que le *fehivava* reçoit une consécration législative en droit moderne, au rang des sûretés réelles immobilières[7].

---

2 Sans parler des célèbres *Kabary* du roi Andrianampoinimerina, une demi-douzaine de codes furent ainsi dénombrés au cours du XIXe siecle, parmi lesquels les plus connus : Le code de Ranavalona I (1828-1861), le code de Radama II (1861-1863), les deux codes de Rasoherina (1863-1868), le premier code de Ranavalona II (1868-1883) dit le code des 101 articles, le second code de Ranavalona II dit le code des 305 articles. De manière générale, cf. L.Ozoux et G.Julien, lois et coutumes malgaches : instructions aux sakaizambohitra ; code des 305 articles ; règlement des gouverneurs de l'Imérina, Imprimerie nationale, Tananarive, 1932 ; E-P Thébault, le code des 305 articles, Institut des hautes études de Tananarive, Imprimerie officielle, Tananarive, 1960.

3 La CRDA est d'ailleurs toujours à pied d'œuvre et a toujours pour rôle de mettre la législation malgache à jour des dernières avancées du droit, que ce soit en matière internationale (signature des différents traités internationaux) ou en interne (essai, notamment, de mise en place du droit des contrats spéciaux).

4 En partant de l'interprétation d'un ancien article 4 des accords de coopération franco-malgache de 1960 qui faisait du code civil français le droit de référence en cas de lacune du droit malgache ; sur ce point, cf. notamment, *notre* article : la protection du nom commercial à Madagascar, Annuaire des pays de l'océan indien, PUAM 1996 p. 256 et ss. n° 2 et les notes citées.

5 Aux motifs que ce traité peut servir de guide ou de repères aux pays d'Afrique noire francophone.

6 Loi 2003-041 du 3 septembre 2004 sur les sûretés [JO n° 2939 du 8 novembre 2004 p. 4273 et ss.]

7 Le *fehivava* fait l'objet des articles 206 à 224 de la loi 2003-041 du 3 septembre 2004 précitée.

2 - Définitions - Le *fehivava* (ou *Fehivava*ny) répond à des définitions diverses mais néanmoins uniformes. Il est défini par l'encyclopédie malgache du pasteur Ravelojaona, le *firaketana* (1943), comme étant « un procédé de vente de terres ou de rizières assorti d'une clause permettant ultérieurement à son propriétaire (le vendeur) de reprendre son bien si et quand il le souhaitera, étant entendu qu'aucune échéance n'est généralement pas indiquée pour ce faire »[8]. Les anciens auteurs qui ont étudié la question s'inscrivent dans la même ligne de définition mais divergent sur la qualification juridique à donner au *Fehivava*[9]. Ainsi, pour G. Julien (1909), « sont ainsi appelées (*fehivava*) des ventes qui comportent comme clause principale que le vendeur reprendra son bien en restituant à l'acheteur le prix qu'il en a reçu souvent à titre de prêt »[10]. V. Gasse, dans la première édition de son ouvrage sur les régimes fonciers africains et malgache (1959)[11], expose que « le contrat de *fehivava* est un contrat de prêt sans intérêt, par lequel l'emprunteur remet en gage au prêteur un immeuble convenu et le lui donne en jouissance jusqu'au jour du règlement de sa dette et, à défaut de paiement à l'échéance, après estimation, le créancier devient propriétaire du bien ». Pour A. Gamon (1910), « le *fehivava* est un contrat à titre onéreux par lequel un cultivateur vend sa terre à un bailleur de fonds à condition de la racheter dans un délai fixé »[12]. Enfin, pour l'un des premiers juristes et en même temps historien du droit malgache qui s'est intéressé à la question, A. Cahuzac (1900), « on appelle de ce nom (*fehivava*), la terre vendue sous condition de rachat »[13].

La doctrine moderne reçoit l'institution du *fehivava* mais hésite sur l'importance à lui accorder. MM. Raharinarivonirina et Bertone[14] la classent au rang des sûretés traditionnelles mais soulignent sa modernité par ses nombreuses applications en milieu rural. Constat qu'entérinent les disciplines-sœurs en sciences sociales au travers

---

8 (*Traduction libre*) Firaketana ny fiteny sy ny zavatra malagasy, imprimerie officielle (1943) V° *Fehivava* / *Fehivava*ny : « ny atao hoe *Fehivava*ny na *Fehivava*, dia fomba fivarotana tany na tanimbary izay asiana fepetrany hoe mbola azon'izy tompony (mpivarotra) havotana amin'ny aoriana raha tiany, anefa matetika dia tsy misy fotoana voatondro ny hanavotana azy. Ny varotra *Fehivava*ny dia haotra ny fampanofa maharitra ihany araka izany, ka mifanohitra amin'ny varomaty ».

9 cf. *infra* n° 6 et ss. sur les différentes qualifications retenues et leurs implications.

10 G.Julien, institutions politiques et sociales de Madagascar, tome II, éd. Guilmoto 1909 n° 391 p. 235.

11 V.Gasse, le régime foncier à Madagascar et en Afrique, librairie autonome 1959 n° 157 p. 155.

12 A.Gamon, traité de la justice indigène à Madagascar, imprimerie officielle (Tananarive) 1910 p. 110.

13 A.Cahuzac, essai sur les institutions et le droit malgaches, tome premier, A. Chevalier-Maresq & Cie Editeurs 1900 p. 376.

14 A.Raharinarivonirina et A. Bertone, manuel de droit civil malgache, les biens éd. CMPL 1983, p. 189 et ss.

des maintes enquêtes menées sur terrain. Ainsi, P. Ottino avait pu dénoncer l'extrême sévérité du *fehivava* pratiqué en pays sihanaka comparé à celui des hautes terres de l'Imerina[15] ; Ainsi encore, M. J-Cl. Rouveyran avait-il pu classer l'institution au titre des contrats de prêts[16], citant, ce faisant, l'opinion de M. H. Rakotomanana dans son étude sur le « prêt d'argent en droit français et malgache »[17]. Enfin, de récents travaux et ouvrages universitaires[18] ainsi qu'une modeste monographie[19] ont pu citer le *Fehivava* au rang des éléments indispensables à la cohérence et à l'harmonie actuelle des transactions foncières en milieu rural malgache.
C'est de toute cette fresque historique qu'est issue la définition du *fehivava* donnée par la loi du 3 septembre 2004 sur les sûretés dans son article 206 :

> « le contrat de *fehivava* est un contrat de prêt d'argent garanti par la remise de l'immeuble engagé au créancier fehivaviste[20] qui en jouit jusqu'à l'époque du remboursement ».

On verra que du point de vue technique, une telle définition soulève néanmoins plus de questions qu'elle ne donne de solutions.

3 - Histoire - Au-delà de ces diverses définitions sur lesquelles il importe effectivement et nécessairement de revenir[21], l'une des premières traces du contrat de *Fehivava* a pu être relevée dans les célèbres *kabary* d'Andrianampoinimerina (1787-1810)[22] sur le statut des terres, ce qui témoigne de la vitalité et de l'ancienneté de

---

15 P. Ottino, notables et paysans sans terre de l'Anony cahiers de l'ISEA 1965 p. 164 et ss.
16 J-Cl. Rouveyran, la logique des agricultures de transition, Ed.Maisonneuve et Larose, 1972 p. 180.
17 H. Rakotomanana, le prêt d'argent en droit français et malgache, penant 1964, spéc. p. 503.
18 M. Omrane, accès à la terre, dynamique démographique et ancestralité à Madagascar, l'Harmattan 2008. Le travail, issu d'observations *in vivo* de 2003 à 2006, est essentiellement économique mais traitant (p. 171 et ss.) de la marchandisation de la matière foncière, et nonobstant certaines « coquilles » sans grande importance sur le fond, il décrit de manière minutieuse les comportements et les modalités de vente – principalement le *fehivava* – pratiqués par les paysans des hautes terres de Madagascar ; égal. F. Sandron (dir.), population et développement dans les hautes terres de Madagascar, l'Harmattan, 2007.
19 L. Raharison, dualité entre héritage et vente de terres dans l'accès à la terre, les cas de l'Imerina (hautes terres centrales de Madagascar), communication au colloque international sur « les frontières de la question foncière – at the frontier of land issues », Montpellier 2006, consultable sur la page web : www.mpl.ird.fr/colloque_foncier/communication/PDF/Raharison.pdf
20 L'expression a été employée dès la fin du XIXe siècle par les auteurs pour désigner le créancier dans le contrat de *fehivava*. cf Cahuzac op.cit. spéc. p. 376. E-P. Thébault op.cit. n° 343. Sa consécration dans une loi du XXIe siècle veut témoigner de l'importance qu'on devrait accorder à l'institution traditionnelle.
21 cf. *infra* n° 8 et ss.
22 Ces kabary ont été retranscrits dans leur quasi totalité par le R.P Callet dans son monumental ouvrage « Ny tantaran'ny Andriana ». On s'est servi, pour le présent travail, de la version

l'institution. A notre connaissance, il n'est pas d'ouvrages ou de textes explicites pour la période antérieure à Andrianampoinimerina qui traiterait du *Fehivava*. On peut dès lors légitimement partir du principe que puisque ce grand Roi l'évoquait de manière ordinaire dans ses *kabary*, c'est que cette forme de contrat était d'usage commun au sein de son peuple.
On connaît la fameuse citation de l'illustre souverain : « la terre est à moi, nul n'en est propriétaire, excepté moi qui suis le maître du pays et de sa population... »[23]. En dépit de la formule – dont on sait désormais qu'elle voulait juste traduire un droit éminent[24] simplement virtuel et honorifique, une propriété individuelle et privative en faveur de ses sujets est expressément reconnue par le souverain qui énonce par la même occasion les conditions et les statuts des différentes terres :

> « [...] Ces *hetra*[25] que je vous donne tant aux sujets libres qu'aux esclaves, c'est afin d'assurer votre subsistance ; c'est pour vous racheter si vous êtes esclaves ; c'est pour y être ensevelis à votre mort. Vous pouvez vous vendre réciproquement : ce que je vous donne ainsi, vous pouvez le vendre à des

---

française dont la traduction a été effectuée par G.S. Chapus et E. Ratsimba, *Histoire des rois*, traduction du Tantaran'ny Andriana, éd. Académie Malgache, Tananarive 1974. Le tome III de cette édition recèle la quasi-totalité (en français) des kabary du souverain. L'ouvrage du R.P. Malzac sur le même thème, intégralement en malgache, a également été indispensable, cf. R.P. Malzac, ny tantaran'ny andriana eto Madagascar, (d'après les manuscrits malgaches) Antananarivo, Presy katolika 1875 (tome I), 1875 (tome II) et 1881 (tome III). Ce dernier tome seul intéresse nos propos.

23 R.P. Callet, Histoire des rois, tantaran'ny Andriana (trad. G.S.Chapus et E.Ratsimba,) tome III, Ed.l ibrairie de Madagascar 1974 §775 p. 776.

24 Qui théoriquement pouvait constituer une restriction au droit de propriété individuelle immobilière...

25 Présenter les différentes classifications des terres sous la période monarchique sortirait du cadre de nos propos. On se contentera de résumer les grandes lignes de la question. Les terres étaient, de manière générale réparties en deux grandes divisions : les terres *menabe* (placées sous l'autorité immédiate du souverain) et les terres *menakely* (faisant partie d'un *vodivona*, sorte de fief attribué aux membres des trois premiers clans de la noblesse qui prenaient le titre de *tompo-menakely*). Outre cette distinction de base, les différentes sortes de propriétés peuvent se diviser en cinq grandes catégories : 1° les terres *lavavolo* ou vacantes (terres en friche relevant du domaine de l'Etat) 2° les terres *hetra* (les rizières distribuées par le souverain aux fokon'olona et réparties par ces derniers à leurs membres. Ces terres ne pouvaient être vendues mais seulement données en *Fehivava*). Le mot *hetra* désignait et le lot de terre et l'impôt qui la frappait ; aujourd'hui, il désigne l'impôt en général 3° les terres *lohombitany* (terres données par le souverain à une personne en récompense de services rendus. Ce terrain est exempt d'impôt. Il constituerait la première forme de propriété individuelle, son propriétaire pouvant, sans aucune restriction, en jouir et en disposer de la manière la plus absolue) 4° les terres *solampangadindraiamandreny* (terres appropriées par mise en valeur. L'individu qui, avec l'assentiment du fokonolona défrichait un terrain ou le mettait en valeur en devenait propriétaire) 5° les terres patrimoniales ou t*anin-drazana* (terres, quelles qu'en soit l'origine –hetra, lohombitany, solampangadindraiamandreny...– transmises aux descendants par succession ou autre). De manière générale cf. G.Julien, institutions politiques et sociales de Madagascar, tome 1, Ed. Guilmoto 1909 spéc.p. 252 et ss. ; H. Berthier, droit civil malgache, imprimerie officielle, Tananarive, 1930 p.87 et ss ; A.Cahuzac, op.cit.374 et ss ; E-P Thébault, traité de droit civil malgache, tome 2 (les biens, obligations et contrats), Jouve et Cie 1951 p. 310 et ss.

personnes qui ont les mêmes ancêtres, ou l'échanger avec elles ; je n'abandonne pourtant pas les contributions qui me reviennent et je ferai payer l'*isam-pangady* (impôt) car c'est la terre qui me sert et qui me paye l'*isam-pangady* [...] *une* ***varo-maty*** *(vente définitive) ne peut être présentée comme une vente* ***Fehivava****, conditionnelle et temporaire, car elle a donné lieu à un payement. Et une* ***fehivava,*** *étant limitée à quelques années, ne peut être présentée comme une* ***varo-maty,*** qu'il s'agisse de collines ou de vallées[...] La terre ne peut être vendue définitivement aux esclaves [...] Mais s'il s'agit d'une vente *Fehivava*, vous le pouvez [...] »[26].

On insistera, pour y revenir ultérieurement, sur cette distinction faite par le souverain : la vente *Fehivava*, considérée comme conditionnelle, est opposée à la vente définitive sur laquelle, par définition, les parties n'auront plus le droit de revenir.
Par la suite, le *Fehivava* est observé, soit expressément soit implicitement[27], dans les différents codes[28] de la période monarchique et spécialement dans le dernier – mais le plus connu d'entre eux avant le début de la période coloniale, le code des 305 articles (1881) de la reine Ranavalona II dont on sait l'importance qu'il revêt encore de nos jours au sein de l'arsenal juridique de Madagascar. Les avis sont unanimes pour dire que ce code, de même que ces devanciers, n'est

---

26 Cf. R.P. Callet Ny tantaran'ny andriana (histoire des rois) op.cit. §776 p.120 cf. sur le même passage, les commentaires (et une autre traduction) de MM. G. Mantaux et H. Ratsimiebo, Andrianampoinimerina : un mythe une légende, *in* l'express de Madagascar du 22 septembre 2006 ; également R.P.Malzac, op.cit. pour le *kabary* en original tome III p.145 (extraits) «[...] Ary izao (tany)omeko anareo izao : mahazo mifampivarotra sy mifampanakalo amy ny miray tanindrazana hianareo [...] *ary ny varo-maty tsy azo atao hoe fehivava fa dia vidiny, ary ny fehivava misy fe-taona ka tsy azo atao hoe varo-maty*, na tampontanety na lohasaha [...] raha manao varo-maty amin'ny andevon'olona ny tanindrazana, dia ataoko ho mahameloka, fa tsy mba azo atao varo-maty amy ny andevvon'olona ny tany. Ary raha fehivava, atao hiany ; kandrefa asio vavolombelona [...] »

27 Car les codes étaient promulgués dans l'esprit de ne pas bouleverser l'ordre existant. Ils avaient pour objectif de fixer différents points du droit positif à compter de l'avènement du souverain, mais n'avaient généralement pas pour ambition de supplanter des coutumes immémoriales. « Il était devenu d'usage que le discours royal du couronnement rappelât la validité des coutumes antérieures, en particulier celles relatives à la justice. Mais chaque fois, le nouveau souverain annonçait des mesures applicables à partir de son règne. Les coutumes s'enrichirent ainsi constamment au cours du XIXe siècle » E.Ralaimihoatra, histoire de Madagascar, Editions de la librairie de Madagascar,1982 p.187. Ce que confirme la rédaction de l'article 263 du code des 305 articles (1881) : « *ny lalàna sy fomban-tany izay fanao hatramy ny ela, ary mbola arahina mandrak'ankehitriny, na dia tsy voasoratra amin'ity lalàna ity aza, dia mbola lalàna velona izany sy fomba arahina, ka ankatoavina tahaka ny lalàna voasoratra amy ny bokin'ity lalàna ity* » (traduction de G. Julien : les lois et les coutumes anciennes, et jusqu'à ce jour observées, alors même qu'elles ne figureraient pas parmi les présentes, restent en vigueur et doivent être appliquées à l'égal des lois écrites réunies dans le présent code). De manière générale, cf. E.P Thebault, le code des 305 articles, Imprimerie officielle, tananarive,1960.

28 Le phénomène de codification sous la période de la Royauté a été véritablement prolifique sous le XIXe siècle v. note 2 *supra*. De manière générale, sur le phénomène de codification à Madagascar, cf. *nos* articles : « la codification : l'expérience malgache », Revue Juridique de l'Océan Indien 2004/2005 n° 4 p.95 et ss., et « les causes et techniques de l'adaptation du code civil à Madagascar», Revue Juridique de l'océan indien n° spécial 2006 p. 13 et ss.

peut être pas un modèle de cohérence thématique au même titre notamment que le code civil français de 1804. Il ne procède pas par voie de formules générales ni de principes destinés à servir de repères ou de ligne de conduite à l'intention des individus[29]. Seulement, en dépit de leur formulation volontairement concrète et pratique, les codes malgaches présentent l'inestimable intérêt de servir de réceptacle aux pratiques et coutumes antérieures. C'est ce dont témoigne la rédaction de l'article 263 du code des 305 articles qui affirme, à sa manière, la continuité du droit et des institutions : « les lois et coutumes antérieures continueront à garder leur pleine valeur et à être en vigueur, alors même qu'elles ne sont pas reproduites dans le code... »[30]

Le *Fehivava* a subi un sort plus explicite. Le code des 305 articles, dans trois de ses dispositions[31], envisage expressément les sanctions civiles, et éventuellement pénales, de sa violation[32]. La démarche est classique du code, mais de la manière dont ces dispositions sont rédigées, sa portée est considérable. Elle illustre d'abord que le *Fehivava*, jusqu'à présent de pratique coutumière, fait l'objet dorénavant d'une consécration par le code écrit ; d'autre part et surtout, il semblerait – et le conditionnel est de rigueur – que son domaine puisse s'étendre en dehors du foncier qui était quand même son unique terrain de prédilection. Si cette lecture est retenue, cela amènerait le *Fehivava* au rang d'un principe général du droit des contrats[33]. Il est vrai que cette dernière proposition vaut d'être reçue

---

29 Cf, sur ces points, l'avant-propos de F-P Théhault in le code des 305 articles, op.cit. p. 8.

30 Traduction Tacchi, citée par E-P. Thébault in le code des 305 articles op.cit. sous l'article 263.

31 Art. 244, 245 et 246 lesquels, encore une fois, se gardent bien d'énoncer une définition quelconque du *Fehivava* mais se contentent de fulminer les sanctions contre tout contractant qui n'en respecterait pas les clauses ou l'esprit.

32 Exemple art.245 : « si vous avez opéré la vente d'un objet à titre définitif et que, voyant cet objet acquérir une plus value, vous prétendiez qu'il n'a été cédé qu'à titre provisoire (*Fehivavany*), il restera définitivement acquis à son possesseur. Quant à vous, qui aurez menti, vous serez puni d'une amende de cinq bœufs et de cinq piaqtres [piastres] et si, vous ne pouvez payer, vous serez mis en prison à raison d'un sikajy pqr [par] jour jusq'à [jusqu'à] concurrence du montant de l'amende » (traduction Julien cité par Thébault) [raha mivaro-javatra ianao, ka varo-maty hiany no nivarotanao azy, ka saingy mihatsara ny zavatra ka ataonao hoe *Fehivava*ny fa tsy varo-maty, dia azy varo-maty hiany. Ary ianao izay mandainga toy izany dia sazina omby dimy sy a.5 ; ary raha tsy mahaloa sazy izy dia atao an-trano maizina ankevitry ny sikajy isan-andro mandra-pahatapitry ny ankevitry ny saziny].

33 Outre l'article 245 supra note 29, l'article 246 est encore plus troublant : « si, ayant fait un achat à titre provisoire (*Fehivavany*), vous prétendez, parce que vous désirez la possession définitive de la chose, que la vente a été faite à titre définitif, il vous sera fait retour de la somme que vous aurez consacrée à l'achat et l'objet de la vente sera rendu à son premier propriétaire. Quant a vous, vous serez puni d'une amende de cinq bœufs et de cinq piastres et, si vous ne pouvez payer, vous serez mis en prison à raison d'un sikajy par jour jusqu'à concurrence du montant de l'amende » (traduction Julien cité par Thébault) [raha mividy zavatra ihanao, ka fehivavany no nividiananao azy, saingy tianao ny zavatr'olona, ka ataonao hoe varo-maty, dia ny vola nividiananao ny zavatra no miverina. Ary ny zavatr'olona novidina dia miverina amy ny

avec une très grande prudence mais la rédaction des articles en cause, pour une fois énoncés véritablement à titre de principe au sein de la législation, est de manière à semer une certaine confusion dans la compréhension de l'institution. On aura l'occasion d'y revenir[34].

Le **XXe siècle**, dans sa première moitié, est l'occasion de voir la consécration jurisprudentielle du *Fehivava*. Non que les litiges n'existassent point en la matière du temps de la Royauté, mais l'arbitrage des fokonolona d'une part et, plus techniquement, l'absence évidente de support écrit dans les premiers temps de cette période empêche une appréciation objective de l'institution du *Fehivava*. Au contraire, les ouvrages du XXe siècle – et principalement celui de E-P. Thébault[35] – recensent des arrêts rendus en la matière, illustrant ainsi la réception de cette pratique coutumière par les organes étatiques. Plus personnellement, ayant eu l'occasion de consulter les recueils de la jurisprudence de la chambre civile de droit local de 1940 à 1950, on a pu également constater la vitalité du *Fehivava* auprès des tribunaux[36].

La **deuxième moitié du XXe siècle**, du point de vue jurisprudentiel, est par contre peu diserte en matière de *Fehivava*. Probablement parce qu'a été introduite dès 1960 dans le droit positif de l'indépendance le mécanisme de l'hypothèque, lequel a vraisemblablement supplanté le *Fehivava* aux yeux des justiciables[37]. Il faut néanmoins préciser immédiatement que cette observation ne vaut que sur le plan urbain et uniquement au niveau des tribunaux. La pratique rurale, encore de nos jours, fraye avec le *Fehivava* de manière tenace et parfois même sournoise, selon un procédé usuraire dénoncé vigoureusement par P.Ottino : « Si, à l'expiration du délai de remboursement, le débiteur n'est pas parvenu à se libérer, le créancier se saisit de la terre et exige que soit passé un acte de vente régulier. Ce contrat multiplie les garanties les plus énergiques au bénéfice du

---

tompony, ary hianao dia sazina omby dimy sy a.5 ; ka raha tsy mahaloa sazy dia atao an-trano maizina ankevitry ny sikajy isan-andro mandra-pahatapitry ny ankevitry ny saziny].

34 *infra* n° 24.

35 Cf.E-P.Thébault, tome 2 les biens, obligations et contrats op. cit.

36 Le recueil sera désigné dans la suite des développements par l'acronyme « rec.jur.civ.». Plus précisément, de 1940 à 1950, 1.570 arrêts ont été rendus par la chambre civile indigène de la cour d'appel de Madagascar (soit une moyenne de 150 arrêts rendus définitivement par année). Sur ce total, 30 arrêts traitent du *Fehivava,* soit un peu moins de 2 %, les autres se dispersant entre les différents domaines du droit des biens, des successions, des contrats ou de la personne. Mais ce qui pose qu'en moyenne, les tribunaux de l'Etat, tous les ans, ont à connaitre de manière définitive de deux affaires en matière de *Fehivava*. C'est peut être relativement modeste, mais c'est suffisant pour établir la vitalité d'une institution.

37 Ce qui reflétait déjà l'opinion de certains auteurs sous la période coloniale, cf. A.Cahuzac op.cit. p. 376 : « le *Fehivava* joue, pratiquement, dans la vie malgache, le rôle de l'hypothèque ».

créancier...[38] ». Dans la dernière décennie du XXe siècle, lors des descentes sur terrains menées dans le cadre d'enquêtes rurales, on a pu personnellement assister à de telles pratiques, généralement de la part des notables ou des commerçants des zones reculées et enclavées[39], par définition éloignées de toute agglomération importante.

En cette première décennie du **XXIe siècle**, de récents travaux et ouvrages universitaires témoignent que le contrat de *fehivava* continue à être pratiqué de manière vivace dans le milieu paysan[40].

3 bis- Du point de vue de son **application dans l'espace**, le fehivava est observé dans d'autres régions et coutumes de Madagascar. Les enquêtes coutumières[41] effectuées sous la première république dans la perspective de la mise en place d'un code civil ont en effet révélé que l'institution est connue des coutumes des différentes ethnies de l'ile, mais sous une autre appellation.

L'ensemble de ces considérations a conduit le législateur à enserrer le contrat de *Fehivava* au sein du droit positif dans le cadre de la législation nouvelle sur les sûretés, plus spécialement les sûretés réelles. Il a été estimé à juste titre qu'une institution aussi importante pour une nation, tant sur le plan institutionnel qu'historique, ne peut être laissée à l'usage débridé et exclusif du monde paysan. Il y va de l'équilibre juridique et économique, voire moral, d'une société.

4 - plan - De ce contrat, il importe d'en étudier la notion [I], le régime [II] et la cessation [III].

---

38 P.Ottino, notables et paysans sans terre de l'Anony, op.cit. p. 164 ; V. également les observations édifiantes de R.Wieme, le prêt agricole entre particuliers à Madagascar (contribution à l'étude d'un problème du droit du développement), mémoire DES Droit Privé, Faculté de droit et des sciences économiques de l'université d'Antananarivo, publication du centre de droit privé 1961 spéc. p. 130 où l'auteur dresse un tableau synoptique des causes, agents et sort du prêt sollicité par les paysans auprès des collecteurs, commerçants et autres notables.

39 cf. *notre* article, tendances et évolution du droit des affaires à Madagascar, RIDC. 1992.409 et ss. spéc. n° 19.

40 M. Omrane, accès à la terre, dynamique démographique et ancestralité à Madagascar, l'Harmattan 2008 spéc. p. 171 et ss, chapitre 6 sur la marchandisation de la terre dans un contexte de pression foncière. ; égal. F. Sandron (dir.), population et développement dans les hautes terres de Madagascar, l'Harmattan,2007

41 Enquêtes coutumières, zone sud-est effectuées par le Ministère de la justice (1961) spec. pp. 17 : « le *debaka* est une sorte de contrat qui consiste à donner en contrepartie d'une somme empruntée des terres à cultiver ou des champs de manioc ou de caféiers. Le debaka est à rapprocher du fehivava merina ». R. Wieme cite également le *varo-belo* betsileo et insiste sur le fait que l'institution du fehivava est connue par plusieurs autres populations de Madagascar et n'a pas son analogue en droit français (*in* le prêt agricole entre particuliers op. cit. spéc. p. 26).

I – LA NOTION DE *FEHIVAVA*

5 - présentation - La description de l'institution retracée par E-P Thébault servira de base de départ aux réflexions qui vont suivre : « Comment, en pratique, se présente le contrat de *fehivava* ? Le propriétaire d'une terre a besoin d'argent. Il va trouver une personne et lui donne en garantie un de ses immeubles, en stipulant que, lorsqu'il restituera la somme empruntée, le prêteur lui rendra l'immeuble. En principe, le contrat doit indiquer dans quel délai doit avoir lieu ce remboursement ; mais à cet égard, la coutume laisse la plus grande liberté aux contractants... »[42] Cette première présentation, rapide, du *fehivava* rappelle certaines institutions du code civil français de 1804, spécialement l'antichrèse ou la vente à réméré, mais sans que l'identité ou la confusion entre elles puissent être faites. On peut comprendre, dès lors, l'intérêt des tentatives de définitions spécifiques menées par les auteurs du XIXe siècle et leurs hésitations sur la qualification à donner au mécanisme : vente de terres assortie d'une clause de rachat pour les uns, contrat de prêt assortie d'un gage immobilier pour les autres, ou enfin vente de terre sous condition de rachat pour le plus grand nombre.

Pour une compréhension plus juste de la question, l'étude préalable du mécanisme [A] du *Fehivava* permettra de se prononcer sur sa nature juridique [B].

A – Le mécanisme du *Fehivava*

6 - deux contrats en un - On relira la définition de l'article 206 de la loi : « le contrat de *fehivava* est un contrat de prêt d'argent garanti par la remise de l'immeuble... ». Ainsi libellée, la définition suggère un certain nombre de questions. Le *fehivava* est-il seulement un contrat de prêt ? Est-ce surtout un contrat de garantie ? Est-ce une opération unique ou duale ? Les deux contrats sont-ils indissolublement reliés ou peuvent-ils être indépendants l'un de l'autre ?
En fait, le *Fehivava* est tout cela en même temps. Il est l'aboutissement de deux conventions successives indissolublement liées. C'est la somme et la réunion indissociable de ces deux conventions qui appelle le qualificatif de la loi et de l'institution coutumière. Mais la première convention, celle qui constituera le moteur du *fehivava* est occulte. Elle ne peut pas et ne sera pas perçue

42 E-P Thébault, op.cit. n° 343 p. 433.

au niveau de la confection de ce dernier, ni d'ailleurs dans un acte extérieur, alors même qu'elle en constituera le facteur déclenchant. En d'autres termes, une approche séparée ou éclatée de ces deux conventions ne sera pas qualifiée de *fehivava*.
Une comparaison avec des institutions plus connues permettra d'avoir une notion compréhensive de la question. Dans la présentation classique du droit commun des sûretés, le contrat constitutif de sûretés est un second contrat accessoire à une première convention laquelle est qualifiée de contrat principal, par définition générateur de la sûreté. Mais les deux conventions – la principale et l'accessoire – même si elles figureraient concrètement dans un seul et même acte, auront chacune, de manière indépendante, leur propre qualification technique et peuvent avoir, chacune, leur propre destinée juridique. Ainsi, un contrat de prêt (contrat principal) peut parfaitement être conclu sans un contrat accessoire de garantie (cautionnement, gage ou hypothèque) lequel peut cesser d'exister sans référence au contrat principal dont il est issu (le contrat accessoire ayant bien souvent ses propres causes d'extinction).

7 - Opération de *fehivava* et contrat de *fehivava* stricto sensu - Rien de tel dans le contrat de *fehivava*. On ne verra pas dans ce contrat ce net découplage de deux contrats. Au contraire, le *fehivava* forme un tout mais passe sous silence la cause de l'opération de garantie, l'élément déclencheur de cette garantie. Comme la loi fait référence explicitement au contrat de prêt, on peut effectivement présenter le *fehivava* et le contrat de prêt selon un schéma classique à certaines conventions générant des garanties. Ainsi, il faut faire la différence entre l'opération de *fehivava* et le contrat de *fehivava*. L'opération de *fehivava* est ce que décrit l'article 206 de la loi. Elle comprend la cause de l'opération(le contrat principal de prêt d'argent, occulte), la conséquence (le contrat accessoire de remise d'immeuble) et les droits du créancier (la jouissance du bien). Le contrat de *fehivava*, par contre, consiste dans l'acte concret de remise de l'immeuble entre les mains du créancier (cf.sur tous ces points, *infra, fehivava* et prêt, n° 14).
Dépassant le cadre strict du contrat de prêt, si l'on veut néanmoins essayer d'expliquer le *fehivava* par référence aux concepts du code civil français, avec toutes les réserves qu'appelle une transposition pure et simple, ce pourrait être ou bien un contrat de vente assorti d'une condition ou d'une clause de rachat, ou bien effectivement un contrat de prêt garanti par un immeuble. Dans un cas, on serait alors proche – mais sans s'y confondre – de la vente à réméré. Dans l'autre, de l'antichrèse mais sans que l'identité soit réelle. Pour une

compréhension plus nette de la question, il importe dès lors de chercher en quoi le *fehivava* diffère des contrats et mécanismes classiques du droit civil.

1) Fehivava et vente

8 - les variétés de formes de vente - On connait la définition du contrat de vente de l'article 1582 du code civil français. C'est « le contrat par lequel l'une des parties, le vendeur, transmet la propriété d'une chose et s'engage à livrer celle-ci à une autre, l'acheteur ou l'acquéreur, qui s'oblige à lui en payer le prix »[43]. Cette définition est reçue en droit malgache, mais elle doit être modulée en fonction de la nature de la vente qui peut se décliner, ainsi que l'ont révélés les *kabary* d'Andrianampoinimerina, en *varo-maty* ou en *fehivava*. Le varo-maty[44] est la vente définitive. Il rejoint, par là, la définition du code civil français. Le *fehivava* est- pour reprendre la définition lapidaire qu'en donne Cahuzac[45] – « la terre vendue sous condition de rachat ». Ce qui a permis à des auteurs[46] d'évoquer les analogies entre la vente à réméré et le *fehivava*.

9 - *fehivava* et vente à réméré - Mais le *fehivava* n'est pas la vente à réméré. E-P. Thébault a fait justice de cette confusion en dénonçant, à grands renforts de décisions judiciaires, la différence profonde entre ces deux contrats : « dans le contrat de *fehivava*, le droit de propriété continue de demeurer dans le patrimoine du débiteur-emprunteur, et ne passe dans celui du créancier qu'à la date de l'échéance de la dette faute de paiement de celle-ci... »[47]. Or, on sait qu'en matière de vente à réméré, une telle opération transfère le droit de propriété de manière effective dans le patrimoine de l'acquéreur, sous réserve d'un droit de reprise du vendeur. La conséquence en est que l'acquéreur est parfaitement en droit de disposer du bien et de le céder à un tiers, ce dernier étant par hypothèse en connaissance de cause de la clause de rachat qui peut lui être opposable par le vendeur initial s'il décide d'en faire usage[48]. Pareille issue est inconcevable en matière de *fehivava*,

43 G. Cornu, vocabulaire juridique de l'association Henri Capitant, V° vente.

44 Contraction de varotra (vente) et maty (étymologiquement décédé, mort ; ici, définitive)

45 cf. *supra* n° 2.

46 H.Berthier op.cit. n° 259 ; V.Gasse, op.cit. n° 157.

47 E-P.thébault op.cit. n° 342 qui cite des décisions la Chambre civile du 19 novembre 1941 et du 16 novembre 1944 ; en ce sens, également Cahuzac, op.cit. p. 376 et ss. ; H. Berthier op. cit. n° 259.

48 De manière générale, pour une vue d'ensemble récente, cf. O. Deshayes, la transmission de plein droit des obligations à l'ayant cause à titre particulier, LGDJ, 2004.

une (re)vente de la part du créancier à un moment où le contrat se déroule normalement a été jugée nulle comme faite *a non domino*[49].

Il est une autre différence relative au **délai** qui n'est pas à mésestimer. Dans la vente à réméré, aux termes de l'article 1660 C.civ français, notamment pour des raisons tenant à la moralisation du contrat[50], « la faculté de rachat ne peut être stipulée pour un terme excédant cinq années ; Si elle a été stipulée pour un terme plus long, elle est réduite à ce terme ». Dans le *fehivava*, stipuler un délai n'est pas de l'essence de ce contrat. Au contraire, « On a vu des contrats de vente fehivavany durer plusieurs générations et il en est encore qui ne sont pas expirés bien qu'ayant été conclus par les arrière-grands-parents des titulaires actuels »[51]. Cette réflexion a été confirmée par les tribunaux dès les premières décisions en la matière[52].

En résumé, on retiendra que si vente il y a dans le *fehivava*, ce serait une sorte de vente à propriété retenue mais de manière inversée en faveur du débiteur. Ce qui somme toute, à lire les pénalités édictées par le code des 305 articles, ne serait que le reflet de l'esprit de l'époque[53] où le bien immobilier, surtout s'il fait partie de ceux concédés par le souverain ou de ceux intégrés au rang des biens *ko-drazana*[54], n'est pas destiné à sortir de la lignée familiale.

---

49 Cour d'appel de Tananarive 28 novembre 1928 n° 99 ; 30 décembre 1920 n° 152 cités par E-P. Thébault op. cit. n° 352.
50 cf. F. Collart Dutilleul et P. Delebecque, contrats civils et commerciaux, Dalloz 2004 n° 196 ; P-H. Antonmattei et J. Reynard, droit civil, contrats spéciaux, Litec 2004 n° 164
51 G.Julien,op.cit.n° 392.
52 not. C.ap. de Madagascar, 17 aout 1944, n° 124, Rakotonala et csrt c/Razafindramanana et csrt, recueil de jurisprudence civile de droit local 1940-1950 op.cit. p. 200 [ci-après rec.jur.civ.] : « En décidant que la longue et paisible jouissance de la rizière par les défendeurs (depuis le 16 décembre 1897) permet de conclure que les demandeurs sont mal venus pour venir aujourd'hui revendiquer cette rizière, alors que d'une part la rizière en cause faisait l'objet d' un contrat de fehivava, que d'autre part, la possession en droit malgache, aussi longue qu'elle soit, ne peut jamais conduire à la prescription, le jugement frappé de recours a violé la loi ».
53 En fait, le code des 305 articles, dans sa propre terminologie, tend à sanctionner la mauvaise foi des parties au contrat de *fehivava*. Cf notes *supra* n° 29 et 30.
54 Biens *ko-drazana* (étymologiquement biens issus des usages, des coutumes des ancêtres) : biens d'une famille institués par testament ou par legs qui sont caractérisés par deux traits distinctifs, l'indivision et l'inaliénabilité. En la forme, « ces biens sont légués par un père à l'aîné, sous la condition que ce dernier, à sa mort, les transmettra au plus âgé de la famille – qui n'est pas nécessairement l'aîné de ses enfants…– qui, à son tour, sera tenu de la même obligation et ainsi de suite jusqu'à extinction de tous les membres » H. Berthier, op.cit. n° 218. L'institution répond au souci de ne pas altérer le patrimoine accumulé et construit par les générations antérieures de la grande famille. Les biens ko-drazana sont en principe inaliénables et ne peuvent sortir de la famille, sauf quelquefois si la coutume l'autorise pour des motifs graves auquel cas l'unanimité des membres de la famille est indispensable.

2) Fehivava et antichrèse[55]

10 - parenté ? - L'antichrèse serait, dans la définition initiale de l'article 2072 du code civil français, l'institution qui se rapprocherait le plus du *fehivava*. En effet, défini comme le nantissement d'un immeuble, c'est-à-dire « le contrat par lequel un créancier acquiert pour sûreté de sa créance, la faculté de percevoir les fruits d'un immeuble qui lui est remis par son débiteur »[56], l'antichrèse présente une étroite parenté avec le *fehivava*. Dans les deux cas, le bien se retrouve entre les mains du créancier ; dans les deux cas, ce dernier ne peut prétendre qu'aux fruits de l'immeuble ; enfin, dans les deux cas, il ne peut s'approprier l'immeuble en cause « par le seul défaut de payement au terme convenu ».

La différence se situe, d'abord, au niveau de la phase de constitution. Dans l'antichrèse, on perçoit sans difficulté l'articulation entre contrat principal (généralement l'acte de prêt) et contrat accessoire qui vient le conforter (l'antichrèse), les deux pouvant être relatés respectivement dans des documents et supports autonomes. Ou du moins, l'acte accessoire de garantie fera obligatoirement référence à l'acte préalable qui a conduit à son élaboration. Ce qui n'est pas le cas en matière de *fehivava* où la procédure de passation de l'acte, de même que la terminologie employée dans les formulaires officiels, marquent en elles-mêmes la spécificité de l'institution : dans la conclusion d'une *vente* **fehivava** (*varotra fehivavany*), les deux parties signataires attestent dans un seul et même acte que l'opération est faite *fehivava*ny (par opposition à *varo-maty*[57])[58], *sans aucune référence à une autre convention ou obligation préexistante* qui la

55 On retiendra la définition de l'antichrèse dans la rédaction originale du code civil de 1804, lequel avait vocation à être appliqué à Madagascar. Adopter la définition récente de l'antichrèse (gage immobilier) donnée en droit français par la récente loi 2009-526 du 12 mai 2009 sur la simplification et la clarification du droit et l'allègement des procédures, (devenue les articles 2387 et ss. du code civil) s'avère, de manière évidente, inopérante eu égard à nos propos.

56 G. Cornu, Vocabulaire juridique de l'association Henri Capitant V°Antichrèse.

57 Sur la distinction cf. supra n° 8.

58 Les modèles de formulaires de vente *fehivava*ny (uniquement en langue malgache et pris en application de l'arrêté du 4 novembre 1919 relatif aux droits d'enregistrement, de timbre et de recherches des actes passés entre indigènes (JOM 1920 p. 333 et ss. *in* A.Gamon et R.Castel, traité de la justice indigène à Madagascar, Imprimerie officielle, Tananarive, 1933 p.155 et ss.) sont explicites et écartent a priori toute possibilité d'interprétation. L'acte se présente sous la forme d'un unique contrat et est intitulé « vente *fehivava*ny » ; vient ensuite l'identification des parties (les soussignés) qui conviennent que « M.X (...) vend « *fehivava*ny » à M.Y (...) son terrain sis à ....pour le prix de ...» (suivent ensuite les obligations respectives des parties et leurs signatures). Sur les modèles de formulaires, V. H. Berthier, lalana velona sy fomban-tany mbola arahina eto Madagasikara, Tananarive, imprimerie officielle, 1933 spéc. 93 qui fournit notamment un modèle de formulaire de vente *fehivava*ny.

justifierait. Aussi, *a priori*, la fonction de garantie de l'acte de *fehivava* n'est pas évidente aux yeux du non initié car elle s'induit de l'acte lui-même. Il faut néanmoins reconnaitre que c'est précisément cette simplicité dans la procédure qui permet aux prêteurs indélicats et usuriers de toutes sortes de profiter de la crédulité des paysans ainsi que le dénonçait P.Ottino dans ses écrits[59]. C'est l'un des mérites de la nouvelle loi sur les sûretés que de vouloir encadrer cette institution traditionnelle pour précisément en prévenir les détournements possibles.

Il est une autre différence tout aussi digne d'intérêt. Dans l'antichrèse, le débiteur doit payer au créancier tous travaux et toutes dépenses d'amélioration qu'il aurait pu effectuer sur l'immeuble du temps où ce dernier était en sa possession[60]. En matière de *fehivava*, au moment du remboursement, le débiteur ne doit absolument rien d'autre que le remboursement de ce qu'il a « emprunté » à l'exclusion de toute autre somme ou quelconque intérêt[61].

Il est enfin une troisième différence qui souligne la spécificité du *fehivava*. En matière d'antichrèse, l'idée est de donner au créancier antichrésiste un droit sur les fruits aux fins de lui permettre de régler sa dette de manière régulière et indolore. Selon l'article 2085 alinéa 2 (ancien) du code civil français, les fruits s'imputent sur les intérêts, puis sur le capital s'ils dégagent une valeur supérieure à celle des intérêts. Et « si la créance n'est pas productive d'intérêts,[...] l'imputation des fruits se fait alors directement sur le capital de la créance »[62]. Rien de tel en matière de *fehivava* où l'esprit de l'institution exclut ces dernières solutions. D'une part, le contrat de

---

59 cf. *supra* note 35 ; de même R.Wieme, le prêt agricole entre particuliers à Madagascar op.cit. spéc. p.166 et ss., qui décrit les causes de l'échec de la règlementation sur l'usure.
60 « lorsque l'antichrésiste a créé des améliorations, celles-ci lui sont bonifiées jusqu'à concurrence de la mieux value qui en a résulté sans que cependant cette bonification puisse excéder le montant de la dépense » Paris 25 mars 1835 S.1837.2.29 où la cour d'appel avait estimé que le créancier antichrésiste pouvait être considéré comme un tiers de bonne foi et que l'article 555 C.civ. lui était applicable ; arrêt confirmé par Cass. Civ 1ère, 15 janvier 1839 S.1839.1.97 ; cf. C. Mouly, *J.Cl.* notarial V° Antichrèse (1992) n° 51 ; R.Tendler, l'antichrèse, mythe ou réalité ? D.1989. chr.145.
61 Un arrêt du 13 mars 1941 n° 35, Razanadrasoa c/Ranosy, [rec. jur. civ. op.cit. p. 64] a décidé néanmoins du contraire, mais E-P. Thébault (op.cit. p. 434 note 1) justifie cette solution exceptionnelle par le caractère inéquitable des faits de la cause. Le débiteur-vendeur devait procéder au rachat de son bien pour 750 ff de l'époque au terme d'une année. Il n'y procède qu'au bout de ...20 ans et veut s'en tirer à bon compte en ne versant que le prix du bien (conformément à la coutume) sans vouloir rembourser au créancier-acheteur (désormais débiteur de la restitution du bien) ses dépenses de conservation et d'amélioration de l'immeuble pendant ces deux décennies. Ce que la Cour d'appel de Madagascar lui refuse.
62 C.Mouly op.cit. n° 44.

fehivava ne doit pas contenir des clauses sur les intérêts. Le débiteur ayant emprunté un capital donné, il ne remboursera que ce capital à l'exclusion de tout intérêt. D'autre part et corollairement, le créancier *fehivaviste* perçoit les fruits « pour son compte »[63], sans avoir à les imputer ni sur les intérêts (lesquels par hypothèse ne peuvent être stipulés), ni sur le capital.

11 - « *fehivava*-bail ? » - Cela étant, antichrèse et *fehivava*, par leurs développements respectifs, présentent toutefois des points de contact. On sait désormais qu'en matière de *fehivava*, le bien immeuble est remis entre les mains du créancier fehivaviste, mais qu'il n'en acquiert qu'une détention précaire, le droit de propriété demeurant dans le patrimoine du débiteur lequel, seul, a le droit de disposer de l'immeuble. Le créancier, quant à lui, a l'usufruit du bien et peut en conséquence percevoir les loyers que l'immeuble pourrait générer. Un arrêt de la cour d'appel d'Antananarivo a révélé un aspect de la pratique coutumière qui s'apparenterait au mécanisme moderne de l'antichrèse-bail[64] et qui démontre que la pratique coutumière peut parfaitement être en avance sur son temps.
Le contrat de *fehivava* est conclu entre les protagonistes mais au lieu que l'immeuble soit mis en possession du créancier, il est convenu qu'il demeurera entre les mains du débiteur propriétaire lequel, par acte sous seing privé, accepte de verser mensuellement au créancier des loyers qui s'imputeront sur le remboursement de son emprunt. Le débiteur cesse de payer les loyers. Le créancier porte l'affaire en justice et... perd son procès sur la base de considérants qui prêteraient à sourire s'ils n'étaient pas si graves (pour le créancier) dans leurs conséquences :

> « ...considérant que le contrat de *fehivava*ny est un contrat réel qui entraine habituellement la remise de l'immeuble au créancier *fehivava* et lui confère un privilège d'abord sur les fruits et revenus de l'immeuble, ensuite sur l'immeuble lui même en cas de vente ;
> Qu'ainsi le droit de Raolinoro Berthe (le créancier) aux fruits et aux revenus de l'immeuble est incontestable, mais à la condition toutefois que ledit immeuble ait produit des fruits et revenus ; ce qui n'est pas le cas en l'espèce présente ;
> Considérant en effet que Raolinoro, s'étant abstenu d'exiger la remise de l'immeuble afin de le louer et d'en tirer les fruits et revenus auxquels elle pouvait

---

63 Art. 208 al. 1 L.2003.041 du 3 septembre 2001 sur les sûretés. Pour de plus amples développement sur cette solution, cf. *infra* n° 30 sur le droit de jouissance du créancier fehivaviste et les arrêts (de principe) cités.
64 F. Lejeune, une sûreté nouvelle, l'antichrèse-bail, journ.not. avoc.1986 art. 58565 p. 271 ; Cass. 3e civ., 18 déc. 2002 JCP,G,2003,I,124 n.12 obs.Delebecque [SA CDR Créances c/ Ancel, ès qual. et a.] rendu sur C. Appel de Papeete (11 avr. 2001 : JCP G 2002, II, 10004, note Y. Picod ; JCP G 2002, I, 120, n° 5)

> prétendre, *en a laissé la jouissance aux époux Rabenitany-Ramasinoro (le débiteur), propriétaire* dudit immeuble ;
> Qu'au surplus, en négligeant de faire enregistrer le contrat de louage qu'elle était en droit d'imposer à ses occupants, elle se trouve privée par sa seule faute, de loyers qui ne lui auraient pas été contestés si elle avait agi régulièrement en temps opportun... »[65]

En d'autres termes, si on lit bien l'arrêt, d'une part, le propriétaire-débiteur dans le cadre d'un contrat *fehivava* n'a pas à payer des loyers de son propre terrain si celui-ci reste en sa possession ; d'autre part, le défaut d'enregistrement d'un acte sous seing privé entraîne présomption irréfragable de faute et de responsabilité à la charge du demandeur, même en cas d'aveu du défendeur...ce qui, de nos jours, il faut bien l'avouer, laisserait particulièrement songeur.

L'important n'est pas de s'arrêter sur ces motifs d'une autre époque. Il est dans le fait que le *fehivava* peut être l'occasion de divers montages juridiques qui témoignent de la richesse de l'institution et sur lesquels l'attention des futurs rédacteurs ou commentateurs d'arrêts devraient se porter.

12 - *fehivava*, contrat pignoratif ? - le contrat pignoratif est un contrat de l'ancien droit français et désigne « une convention par laquelle les parties déguisent l'antichrèse sous la forme d'une vente à réméré en relouant au vendeur apparent son propre immeuble moyennant des loyers ou fermages qui représentent en réalité les intérêts de la somme due ou prêtée[66] ». Le mécanisme du contrat pignoratif se présente de la manière suivante : « l'emprunteur vend un immeuble à son créancier, le prix de vente étant en réalité la somme prêtée ; le créancier-acquéreur consent un bail à l'emprunteur dont le loyer représente en réalité les intérêts de la somme prêtée ; une faculté de rachat est offerte au vendeur à la date de remboursement du prêt[67] ». Le contrat pignoratif est la qualification réservée au contrat frappé de nullité car il tend à frauder la prohibition du pacte commissoire ou la règlementation sur les intérêts usuraires[68]. Ainsi présenté, le contrat pignoratif présente effectivement, dans son mécanisme, des points de ressemblance avec le *fehivava*. La similitude est frappante avec les pratiques que dénonçaient en son

---

65 C. Ap. de Madagascar 21 avril 1949 n° 56 Rabenitany c/Raolinoro, rec. jur. civ. op. cit. 1940/1950 p. 373
66 Nouv.rép.Dalloz, V° antichrèse (1962) n° 13.
67 C.Mouly, op. cit.n° 32.
68 Sur tous points, C.Mouly, *ibid.*

temps P.Ottino[69]. Trois différences fondamentales toutefois séparent les deux institutions. D'une part, le fondement du *fehivava* n'est pas de détourner la loi sur l'usure ou sur le pacte commissoire (*tsatoka* dans le droit traditionnel[70]). Au contraire, l'importance du capital immobilier à une époque où l'oralité était reine justifie ce contrat. Autant le contrat pignoratif désignait *a priori* un contrat contraire à la loi, autant le *fehivava* est le droit commun du « prêt » ou de la « vente d'immeuble » en droit traditionnel. D'autre part, dans le contrat pignoratif la date de remboursement du prêt est fixée de manière certaine de façon à permettre la faculté de réméré, ce qui n'est pas nécessairement le cas dans le *fehivava* où elle peut concerner plusieurs générations d'héritiers[71]. Enfin, dans le *fehivava*, le propriétaire / vendeur / débiteur qui devient preneur à bail de son propre immeuble, le créancier lui laissant le bien à disposition, est une situation exceptionnelle. Sur le millier d'arrêts consultés, un seul traite du sort du « *fehivava*-bail ». Et on a vu que dans ce cas, la Cour d'appel de l'époque a refusé du créancier le droit aux fruits du bien puisqu'il a laissé ce dernier entre les mains de son « légitime » propriétaire...

3) Fehivava et bail

12 - droit réel ou personnel- la distinction est, a priori, de tous les autres contrats, la plus aisée à établir. Dans le bail, une partie (le bailleur) s'engage, moyennant un prix que l'autre partie (le locataire ou

69 *supra* n° 3.

70 C.Ap. de Madagascar 31 janvier 1946 n° 29, Rabenitany c/ Raolinoro Berthe, rec. jur.civ. op.cit., tome 1 p. 267 : « attendu que le contrat du 11 décembre 1940 est un contrat de *fehivava* ; que ce contrat prévoit que dans le cas de non remboursement par les époux Rabenitany Albert et Ramasinoro Christine de la somme prêtée de 2.600 frs dans le délai fixé, l'immeuble deviendrait propriété définitive de la créancière Raolinoro Berthe ; attendu que cette clause appelée « *tsatoka* » est interdite formellement par l'article 20 des instructions aux gouverneurs ; qu'en ordonnant l'enregistrement à titre définitif au profit de Raolinoro Berthe de l'immeuble litigieux, le jugement attaqué a déclaré valable la clause « *tsatoka* » insérée au contrat du 11 décembre 1940 ; qu'en ce faisant, il a violé l'article 20 des instructions aux gouverneurs ; que sa décision encourt de ce chef l'annulation... »

71 C.Ap.de Madagascar 6 février 1941 n° 17, Rabemanantsoa c/ Razanaka, rec. jur. civ. op.cit. tome 1 p. 59 : « ...cons. que cet acte stipule que Rabemanantsoa et Razanatovo pourront « *dans quelques mois ou quelques années* »reprendre leur maison, en remboursant la somme de 2300 frs et le coût des améliorations qui aurait été effectuées ; cons. que le contrat de *fehivava* prévu par la législation malgache ne confère pas au prêteur, créancier gagiste, le droit de s'attribuer ou de faire attribuer la propriété de l'immeuble remis en gage ; que l'emprunteur a le droit de reprendre l'immeuble en remboursant le prix et en exécutant les conditions prévues à l'acte ; *qu'à défaut de stipulation d'un délai, ce droit peut être exercé à toute époque*, les dispositions du code civil étant inapplicables en l'espèce ; que c'est donc à tort que le jugement entrepris a décidé purement et simplement que « la maison sise à Ambodirina reste la propriété de Rainizaka » ; qu'il est nécessaire de réserver le droit de l'appelant à reprendre la propriété en remboursant la somme de 2300 frs et le cout des améliorations effectuées... »

le preneur) s'oblige à payer, à procurer à celle-ci, pendant un certain temps, la jouissance d'une chose mobilière ou immobilière[72]. Les différences d'avec le contrat de *fehivava* sont de quatre ordres. D'abord, quant à l'objet du contrat : le contrat de *fehivava* ne concerne que les immeubles, à l'exclusion des meubles. Ensuite, quant à la nature des droits du preneur : le bail est un contrat générateur d'un droit personnel[73] alors que le *fehivava* constitue un droit réel. En troisième lieu, quant aux conditions de formation du contrat : le bail est un contrat à exécution successive « qui confère un droit de jouissance au preneur, exclusif de tout droit réel » alors que le *fehivava* est un contrat instantané a priori translatif de propriété. Enfin quant au statut des contrats en cause : le bail est un contrat « primaire » principal qui ne requiert aucune autre convention préalable, le *fehivava* est un contrat accessoire qui garantit une convention préexistante.

On voit ainsi que rien ne rapproche le bail du *fehivava*. Néanmoins, on pourrait déceler des liens de proximité entre les deux institutions par le biais de la pratique coutumière du « *fehivava*-bail » que l'on a pu rencontrer dans le domaine de l'antichrèse telle qu'on vient de la décrire[74].

4) Fehivava et prêt

13 - « LA » confusion - C'est en ce domaine que la confusion est la plus aïgue et la lecture de la nouvelle loi 2003.041 du 3 septembre 2004 sur les sûretés n'aide guère à l'éclaircissement. On sait qu'aux termes de son article 206,

> « le contrat de *fehivava* est un contrat de prêt d'argent garanti par la remise de l'immeuble engagé au créancier « fehivaviste » qui en jouit jusqu'à l'époque du remboursement ».

On dira, à la décharge des rédacteurs de la loi, que nombre d'éminents auteurs identifient catégoriquement le *fehivava* au contrat de prêt. Ainsi, E-P Thébault (« le *fehivava* est exactement un contrat de prêt, avec gage immobilier... »)[75], V. Gasse (« le *fehivava* est un contrat de prêt sans intérêt... »)[76] – mais moins A.Gamon qui

72 G. Cornu, vocabulaire juridique,op.cit. v°bail.
73 cf. not.F. Collart Dutilleul et P.Delebecque, op.cit. n° 348.
74 *supra* n° 11.
75 E-P.Thébault op.cit. n° 342.
76 V.Gasse op.cit.n° 157.

rapproche le fehivava du nantissement immobilier et hypothécaire[77] («...le prêteur doit avant tout être considéré comme un créancier gagiste ») – clament une position dont le mérite mais également le travers est de jauger le *fehivava* à l'aune du contrat de prêt du code civil français. Le réflexe est légitime et propre à toute démarche intellectuelle : On part du connu vers l'inconnu en élargissant au fur et à mesure le champ des recherches...Effectivement, le *fehivava* recèle généralement un acte d'emprunt de la part du débiteur. Mais si le contrat de prêt est exactement défini comme « la convention en vertu de laquelle le prêteur remet une chose à l'emprunteur, afin que celui-ci s'en serve, à charge de restitution[78] », le *fehivava* ne répond pas à cette définition là. Au contraire, ici, c'est le prêteur qui reçoit le bien à charge de le restituer.

Et même si les propos des auteurs et du législateur de 2003 visent explicitement la référence au prêt d'argent, l'analyse ne dévie pas. On ne trouvera nulle part dans le contrat de *fehivava* la présence d'un contrat antérieur qui en constituerait la cause. Assimiler le *fehivava* au contrat de prêt d'argent, c'est, nous semble-t-il, confondre la cause avec les effets, le principal avec l'accessoire. C'est un peu comme si on assimilait le contrat de gage avec le contrat principal (prêt ou autre) qu'il a pour fonction de servir. Effectivement, on se doute bien que la mise en place et le déclenchement du *fehivava* suppose une cause première qui peut être, chez son initiateur, le besoin d'argent frais, de semences d'appoint pour telle récolte, ou d'échange de champ de cultures...Mais ce souci n'a pas besoin d'apparaître – **et ne peut pas apparaitre** – au niveau du *fehivava*. Non que ce dernier soit un acte abstrait dépourvu de cause, mais il est un acte qui se suffit à lui seul renfermant par sa seule confection, ainsi qu'il a été évoqué précédemment[79], sa raison d'être et ses effets : Il est un **contrat de vente d'immeuble** sous condition de rachat, par lequel l'acheteur reçoit l'immeuble à sa disposition à charge de le restituer au vendeur initial sitôt que ce dernier en fera la demande en en repayant le prix. Les raisons pour lesquelles ce propriétaire initial aura recours à ce contrat, à la limite, importent peu puisque tant au stade du déroulement qu'à celui du dénouement du *fehivava* aucune interférence n'est prévue entre elles et ce dernier. L'essentiel pour le propriétaire est, à un moment donné, de pouvoir disposer d'une marge de manœuvre financière conséquente, ce que le recours au *fehivava*

77 A. Gamon op.cit. p. 110.
78 G.Cornu, vocabulaire juridique de l'association Henri Capitant, V° Prêt.
79 *Supra* n° 6.

lui procure. Toutes choses égales par ailleurs, ce serait, surtout si on observe le *fehivava*-bail[80], un peu comme une des figures du crédit bail, le lease back ou cession bail, les intérêts en moins : le propriétaire a besoin de fonds, il vend son bien à l'établissement de crédit qui le lui reloue...il reçoit ainsi immédiatement un apport d'argent frais considérable avec la perspective de pouvoir réintégrer le bien dans son patrimoine[81].

La ***pratique traditionnelle*** faisait nettement la différence. D'une part, un arrêté du 4 novembre 1919 relatif aux droits d'enregistrement[82] distinguait, d'un côté, les ventes immobilières définitives (soumis à un droit proportionnel de 3 % sur le montant de la vente) et les ventes *fehivavany* (le droit est perçu sur le prix de vente correspondant à la différence entre la valeur de la propriété et le montant du *fehivavany*)[83] ; de l'autre, les ventes *fehivavany* (soumis à un taux de 3 %, que ce soit lors de leur constitution ou lors de leur rachat)[84] et les contrats de prêts d'argent (droit de 2 % sur le montant du prêt)[85]. Surtout, l'arrêté soulignait : « toutefois, *si le prêt comporte un gage constitué par une propriété immobilière* (entendons : un prêt qui ne s'identifie donc pas au *fehivava)*, l'enregistrement a lieu obligatoirement au centre d'enregistrement du lieu où se trouvent les biens constituant le gage »[86]. La différence entre le prêt et le *fehivava* ne saurait être mieux explicité.

H. Berthier, dans ses deux ouvrages, l' a relevé : dans son traité de droit civil malgache en langue française, au titre des contrats, il traite d'un côté le contrat de *fehivava*[87] et de l'autre le contrat de prêt d'argent à part entière[88] ; et dans son ouvrage en langue malgache[89], il décrit et présente des modèles de contrats dont celui de *fehivava*

80 *Supra* n° 9.
81 cf. sur la cession-bail, G. Parléani, le contrat de lease back, RTDCom.1973.699 et ss. également F. Collart Dutilleul et P.Delebecque, contrats civils et commerciaux, Dalloz, 2004 n° 834. cf. égal. Loi 2004.05 du 28 janvier 2005 sur le crédit bail [JORM du 2 mai 2005 p. 3479 et ss], art.5 : « le contrat de cession bail est un contrat par lequel le fournisseur, propriétaire d'un bien, le vend au crédit bailleur qui le lui reloue immédiatement dans le cadre d'un contrat de crédit-bail au terme duquel, le fournisseur, en qualité de crédit preneur, peut, en levant l'option d'achat stipulée à son profit, redevenir propriétaire du bien ».
82 Arrêté du 4 novembre 1919 relatif aux droits d'enregistrement, de timbre et de recherches des actes passés entre indigènes (J.O.M 1920 p. 333 et ss. A. Gamon op.cit. p. 155)
83 Art.2 §8 arrêté du 4 novembre 1919.
84 Art.2 §10 arr. du 4 novembre 1919.
85 Art.2 §11 arr. du 4 novembre 1919
86 *ibid.*
87 H.Berthier, droit civil malgache, op.cit. n° 259 et ss.
88 *ibid* n° 264 et ss.
89 H.Berthier, lalana velona sy fomban-tany mbola arahina eto Madagasikara, op.cit.p.93 et ss.

(modèle n° 13 p. 93) qui indique expressément l'immeuble foncier comme objet du contrat, et de prêt (modèle n° 16, *fampisamborambola,* p. 95) qui désigne la somme empruntée par le débiteur, le taux d'intérêt applicable ainsi que les garanties offertes au créancier (entendons : dont le *fehivava* n'est pas du nombre).

Enfin, un arrêt de la cour d'appel de l'époque met un point final aux éventuelles hésitations sur la différence entre le prêt et le *fehivava*. Le débiteur n'ayant pas réussi à racheter le *fehivava*, mais le contrat n'ayant pas été conclu selon les coutumes, le créancier n'a pu faire prévaloir ses droits issus du *fehivava* déclaré nul par le premier juge. Arguant alors de ce qu'il a procédé à des travaux importants pour mettre en valeur les rizières, il réclame les revenus (récoltes) de ces terres ainsi que le capital augmenté de la moitié de la somme prêtée en vertu de l'article 243 du code des 305 articles (traitant de la mauvaise foi du débiteur en cas de contrat de prêt). La réponse de la cour rejetant ces prétentions est incisive :

> « [...] attendu que *le contrat régissant les parties est un contrat fehivava* soumis aux dispositions des articles 20-21 des instructions aux gouverneurs *et non un contrat de prêt* (soumis à l'article 243 du code des 305 articles) ; attendu que Ravelondria a été dédommagé des dépenses qu'il a faites pour la mise en valeur des rizières par les récoltes qu'il a recueillies, qu'il est équitable de considérer que ces fruits sont devenus sa propriété [...]»[90]

A dater d'une décision de la cour suprême du 9 juillet 1968, ***le droit positif actuel*** s'inscrit dans cette tendance et distingue clairement le *fehivava* du contrat de prêt. En l'espèce, un sieur Tsimilenda, par contrat de *fehivava* d'une durée de 28 ans, avait engagé *en contrepartie* (sic) d'un prêt de 25.000 frs consenti par un sieur Rakotomamonjy, ses rizières sises à Marovoay. Le propriétaire-débiteur constituant veut rembourser sa dette avant le terme convenu et actionne les ayants-droits du sieur Rakotomamonjy entre temps décédé pour les contraindre à recevoir par anticipation le montant de leur créance et à délaisser *le gage immobilier* (sic). Il s'appuie pour ce faire sur l'article 18 de l'instruction aux gouverneurs de l'Imerina de 1889[91] qui traite du prêt à intérêt et qui permet le remboursement par

90 C. Ap. de Madagascar, 1 juillet 1948, arrêt n° 95, Dimoana c/ Rakotondravelo et cst, rec. jur. civ. op. cit. tome 2 p. 352.

91 Instructions aux gouverneurs de l'Imerina du 1889, art. 18 : « si une personne ayant emprunté de l'argent à intérêts veut, bien que le délai fixé pour la restitution du capital ne soit pas échu, rembourser son créancier et , dans ce but, vient auprès de vous qui avez enregistré son emprunt, vous enverrez quérir le créancier ou son représentant, afin qu'il reprenne le capital et cela sans qu'il puisse s'y refuser, sous prétexte d'attendre jusqu'à l'échéance ;les intérêts devront, en outre, être calculés et arrêtés a u jour de la restitution du capital prêté » *in* A.Gamon et R.Castel, traité de la justice indigène à Madagascar, Imp. Off. Tananarive 1933 p. 75.

anticipation du prêt. Son action est accueillie favorablement par la cour d'appel, laquelle est censurée en termes dénuée d'ambigüité par la cour suprême :

> « [...] Mais attendu que ledit article 18 concerne le droit pour une personne ayant emprunté de l'argent à intérêts de rembourser son créancier avant le délai fixé pour la restitution du capital, sans que le débiteur puisse s'y refuser sous prétexte d'attendre jusqu'à l'échéance ;
> Attendu que *le prêt consenti par **fehivava** ne saurait être assimilé au prêt à intérêts pur et simple* visé par ce texte ; que cet acte de nature particulière se caractérise en effet par le fait, d'une part, qu'il est remboursé en capital et sans intérêts ; et d'autre part, que le créancier prêteur tout en jouissant de l'immeuble gagé et en percevant les fruits, en supporte toutes les charges y compris les impôts, les frais d'administration et de faisance valoir et encourt les risques de perte aussi bien que les chances de gain ;
> Attendu que c'est donc à tort que l'arrêt attaqué a fait application à l'espèce de l'article 18 des instructions aux gouverneurs de l'Imerina [...] »[92]

C'est effectivement une autre différence marquante entre le contrat prêt et le contrat de *fehivava.* Ce dernier ne permet pas le remboursement anticipé du capital sauf accord préalable des parties. Autant le remboursement anticipé est le principe dans le contrat de prêt, même sans l'assentiment du prêteur (cf. art.18 des instructions aux gouverneurs qui obligera ce dernier à accepter), autant il est l'exception dans le *fehivava* où l'on considère que ni le créancier – qui perçoit les fruits de l'immeuble pour son compte, ni le débiteur – qui conserve le droit de propriété en dépit de la vente conclue, ne peuvent obliger leur cocontractant à accepter un remboursement anticipé (du gage ou de l'argent prêté) sans son accord[93]. Pareille situation est néanmoins de nature à générer un trouble grave à l'économie du contrat de *fehivava* ; d'où l'intervention du législateur en 2004 qui insère dans l'article 206 un alinéa final stipulant : « *le remboursement anticipé est possible d'accord parties. Le contrat prévoira quels en seront les termes et les modalités* ». En d'autres termes, dès lors que le contrat n'aura pas prévu le principe du remboursement par anticipation, on retombe dans le droit commun du *fehivava.*

Il est une dimension psychologique du contrat de fehivava que le prêt ne peut recouvrir et de laquelle d'ailleurs, tout procède. Alors que le contrat de prêt n'implique pas forcément la présence d'une chose que

92 C. sup. de Madagascar, section civile, 9 juillet 1968 arrêt n° 31, Rabarivelo et cst c/ Anona, Bull. arr. de la cour supr. de Madagascar 1968 (imp.nat.1969) p. 60.
93 Sur ce point, cf. A.Raharinarivonirina et A. Bertone, [droit civil malgache, les biens éd. CMPL, 1983 p. 190] qui justifient la solution en se basant sur un arrêt de la cour d'appel du 24 juin 1971 n° 414 : « le fait que la jouissance du bien soit le seul intérêt de la somme prêtée interdit au débiteur une restitution anticipée du bien donné en fehivava par un remboursement anticipé »

l'emprunteur-débiteur donnerait en gage à son créancier, le fehivava intègre le fait que le débiteur va se déposséder inéluctablement d'un bien, et pas n'importe lequel : un immeuble dont on connaît la dimension et la place qu'il tient au sein de la société et de la famille. En conséquence, ce qu'il faut avoir en considération, ce n'est point tant le gain et le confort éphémère que procurerait l'argent emprunté, mais la perte d'un élément fondamental du patrimoine du débiteur-emprunteur. D'où la faveur témoignée à l'endroit de ce dernier ; d'où, à l'inverse, l'absence du loyer de l'argent stipulé en faveur du prêteur.

14 - l'opération et le contrat au sens strict - Pour conclure sur cette question importante, car c'est quand même la définition légale du *fehivava* qu'il s'agit de comprendre, et ainsi qu'on l'a évoqué plus haut (*supra* n° 7), pour maîtriser le mécanisme et l'esprit de ce contrat, il faut faire la différence entre l'opération de *fehivava* et le contrat de *fehivava,* ce que d'ailleurs démontre assez clairement l'arrêt du 9 juillet 1968. L'article 206 de la loi 2003.041 présente l'opération globale du *fehivava*. Elle comprend la cause de l'opération (le contrat principal de prêt d'argent), la conséquence (le contrat accessoire de remise d'immeuble) et les droits du créancier (la jouissance du bien). On retiendra que la « cause » du contrat est occulte. Elle n'apparaîtra pas dans la confection matérielle du contrat de *fehivava* lequel se présente dans la pratique comme une vente à réméré (*cf.* les réserves sur cette qualification *supra* n° 8). Ce contrat consiste dans l'acte de remise de l'immeuble entre les mains du créancier et seul cet acte de mise à disposition est matériellement discerné. Cette analyse nous paraît la seule admissible dans la détermination ultérieure de la nature juridique du *fehivava*[94]. Elle permet de faire la distinction entre le contrat de prêt visé par la première partie de l'article 206 de la loi et la garantie constituée par la remise de l'immeuble relatée par la deuxième partie du même article. Seule cette garantie est appréhendée par la loi sur les sûretés. Seule sa présence confère au contrat la dénomination de *fehivava*.

5) Fehivava et hypothèque

15 - l'ancien et le moderne - En 1900 déjà, après avoir émis des réserves sur les analogies trop étroites faites entre la vente à réméré et le *fehivava* ou ce dernier et l'antichrèse, Cahuzac rectifiait : « le *fehivava* joue pratiquement, dans la vie malgache, le rôle de l'hypothèque. Une personne est-elle dans la nécessité de se procurer

---

94 *Infra* n° 16.

une certaine somme, elle vend ou donne en garantie une propriété foncière, en se réservant le droit de la reprendre dans un certain délai, moyennant le remboursement de la somme avancée »[95]. Mais les propos sont dénués d'ambigüité : Le *fehivava* joue le *rôle* de l'hypothèque, étant donc entendu que ce n'est pas l'hypothèque...

La différence réside, jusqu'à l'avènement de la loi 2003-041 du 8 novembre 2004 sur les sûretés, dans le champ d'application – matériel et historique – des deux institutions : Si l'hypothèque est une sûreté conventionnelle propre à la matière foncière introduite par le législateur moderne, le *fehivava* est un mécanisme tout aussi conventionnel mais de droit traditionnel. Et si les législations successives en matière foncière, extrêmement prolixe sur l'hypothèque, ont passé le *fehivava* sous silence, c'est peut être parce qu'on a compté sur sa disparition progressive corrélativement à l'affermissement par étapes de l'hypothèque et que, à la longue, celle-ci irait simplement supplanter le *fehivava* jusque dans le milieu traditionnel... ce qui s'avère être un vain et faux calcul car au contraire, tout au long des trois républiques successives, on assiste à une sorte d'hypothèque du pauvre (le *fehivava*) et d'hypothèque du riche. D'où cette prise de conscience du législateur de 2004 de consacrer le *fehivava* au titre des sûretés immobilières offertes aux contractants.

Au-delà de cette première perception, la différence entre les deux institutions se situe d'abord au niveau de leur définition. Si l'hypothèque est qualifiée expressément de sûreté réelle immobilière (a.182 Loi 2003.041), le contrat de *fehivava* est défini comme étant un contrat de prêt d'argent garanti par la remise de l'immeuble engagé au créancier « fehivaviste » qui en jouit jusqu'à l'époque du remboursement (a.206 L.2003.041). On a déjà exprimé nos sentiments (cf.*supra* n° 11) sur le caractère ambigu de cette définition.

Il est d'autres différences, plus techniques : l'hypothèque est une sûreté réelle sans dépossession, le bien restant à la disposition du débiteur ; Le *fehivava* se caractérise par la dépossession au profit du créancier. Pour des raisons de sécurité juridique, l'hypothèque ne touche que les immeubles immatriculés (a.184 L.2003.041) ; le *fehivava*, traditionnellement ne concerne que les immeubles non immatriculés, mais cette différence devrait s'estomper avec la nouvelle loi. L'hypothèque bénéficie du droit de suite et de préférence ;

95 A.cahuzac, op. cit. p. 376 ; égal. H.Berthier, droit civil malgache op. cit n° 259

par la force des choses, le *fehivava* en est *a priori* dépourvu[96]. Inversement, le *fehivava* confère un droit de rétention, ce que l'hypothèque par définition ne peut offrir...

6) Fehivava et fiducie

15 (bis) - Un rapprochement du *fehivava* avec la fiducie française issue de la loi du 19 février 2007 (intégrée dans les nouveaux articles 2011 à 2031 du code civil français) peut être tenté. La fiducie est l'acte juridique par lequel « une personne – le fiduciant – transfère la propriété d'un bien à une autre personne – le fiduciaire – soit à titre de garantie d'une créance (fiducie sûreté) sous l'obligation de rétrocéder le bien au constituant de la sureté lorsque celle-ci n'a plus lieu de jouer, soit en vue de réaliser une libéralité sous l'obligation de retransférer le bien à un tiers bénéficiaire après l'avoir géré dans l'intérêt de celui-ci ou d'une autre personne pendant un certain temps (fiducie libéralité), soit afin de gérer le bien dans l'intérêt du fiduciant sous l'obligation de le rétrocéder à ce dernier à une certaine date (fiducie gestion) »[97]. On peut effectivement concevoir que cette définition, spécialement en matière de fiducie sûreté ou de fiducie gestion, puisse recouper celle du *fehivava*. Toutefois, trois facteurs catégoriques empêchent l'identité entre les deux institutions : d'une part, le constituant de la fiducie ne peut être, dans la conception initiale de la loi française de 2007[98], qu'une personne morale, ce qui n'est pas envisageable en matière de *fehivava* où le concept même de personne morale est inconcevable au regard du droit coutumier. D'autre part, l'assiette de la fiducie peut être constituée des différentes catégories de biens et de droits, voire même de sûretés, ce qui est tout simplement étranger à la notion de *fehivava* où, *a priori*, seuls les biens immeubles sont concernés. Enfin, le fiduciaire ou le constituant peuvent eux-mêmes être bénéficiaires de la fiducie, ce qui est chose impossible en matière de *fehivava*[99].

---

96 Mais v. infra n° 39 et ss. pour une analyse plus approfondie.

97 G. Cornu, vocabulaire juridique, Quadrige/PUF, 2000, V° Fiducie.

98 On sait que, depuis, une personne physique peut recourir à la mise en place de la fiducie mais les avis sont partagés... cf. notamment, A. Gourio, *La fiducie-sûreté*, D. 2009, p. 1944.

99 De manière générale sur la nouvelle loi française en matière de fiducie, cf. not. M-N. Jobard-Bachellier, M. Bourassin, V. Brémond, droit des sûretés, Sirey 2007 n. 1263 et ss ; C. Larroumet, *La loi du 19 février 2007 sur la fiducie. Propos critiques*, D. 2007, p. 1350 ; P. Crocq, *Lacunes et limites de la loi au regard du droit des sûretés*, D. 2007, p. 1354 ; D. Legeais, *Loi n° 2007-211 du 19 février 2007*, RTD Com. 2007, p. 581 ; F. Barrière, *La loi instituant la fiducie : entre équilibre et incohérence*, JCP E, n° 36, 6 septembre 2007, 2053 ; A. Delfosse et J.-F. Péniguel, *Premières vues sur la fiducie, rep. not. déf.* 2007, n° 8, p. 581, 38571. M. Grimaldi et R. Dammann, *La fiducie sur ordonnances*, D. 2009, p. 670, n° 2 et s. ; A. Gourio, *La fiducie-sûreté*, D. 2009, p. 1944.

On voit ainsi que le *fehivava*, s'il est proche des institutions connues du droit civil moderne, s'en distingue par différents traits. Reste à voir quelle peut être sa nature juridique.

B – La nature juridique du *fehivava*

16 - gage immobilier - Une chose est certaine : le *fehivava* est un contrat qui porte sur un bien immobilier à l'exclusion des meubles, du moins dans la conception traditionnelle. Transférant le bien en la possession du créancier mais ne transmettant pas le droit de propriété qui demeure au propriétaire-débiteur, il ne peut être considéré comme étant équivalent au contrat de vente. Le contrat se déroulant de manière instantanée, le *fehivava* ne peut non plus être assimilé au contrat de bail. D'autre part, le contrat de *fehivava* se présentant comme un contrat qui viendrait appuyer un engagement préalable du débiteur, il peut être analysé comme étant un contrat accessoire constitutif de garantie. Ce n'est pas pour autant l'antichrèse du code civil français ainsi qu'il a été démontré ; de même, il ne peut être confondu avec l'hypothèque.
Certains auteurs ont déjà qualifié le *fehivava* de « contrat de prêt avec gage immobilier »[100] ou de « constitution de nantissement immobilier et hypothécaire (sic) »[101]. Les arrêts, eux, se sont prononcés de manière relativement uniforme : nantissement immobilier et hypothècaire[102], gage immobilier[103], gage immobilier sans constitution d'hypothèque[104], « contrat réel qui entraine habituellement la remise de l'immeuble au créancier *fehivava* »[105].
Si on enlevait les scories (notamment son imbrication avec le contrat de prêt) qui sont de nature à masquer son identité, le gage immobilier – sûreté immobilière avec dépossession – serait effectivement le qualificatif qui siérait le mieux au contrat de *fehivava*. En effet, ses fonctions de garantie ne sont pas remises en cause. Au contraire, elles sont explicitement avouées par la loi. De même, la dépossession au profit du créancier rejoint la définition de base du nantissement tel que

100 E-P. Thébault, op. cit. n° 327 et 342.
101 V. Gasse, op. cit. n° 157.
102 C. Ap. de Madagascar, 13 mars 1941 n° 35, Razanadrasoa c/Ranosy, rec. jur.civ. op. cit. p. 64.
103 C. Ap. de Madagascar, 1 juillet 1948 n° 95,Dimoana c/Rakontondravelo rec. jur.civ. op. cit. p. 351.
104 C. Ap. De Madagascar, 9 janvier 1947 n° 2, Razanamalala c/Rakotomaniraka rec.jur.civ. op. cit. p. 296.
105 C. Ap. de Madagascar, 21 avril 1949 n° 56, Rabenitany Albert c/ Raolinoro rec.jur.civ. op. cit. p. 373.

donnée par la loi 2003-041[106]. Comme cette loi définit expressément le nantissement d'une chose mobilière comme étant le gage (a.67), mais reste muette sur la question de savoir en quoi consisterait en droit malgache le nantissement d'un bien immobilier, voilà une lacune que le *fehivava* peut essayer de combler de manière opportune. Les conséquences d'une telle qualification devraient forcément rejaillir dans les autres branches du droit spécialement dans le cadre des procédures collectives, mais cet aspect de la question n'a pour l'instant pas été abordé ni expressément au niveau jurisprudentiel, ni formellement sur le plan législatif.

16 bis - doute ? - La principale hésitation – mais très sérieuse – qui ferait douter de cette qualification réside dans les aspects pratiques de la conclusion du *fehivava*. Car, en effet, le contrat de *fehivava* est concrètement ***un contrat de vente***. Mais ce sera une vente d'un genre particulier par lequel le débiteur constituant cède au créancier, non pas la propriété du bien – qu'il conserve – mais sa détention. Le phénomène trouve sa justification dans les méandres sociologiques et les ressorts psychologiques du fehivava[107]. Mais il ne nuit pas, à notre sens, à ses fonctions de garantie. Ses particularités sont observées au niveau des obligations des parties en présence et, dans une moindre mesure sur le statut du bien, mais ne contrecarrent pas les fonctions de garantie que le créancier entend faire jouer au bien qui est en sa possession. En définitive, le fehivava sera un contrat de vente immobilière pour la forme, mais la garantie d'une créance sur le fond. Ce que rend parfaitement, nous semble-t-il, la distinction entre l'opération et le contrat de fehivava.

II – LE REGIME JURIDIQUE DU *FEHIVAVA*

17 - le contrat de *fehivava* stricto sensu - La distinction opérée au niveau de l'**opération de** *fehivava* et du **contrat de** *fehivava* au sens strict revêt ici tout son sens. Il ne s'agit pas de présenter la formation du contrat de prêt d'argent, facteur déclenchant du contrat de *fehivava*. Cela relève de la préoccupation d'autres disciplines de droit commun – tel le droit des obligations, ou spécialisées – tel le droit des

---

106 art. 62 : « le nantissement est le contrat par lequel un bien est affecté à la garantie du paiement d'une dette ».

107 cf. *supra* n° 9 sur la distinction entre vente à réméré et le fehivava et *infra* n° 36 pour une tentative d'explication de la persistance des droits de propriété du débiteur nonobstant la conclusion du contrat de vente.

contrats spéciaux ou le droit bancaire. Mais cela ne signifie pas que, de manière ponctuelle, des interférences avec le contrat de prêt ou le recours à ces disciplines fondamentales ne seront pas effectués dans l'analyse du *fehivava*. Seulement, inclure l'étude du contrat de prêt alourdirait inutilement les développements somme toute consacrés au droit des sûretés. En conséquence, on envisagera classiquement les conditions (A) de formation ainsi que les effets (B) du contrat de *fehivava* au sens strict.

A – Les conditions de formation

On présentera successivement les conditions de fond (1°) puis de forme (2°) exigées pour la validité du contrat de *fehivava*.

1) Conditions de fond

De la lecture de l'article 206 de la loi 2003.041, trois éléments méritent intérêt au stade de la conclusion du contrat de *fehivava* : les parties au contrat (a), l'objet (b) et la durée (c) de ce contrat.

a) Les parties au contrat de ***fehivava***

Leur identification est relativement aisée. Il y a ici une identité évidente entre les qualités respectives du prêteur/créancier et de l'emprunteur/débiteur.

18 - le créancier/prêteur - l'expression est utilisée par commodité de langage, la loi elle-même indiquant que le *fehivava* est un contrat de prêt garanti. Mais on a vu que dans la pratique, il s'agit non d'une procédure de prêt mais de vente : La vente *fehivava*ny est, du point de vue de l'acte à conclure, un contrat de vente avec clause de rachat…

Initialement, dans l'esprit et l'histoire du *fehivava*, le prêteur/créancier est, par la force des choses, une ***personne physique***, la notion de personne morale étant inconnue en droit malgache du temps de la Royauté et aux débuts de la période coloniale. Cet individu sera généralement le notable ou le commerçant influent du village pour qui le fait de venir en aide aux paysans ou à ses concitoyens n'est pas simplement une affaire de placement financier. Au contraire, cela relève purement d'une symbolique de la vie économique communautaire, de l'entraide qui insuffle toute la sphère rurale mais également du pouvoir et de l'ascendance qui participent de la structuration du monde paysan[108]. Effectivement, l'observation et la pratique du monde rural à Madagascar, les aspects socio-ethnologiques mis à part[109], font ressortir de manière presque caricaturale les interactions entre les différentes composantes d'une communauté rurale enracinée dans l'arrière pays, éloignée de toute source d'information objective et d'échange avec l'extérieur. La présence de ce lien inféodant mais en même temps valorisant entre, d'un côté, le paysan censé naïf, crédule et nécessiteux mais aussi roublard et dégourdi et, de l'autre, le notable (ou le commerçant) éduqué mais rusé, courtois mais intraitable participe, dit-on, à l'équilibre économique et social du monde rural[110]. Il faut reconnaître qu'effectivement, même encore actuellement, la vie du monde paysan évolue notablement autour de cet axe.

Le cas de figure classique présume que le prêteur personne physique soit issue de la même communauté que le paysan en quête de prêt ou de *fehivava*. Ça peut même être un membre de la grande famille de manière à préserver le bien au sein du patrimoine familial[111]. Mais, beaucoup plus souvent, en matière économique, pour éviter de ramener ses difficultés dans la sphère familiale, le paysan démarchera, généralement dans cet ordre : le commerçant, le

---

108 cf. de manière plus feutrée, les observations de J.Cl. Rouveyran, la logique des agricultures de transition, éd. Maisonneuve et Larose,1972 spéc.pp. 184 et ss. où l'auteur, dans l'observation du monde agricole de Madagascar, identifie les différents prêteurs (la famille, les propriétaires et les notables, les collecteurs et commerçants, les banques officielles) auxquels le paysan peut s'adresser en cas de nécessité. Les prêteurs officiels (les banques et autres institutions officielles de crédit) malgré un taux du crédit plus avantageux que ceux du crédit « traditionnel », n'ont pas forcément la faveur du paysan malgache. Trop de contraintes (questions indiscrètes, exigence de garanties, utilisation crédit à justifier, délai d'instruction trop long, demande qui peut être refusée...) alors que le crédit traditionnel s'obtient à tout moment et sans formalités...

109 qui mettent en exergue le rôle du Chef du clan ou de l'Ancien et à qui sont reconnus une autorité et une ascendance naturelles n'ayant aucun lien avec le statut économique des intéressés. cf.P.Ottino, les économies paysannes malgaches du bas-mangoky, éd. Berger-Levrault, 1963 p. 44.

110 V. les édifiantes observations de J-Cl. Rouveyran, op. cit. p. 197 et ss. spéc. p. 201 : «[...] Le commerçant facilite (au paysan) le passage de moments difficiles, quoiqu'il lui en coute ; le paysan considère le commerçant comme un protecteur, le seul homme « riche » qui accepte d'acheter ses produits et de l'aider dans les mauvais moments ; cette image de l'homme-providence marque leurs relations ; le paysan n'est pas émancipé à l'égard du commerçant, ne peut l'être et , est-on tenté d'ajouter, ne désire pas l'être [...] ».

111 Les récents travaux indiquent que cette règle est loin d'être abandonnée. Selon M.Omrane, « cette marchandisation (de la terre) ne fonctionne pas dans la logique « du plus offrant ». La vente d'une partie de la terre, quoique possédée individuellement, est une question familiale, comme en témoigne cette déclaraion qui revenait souvent lors des entretiens : « *si on veut vendre une parcelle, il vaut mieux discuter entre famille [...]* » l'objectif de cette procédure d'échelle est (i) d'informer les membres du groupe familial de la décision ; (ii) de justifier la vente [...] et (iii) de trouver un preneur au sein de la famille la plus proche possible... » [accès à la terre, dynamique démographique et ancestralité à Madagascar, op. cit., p. 175].

collecteur ou le notable de l'endroit[112]... Est-il envisageable que le paysan aille contacter un prêteur d'une autre communauté rurale avoisinante ou limitrophe ? L'hypothèse n'est pas courante, mais elle n'est pas exceptionnelle. Elle suppose des difficultés et une demande considérables de la part du paysan auxquelles le notable de sa propre communauté n'a pu ou ne pourra répondre. Non qu'il faille voir une sorte de recours prioritaire à l'égard de ce dernier ; mais la structure et la composition du monde rural d'un côté, l'éloignement géographique entre les communautés paysannes de l'autre, impliquent que le fait pour le paysan d'aller chercher une solution en dehors de son milieu d'appartenance d'origine est le signe qu'il aura épuisé, explicitement ou implicitement, tous ses recours au sein de celui-ci.

Une ***personne morale*** qui interviendrait en milieu rural et paysan est une hypothèse moderne. Les ouvrages historiques sur Madagascar témoignent que le concept de personnalité morale n'a pas eu le temps d'arriver à pleine maturation au sein de la communauté traditionnelle dotée pourtant elle-même d'un sens de l'abstraction assez poussé[113]. De nos jours, les interlocuteurs du monde rural se multiplient et, outre

112 Depuis leurs premiers travaux, les notables (entendons les familles « aisées » du village ou les représentants du pouvoir central) mis à part, les auteurs relèvent la présence quasi-systématique en milieu rural reculé du commerçant ou du collecteur asiatique autour duquel tourne la vie économique et commerciale du lieu en cause. cf. P.Ottino, les économies paysannes malgaches du bas-mangoky, op. cit. p. 321 qui décrit la dépendance du milieu paysan à l'égard du système commercial pakistanais (spéc. p. 324 à 327) ; R. Wieme, le prêt agricole entre particuliers à Madagascar op. cit. qui fait le même constat (spéc. p. 130) ; plus général, S.Blanchy, karana et banians : les communautés commerçantes d'origine indienne à Madagascar, l'harmattan, 1995 spéc.p.148 et ss. ; X. Blanc-Jouvan, les minorités asiatiques à Madagascar, RIDComp.1963. 203 et ss. ; égal. M. H. Andrianarimanana, puissance économique et influence socio-politique de la minorité indo-pakistanaise dans le faritany d'Antananarivo, mémoire de Maîtrise, option droit public et science politique, Université d'Antananarivo, EESDEGS, 1984.

113 En témoigne l'institution du fokonolona, collectivité traditionnelle dont l'importance n'est plus à démontrer dans l'histoire de Madagascar, présente ou passée. C'est le législateur de l'indépendance de 1960 qui a doté le fokonolona de la personnalité morale, celui-ci fonctionnant jusqu'alors sur la base des liens interpersonnels très poussés au sein de la communauté sans qu'il ait pu avoir été considéré comme existant en soi et pour soi, *indépendamment des individus qui le composaient*. Le fokonolona s'incarnait au travers de la collectivité humaine qui le composait. G. Julien (op. cit. n° 489 à 495) évoque bien diverses conventions commerciales de droit privé, notamment les « olona mifanaiky hiombom-barotra amin'ny volan'ny anankiray » (n° 489) qu'il traduit par « de l'association commerciale entre personnes dont une seule possède des capitaux », les « mitovy mason-karena » (n° 493) traduit par l'auteur en « des associations à court terme entre personnes faisant l'apport d'un capital égal », ou les « tsy mitovy mason-karena » (n° 495) (des associations commerciales dans lesquelles les apports d'argent sont inégaux), ou enfin « ny manimba ny fikambanana » (n° 492) (des causes de dissolution des sociétés commerciales). Mais dans toutes ces hypothèses qui traduisent effectivement une élaboration intellectuelle très poussée, il n'est nulle part fait mention de personne morale dans laquelle s'incarnerait la convention passée par les associés. Au contraire, G. Julien décrit et insiste sur le rôle pratique de chacun des associés dans le fonctionnement de la convention d'association.

le notable, le commerçant ou le collecteur du village qui demeurent ses interlocuteurs privilégiés, le paysan peut désormais trouver d'autres sources de financement en dehors de sa communauté d'origine auprès de diverses ***institutions officielles***, publiques ou privées, dotées de la ***personnalité morale***. Il en est ainsi des institutions de micro finance ou autres établissements de crédit, qui redécouvrent la capacité d'adaptation du monde rural aux mécanismes du crédit bancaire[114]. Seulement, à notre connaissance, le *fehivava* n'a pas encore trouvé matière à application au niveau de ces institutions et, à notre sens, serait difficilement praticable. D'une part, parce que le *fehivava* participe d'abord de relations personnelles et subjectives entre les intéressés. Il est psychologiquement pénible pour un paysan des zones reculées d'avoir une relation dépersonnalisée avec les représentants d'une institution « éthérée » symbolisant une autorité abstraite[115]. Les institutions de microfinance ont compris l'importance de cette donnée psychologique, mais leur contribution, par principe, ne va pas jusqu'à proposer au paysan le mécanisme du *fehivava* en garantie des prêts qu'elles pourraient octroyer. Au contraire, d'après les leçons du Maître en la matière[116], il s'agit de privilégier les petits emprunts qui ne grèveraient pas la capacité d'endettement et qui pourraient être cautionnés notamment par le groupe communautaire[117].

D'autre part, les banques, de par l'importance de leur contribution, peuvent avoir un intérêt au *fehivava*, mais le recours au mécanisme de l'hypothèque, institution rodée depuis des lustres et qu'elles pratiquent d'ailleurs généreusement les empêcheraient de voir dans le *fehivava* l'institution idéale de garantie du crédit. D'ailleurs, à notre connaissance, aucune banque n'a pour l'instant sollicité la mise en place d'un *fehivava* pour le déblocage d'un crédit quelconque.

---

114 cf. F.Rahamelson Razanamelina, les institutions de microfinance en tant qu'institutions financières, mini-mémoire de Maîtrise, option droit des affaires, Université d'Antananarivo, Faculté DEGS 2007 ; D.N.Rakotondratsimba Harivony, access banque Madagascar, mini-mémoire de Maitrise, option droit des affaires, Université d'Antananarivo, Faculté DEGS 2007

115 V. déjà, les remarques de J-Cl Rouveyran op. cit. p. 188 : « dans son action de crédit agricole, le *fanjakana* n'est pas, aux yeux des paysans, différents des usuriers ; il est prêteur d'argent comme les autres ; les commissions prélevées l'enrichissent comme elles enrichissent les usuriers locaux. Ses méthodes manquent de discrétion et les garanties qu'il exige donne l'impression qu'il n'a confiance ni en la solvabilité, ni en son honnêteté [...] »

116 M. Yunus, vers un monde sans pauvreté, éd.J. Cl lattès, 2007. L'ouvrage présente une autobiographie du « banquier des pauvres » notamment au travers de la *Grameen bank* pour laquelle l'auteur a reçu le prix nobel de la paix en 2006. Egal. J-M Servet, banquiers aux pieds nus, la microfinance, Ed. Odile Jacob, 2006 ; I.Guérin, J.Palier et B.Prevost, femmes et microfinance, AUF, 2009.

117 M. Yunus, op. cit. spéc.p. 201 et ss.

19 - le débiteur/emprunteur - Ici également, la prudence terminologique est de mise. Le débiteur dont on parle ici est le vendeur, éventuel futur acquéreur du bien qu'il a lui-même placé en *fehivava.*

20 - Pouvoirs et statut - Une évidence s'évince de la situation de l'emprunteur. Il est le débiteur initial dans l'acte de vente *fehivava.* Il en est donc le constituant. Par suite, il doit être propriétaire de l'immeuble qu'il veut engager. La question des pouvoirs ne se posait guère en droit malgache traditionnel des régimes matrimoniaux[118], le mari étant doté par principe des pleins pouvoirs, la gestion de l'immeuble n'étant pas généralement dévolu à la femme[119]. Par contre, l'évolution du droit positif octroie à la femme un pouvoir de contrôle et de sanction sur les biens importants de la communauté familiale qui empêche le mari, même s'il est toujours le chef de famille[120], de s'adonner à des actes préjudiciables au ménage et au foyer familial. Ainsi, aux termes de l'article 23 de la loi 67.030 du 18 décembre 1967 relative aux régimes matrimoniaux et à la forme des testaments[121], le mari ne peut « sans le consentement de sa femme,...aliéner ou grever de droits réels, un immeuble appartenant à la communauté... ». Parachevant l'évolution, la récente loi 2007.022 du 20 août 2007 relative au mariage et aux régimes matrimoniaux bilatéralise la règle et étend l'interdiction à chacun des époux sans distinction[122]. Le *fehivava* est de plein droit concerné par de telles dispositions.

21 - tiers au *fehivava* - Nos propos traitant de la constitution de garantie et qui plus est, de sûreté réelle, un tiers peut-il constituer en faveur du débiteur un *fehivava* en offrant son immeuble en garantie de

118 Cf A. Rouhette, remarques sur les régimes matrimoniaux non merina, cahiers du centre d'études des coutumes, 1966. 1 et ss., 1967. 13 et ss., 1968-1969.49 et ss. De manière générale, du même auteur, les régimes matrimoniaux dans le droit traditionnel malgache, cujas 1968.

119 De manière générale sur les pouvoirs de la femme malgache en droit positif, cf A. Raharinarivonirina, la condition juridique de la femme à Madagascar, *in* études dédiées à A. Weill, litec 1983 p. 451 et ss ; *adde,* H. Raharijaona, la femme dans la société et le droit malgache, Ann. Fac droit et sc.éco. de Madagascar, 1967 n° 4 p. 3 et ss. ; *notre* article, les mécanismes non juridictionnels de protection des droits fondamentaux, l'expérience de Madagascar *in* l'effectivité des droits fondamentaux dans les pays de la communauté francophone, AUPEL-UREF 1994,505 et ss.

120 La nouvelle loi 2007-022 du 20 août 2007 relative au mariage et aux régimes matrimoniaux (JORM du 28 janvier 2008 p. 131 et ss) a refondu l'ancienne législation en la matière mais a conservé le principe issu de l'ancienne loi selon lequel « le mari est le chef de famille » (art. 54).

121 JORM 23 décembre 1967, *p.* 2080 *;* mod. Loi n° 68-012 du 4 juillet 1968 (J.O. n° 598 du 13 juil.1968, p. 1438) et par la loi n° 90-014 du 20 juillet 1990 (J.O.23 juil.1990 éd.sp.).

122 art. 118 : « chacun des époux ne peut sans le consentement de l'autre : [...] 2° aliéner ou grever de droits réels un immeuble ou un fonds de commerce ou une exploitation appartenant à la communauté [...] »

la dette de ce dernier ? Au plan des principes, la solution est envisageable mais difficilement réalisable au niveau pratique de sa réalisation.
Sur le principe, un tiers qui affecterait un de ses biens en garantie de la dette du débiteur principal est conceptuellement recevable. Il s'agira, dans le droit commun des sûretés, d'une figure du cautionnement réel[123]. En droit traditionnel, les règles successorales mises à part, une hypothèse dans laquelle le *fehivava* octroyé par un tiers au bénéfice du débiteur pourrait être observé serait dans le fonctionnement de la coutume du *mamelomaso*[124] conjuguée avec celle des biens *ko-drazana*, biens qui ne doivent pas sortir de la lignée[125]. On sait que dans cette coutume, l'aîné – qui peut ne pas être forcément le fils direct du défunt[126] – à qui les biens sont transmis n'a pas le pouvoir de les faire sortir du patrimoine et de la lignée familiale, sauf autorisation expresse de la coutume pour motifs graves, dont le payement des dettes du défunt[127]. Il est dès lors concevable que le dépositaire des biens, en accord avec la grande famille mais tiers par rapport à l'engagement du défunt, donne un bien immeuble en *fehivava* pour essayer d'apurer la dette de l'aîné.
Sur le plan pratique, comment alors réaliser le *fehivava* constitué par un tiers en faveur du débiteur principal ? Les auteurs et la jurisprudence n'offrent pas d'exemples de cette situation. Dans le droit commun des sûretés, ainsi qu'on l'a relevé, pareille figure s'apparentera au cautionnement réel, un tiers offrant son immeuble en gage pour la dette d'autrui. Appliquée au *fehivava*, l'hypothèse est difficilement concevable voire impraticable, le tiers devenant à son tour prisonnier non seulement du mécanisme de rachat mais surtout du statut de contractant (débiteur principal) à part entière, ce qui n'est quand même pas l'objectif recherché. On peut concevoir une convention entre le débiteur principal et le tiers selon laquelle ce dernier agirait au nom et pour le compte du premier, ou alors que celui-ci dédommagerait le tiers de tous ses frais et débours. Mais cela n'enlève rien aux conséquences juridiques de l'opération qui vont se retourner contre le tiers-garant : une fois le *fehivava* conclu avec le

---

123 cf. not. M-N Jobard-Bachelier, M.Bourassin et V.Brémond, droit des sûretés, Sirey 2007 spéc.n° 2281 et ss. sur la notion de sûreté réelle pour autrui.
124 « la coutume du mamelo-maso consiste en ce que tout cohéritier d'une succession indivise, le plus souvent l'aîné de la famille, qui, avant le partage a cultivé et fait produire les biens de cette succession, ne doit de ce chef aucune indemnité aux autres cohéritiers si, du moins, sa jouissance a été publique et s'est effectuée au vu et au su des autres ayant-droits » définition de A.Gamon, reprise textuellement dans un arrêt du 8 mai 1947, Rabe félix c/ Ratavimasina et cst, rec.jur. op. cit. p. 309.
125 *supra* n° 11 note 51 ; égal. cf. H.Berthier, op. cit. n° 218.
126 H. Berthier, *ibid.*
127 *Ibid.* n° 222.

créancier (car le fait d'engager un bien en *fehivava* implique nécessairement que l'on devienne le co-contractant du créancier *fehivaviste*), le tiers-garant ne peut plus demeurer en situation de débiteur accessoire ; il devient débiteur principal à part entière...et c'est le débiteur principal initial qui deviendrait alors, par la grâce de la convention passée avec le tiers, garant de ce dernier ! D'où la légitime réticence que l'on exprime à l'égard d'un tel scenario...

b) L'objet du contrat de ***fehivava***

22 - l'immeuble - La solution date de la nuit des temps. Depuis les *kabary* d'Andrianampoinimerina, les auteurs[128], confortés par la jurisprudence[129], sont unanimes à relever que seul un immeuble peut être l'assiette du contrat de *fehivava.* Les raisons ne sont pas véritablement claires quant à cette exclusion des meubles : peut être est ce dû à l'importance présumée de l'immeuble, assise et fondement de la société, tel que les *kabary* ont voulu l'indiquer ? Ou à sa valeur matérielle et financière comparée à celle des meubles ? Le fait est que cette solution n'a jamais fait de doute et ne paraît pas possible d'être remise en cause.
Là où les opinions divergent, c'est de savoir si tous les immeubles – terrains et constructions – sont concernés et peuvent faire l'objet de *fehivava.* Il est d'abord une solution sur laquelle tout le monde s'était accordé : « les tombeaux, les biens *ko-drazana* ainsi que les forêts ou les terres incultes (entendons : inexploitables et non cultivables) ne peuvent être remis en *fehivava*ny »[130]. Cette règle mise à part, comme les *kabary,* initialement, opposaient le *varo-maty* (vente définitive) au *varotra fehivavany* (vente à temps), seuls pouvaient faire l'objet de ventes définitives les constructions ou les terrains à bâtir, à l'exclusion des terres de culture. G. Julien, dont l'opinion fait autorité, est catégorique : « sont susceptibles d'être vendues à titre définitif, toutes les propriétés bâties aussi bien que les terrains à bâtir quelle que soit leur situation. C'est exceptionnellement que les Malgaches vendent à titre définitif leurs rizières, terres de culture, tanin-djozoro ou jonchaies, pour la raison qu'à moins d'y être forcés ils préfèrent les

128 E-P.Thébault, op. cit. n° 344 ; A. Cahuzac op.cit.p.377 ; A. Gamon, op. cit.p. 110 ; H. Berthier, droit civil malgache op. cit. n° 260 ; G.Julien, op. cit.p. 392.
129 Exemples : C.Ap. de Madagascar du 9 janvier 1947 précité n°2, Razanamalala c/Rakotomaniraka rec.jur.civ. op. cit. p. 297 ; 21 avril 1949, n° 56 Rabenitany c/Ramasinoro précité.
130 H. Berthier, op. cit. n° 260. S'agissant des forêts et des terres incultes, la règle vient de l'article 91 du code des 305 articles : « les grandes forêts et toutes les terres libres appartiennent à l'Etat ; personne donc ne peut les donner en location ni les vendre sans le consentement du gouvernement ; ceux qui en disposeront autrement seront mis aux fers ». Ces dispositions ont leur équivalent dans le droit positif.

conserver à cause du respect qu'ils ont pour tout ce qui leur vient des ancêtres... »[131]. A l'égard de ces dernières, il précise : « les rizières et autres terrains de cultures font plus particulièrement l'objet de cette sorte de vente à réméré (le *fehivava*) »[132]. L'auteur conclut néanmoins, d'où d'ailleurs les interrogations en la matière : « Il n'existe cependant aucune loi ou coutume s'opposant de façon formelle à ce que ces biens [rizières, terrains de culture et autres] soient aliénés dans les mêmes conditions que les premiers [les propriétés bâties ou les terrains à bâtir] »[133]. H. Berthier voit la question d'une autre manière : « Il est d'usage absolu que les rizières et autres terrains de culture fasse exclusivement l'objet de contrat de *fehivava*, mais rien ne s'oppose à ce qu'une maison soit donnée en fehi-vavany »[134]. E-P Thébault prône également cette conception[135] et cite à l'appui de sa position des arrêts qui ont consacré des maisons d'habitation en tant qu'objet de *fehivava*[136].
En définitive, le poids de l'histoire seul ferait que les constructions ou les maisons d'habitation ne puissent être objets de *fehivava*. Or, rien à notre sens n'empêche que les maisons individuelles et autres bâtiments ne puissent être assiette de *fehivava*. Si le fonds de terre peut servir de garantie, on ne voit pas très bien pourquoi les installations édifiées dessus ne pourraient pas l'être. Cela, aussi, s'inscrit dans le sens de l'histoire...

23 - Immeuble immatriculé - mises à part les exceptions citées plus haut, tout immeuble peut être objet de *fehivava*, y compris les immeubles immatriculés. La précision s'impose. Le législateur veut signifier par là qu'il n'est pas dupe de l'état sociologique du statut des terres. Les récentes statistiques avancées à l'occasion de la mise en place de la nouvelle loi foncière de 2005[137] avaient indiqué que seules 3 % des terres à Madagascar ont fait l'objet d'une procédure moderne d'immatriculation et ont reçu des titres fonciers définitifs. Le reste attend... Or, ce « reste » constitue l'immense majorité des terres rurales ou coutumières pour lesquelles le *fehivava* trouvera matière à s'appliquer très facilement. Il était important dès lors de signifier que le statut moderne ou coutumier de la terre importe peu, et que même les terrains immatriculés peuvent constituer l'assiette d'un contrat de

131 G.Julien, op. cit.n° 390.
132 G. Julien op. cit.n° 391.
133 *ibid*
134 H.Berhier op. cit. n° 260.
135 E-P Thébault, op. cit. n° 344.
136 *ibid.* l'auteur cite 3 arrêts de la cour d'appel de Madagascar : 6 février 1941 n° 17, 13 mars 1941 n° 35, 9 janvier 1947 n° 2.
137 Loi 2005-019 du 17 octobre 2005 fixant les principes régissant les statuts des terres.

fehivava. Surgit dès lors une autre question : comment harmoniser les règles de l'hypothèque, qui ne concernent que les immeubles immatriculés, avec l'avènement législatif du *fehivava* ? Cela est un autre débat auquel la loi a apporté un élément de contribution en posant au préalable une règle de principe : l'immeuble immatriculé objet de *fehivava* doit être inscrit au livre et au titre foncier. Le reste est affaire de pratique règlementaire dont on attend impatiemment les premières retombées ...

24 - exclusion des meubles - La solution est donc acquise que les immeubles – et uniquement les immeubles – serviront d'assiette au *fehivava*. Toutefois, certaines dispositions du code des 305 articles concernant ceux qui, de mauvaise foi, détourneraient l'utilisation du contrat de *fehivava* semblent permettre une autre lecture. Ainsi, aux termes de son article 245 déjà relevé[138] : « si vous avez opéré la vente d'un objet (*zavatra*) à titre définitif et que, voyant cet objet acquérir une plus value, vous prétendiez qu'il n'a été cédé qu'à titre provisoire (*Fehivavany*), il restera définitivement acquis à son possesseur. Quant à vous, qui aurez menti, vous serez puni d'une amende de cinq bœufs et de cinq piastres et si, vous ne pouvez payer, vous serez mis en prison à raison d'un sikajy par jour jusqu'à concurrence du montant de l'amende »[139]. L'article 246 ajoute : « si, ayant fait un achat à titre provisoire (*Fehivavany*), vous prétendez, parce que vous désirez la possession définitive de la chose (*zavatra*), que la vente a été faite à titre définitif, il vous sera fait retour de la somme que vous aurez consacrée à l'achat et l'objet de la vente sera rendu à son premier propriétaire. Quant à vous, vous serez puni d'une amende de cinq bœufs et de cinq piastres et, si vous ne pouvez payer, vous serez mis en prison à raison d'un sikajy par jour jusqu'à concurrence du montant de l'amende »[140]. Ces deux articles sont énoncés de manière générale et semblent ainsi indiquer *a priori* que toute chose (objet = *zavatra*) peut servir d'assiette du contrat de *fehivava*. Effectivement, rien n'empêche de concevoir qu'un meuble de quelque importance puisse servir de garantie dans le cadre du

138 *supra* n° 3 et note 33.

139 (traduction Julien cité par Thébault, le code des 305 articles op. cit. art. 245) [raha mivaro-javatra ianao, ka varo-maty hiany no nivarotanao azy, ka saingy mihatsara ny zavatra ka ataonao hoe *Fehivava*ny fa tsy varo-maty, dia azy varo-maty hiany. Ary ianao izay mandainga toy izany dia sazina omby dimy sy a.5 ; ary raha tsy mahaloa sazy izy dia atao an-trano maizina ankevitry ny sikajy isan-andro mandra-pahatapitry ny ankevitry ny saziny].

140 (traduction Julien cité par Thébault, le code des 305 articles op.cit. art.246) [raha mividy zavatra ihanao, ka fehi-vavany no nividiananao azy, saingy tianao ny zavatr'olona, ka ataonao hoe varo-maty, dia ny vola nividiananao ny zavatra no miverina. Ary ny zavatr'olona novidina dia miverina amy ny tompony, ary hianao dia sazina omby dimy sy a.5; ka raha tsy mahaloa sazy dia atao an-trano maizina ankevitry ny sikajy isan-andro mandra-pahatapitry ny ankevitry ny saziny].

fehivava. Trois facteurs empêchent toutefois d'adhérer à cette interprétation. D'abord, l'agencement des articles en cause : Les articles 245 et 246 du code des 305 articles suivent l'article 244 du même code qui traite de la délimitation et de l'enlèvement des bornes des terres cédées à titre de *fehivava*[141]. On peut raisonnablement penser que ces deux articles ne constituent que la suite logique de l'objet de l'article 244 et que l'usage du terme impersonnel « zavatra » en leur sein ne désigne autre chose que les terres *fehivava* de l'article 244. Ensuite, une garantie sur les meubles existe déjà en droit traditionnel et porte le nom générique de « antoka » (gage)[142]. On imagine mal qu'au beau milieu des mesures spécifiques relatives aux terres *fehivava* soient intercalées des mesures aussi générales traitant du sort des meubles. Enfin, les sanctions édictées par le code sont trop sévères (5 bœufs et 5 piastres ou à défaut la prison) pour que l'on puisse imaginer qu'elles s'appliquaient, à l'époque, à des choses « viles ». Notre conviction est faite : le *fehivava* ne peut avoir pour assiette que des immeubles.

c) La durée du ***fehivava***

25 - absence de terme - Une des caractéristiques du contrat de *fehivava* est effectivement le fait de ne pas accorder une importance symbolique au délai d'exécution du contrat. Cahuzac est l'un des premiers à avoir évoqué cette question de délai : « le contrat doit stipuler le délai dans lequel le remboursement doit être effectué. Mais en ce qui concerne la durée de ce délai, les parties ont une liberté absolue. Elles peuvent convenir que le remboursement aura lieu dans

141 Art. 244 C. des 305 art. : « si une personne consent une cession de terres dite *fehivava*ny, la terre qui en fera l'objet devra être exactement mesurée ; ses dimensions, ainsi que la durée de l'aliénation, devront être spécifiées sur les livres du gouvernement. Le détenteur provisoire qui fera disparaitre les bornes des terres ainsi louées, de façon à confondre celles-ci avec ses propriétés, sera puni d'une amende d'un bœuf et d'une piastre. Lorsque le propriétaire du sol se libèrera, en versant l'argent emprunté sur sa terre, celle-ci lui fera retour, de même que toutes celles dont les bornes ayant été enlevées se confondront avec la sienne. Ceux qui donneront, par ce moyen, des terres en location et recourront à l'enregistrement dans les livres officiels, devront payer pour le compte de l'Etat un droit de 0,10 franc par piastre sur le montant du prix *fehivava*ny » (traduction Julien) [raha misy olona mamely vava-tany, dia tsy maintsy refesina tsara ny tany feheziny vava, ka ny refiny sy ny fe-taona ifanekeny dia soratana amy ny bokim-panjakana. Koa raha misy mangaro vala ny tany feheziny dia sazina omby iray sy a.1 izy. Ary raha manatitra ny vola fehi-vavany ny tompon-tany dia zay avokoa ireo tany naharony vala ireo. Ary izay mampanofa tany toy izany ka hosoratana amy ny bokim-panjakakana, dia andoavana e.15 isan-ariary ny fehi-vavany ho any ny fanjakana]

142 G.Julien op. cit. n° 503 [du gage d'une dette mis d'avance entre les mains du créancier (ny antom-bola efa voaray mialoha)] ; n° 502 (du tsatoka) ; *contra* E-PThébault, op. cit.n° 340 qui énonce : « le prêt avec gage mobilier est rarement pratiqué chez les malgaches et la jurisprudence en offre peu d'exemples ; les lois et coutumes Hova sont muettes sur ce point et il faut faire application des règles du droit français en la matière... ».

un an, dans dix ans ; la coutume n'édicte aucune restriction... »[143]. G.Julien confirme : « on a vu des contrats de vente *fehivava*ny durer plusieurs générations et il en est encore qui ne sont pas expirés bien qu'ayant été conclus par les arrière-grands-pères des titulaires actuels »[144]. La jurisprudence entérine le constat des deux éminents auteurs. L'arrêt le plus significatif est celui du 6 février 1941 rendu par la Cour d'appel de Madagascar[145] :

> « ...cons. que cet acte stipule que Rabemanantsoa et Razanatovo pourront "*dans quelques mois ou quelques années"* reprendre leur maison, en remboursant la somme de 2300 frs et le coût des améliorations qui aurait été effectuées ; cons. que le contrat de *fehivava* prévu par la législation malgache ne confère pas au prêteur, créancier gagiste, le droit de s'attribuer ou de faire attribuer la propriété de l'immeuble remis en gage ; que l'emprunteur a le droit de reprendre l'immeuble en remboursant le prix et en exécutant les conditions prévues à l'acte ; *qu'à défaut de stipulation d'un délai, ce droit peut être exercé à toute époque*, les dispositions du code civil (français) étant inapplicables en l'espèce ; que c'est donc à tort que le jugement entrepris a décidé purement et simplement que "la maison sise à Ambodirina reste la propriété de Rainizaka" ; qu'il est nécessaire de réserver le droit de l'appelant à reprendre la propriété en remboursant la somme de 2300 frs et le cout des améliorations effectuées... »

Le législateur de 2003 n'a pas cru devoir changer cet état du droit positif. Aussi, l'article 206 alinéas 3 et 4 de la loi sur les sûretés prévoit-il notamment que

> « l'acte doit indiquer le délai de remboursement accordé au débiteur emprunteur et à l'expiration duquel le bien pourrait être acquis par le créancier en cas de défaut de remboursement ; [...] le délai ainsi prévu peut être à terme certain ou incertain [...] si la durée du prêt et la date de remboursement ne sont pas précisées dans le contrat, les parties peuvent en arrêter le cours à tout moment, le débiteur en remboursant, le créancier en signifiant sa volonté de vouloir rentrer en possession de son argent. Dans ce dernier cas, la date de remboursement se fera d'accord parties[...] »

Reste la question qui relève plus de la sociologie que du droit : pourquoi cette méconnaissance de l'importance du terme que ce soit en droit moderne ou en droit traditionnel du *fehivava* ? La réponse est aisée relativement au droit moderne : l'application du contrat de *fehivava* empêchera par définition le mécanisme de la prescription de fonctionner. C'est le jeu même de tout contrat. Admettre le contraire

143 Cahuzac, op. cit. p. 376.

144 G.Julien, op. cit. n° 393.

145 Supra note 67 ; arrêt n° 17, Rabemanantsoa c/Razanaka, rec.jur. civ. tome 1 p. 59. Un autre arrêt du 17 aout 1944 (Rakotonala c/ Razafindramanana) statue sur une demande de rachat d'un *fehivava* en 1944 pour un contrat conclu le 16 décembre 1897, soit 47 ans après...La décision prend soin de préciser que la prescription n'a pas lieu de jouer car elle n'existe pas en droit malgache [rec.jur. civ. op. cit. n° 124 p. 200]. Il serait plus juste de dire que l'application du contrat de *fehivava* empêche le jeu de la prescription.

serait permettre, par exemple, à un preneur à bail resté longtemps dans les lieux en vertu d'un contrat de bail en bonne et due forme de se prévaloir de la prescription pour échapper au paiement des loyers et revendiquer la qualité de propriétaire par usucapion... En droit traditionnel, ce serait plutôt des relations sociales basées principalement sur une appréhension à perturber la quiétude et l'harmonie communautaires qui justifieraient cette indifférence à la certitude du terme. Conjuguée avec des traditions transmises uniquement par l'oralité, une telle crainte conduit la communauté traditionnelle vers un sens du conformisme relativement aigu et l'empêche d'avoir une perception claire de la nécessité de limiter dans le temps le mécanisme du *fehivava*. Ce qui a conduit la cour d'appel à énoncer qu'en droit traditionnel de Madagascar, « la possession, quelque longue qu'elle soit, ne peut jamais conduire à la prescription... »[146]. On sait désormais que, depuis, les idées et les textes ont évolué.

2) Les conditions de forme

26 - écrit obligatoire - Aux termes de l'article 206 alinéa 2 de la loi 2003-041 du 3 septembre sur les sûretés,

> « le contrat de *fehivava* doit être passé à peine de nullité par acte authentique ou authentifié et assujetti aux formalités d'enregistrement ainsi que, si l'immeuble est immatriculé, d'inscription au titre foncier ».

Ces exigences sont considérées normales mais elles ne peuvent se comprendre véritablement qu'en regard de l'histoire des actes sous seing privé et du droit foncier de Madagascar.
On a relaté précédemment que seules 3 % des terres sont immatriculées dans l'Ile. En d'autres termes, l'immense majorité des surfaces arables et/ou cultivables ou cultivées feront ou pourront faire l'objet de contrats de *fehivava* sans que l'on puisse véritablement débusquer la réalité du contrat, ce qui laissera les paysans à la merci des usuriers de tous acabits. La situation empirera si on laissait, comme par le passé, ces actes s'accomplir sous seing privé, uniquement entre les parties contractantes, sans possibilité de contrôle officiel. Un tel contrôle doit donc permettre de vérifier

146 C. Ap. 17 août 1944 précité : « sur le premier moyen basé sur la violation de la coutume relative à la vente « *fehivava* », en ce que le jugement entrepris a déclaré tardive une demande de rachat faite par les demandeurs en annulation ; att. Qu'en droit malgache la possession, quelque longue qu'elle soit, ne peut jamais conduire à la prescription, qu'elle peut seulement, lorsqu'elle est exercée publiquement, paisiblement, d'une manière continue et à titre de propriétaire, créer en faveur du détenteur une présomption de propriété... ».

l'authenticité de la volonté des parties tout en ne dépouillant les autorités publiques de leur pouvoir régalien. C'est ce qu'avait traduit, en son temps, de manière doctrinale, l'arrêt de la cour d'appel de Madagascar, déjà cité, du 9 janvier 1947 sur l'enregistrement du gage immobilier[147] :

> « ... att. que, à Madagascar, la formalité de l'enregistrement n'a pas [...] un but fiscal ; que les textes qui, à Madagascar l'ont organisés et règlementés [...] ont eu surtout pour *but d'assurer la conservation des conventions entre autochtones et de garantir la liberté des contractants* ; que d'autre part, cet enregistrement n'a été que la consécration officielle et la règlementation de principes déjà anciens de la législation malgache, antérieurs à l'occupation française, inscrits dans les lois de 1868, précisés dans les instructions aux sakaizambohitra de 1878, dans le code des 305 articles de 1881 ; qu'ainsi donc, [...] *l'enregistrement tel qu'il est règlementé [à Madagascar], ne constitue pas une formalité accessoire à un acte préexistant mais constitue l'acte lui-même, en sorte qu'un acte écrit mais non enregistré est absolument inexistant*, mais que néanmoins cette formalité ne transforme pas un acte sous seing privé en un acte authentique ; que même si cette formalité confère à l'acte une valeur authentique, [...] on ne peut dire qu'un acte sous seing privé devient par là même un acte authentique : il est authentifié, mais reste ce que par sa nature, par sa forme, il est originairement, tant intrinsèquement que formellement : un acte sous seing privé[...] »

L'opinion qui se dégage de cet arrêt est reprise au lendemain de l'indépendance, de manière plus souple par la cour d'appel, plus catégorique par la cour suprême. Les juges du fond, conscients de l'absence de texte moderne en matière de *fehivava*, font expressément référence aux textes anciens et au droit coutumier :

> « [...] Attendu que Randriatsimihenina Ndevo et Mara emmanuel basent leur demande de restitution sur l'existence d'un contrat de *fehivava* passé par leur grand-mère Ramampy le 15 juin 1915 ; que pour l'établir, ils produisent aux débats un Fanekena sous seing privé non enregistré. Att. que *le contrat de* ***fehivava*** *fait partie des contrats que la législation de l'époque et le droit coutumier soumettaient à l'obligation de l'enregistrement* ; que la jurisprudence a toujours fermement décidé que la sanction du défaut d'enregistrement était non seulement la nullité du contrat, mais également l'interdiction de prouver son existence par témoins ; que c'est à tort par suite que le premier juge a autorisé cette preuve ; Att. en conséquence que le contrat invoqué doit être réputé inexistant... »[148]

La cour suprême de Madagascar adhère à cette position. Dans une décision du 13 février 1990[149], en dépit des faits assez troublants de l'espèce, elle approuve la cour d'appel d'avoir décidé « qu'un contrat

147 supra n° 16 note 87.
148 C. Ap. de Madagascar, 2è chambre civ. 1 juillet 1970 n° 553, Randriamasy c/ Randriatsimihenina et autres, Bull. d'info. du Ministère de la justice, 1971 n° 18 p. 571.
149 Bull. des arrêts de la cour suprême de Madagascar, Rabemahasolo c/Rakoto joseph arrêt n° 17, p. 16.

de fehivava, pour exister juridiquement, doit être enregistré et soumis à des formalités de publicité sur les livres de la conservation foncière par exemple [...] ».

Cette harmonie jurisprudentielle justifie la triple précaution en la forme prise par la loi de 2003 : 1) A peine de nullité, 2) le contrat de *fehivava* doit être passé par acte authentique ou authentifié et 3) assujetti aux formalités de l'enregistrement. Les deux conditions sont cumulatives : pour que l'acte soit valable, il faut qu'il ait été fait par acte authentique ou par acte authentifié ***et*** ensuite enregistré. L'acte authentique, ce sera « l'acte reçu par une autorité publique compétente dans les formes prescrites par la loi »[150] ; en d'autres termes, le notaire ou le maire feront leur affaire propre, suivant les formes légales, des déclarations des parties en leur présence. L'acte authentifié « est un acte rédigé ou transcrit à la demande des parties par un officier public compétent sur un registre spécial »[151], c'est-à-dire un acte qui aura été confectionné au préalable par les parties puis retranscrit, à leur demande, pour authentification sur un registre spécial de l'officier ministériel. Les deux actes ont la même valeur juridique et même force probante[152], la différence entre les deux résidant dans ce que seul l'acte authentique peut être revêtu de la force exécutoire, l'acte authentifié ne pouvant l'être qu'avec l'autorisation du juge. Il est vraisemblable que, du point de vue sociologique, le contrat de *fehivava* sera plus un acte authentifié qu'un acte authentique.
La formalité de l'enregistrement est, avec l'évolution de la législation, actuellement obligatoire essentiellement pour des raisons fiscales. Deux catégories de frais sont prévus par le Code Général des Impôts au lendemain de l'avènement législatif du *fehivava*, les droits d'enregistrement – assez modiques – [153] et la taxe de publicité foncière[154] – assez conséquente car vraisemblablement proportionnelle à la valeur de l'immeuble.

---

150 art. 259 de la loi 66.003 du 2 juillet 1966 sur la théorie générale des obligations (LTGO), JORM du 9 juillet 1966 p. 1429 et ss.

151 art. 264 LTGO.

152 art. 265 LTGO : « L'acte authentifié a même valeur et force probante que l'acte authentique, mais il ne peut être revêtu de la formule exécutoire qu'avec l'autorisation du juge ».

153 art. 02.04.08 CGI : « ne sont soumises qu'à un droit fixe de Ar 200 :...3° les inscriptions des contrats de *fehivava*... »

154 art. 02.04.01 CGI : « la taxe sur la publicité foncière est perçue, au profit du budget général, sur les formalités à requérir dans les conservations de la propriété foncière :...3° les inscriptions es baux d'immeubles, des contrats de *fehivava*...la taxe de publicité foncière est proportionnelle quand les inscriptions requises sont susceptibles d'être évaluées. Dans le cas contraire, un droit fixe minimum couvre l'ensemble des dispositions de l'acte. » L'article 02.04.14 CGI donne une sorte d'exposé de motifs de la perception : « la taxe de publicité foncière est perçue par le receveur des impôts. La perception est faite en même temps que les droits d'enregistrement en ce qui concerne les inscriptions de tous droits réels immobiliers, les contrats de *fehivava* et les mentions de subrogation et de radiation est donnée en même temps que la quittance des droits d'enregistrement ou des droits de mutation par décès ».

On retiendra que l'écrit est exigé *ad valididatem,* à peine de nullité de l'acte. La solution est heureuse, les usuriers ayant outrageusement profité de cette absence de formalités légales et exploité les paysans en quête de financement par le biais du *fehivava*. Reste une question de droit transitoire que la loi n'a pas prévu : les contrats de *fehivava* conclu avant la loi de 2003 sont-ils assujettis à cette loi ou lui échappent-ils ?

27 - Autres formalités ? - L'enregistrement est exigé à l'encontre de tout contrat de *fehivava* que l'immeuble soit immatriculé ou non. A l'égard de l'immeuble immatriculé, le *fehivava* doit être inscrit sur le livre et sur le titre foncier, la loi foncière exigeant que tout évènement dans la vie de l'immeuble immatriculé doit être relaté auprès de la conservation foncière[155], ce dont l'article 206 de la loi sur les sûretés a pris acte. Est-ce à dire que les immeubles non immatriculés – qui constituent quand même le principe pour l'heure – ne feraient pas l'objet d'identification et de délimitation matérielles au même titre que les immeubles immatriculés ?
La question et les implications qu'elles recèlent ont déjà été perçues par les rédacteurs du Code des 305 articles dans l'article 244 précédemment évoqué sur la délimitation des terres faisant l'objet de *fehivava*[156] : tout terrain ou parcelle cédé par voie de contrat *fehivava* « doit être exactement mesuré ; ses dimensions ainsi que la durée de l'aliénation devront être spécifiés sur les livres du gouvernement... » La signification de la démarche était claire : Dans un système régi par le droit coutumier et par l'oralité des conventions, l'unique manière de vérifier les droits de chacun en cas de *fehivava* était d'obliger à la délimitation et à la mesure exactes du terrain concerné (l'article 244 ne dit pas à la charge de qui...) et de les porter dans les registres tenus par les gouverneurs. Pour paraphraser l'arrêt du 9 janvier 1947,

---

155 Le texte de base est l'ordonnance 60.146 relative au régime foncier de l'immatriculation [JORM du 22 octobre 1960 p. 2205 (plusieurs fois modifiée). Ainsi, aux termes de son article premier : « Le service de la conservation de la propriété foncière est chargé d'assurer aux titulaires la garantie des droits réels qu'ils possèdent sur les immeubles soumis au régime de l'immatriculation, dans les conditions déterminées par la présente ordonnance. *La garantie des droits réels est obtenue au moyen de la publication sur des livres fonciers, à un compte particulier dénommé titre foncier, ouvert pour chaque immeuble, de tous les droits réels qui s'y rapportent, ainsi que des modifications de ces mêmes droits, ladite publication étant précédée de la vérification des justifications produites et faisant foi à l'égard des tiers dans la limite et conformément aux dispositions ci après formulées.(Ord. n° 74-034 du 10.12.74)* Pour permettre cette publication, les immeubles doivent être préalablement immatriculés sur les livres fonciers [...] ». *L'article 9* de l'ordonnance précise (réd.L n° 90-028 du 19.12.90), *«* Tout droit réel immobilier ou charge n'existe à l'égard des tiers qu'autant qu'il a été rendu public dans les formes, conditions et limites réglées à la présente loi et au décret pris pour son application sans préjudice des droits et actions réciproques des parties pour l'exécution de leurs conventions ».
156 *supra* n° 24 note 120.

l'enregistrement n'était pas un acte accessoire à un acte préexistant, mais constitue l'acte lui-même de sorte qu'un *fehivava* écrit mais non enregistré était inexistant...

La réponse apportée par la loi 2003.041 sur les sûretés est sibylline. Un principe se dégage des termes de son article 209 : « le créancier qui entre en possession de l'immeuble donné en *fehivava* est censé avoir connaissance... des conditions matérielles et de la consistances physique de ce dernier ». Par contre, aucune mesure de délimitation matérielle de l'immeuble n'a été prise formellement à l'heure actuelle au niveau textuel, sauf à dire qu'elle serait implicitement présente dans l'acte d'enregistrement. Rien n'est moins certain. Ce serait effectivement le cas si l'immeuble est immatriculé, l'immatriculation en soi permettant de « retracer » la vie juridique de l'immeuble. Mais pour un immeuble non immatriculé (encore une fois, pour l'heure, le principe), éloigné des grands centres urbains et perdu au fin fond de l'Ile ou dans les zones enclavées ou inaccessibles, dont l'existence juridique est tributaire des « *petits papiers* »[157] échangés au niveau local, l'enregistrement du *fehivava* ne prouverait pas grand-chose, sinon une convention d'accord parties sur un objet juridique non identifié par l'administration publique...Effectivement, les parties au contrat de « petits papiers » prennent, elles, le soin de prendre les mesures exactes des terres qu'elles se sont échangées ou vendues[158]. Si sociologiquement, aux yeux des paysans qui la pratiquent, la méthode est valable, la question est de savoir quelle peut bien en être la valeur juridique. D'où l'importance de l'intervention d'une règlementation qui aiderait à poser des repères objectifs.

157 C'est un des phénomènes sociologiques auquel ont du faire face les pouvoirs publics dans leurs tentatives de vouloir instaurer une sécurisation foncière accélérée. Les paysans des zones rurales reculées, au fil des ans, en butte aux tracasseries de toutes sortes qui puisent leurs sources dans la confrontation et le conflit entre droit coutumier et droit moderne de propriété foncière, se vendent ou s'échangent leurs terres en formalisant leurs actes par des écrits sous seing privés, quelquefois très simplistes en la forme. Ce que les observateurs gouvernementaux ont tôt faits de qualifier de « petits papiers », par référence aux triple sens matériel, juridique et péjoratif de l'expression : ce ne seraient que de vulgaires petits bouts de papiers dépourvus de toute portée juridique car ne sont pas – et ne peuvent pas être – relatés dans les livres fonciers. Il serait intéressant de procéder à une étude sociologique de la portée de ces « petits papiers » au niveau des populations en cause. cf. sur ces points, la « lettre de politique foncière » du gouvernement de Madagascar en date du 3 mai 2005 qui relate l'existence de ces « petits papiers » sur le site du Programme National Foncier : www.foncier.gov.mg

158 M. Omrane, [op. cit. p. 190] décrit les cas auquel il a été confronté à Ampitatafika : « outre la validation officielle recherchée (l'enregistrement), les acteurs procèdent au relevé des distances de la parcelle, en impliquant les exploitants voisins, qui seront notées, au centimètre près, sur l'acte de vente, et souvent avec le dessin de la parcelle... ».

B – Les effets du *fehivava*

L'histoire doctrinale et jurisprudentielle du contrat de *fehivava* enseigne que ses effets peuvent être observés à deux stades, au niveau des parties – où la tradition et les arrêts sont relativement diserts – et selon le statut de l'immeuble, domaine où tout semble s'être déroulé dans le non-dit, ce que la loi de 2003 a essayé de combler.

1) L'équilibre : les effets du fehivava *entre les parties*

28 - créancier et débiteur - Il s'agit ici d'envisager les droits et obligations respectifs des parties au contrat de *fehivava*. On sait désormais que, par ce contrat, le vendeur propriétaire de l'immeuble s'en sépare pour le mettre à la disposition du créancier en garantie de remboursement du prêt que ce dernier lui a octroyé. De son côté, le créancier doit assurer au débiteur une sorte de promesse de revente de l'immeuble dès lors qu'il aura procédé au remboursement du prêt. Seule nous intéresse, à ce stade, la situation respective des deux parties en cause pendant le déroulement du *fehivava*.

a) Les droits et obligations du créancier-prêteur-acheteur

De ce qu'il reçoit l'immeuble à titre de garantie, les droits du créancier sont forcément moins nombreux que ses obligations.

29 - (1)- les droits du créancier - De manière schématique, deux catégories de droits sont reconnus au créancier par la nouvelle loi, l'une de manière explicite, l'autre de façon implicite.

30 - droit explicite : la jouissance de l'immeuble - c'est une conséquence de tout temps rattachée au *fehivava*. Le créancier ne devenant pas propriétaire de l'immeuble à la suite de la remise qui lui en est faite par le débiteur, il n'a sur le bien que le droit d'en jouir pleinement « au même titre qu'un usufruitier. Il en perçoit les fruits pour son compte[159] ». En d'autres termes, le créancier *fehivaviste* se voit reconnaître un droit réel direct sur l'immeuble, l'article 208 de la loi faisant expressément référence à la qualité d'usufruitier. La solution est traditionnelle. La législation n'a fait que consacrer heureusement

---

159 art. 208 al. 1 L.2003.041 sur les sûretés.

une règle maintes fois relevée dans les arrêts qui ont eu à traiter de la matière[160].
A partir de là, les suites de cette position de principe sont aisément identifiables. Le créancier peut louer le bien et on a vu qu'il peut même le louer au débiteur lui même[161]. Il peut céder son droit de gage (art. 210 L. sûretés), auquel cas le cessionnaire lui sera subrogé (même article). Il perçoit les fruits de l'immeuble « pour son compte ». Cette dernière proposition ne peut bien se comprendre que par une comparaison avec le régime de l'antichrèse. On sait qu'aux termes de l'ancien article 2085 du code civil français, le créancier n'acquiert par l'antichrèse que « la faculté de percevoir les fruits de l'immeuble à la charge de les imputer annuellement sur les intérêts, s'il lui en est dû… ». En d'autres termes, le créancier déduit des intérêts à percevoir les fruits (loyers) qu'il retirerait de l'immeuble. Rien de tel dans le contrat de *fehivava* : le créancier « fehivaviste » perçoit les fruits pour son compte, sans avoir à les imputer sur quelconque charge d'intérêts ou autre, car il est de la nature du contrat de *fehivava* de ne générer aucun intérêt ni aucun autre frais ou « autre complément à la charge du débiteur »[162]. Un arrêt de la cour d'appel de Madagascar du 26 mars 1942 décrit parfaitement bien la portée de cette solution :

> « Sur le premier moyen tiré de la violation de la loi locale sur le contrat de *fehivava* en ce que le jugement dont est recours a reconnu à la débitrice le droit de s'approprier des fruits de l'immeuble avant le remboursement du prix de *fehivava* ; Attendu qu'en droit malgache *le créancier* ***fehivava*** *a, sur l'immeuble donné en gage un privilège sur les fruits et revenus de la chose jusqu'à remboursement de la créance* ; Attendu, en l'espèce, que la dame Razanabahoaka, acheteur *fehivava*, a cultivé la rizière en aout 1939, tandis que la dame Rantoandro,

160 C. Ap. Madagascar 6 février 1941,n° 17, Rabemanantsoa c/Razanaka précité : « […]consid. d'autre part que les droits du créancier *fehivava* sur l'immeuble donné en gage peuvent être assimilés à ceux d'un propriétaire ; qu'il fait sien les fruits et revenus de la chose ; qu'il suit de là que l'appelant est mal fondé à réclamer la restitution des loyers perçus par Rainizaka depuis 1933 […] » ; l'arrêt du 13 mars 1941,n° 35 Razanadrasoa c/Ranosy, précité est le plus explicite et le plus riche d'enseignements : « […] Consid., en l'espèce, qu'un contrat de *fehivava* régulièrement enregistré en date du 21 juillet 1920 est intervenu entre la dame Ralinoro, d'une part, et la dame Ranosy, d'autre part, créancière *fehivava* ; que le remboursement de la somme de 750 Frs qui devait avoir lieu dans le délai d'un an n'a pas été effectué ; que la dame Ralinoro est décédée, laissant ses droits à sa sœur Razanadrasoa ; que celle-ci suivant requête en date du 2 février 1940, a demandé au tribunal (…) de l'autoriser à reprendre l'immeuble, objet du contrat de *fehivava*, moyennant le versement de la somme de 750 frs ; et de condamner le dame Ranosy à lui payer la somme de 5.825 frs, montant des loyers du 21 juillet 1920 jusqu'au 31 décembre 1939, plus ceux à échoir jusqu'à son départ ; qu'elle a été déboutée de sa demande par le tribunal de 2e degré, la dame Ranosy s'étant prévalu de la clause du contrat qui, stipulant qu'à défaut de remboursement dans le délai d'un an, l'immeuble serait définitivement acquis par elle ; que considérant que la créancière *fehivava*, à qui l'immeuble est remis, en a la jouissance pleine et entière, et perçoit les fruits pour son compte ; que c'est à bon droit que le tribunal a débouté la dame Razanadrasoa de sa demande en loyer… »
161 *supra* n° 10 et 11
162 cf en ce sens E-P Thébault, op. cit. n° 344 et les références citées.

propriétaire de la rizière, n'a effectué le remboursement de la somme de 400 frs, prix du *fehivava* que le 2 janvier 1940 ; Attendu, dans ce conditions que le droit de reprise ne peut s'exercer qu'à compter de ladite date du 2 janvier 1940 ;
Attendu en outre que si Rantoandro peut, en janvier, reprendre l'immeuble, *elle n'a aucun droit sur le riz qui y avait été planté par Razanabahoaka six mois auparavant en vertu du droit à lui conféré par le fehivava non encore racheté* ;
Attendu donc que c'est par erreur et en violation du principe de la loi malgache sur la vente *fehivava* que le jugement en date du 19 juillet 1940 [...] a reconnu à Rantoandro le droit de s'emparer de la récolte provenant du riz que Razanabahoaka créancière *fehivava* avait planté ;
Attendu que le premier moyen étant admis, le jugement doit être annulé sans qu'il y ait lieu d'examiner le deuxième moyen... »[163]

La solution est confortée et complétée de manière symétrique par une règle du droit traditionnel intégrée dans la loi sur les sûretés (art. 209 alinéa 2) en imposant au créancier de ne pouvoir, *en aucun cas*, à la fin du contrat de *fehivava*, exiger du débiteur le remboursement des débours, frais et autres grosses réparations qu'il aurait effectuées sur l'immeuble du temps où ce bien était en sa possession. L'ensemble de ces solutions participe de la conception de l'immeuble dans le droit coutumier traditionnel. C'est le bien patrimonial par excellence et le créancier doit s'estimer heureux de l'avoir en sa possession. A la limite, le capital emprunté importe peu, d'où cette règle de l'absence des intérêts. Seul est pris véritablement en considération le fait que le débiteur propriétaire soit suffisamment puni de n'avoir pu maintenir l'immeuble dans le giron du patrimoine familial ou, pour dire les choses autrement, d'avoir du le mettre en la possession du créancier. En conséquence, ce dernier peut s'en servir et en percevoir les fruits « pour lui », mais par contre, il ne peut prétendre demander le remboursement des travaux ou autres améliorations qu'il aurait effectuées. Ce sont des accroissements qui restent à l'immeuble et à son propriétaire...

31 - droit implicite : le droit de rétention - La proposition peut surprendre. Le créancier détenant le bien entre ses mains, considérer dès lors que son droit de rétention est implicite relève effectivement du paradoxe. Seulement, l'état du droit positif actuel permet cette prise de position. D'une part, même si le droit de rétention est désormais intégré dans la loi 2003.041 au titre de sûreté à part entière, trop rares sont les décisions des juridictions nationales en la matière[164]. D'autre

163 C.Ap. de Madagascar, 26 mars 1942 n° 54 rec.jur.civ.*op. cit.* p. 121.
164 Un des rares arrêts explicites ayant eu à statuer sur le droit de rétention à pat entière : C.Sup. de Madagascar, 12 décembre 1972 arrêt n° 5/72, Personnic c/ Clanche, Bull. arr. c. Sup. 1971/1972 (Imp.Nat 1975) p. 282 : « la vente d'un immeuble étant un contrat synallagmatique, est légalement justifié un arrêt qui accorde à l'acquéreur un droit de rétention sur le prix jusqu'à parfaite exécution par le vendeur de son obligation de délivrance ».

part, l'existence de ce droit de rétention en faveur du créancier *fehivaviste* engendrera normalement des répercussions au niveau du droit des procédures collectives en cas de difficultés du débiteur. En effet, un tel droit de rétention pourra normalement être opposé par le *fehivaviste* aux autres créanciers titulaires ou non de sûretés, au même titre que le créancier gagiste[165]. Mais il est vrai que tout le droit du *fehivava* en matière de procédure collective reste à édifier[166].
Enfin et surtout, le jeu du « *fehivava* - bail » tel que décrit plus haut[167] dans l'arrêt du 21 avril 1949 est de nature à poser de sérieuses questions sur l'opportunité et l'efficacité du droit de rétention en la matière : Le créancier remet l'immeuble entre les mains du débiteur qui l'exploite et lui verse les loyers, permettant ainsi l'amortissement de la créance en cause. On pourrait rejoindre les analyses émises en matière d'antichrèse – bail et considérer que le créancier peut parfaitement posséder *corpore alieno,* par l'intermédiaire d'autrui[168], ayant reçu en garantie la possession de l'immeuble. Cette démonstration ne tient pas en matière de *fehivava*, pour deux raisons : La première est d'ordre conceptuel. La difficulté théorique tient au fait que l'immeuble est mis à la disposition du créancier en vertu d'un contrat de vente normalement translatif de propriété ...qui ne produira pas d'effets, car dans la conception initiale du *fehivava*, on sait maintenant que l'immeuble est censé rester propriété du vendeur[169]. Aussi, lorsque le créancier remet le bien entre les mains du débiteur constituant pour qu'il l'exploite, le droit de propriété de ce dernier s'en trouve en quelque sorte doublement consolidé ... Dans ce cas de figure précis, il est alors difficile de concevoir un quelconque droit de rétention en faveur du constituant. Le passage de l'immeuble entre les mains du créancier, au lieu d'être le symbole de son pouvoir sur ce bien ou de la concrétisation d'une garantie, n'aura été au contraire qu'une sorte de reconnaissance formelle de la conclusion du contrat de *fehivava*. Si bien que se dépossédant de l'immeuble, le créancier perd également le droit de rétention qui y est associé. La seconde raison est d'ordre plus pratique. Contrairement à la conception de

165 art. 176 L.2003-042 du 3 septembre 2004 sur les procédures collectives d'apurement du passif (J.O. du 8 novembre 2004 p. 4360 et ss.) : « le syndic, autorisé par le juge commissaire peut, en remboursant la dette, retirer au profit de la masse, le gage ou le nantissement constitué sur un bien du débiteur »...

166 Notamment sur le plan de savoir si le créancier fehivaviste pourrait primer les créanciers inscrits *avant lui* sur l'immeuble. On sait que le débat est ouvert en matière d'antichrèse...cf. F. Derrida, la dématérialisation du droit de rétention, Mélanges P.Voirin, LGDJ 1967 p. 177 et ss. spéc. n° 19 ; P.Simler et P.Delebecque, droit civil, les suretés la publicité foncière, Dalloz, 1989 n° 209.

167 supra n° 11 et note 63.

168 Pour un résumé des différentes argumentations, cf. C. Mouly, op.cit. n° 40.

169 supra n° 9 et ss.

l'antichrèse-bail où « l'esprit de l'institution est de permettre l'extinction progressive de la créance par le revenu de l'immeuble [...], la location au débiteur satisfaisant cette finalité en permettant l'amortissement progressive de la créance par des loyers périodiques »[170], les loyers perçus par le créancier dans le cadre du contrat de *fehivava* le sont pour son compte propre[171], indépendamment de toute relation avec ce contrat.

On le voit, cette question du droit de rétention à reconnaître au créancier « fehivaviste » va soulever dans la pratique malgache plus de questions qu'il n'apporte de solutions. Mais c'est le propre de toute « nouvelle » institution que d'attendre d'être éprouvée à l'aune de la pratique administrative et judiciaire pour affiner son régime juridique.

32 - (2)- les obligations du créancier - Ces obligations sont la contrepartie directe de ce qui vient d'être exposé. Le créancier a reçu l'immeuble en sa possession mais il n'a pas à son égard des prérogatives de propriétaire.

33 - exclusion des actes de disposition - La règle est classique et traduite dans l'article 210 de la loi sur les sûretés qui interdit au créancier tout acte de disposition sur l'immeuble. Elle veut surtout saluer la position du droit coutumier qui avait pressenti l'urgence de tarir toute velléité du créancier de vouloir s'approprier l'immeuble ou de se conduire à titre de propriétaire.
La règle accepte deux limites : d'une part, le créancier peut céder son droit de gage. En effet, si l'immeuble en tant que bien ne peut lui appartenir, les droits (sauf le droit de propriété) qu'il a sur ce bien lui reviennent de plein droit. Il peut donc les céder, le cessionnaire lui étant subrogé dans tous ses droits et obligations. D'autre part, la règle joue même dans l'hypothèse extrême où le débiteur ne peut procéder au remboursement de sa dette. En ce cas, « il est fait application de la *prohibition de la clause* ***tsatoka*** »[172] par laquelle le créancier s'approprierait d'autorité l'immeuble en contrepartie ou en compensation de la défaillance du débiteur. La clause, dont la

170 C. Mouly op. cit.n° 40.
171 supra n° 30.
172 art. 213 L.2004.041 du 3 septembre 2004 sur les sûretés. La clause *tsatoka* est une métaphore. G. Julien (op. cit. n° 502) en donne une explication limpide : « on appelle tsatoka, un pieu qu'on fixe en terre pour renforcer un barrage principalement dans l'épaisseur des digues menacées de rupture sous la poussée des eaux ; par analogie, c'est ce qui fait la force d'un contrat, la chose sur laquelle il repose, le gage du débiteur, son cautionnement ou la garantie qu'il donne. »

prohibition a été consacrée par la jurisprudence[173], se présente en fait comme l'équivalent du pacte commissoire en droit moderne du gage lequel répond à la même préoccupation.
Du point de vue de sa nature, la question est posée de savoir si la clause *tsatoka* est propre au contrat de *fehivava* ou si elle s'applique à tout contrat. La réponse est donnée par deux arrêts qui fixent définitivement les contours juridiques de la clause. Le premier a été rendu avant l'indépendance et émane de la cour d'appel. En l'espèce, le 11 juin 1938, un Monsieur Rabefianarana vend une voiture Citroën à une dame Ravololona pour la somme de 8.650frs dont 5.300frs ont été payés le jour même de la vente. Le reliquat doit être payé par mensualités de 750fr, soit sur 4 mois environ. Les deux parties conviennent par ailleurs qu'en cas de non versement du solde du prix à la fin du mois de septembre 1938, les sommes versées par Ravololona resteront acquises au vendeur et la voiture lui sera restituée. Le 30 juin 1938, Ravololona s'acquitte d'une somme de 350frs et par la suite, ne verse plus rien... Le 27 octobre 1938, le vendeur l'assigne devant le tribunal pour voir ordonner, conformément aux clauses du contrat, que les sommes déjà versées lui resteront acquises et la voiture à lui restituée. En réponse, la dame Ravololona soutient que le contrat est nul comme contenant la clause « tsatoka » et, entre autres demandes, sollicite de la cour que les versements de 5.300 et 350 frs viennent en déduction de la valeur de la voiture initialement convenue. La réponse de la cour d'appel de Madagascar, discutable sur le fond, est toutefois édifiante par rapport à la clause tsatoka :

> « [...] cons. que les conclusions de l'appelante ne sont fondées ni en droit ni en fait, que *la clause tsatoka*, interdite en droit malgache, *ne se rapporte qu'aux prêts d'argent avec gage et n'est nullement applicable aux ventes* ; que la clause arguée de nullité n'a rien d'illicite[...] »[174]

Le second arrêt émane de la Cour suprême de Madagascar postérieurement à la phase de l'indépendance et confirme la doctrine

173 C.Ap. de Madagascar, 31 janvier 1946 n° 29, Rabenitany c/ Raolinoro berthe rec.jur.civ. op. cit.p. 267 : « [...] attendu que le contrat du 11 décembre 1940 est un contrat de *fehivava* ; que ce contrat prévoit que dans le cas de non-remboursement par les époux Rabenitany Albert et Ramasinoro Christine de la somme prêtée de 2.600frs dans le délai fixé, l'immeuble deviendrait la propriété définitive de la créancière Raolinoro Berthe ; att. que cette clause appelée « tsatoka » est interdite formellement par l'article 20 des instructions aux gouverneurs ; qu'en ordonnant l'enregistrement à titre définitif au profit de Raolinoro Berthe de l'immeuble litigieux, le jugement attaqué a déclaré valable la clause « tsatoka » insérée au contrat du 11 décembre 1940 ; qu'en ce faisant, il a violé l'article 20 des instructions aux gouverneurs ; que sa décision encourt de ce chef annulation [...] »

174 C.Ap. De Madagascar, 15 février 1940 arrêt n° 26, Ravololona c/Rabefianarana, rec.jur.civ. *op.cit.* p. 9.

de la cour d'appel en se réfugiant derrière l'interprétation souveraine des juges du fond. Les faits se présentent de manière sensiblement différente. Une Dame Rasoamanantena vend aux époux Razafimaharo Daniel un immeuble pour la somme de 1.250.000frs, dont 300.000frs payés hors la vue du notaire. Dans l'acte, il était stipulé que faute de remboursement du prix et de ses accessoires (sic) dans le délai d'un an, les acquéreurs exerceraient la « faculté de réméré », sans qu'il soit besoin « d'un acte de procédure ». Dame Rasoamanantena n'ayant pu rembourser le prix de vente, les époux Razafimaharo appliquent brutalement la clause. Procès. Les époux Razafimaharo arguent que la convention est un contrat de vente à réméré et que leur contractant n'ayant pas fait usage de sa faculté de rachat dans le temps imparti, la clause s'applique en toute légitimité. Dame Rasoamanantena demande la nullité de l'acte et répond qu'il s'agit en réalité d'un contrat de prêt d'argent à un taux usuraire, passé sous la forme d'un contrat de *fehivava*, avec stipulation de la clause tsatoka interdite en droit malgache. Ici également, la cour suprême, si elle confirme – à notre sens de manière un peu trop rapide[175] – la position de la cour d'appel, répond sur la clause tsatoka :

> « [...]*dès lors qu'il ne s'agit pas d'un prêt d'argent*, ne constitue pas un contrat de *fehivava* avec clause de tsatoka la clause inscrite dans un contrat de vente à réméré par laquelle il est convenu que, faute de remboursement du prix et des accessoires dans un délai fixé, les acquéreurs exerceraient la faculté de réméré sans qu'il soit besoin d'un acte de procédure »[176].

En d'autres termes et de manière générale, la clause ne se conçoit que dans les contrats où une garantie accessoire (le gage) est offerte à l'appui d'un contrat d'engagement principal, ici, le prêt d'argent. Il est en effet difficile voire impossible d'imaginer son application dans le cadre d'un contrat de vente pur et simple ou dans les autres contrats synallagmatiques ou unilatéraux, sauf à la travestir en exception d'inexécution...Dans la conception classique, le *fehivava* étant assimilé à un contrat (de prêt ?)[177] assorti d'une garantie, la prohibition de la clause *tsatoka* trouve matière à application.

---

175 La cour suprême s'en remet à l'interprétation souveraine des juges du fond. Or, il est quand même important de savoir si et dans quelle mesure la convention conclue ne constitue pas un contournement de la clause tsatoka interdite, au même titre notamment que la disqualification de la vente à réméré en une antichrèse assortie d'un pacte commissoire prohibé par la loi (cf. C.Mouly, op. cit. n° 24 et ss.).

176 Civ.9 juin 1964 arrêt n° 22, Rasoamanantena c/Razafimaharo, bull. des arrêts de la cour suprême de Madagascar 1964 (Imp. Nat.1965) p. 60.

177 Sur cette réserve, *supra* n° 13.

34 - bon père de famille - « le créancier a l'obligation d'assurer en bon père de famille, l'entretien de l'immeuble et pourvoir aux réparations utiles et indispensables. Il répond de la perte et des détériorations survenues à l'immeuble par sa faute » (art. 208 al. 2 L. sur les sûretés). La référence à ce standard du droit oblige le créancier à un comportement diligent et responsable vis-à-vis de l'immeuble. A défaut, sa responsabilité sera retenue. *A contrario*, on retiendra que tout ce qui pourrait survenir à l'immeuble et qui ne serait pas de son fait ou de sa faute ne peut être pour lui source de responsabilité.

35 - exclusion du recours à l'usucapion - la règle est dictée par l'article 211 de la loi sur les sûretés :

> « *le créancier fehivaviste ne peut en aucune manière*, et quelque soit la durée du contrat, prétendre *se prévaloir du bénéfice des règles des différentes prescriptions acquisitives* prévues par le droit commun ou par les lois foncières spéciales »

Cette solution ne puise pas, pour une fois, son fondement dans le droit traditionnel. Au contraire, les commentateurs et surtout la jurisprudence[178] de l'époque insistent sur le fait que le droit traditionnel malgache ignore la notion de prescription acquisitive. Cette règle de l'article 211 veut lutter contre une lecture partisane et réductrice de la législation issue de l'indépendance où la notion de prescription acquisitive a été consacrée[179] pour rendre justice à des populations paysannes déracinées de leurs terres par une législation foncière coloniale spoliatrice[180]. Eu égard à la durée du *fehivava* qui peut être particulièrement longue, elle avise expressément le créancier que le *fehivava* n'est pas un mode d'extinction de la créance et qu'il ne peut tirer argument de cette situation pour vouloir s'approprier l'immeuble en reniant les termes du contrat en se plaçant notamment sur le terrain du droit foncier qui accorde la propriété d'un terrain, sous réserve de

178 cf. *supra* n° 25.

179 cf. notamment art. 18 de la loi 60.004 du 15 février 1960 relative au domaine privé national (JORM du 27 février 1960.441 et ss.). Cette loi a été, depuis, abrogée par les récentes lois issues de la loi fondamentale n° 2005-019 du 17 octobre 2005 fixant les principes régissant les statuts des terres, lesquelles semblent à leur tour vouloir faire l'objet d'une remise en cause eu égard aux actuelles vicissitudes de l'histoire de Madagascar...histoire à suivre...

180 cf. H.Isnard, Madagascar, A. Colin 1964 p. 117 qui relate l'importance du phénomène des concessions octroyées sous l'ère coloniale au sein desquelles vivaient des populations coutumières : « moyennes et grandes exploitations, le pouvoir colonial a octroyé à Madagascar des concessions d'une superficie totale de 950.000 hectares dont les tiers ont été localisées dans les riches régions côtières de l'Est (290.000ha) et du Nord-Ouest (390.000) [...] la grande colonisation, représenté e par ses exploitations de plus de 1000 hectares détenait à elle seule plus du tiers du total concédé ». Les séquelles de cette politique foncière sur les populations concernées n'ont pas encore, jusqu'à présent, trouvé une solution véritablement satisfaisante sur le plan législatif.

quelques formalités, à l'issue d'une période d'occupation plus ou moins longue.

b) Les droits et obligations du débiteur-emprunteur-vendeur

Le débiteur, dans la définition classique du *fehivava*, demeure propriétaire quand bien même l'immeuble a été mis à la disposition du créancier par contrat de « vente ». Cette solution guide la situation du débiteur.

36 - (1) - les droits du débiteur- droit de propriété. C'est à ce stade que toutes les analyses issues des mécanismes du code civil français butent, ce qui rend vain tout effort d'assimilation entre le *fehivava* et l'une quelconque des institutions traditionnelles du code présentées antérieurement[181]. La définition que donne l'article 206 du *fehivava* ajoute à la confusion de ceux qui ont tenté de l'appréhender par le prisme des institutions classiques du droit civil commun. En réalité, on a démontré que l'unique moyen de comprendre cette définition est de distinguer l'*opération* de *fehivava* du *contrat* de *fehivava*[182]. Cette distinction permet également de comprendre que le droit de propriété puisse rester entre les mains du débiteur propriétaire alors même que, sur le plan pratique, le *fehivava* se traduit véritablement par un contrat de vente[183]. Ce qui conduit, ainsi qu'on l'a établi plus haut[184], à prendre position sur la nature juridique du *contrat* de *fehivava* lequel, à notre sens, se présente comme un véritable gage immobilier.

Cette analyse explique et justifie pourquoi le créancier ne peut procéder à des actes de disposition sur le bien donné en *fehivava*. Par contre, elle n'éclaire pas pourquoi, alors même que le *fehivava* est un véritable contrat de vente, la propriété du bien ne lui est pas transférée. L'explication se trouve, à notre sens, dans les racines sociologiques du *fehivava*. Un contrat de vente classique est un contrat individuel, entre deux parties, sans qu'il soit besoin de chercher pour sa mise en œuvre un quelconque assentiment social. Les formalités qui peuvent l'entourer, spécialement si le bien est immobilier, sont exigées bien évidemment pour des raisons de sécurité juridique mais limitées principalement au niveau du bien et des parties en cause, les tiers en prenant acte par le biais des

181 *supra* n° 6 et ss. sur le mécanisme du *fehivava*.
182 *supra* n° 7 ; comparaison *fehivava* et prêt spéc. n° 14 et ss.
183 cf. pour les exemples concrets de formulaire de *fehivava* par rapport au formulaire de contrat de prêt *supra* n° 13 et la note 82.
184 *supra* n° 16.

mesures de publicité. Il s'agit de (se) faire savoir que, dorénavant, tel bien a migré du patrimoine de l'un vers celui de l'autre. Le *fehivava* est tout cela mais bien plus encore. Après avoir insisté sur la différence technique entre les deux variétés de vente, varo-maty et *fehivava*, la première définitive et inattaquable, la seconde provisoire et temporaire[185], Andrianampoinimerina a dressé le statut social de cette dernière dans ses kabary :

> «Voici ce que je vous déclare, ô mes sujets : si vous vendez à des esclaves vos terres ancestrales, je vous tiendrai coupables ; car on n'a pas le droit de vendre la terre à des esclaves. ***Mais s'il s'agit d'une fehivava***, vous le pouvez ; et ***de même d'une location***[186]. Toutefois, prenez des témoins ; qu'il y en ait même un certain nombre [...] »[187]

Le contexte spécifique de l'époque mis à part, le *fehivava* est placé par le souverain sur le même plan que la location des terres. En d'autres termes, la propriété du bien en *fehivava* n'est jamais destinée à sortir du patrimoine de son propriétaire. Si, néanmoins, ce dernier doit se séparer de l'immeuble en cause pour moultes raisons, le recours au *fehivava* est le procédé juridique indiqué pour s'en réserver symboliquement la propriété. La conscience collective d'ailleurs répercute cette perception. Quand on dit d'un terrain qu'il est « en *fehivava* », cela infère dans la conscience populaire qu'en fait, l'actuel détenteur n'est qu'un *propriétaire de passage* et n'en est pas – et ne peut en être – le véritable propriétaire tant que le *fehivava* n'a pas trouvé son dénouement...[188]

37 - autres droits du débiteur - Les autres droits et prérogatives auxquels le débiteur peut prétendre, se situe en fin de contrat de *fehivava*. Il a droit à la restitution de son bien dés lors qu'il en aura réglé le prix. En cas de retard du créancier initial à procéder à cette restitution, il a droit au paiement d'une astreinte de 15 % de la somme

185 *supra* n° 3 et les notes citées.

186 C'est nous qui soulignons. Pour la version originale du R.P.Malzac, cf. *supra* note 26.

187 R.P. Callet, Histoire des rois op. cit. p. 120.

188 La récente étude de M. Omrane (accès à la terre, dynamique démographique et ancestralité à Madagascar op. cit. spéc. p. 170 et ss.) peut servir à illustrer cette proposition. L'auteur dépeint et décrit les pratiques paysannes consolidées par le *fihavanana* en matière foncière et découvre la pratique du *fehivava* [qu'il énonce comme étant « varo-mady » par opposition à « varo-maty » (p. 192) mais il s'agit évidemment d'une coquille...]. Les personnes interviewées insistent toutes sur le fait que « tout le monde connait tout le monde et tout le monde connait les terres de tout le monde » (p. 182) ; que la terre ne doit pas sortir de la famille et que s'il faut vendre, « ça sera ou à la famille ou à un proche (p. 182) » ou alors, en *fehivava* « je n'ai pas fixé très haut le montant (de la vente de la parcelle), comme ça, quand j'aurai les moyens plus tard, je pourrai la récupérer... » (p. 198). ce que l'auteur résume d'une formule compréhensive : « la cession d'une partie (des) terres, surtout à des étrangers, est vue comme une infidélité à l'égard des ancêtres » (p. 175).

empruntée par jour de retard jusqu'au départ de celui-ci. On aura l'occasion de revenir sur ces différentes situations.

38 - (2) - les obligations du débiteur - En fait, en cours de déroulement du *fehivava*, le débiteur n'est assujetti qu'à des obligations négatives, proches de celle du nu-propriétaire : il doit laisser le créancier entrer en possession de l'immeuble et en jouir paisiblement[189]. En d'autres termes, il ne doit perturber en aucune manière l'occupation de l'immeuble par le créancier. Il y a d'autant plus intérêt que tout ce que les améliorations que ce dernier pourrait apporter au bien lui resteront acquises, sans aucun dédommagement à verser.

2) Les interrogations : les effets du **fehivava** *à l'égard de l'immeuble*

La question se pose de la manière suivante : Dans quelques mains qu'il se trouve, l'immeuble peut faire l'objet de transactions juridiques de la part de l'une ou de l'autre partie dans la limite de leurs pouvoirs respectifs. Il s'agit dès lors de savoir les interactions entre le *fehivava*, conçu comme mécanisme de garantie, et la circulation juridique de l'immeuble d'une part ; cumulativement, les impacts de celle-ci sur les droits des parties en présence, spécialement le créancier, de l'autre.

39 - droit de préférence ? - La question n'a pas encore été soulevée à notre connaissance dans l'histoire du *fehivava*, d'où l'importance de l'envisager dans une tentative de construction du régime juridique de cette institution. Le créancier « fehivaviste » dispose-t-il d'un droit de préférence sur la valeur de l'immeuble ? Le droit de préférence étant défini comme le droit d'un créancier « d'échapper au concours des autres créanciers et d'être payés avant ceux auxquels il est préféré »[190], la situation du créancier fehivaviste répond *a priori* à cette définition. La lecture des dispositions de la loi sur les sûretés n'est pas d'un grand secours. Elles se contentent de préciser qu'au cas où le débiteur n'aura pas réussi à procéder au remboursement du prix, le créancier est assujetti à la prohibition de la clause « tsatoka » et estimera l'immeuble à dire d'experts ; en cas de contestation, il fera vendre l'immeuble en justice et se paiera de sa créance sur le prix ainsi obtenu[191]. La question est de savoir si, dans son principe, il prime

---

189 art. 215 al. 2 Loi 2003.041 du 3 septembre 2004 sur les sûretés.
190 G.Cornu, vocabulaire juridique op.cit. V° préférence (droit de).
191 art. 207, 213 et 216 combinés de la loi 2003.041 du 3 septembre 2003 sur les sûretés.

les éventuels autres créanciers du débiteur sur la valeur de l'immeuble ainsi acquise. La réponse affirmative ne parait pas faire de doute. D'une part, le *fehivava* est qualifiée expressément de sûreté par le droit coutumier et par la loi, c'est-à-dire un mécanisme de garantie des obligations contractées par le débiteur ; et toute sûreté confère obligatoirement un droit de préférence (les questions de conflits de préférence sont envisagées *infra*). D'autre part, le *fehivava* confère un droit de rétention. On a vu précédemment que c'est un droit de rétention sujet à discussion[192], mais qui a néanmoins le mérite d'exister et qui sera vraisemblablement d'une efficacité sérieuse en cas d'ouverture d'une procédure collective à l'encontre du débiteur. Il est vrai que la nature immobilière du bien est susceptible de soulever d'autres problèmes dans cette discipline spécifique, mais cette situation ne remet pas en cause le principe du droit de préférence en faveur du créancier, droit de préférence lié à la rétention. Enfin, l'article 214 de la loi sur les sûretés règle les conflits éventuels entre le créancier fehivaviste et les autres créanciers susceptibles d'avoir des rangs préférentiels sur l'immeuble. Ce qui est l'illustration de la consécration du droit de préférence en faveur du « fehivaviste » par le législateur. En conclusion, le créancier fehivaviste, nonobstant le mutisme de la loi, dispose d'un droit de préférence effectif.

40 - conflits de droits de préférence - Par hypothèse, le créancier « fehivaviste » n'est pas le seul à être titulaire d'un droit de préférence. Théoriquement, d'autres créanciers peuvent se présenter qui, à des titres divers, vont essayer d'appréhender les biens du débiteur pour rentrer dans leurs droits. Le recours au droit coutumier pour résoudre la situation s'avère vain car à notre connaissance il n'a été confronté à aucun cas de figure de cet ordre. La loi 2003.041 du 3 septembre 2004 tente d'apporter une clarification aux conflits de droits possibles entre les différents créanciers qui se présentent. Pour ce faire, elle se base classiquement sur le critère de l'antériorité des droits en cause et distingue selon que les droits du tiers ont été inscrits sur l'immeuble avant ou après que le *fehivava* l'ait été.
Si l'immeuble a déjà fait l'objet, de la part de créanciers privilégiés ou hypothécaires, d'inscriptions hypothécaires ou autres droits réels *avant* qu'il ne soit offert en *fehivava*, le créancier « *fehivaviste* » est tenu de respecter ces droits antérieurs au sien. Cette solution,

192 supra n° 31 et ss.

traditionnelle en matière d'antichrèse[193], est reprise par l'article 214 (al. 2) de la loi du 3 septembre 2004 sur les sûretés et ne souffre aucune contestation :

> « Le tiers titulaire d'un droit réel inscrit sur l'immeuble antérieurement au contrat de *fehivava* sera préféré au créancier fehivaviste »

En effet, le créancier « fehivaviste » ne peut prétendre à plus de droits que n'en avait le débiteur constituant. Il acquiert l'immeuble dans l'état où il est au moment de la conclusion du contrat de *fehivava*. Par contre et symétriquement, si les droits du tiers naissent après ceux du créancier fehivaviste, « la préférence est accordée au créancier sauf pour le tiers acquéreur à le désintéresser » (art. 214 al. 1). La solution s'inscrit dans une logique juridique incontestable.

41 - droit de suite ? - Ici également, tant le droit coutumier que la loi du 3 septembre 2004 sur les sûretés ne sont d'aucun secours. Il est vrai que, relativement au *fehivava*, la difficulté est réelle, ce dernier paraissant *a priori* dépourvu de droit de suite... Le droit de suite est défini comme « l'attribut du droit réel permettant au titulaire de celui-ci de saisir le bien grevé du droit en quelque main qu'il se trouve »[194]. Appliquée au *fehivava*, il est difficile de trouver comment, concrètement, cette définition pourrait être éprouvée.
On peut partir d'une première observation : le *fehivava* est un contrat de vente, temporaire peut-être, mais le transfert du l'immeuble en la détention du créancier est quand même avéré. En d'autres termes, il y a instantanément passage du bien vendu des mains du débiteur-constituant-vendeur dans celles du créancier acheteur. Dans cette hypothèse, l'acte de vente étant consommé à ce stade, on ne voit pas très bien comment le droit de suite trouverait matière à application...Toutefois, on a souligné que si acte de vente il y a, le *fehivava* présente cette caractéristique que le droit de propriété reste dans le patrimoine du débiteur vendeur... Dans ce cas de figure, qui est quand même le principe en matière de *fehivava*, d'autres observations peuvent être émises qui convainquent de l'inutilité du droit de suite en la matière.

---

193 Cass.civ.31 mars 1851 DP 1851,1, 65 ; req. 24 janvier 1872 DP 1872, 1, 353 ; Paris, 12 janvier 1895 DP 1896, 2,57 note C. Cézar-Bru : « considérant [...] que les créanciers hypothécaires inscrits sur l'immeuble avant l'accomplissement de cette formalité (transcription de l'antichrèse) peuvent faire saisir quand bon leur semble et comme si l'antichrèse n'existait pas ; que l'antichrèse ne peut en aucun moyen paralyser leur droit de faire vendre en pleine propriété[...] »
194 G.Cornu, op. cit. V° suite (droit de).

D'une part, le créancier a par hypothèse le bien entre les mains et il est difficilement envisageable qu'il puisse, de par sa propre initiative, en perdre la possession tant que le contrat de *fehivava* est en cours de déroulement. Ensuite, le *fehivava* porte sur un immeuble. Tout acte ou opération concernant un immeuble doit être inscrit sur le titre foncier et auprès de la conservation foncière[195] dans un souci légitime de sécurisation des droits. En conséquence, toute initiative prise par le débiteur-constituant-propriétaire *après* constitution du *fehivava* sera inopposable au créancier fehivaviste. Enfin, si par hypothèse, un tiers créancier du débiteur-propriétaire procède à une saisie immobilière, le créancier « fehivaviste » fera jouer son droit de préférence ainsi que précédemment décrit.

MM. Raharinarivonirina et Bertone envisagent une situation originale, à rebours de la situation classique : celle où, apparemment, c'est, non le créancier, mais le débiteur-constituant-propriétaire qui serait dépossédé de son bien. Il pourrait alors, concluent ces auteurs, « revendiquer le bien en quelques mains qu'il se trouve »[196]. La solution est techniquement juste, s'agissant du mécanisme de l'action en revendication d'un propriétaire sur son bien. Elle trouve ses assises concrètes dans un arrêt du 12 avril 1951[197] dans lequel le créancier a revendu l'immeuble à titre ferme et définitif à un tiers, sans attendre le terme du *fehivava*. La cour d'appel, d'après l'analyse de E-P Thébault, laisse entendre que cette vente est nulle comme ayant été faite *a non domino*[198]. Néanmoins, hormis cette hypothèse particulière, on ne voit pas très bien comment, concrètement, en dehors d'une dépossession irrégulière du débiteur-constituant-propriétaire (d'ailleurs difficilement envisageable s'agissant d'un immeuble), le droit de suite de ce dernier pourrait être observé. D'une part, le créancier, même s'il a l'immeuble entre les mains, ne peut procéder à sa vente étant dépourvu du statut de propriétaire ; d'autre part, une telle convention ne peut être que le fait du débiteur-constituant puisqu'étant seul titulaire du droit de propriété, il dispose du droit de disposer juridiquement du bien ; sauf à imaginer l'hypothèse surréaliste où, après avoir (re)vendu le bien à titre définitif, ce dernier veuille le reprendre…mais ça sera alors en dehors du cadre du *fehivava*.

---

195 Ord. 60.146 du 3 octobre 1960 relative au régime foncier de l'immatriculation op.cit. L'article premier de l'ordonnance (*supra* note 152) pose le principe de manière incontestable.

196 A. Raharinarivonirina et A. Bertone op. cit. p. 191.

197 cité et développé par E-P Thébault op. cit .n° 348.

198 *ibid.*

III – L'EXTINCTION DU *FEHIVAVA*

42 - extinction normale - Le *fehivava* prend fin normalement au terme prévu par le contrat. On suppose que le débiteur-propriétaire-emprunteur s'est acquitté de ses obligations, auquel cas celles du créancier vont se déclencher de manière synchronique : il restituera l'immeuble, selon les termes de l'article 212 de la loi du 3 septembre 2004, « au plus tard dans les 24 heures de la date d'acquittement de la dette ». C'est une légère faveur accordée par le législateur au créancier. Il a été estimé qu'il est relativement plus facile de s'acquitter d'une dette de somme d'argent (sur plusieurs mois voire plusieurs années) que de délaisser un bien immobilier sur lesquels, pendant ce même laps de temps, le créancier peut avoir effectué maints investissements et améliorations. A la limite, si on poussait le raisonnement à l'extrême, 24 heures ne seraient pas suffisantes... Quoiqu'il en soit, c'est le délai donné au créancier pour déguerpir. A défaut, il sera « tenu au paiement d'astreintes de 15 % du montant de la somme empruntée par jour de retard jusqu'à son départ »[199].
Le créancier pourrait-il néanmoins continuer à percevoir les fruits de l'immeuble jusqu'à leur épuisement ? De manière très concrète, comme le *fehivava* concerne traditionnellement les terrains de cultures, supposons que le créancier se soit mis à ensemencer « son » terrain de manière à compter sur la récolte future. Entretemps, le *fehivava* arrive à son terme; peut-il prétendre profiter de la récolte à venir ? Nous ne le croyons pas. Dès l'instant où le contrat arrive à son terme, il est du devoir du créancier de prévoir qu'à compter de l'acquittement de ses obligations par le débiteur, il ne doit plus rien espérer de l'immeuble. La solution contraire enfermerait le débiteur qui veut légitimement reprendre son bien dans un cercle vicieux dont il ne pourrait sortir.

43 - cessation anormale - En d'autres termes, le débiteur-constituant n'arrive pas à « racheter » le *fehivava*. S'ouvre dès lors la phase d'acquisition du bien par le créancier laquelle suit une procédure extrêmement rigoureuse. En effet, une règle est acquise depuis toujours : le droit pour le créancier à la propriété du bien en cas de non remboursement de sa dette par le débiteur n'a jamais fait de doute. C'est d'ailleurs en cela que ressort la spécificité du contrat de

199 Art. 216 L. 2003.041 du 3 septembre 2004. En cas de nécessité, « le débiteur pourra requérir l'aide de la force publique pour la mise en œuvre de l'expulsion du créancier récalcitrant » (même article).

fehivava. C'est d'abord et avant tout un contrat de vente. Seulement, c'est une vente qui ne se focalise pas sur les effets mécaniques du contrat mais au contraire sur leurs répercussions possibles sur la situation du débiteur-constituant lequel, dans la psychologie du *fehivava*, demeure le propriétaire légitime.

Ces considérations font qu'il n'y a pas – et il ne peut pas y avoir – de synchronisation immédiate entre le non-remboursement de sa dette par le débiteur et l'attribution du droit de propriété sur le bien au créancier. Au contraire, la jurisprudence distingue selon que le créancier entend ou non faire valoir son droit à l'issue du délai fixé par le *fehivava*. S'il ne se manifeste pas, « le contrat continue par une sorte de tacite reconduction »[200] généralement, estime Cahuzac, « pour un temps égal à celui qui avait été primitivement fixé »[201]. S'il entend s'attribuer l'immeuble, entrera alors en jeu la traditionnelle prohibition de la clause *tsatoka*, reconduite par l'article 207 de la loi 2003.041 :

> « Est prohibée la clause dite « tsatoka » par laquelle le créancier s'approprierait d'autorité le bien ou un bien équivalent appartenant au débiteur dans l'hypothèse où ce dernier ne paierait pas sa dette à l'échéance.
> Toute clause tsatoka, toute stipulation d'intérêt pour la somme prêtée et toute indexation de capital dans un contrat de *fehivava* sont réputées non écrites. »

On retrouve ici le souci de mettre le débiteur en situation de faiblesse à l'abri des pressions du créancier qui veut se hâter d'obtenir toutes les concessions utiles à sa cause. Aussi, s'il veut toujours s'attribuer l'immeuble, ce dernier doit impérativement, à peine d'inefficacité de toute sa démarche, procéder à une évaluation du prix du bien par dire d'experts (art.206 et 213 L.2003.41). E-P.Thébault, à grands renforts de décisions judiciaires, souligne l'importance de cette procédure : « le créancier fehivaviste ne peut entreprendre aucune poursuite contre son débiteur qu'après discussion de la garantie, c'est-à-dire après que l'estimation du bien a été faite et si le débiteur reste devoir quelque chose [...] *Tant qu'il n'y a pas été procédé* (à l'estimation)*, le bien reste propriété du débiteur qui peut toujours le reprendre en remboursant la dette* [...] »[202]. L'objectif de la procédure d'estimation est ainsi de s'assurer de la consistance des situations et des

200 C.Ap. de Madagascar, 13 mars 1941 n° 35, Razanadrasoa c/ Ranosy, rec.jur.civ. op. cit. p. 64.

201 Cahuzac op. cit. p. 377 ; cf. égal. H. Berthier, traité de droit civil malgache op. cit. p. 144 n° 263 : « Si, à l'expiration du délai fixé, le créancier demande le remboursement de ce qui lui est dû *(sous-entendu, il peut ne pas le faire)*, et que le débiteur ne puisse se libérer, la vente de l'immeuble est exigée [...] ».

202 E-P.Thébault op.cit. p.439 et les nombreuses décisions citées puisées, d'aprés l'auteur lui-même, de l'ouvrage de A. Gamon.

prétentions en présence : à l'égard du débiteur, l'absence effective de remboursement ; à l'égard du créancier, la parfaite conservation de l'immeuble[203].

On retiendra l'articulation de la loi autour des deux procédures d'estimation. La première est implicite et a priori contradictoire. Elle a lieu en principe, ainsi qu'on l'a relaté[204], lors de la confection du contrat de *fehivava*. La seconde, la seule expressément relevée par la loi, est celle, obligatoire, prévue en cas de défaut de remboursement de la part du débiteur. L'article 213 semble indiquer que le créancier seul fera son affaire de cette seconde estimation. Cette exigence implique que la valeur de l'immeuble a pu fluctuer depuis la première estimation. A partir de là, soit les deux parties sont d'accord sur l'estimation des experts, et elles le concrétisent (cf.*infra*) ; soit elles ne le sont pas, et l'immeuble sera vendu par voie de justice et « le créancier se paiera de sa créance sur le prix ainsi obtenu » (art.213 *in fine*). Dans la procédure ainsi décrite, le créancier ne pourra concrètement se voir attribuer l'immeuble que si le débiteur est d'accord sur l'estimation des experts...Quoiqu'il en soit, les résultats de l'estimation se déclinent de trois manières à la lecture du dispositif légal: ou la valeur du gage égale celle de la créance et le créancier garde l'immeuble ; ou elle l'excède et le créancier restitue l'excédent au débiteur[205] (et continue à garder l'immeuble) ; ou, enfin, elle en est inférieure et le débiteur ne doit plus rien[206] (le créancier conservant toujours l'immeuble).

44 - conclusion générale - Le *fehivava* se révèle être un instrument juridique à fortes potentialités. Les anciens auteurs ont essayé d'en cerner les contours. Le dédicataire de cette étude en avait poursuivi l'analyse. Le signataire de ces lignes en reprenant les traces de l'Aîné a voulu apporter un modeste témoignage de gratitude car aucune voie ne peut sainement être tracée sans la prescience de celui qui l'a

---

203 E-P.Thébault (ibid) décèle une autre raison : « Le créancier ne peut poursuivre le remboursement du reste de sa créance sur les autres biens du débiteur qu'après estimation du bien engagé et seulement en cas d'insuffisance de celui-ci ». Nous doutons du bien-fondé de cette proposition. Car le *fehivava* ne peut souffrir la présence d'autres biens engagés dans l'opération. L'immeuble garantit le prêt : ou la valeur du gage égale celle du prêt et le créancier garde l'immeuble ; ou elle l'excède et la créancier restitue l'excédent au débiteur et continue à garder l'immeuble ; ou, enfin, elle en est inférieure et le débiteur ne doit plus rien...ce qui anéantit la solution préconisée par Thébault.

204 *Supra* n° 25.

205 Art. 213 L.2003.041.

206 Art. 213 in fine et 216 al. 2 L.2003.041.

initiée. Puissent ces quelques réflexions être dignes de l'hommage que l'on veut rendre et, sur un autre plan, permettre de maîtriser un outil juridique dont Madagascar peut être fier d'en réclamer la paternité./.

Antananarivo, Novembre 2009

Reflexions sur les mécanismes d'affectation des créances à la garantie d'une dette en droit français

Harijaona S. RANDRIAMAROTIA

L'engagement d'un prêteur dans le cadre d'une opération de financement est étroitement lié à l'efficacité des mécanismes qui lui garantissent son remboursement. Parmi les procédés susceptibles de conférer au créancier prêteur la sécurité qu'il recherche, l'affectation des créances en garantie occupe une place importante. Une telle idée procède d'une perception de la créance comme une valeur dont la mobilisation permet d'en faire un instrument de crédit[1]. Il faut relever que l'utilisation d'une créance pour constituer une garantie n'est pas nouvelle puisque le droit positif connaissait depuis longtemps le nantissement de créance. Dans le même temps, des textes prévoient des cessions de créance en garantie dans des domaines spécifiques. Le plus connu d'entre eux est certainement la loi du 2 janvier 1981 dite Dailly ayant consacré la possibilité de nantir ou de céder des créances professionnelles à titre de garantie par le biais d'un bordereau[2]. L'utilité de constituer une garantie sur la base d'une créance a été surtout ressentie dans le cadre des financements d'une acquisition ou d'une

---

1 J. Ghestin, M. Billiau et G. Loiseau, *Traité de Droit civil, Lé régime des créances et des dettes,* LGDJ 2005, n° 17.

2 Loi du 2 janvier 1981, aujourd'hui intégrée dans le Code monétaire et financier sous les articles L. 313-23 qui a créé la cession de créances professionnelles à titre de garantie. A part la loi « Dailly », d'autres textes spéciaux admettent également la cession de créance en garantie. A titre d'exemple, on peut citer la loi du 4 janvier 1978 qui consacrait la cession en garantie des créances nées d'un marché public ; la loi n° 2001-420 du 15 mai 2001 dite NRE qui a ajouté les créances parmi la liste des actifs pouvant être remis en propriété en garantie d'opération sur instruments financiers.

opération immobilière[3] et plus généralement en matière de financement de projet[4].

Au regard du droit des sûretés réformé par l'ordonnance du 23 mars 2006, le mécanisme de portée générale qui permet de se servir d'une créance pour en faire une sûreté est le nantissement. Force est cependant de constater que si le régime de celui-ci a fait l'objet de développements plus détaillés dans le cadre de la réforme[5] il n'en a pas pour autant gagné en efficacité. Plusieurs innovations ont été effectivement apportées par l'Ordonnance portant réforme des sûretés au régime du nantissement. C'est ainsi que cette sûreté sera désormais opposable aux tiers dès la date de signature de l'acte qui l'établit sans qu'il soit nécessaire d'accomplir une quelconque formalité supplémentaire contrairement à ce qui prévalait sous l'ancien article 2361 du Code civil qui exigeait une signification par voie d'huissier. Par ailleurs, il sera également désormais possible de constituer un nantissement sur des créances futures. Une autre innovation apportée par l'article 2363 réserve au créancier nanti le droit exclusif de recevoir le paiement de la créance grevée de nantissement et ce même si la créance garantie n'est pas encore exigible au moment où il reçoit un tel paiement. En pareille hypothèse, l'article 2364 lui reconnaît le droit de conserver les sommes reçues à titre de garantie sur un compte bancaire pour les affecter par la suite au remboursement de la créance garantie au cas où celle-ci n'est pas payée à l'échéance. Enfin, l'article 2365 autorise expressément que le nantissement peut être assorti d'un pacte commissoire permettant au créancier d'obtenir le transfert de propriété de la créance remise en garantie en cas de défaillance du débiteur.

Malgré ces efforts de clarification, la réforme n'a pas vraiment atteint ses objectifs en ce qui concerne le droit du nantissement de créance. Les nouveaux textes comportent des imperfections qui permettent de douter de l'opportunité de recourir à cette sûreté.

En premier lieu, la doctrine déplore l'absence de droit commun du nantissement[6]. Alors que le législateur avait l'occasion d'unifier la matière, il a laissé subsister les nantissements de créances

3 L. Mion, *Cession de créances à titre de garantie*, La Lettre de l'Immobilier, Option Finance, n° 974 du 31 mars 2008 p. 2.

4 A.-M Toledo et P. Lignières, *Le financement de projet*, Joly, 2002, n° 226 et s. : « Suretés sur les flux du projet ».

5 Articles 2356 à 2366 du Code civil.

6 G. Piette, *Le nantissement de meubles incorporels,* Revue Lamy Droit des Affaires n° 14, Mars 2007, p. 90.

s'effectuant dans le cadre de textes spéciaux pour ne citer que la possibilité de toujours recourir au nantissement par bordereau Dailly. Cet éparpillement de la réglementation peut être une source d'incertitudes risquant de compromettre l'appropriation de l'institution par la pratique.

Ensuite, l'abandon de tout formalisme pour l'opposabilité du nantissement pourrait entamer son efficacité dans la mesure où seul l'enregistrement de l'acte est susceptible de lui conférer une date certaine.

Enfin, la principale faiblesse du régime du nantissement dans son état actuel a trait à sa fragilité en cas de procédure collective. D'une part, même si la loi reconnaît la possibilité d'insertion d'un pacte commissoire lors de la constitution de la sûreté, la mise en œuvre de celui-ci s'avère impossible en cas d'ouverture d'une procédure collective[7]. D'autre part, le nantissement de créance encourt le risque de nullité de la période suspecte s'il est établi qu'il a été constitué durant cette période.

Ces incertitudes entourant le régime du nantissement de créance incitent la doctrine à rechercher d'autres voies plus sûres pour l'affectation de créances en garantie. Les procédés qui offrent une sécurité plus accrue en cas de procédure collective auront sans doute la faveur de la pratique. En référence à une jurisprudence qui a pu être qualifiée de favorable[8], il était permis de considérer que le substitut désigné du nantissement serait la cession de créance de droit commun à titre de garantie. Consistant en une utilisation de la propriété à des fins de garantie, ce mécanisme serait d'une efficacité redoutable en cas de procédure collective. Par ailleurs, lorsqu'il s'inscrit dans le cadre d'un financement de projet, il correspond à un schéma bien intégré qui consiste pour le créancier à prendre garantie sur les produits du projet ou de l'infrastructure dont il a assuré le financement comme l'a justement souligné un auteur[9]. Enfin, un autre argument qui plaide en faveur de la cession de créance en garantie tient au fait que ce genre de montage a déjà fait ses preuves à travers la loi Dailly qui a mis en place un mécanisme bien rodé et répondant parfaitement aux besoins des professionnels.

---

7 Art. L. 622-7 du Code de commerce.

8 Civ. 1ère 20 mars 2001, D. 2001, p. 3110, obs : L. Aynès. Cet arrêt admettait la possibilité d'une cession portant sur des créances éventuelles et suscitait un espoir quant à la validation d'une cession en garantie puisqu'il a été rendu à propos d'une cession de loyers en garantie.

9 L. Aynès, *La cession de créance à titre de garantie : quel avenir ? D. 2007 p. 961.*

Seulement, il faut reconnaître que l'appropriation par le droit français d'une généralisation de cette cession de créance en garantie ne semble pas aller de soi de telle sorte qu'il est possible d'affirmer que même si son utilité est aujourd'hui plus que jamais ressentie par la doctrine, son avenir n'a jamais été aussi incertain (I). Pour cette raison, il semble indispensable de se tourner vers d'autres alternatives pour réaliser une affectation de créances à la garantie d'une dette. Dans cette optique, le régime général des obligations fait figure de cadre particulièrement intéressant en ce qu'il organise à travers la délégation, une modalité de circulation indirecte de créances permettant leur utilisation à des fins de garantie. Nous allons pouvoir démontrer que le mécanisme de la délégation peut parfaitement se substituer à une cession de créance en garantie dans la mesure où son efficacité en tant qu'instrument de garantie s'est considérablement renforcée ces dernières années (II).

I – L'AVENIR INCERTAIN DE LA CESSION DE CRÉANCE DE DROIT COMMUN À TITRE DE GARANTIE

Le constat qui s'impose est qu'une perspective de généralisation de la cession de créance à titre de garantie est teintée de sérieuses incertitudes. Alors que la jurisprudence refuse de la consacrer (A) le cadre juridique mis en place par la législation sur la fiducie ne lui accorde pas non plus une place qui pourrait garantir son développement (B).

A – Le refus de consécration au niveau de la jurisprudence : l'arrêt du 19 décembre 2006

Si le recours à la cession de créance à titre de garantie ne fait pas de doute dans le cadre de la loi « Dailly », la question de savoir si une telle cession pouvait s'opérer sur le terrain du droit commun restait entière. La Cour de cassation n'avait jamais été appelée à se prononcer directement sur ce point. L'occasion s'était finalement présentée à la Chambre Commerciale le 19 décembre 2006 où par un arrêt de cassation[10], elle refuse la validité d'une cession de créance à titre de garantie. Critiquable à bien des égards (1), un tel refus est cependant compréhensible (2).

---

10 D. 2007, p. 76, obs. X. Delpech et p. 344, note C. Larroumet ; JCP E 2007, 1131, note D. Legeais.

1) Un refus critiquable

Les faits ayant donné lieu à l'arrêt étaient des plus classiques, et ceci y est certainement pour beaucoup dans l'abondance des critiques de la solution qui refusait de valider le schéma choisi par les parties. En garantie du remboursement d'un prêt ayant servi pour l'acquisition d'un centre commercial, une société avait cédé à une banque les créances de loyers dont elle disposait sur les locataires de ce centre. Puis la société avait été mise en redressement judiciaire et la banque cédait à son tour sa créance sur la société emprunteur à un autre établissement de crédit. Ce dernier assigna alors en paiement un des locataires, c'est-à-dire le débiteur cédé au titre de la cession à titre de garantie et ce en application des dispositions de l'article 1692 du Code civil qui prévoit le transfert des accessoires de la créance au profit du cessionnaire étant entendu que la cession à titre de garantie est un accessoire de la créance de la banque contre l'emprunteur. Le locataire faisait valoir que l'établissement de crédit était dépourvu de droit envers lui puisque la cession de la créance de loyers n'était stipulée qu'à titre de garantie de telle sorte qu'elle ne pouvait avoir pour effet de faire sortir les créances litigieuses du patrimoine du cédant avant la mise en redressement judiciaire de celui-ci.

La Cour d'appel de Paris n'a pas été sensible à cette argumentation du preneur et considère au contraire que la cession de créance fut elle effectuée à titre de garantie produisait pleinement un effet translatif et de façon immédiate c'est-à-dire dès l'échange de consentements entre la société cédante et le créancier cessionnaire. Il résulte de la chronologie des faits qu'au moment de la conclusion de l'acte de cession, le cédant ne faisait pas encore l'objet d'une mise en redressement judiciaire[11].

La Chambre Commerciale était donc saisie directement de la question de savoir si une cession de créance à titre de garantie réalise ou non un transfert de la propriété de la créance. Au-delà de cette interrogation quant à l'effectivité ou non du transfert, il était surtout question de la nature de la garantie qui était constituée en l'espèce et par voie de conséquence de la validité même d'une opération de cession de créance à titre de garantie. Dans l'hypothèse où il sera

---

11 Cette position de la Cour d'appel de Paris est à rapprocher de la jurisprudence de la Cour de Cassation qui valide une cession de créance née d'un contrat à exécution successive malgré l'ouverture d'une procédure collective à l'encontre du cédant. V. Com. 22 novembre 2005, JCP G 2006. I. 139. n° 1, obs. M. Cabrillac ; RTD com. 2006. 169, obs. D. Legeais. (Solution rendue à propos d'une cession « Dailly » à titre de garantie).

considéré que l'opération réalisée n'a pas pour effet un transfert de propriété, cela reviendrait à remettre en cause l'existence de la notion de cession de créance à titre de garantie.

C'est dans ce contexte que contre toute attente et dans un attendu revêtu de la marque des arrêts de principe, la Chambre Commerciale a énoncé qu'*« en dehors des cas prévus par la loi, l'acte par lequel un débiteur cède et transporte à son créancier, à titre de garantie, tous ses droits sur des créances, constitue un nantissement de créance »*. Cette décision a provoqué un véritable tollé général de la doctrine[12] qui se croyait légitimement en droit d'attendre la solution inverse de la part de la Cour régulatrice[13].

Sans partager l'intégralité des opinions des auteurs qui ont fustigé l'arrêt du 19 décembre 2006[14], nous estimons que cette décision souffre effectivement de nombreuses imperfections dont deux nous paraissent rédhibitoires.

En premier lieu, en procédant à une requalification de l'opération réalisée par les parties en nantissement de créance, la Chambre Commerciale heurte de plein fouet un des principes fondamentaux du droit civil à savoir la liberté contractuelle. En effet, d'une part, dans l'espèce du 19 décembre 2006, il n'était pas difficile de connaître la véritable intention des parties puisque l'opération est utilisée fréquemment par la pratique notariale[15] de telle sorte qu'il est fortement improbable que les parties aient pu se méprendre sur le véritable objectif du montage qui est celui de transférer la propriété d'une créance à des fins de garantie. D'ailleurs, le seul fait d'affirmer qu'une *cession* de tous les « droits sur des créances, *constitue un nantissement* » est en soi une contradiction de la part des Hauts Magistrats. Dire que sous le terme « cession », les parties ont voulu autre chose qu'un transfert de propriété relève d'un juridisme malencontreux et n'est autre chose qu'une dénaturation pure et simple de leur convention.

---

12 P. Crocq, *L'étrange refus de la cession de créance de droit commun à titre de garantie,* RTD Civ. 2007, p. 160. ; L. Aynès, *La cession de créance à titre de garantie : quel avenir ?* D. 2007 p. 961 ; C. Larroumet, *La cession de créance de droit commun à titre de garantie,* D. 2007 p. 344. ; F. Auckenthaler, *Cession de créance en garantie : le serpent de mer se déchaîne,* JCP E 2007, 2187.

13 Une telle attente se justifiait d'autant plus qu'une doctrine pouvant être considérée comme de référence défend la validité des cessions de créance de droit commun à titre de garantie : L. Aynès, P. Crocq, *Les sûretés, la publicité foncière,* Defrénois, 2ème éd., 2006, n° 755.

14 V. *Infra.*

15 V. Beuzelin, *Cession de loyer à titre de garantie ou nantissement de créance, que faire ?* Successions, Libéralités, Sûretés : la mise en œuvre de la réforme. Droit et Patrimoine 2007.

D'autre part, la liberté contractuelle qui est traduite par la volonté des parties ne connaît d'autres limites qu'une règle impérative contraire[16]. Or, l'existence de cette règle impérative contraire est difficile à trouver dans la cession en garantie projetée par les parties dans l'espèce soumise à la Cour de Cassation.

En deuxième lieu, le visa de l'article 2078 du Code Civil, dans sa rédaction avant l'Ordonnance du 23 mars 2006 ayant réformé le Droit des sûretés, est très contestable. D'une part, sans parler de la disparition de la prohibition du pacte commissoire édictée par cet article dans l'Ordonnance précitée, il convient de remarquer qu'en matière de nantissement de créance, la jurisprudence avait déjà consacré, avant même la réforme de 2006, la validité du pacte commissoire[17]. Une telle solution se justifiait dans la mesure où l'interdiction de celui-ci est motivée par les risques d'abus de la part du créancier qui pourrait s'approprier un bien de son débiteur remis en garantie dont la valeur est nettement supérieure à sa créance. Il va sans dire que ce risque d'abus n'existe pas lorsque le bien remis en garantie est une créance, dont la particularité est d'avoir une évaluation monétaire exacte. Il sera dans ce cas possible d'organiser l'attribution de la créance nantie au profit du créancier uniquement à concurrence du montant de la créance garantie. Cette solution qui vaut pour le nantissement de créance a vocation à être étendue à toutes les hypothèses où une créance est utilisée à des fins de garantie et notamment dans le cas d'une cession de créance à titre de garantie.

D'autre part et en tout état de cause, il n'est point certain qu'une cession de créance à titre de garantie réalise un pacte commissoire au sens strict. En effet, s'il semble incontestable que la cession à titre de garantie consiste à transférer au créancier la propriété même de l'objet donné en garantie, ce transfert s'opère immédiatement tandis que l'opération prohibée par l'ancien article 2078 du Code civil s'inscrit dans le cadre d'un gage et le transfert ne s'opère qu'en cas de défaillance du débiteur constituant[18].

Le refus de la jurisprudence de consacrer la cession de créance de droit commun à titre de garantie est ainsi mal accueilli par la doctrine.

---

16 L. Aynès, *La cession de créance à titre de garantie : quel avenir ?* D. 2007 p. 961. L'auteur rappelle que « le principe est (…), la liberté contractuelle ; il faut une loi pour interdire. »
17 Com. 19 janvier 1995, RJDA 1999, n° 477.
18 L. Aynès, *art. précité*.n° 5.

Néanmoins, les reproches qui ont été faits à la Chambre commerciale ne devraient pas occulter le fait que le choix qu'elle a opéré est, somme toute, compréhensible.

2) Un refus compréhensible

Au-delà de l'onde de choc produite par la décision de la Chambre Commerciale du 19 décembre 2006, le reflexe inapproprié serait de ne pas s'interroger sur l'existence d'arguments qui pourraient finalement conduire à l'approbation de la position actuelle de la jurisprudence ou de le faire mais avec beaucoup d'*a priori*, ce qui, malheureusement, est le cas de la quasi-totalité de la littérature juridique écrite à ce sujet. Or, les observateurs qui se revendiquent attentifs à la matière ne pouvaient ignorer qu'à bien des égards, le choix de la Cour de Cassation est en parfaite conformité avec l'ensemble des paramètres qui devaient être pris en compte.

Tout d'abord, la méconnaissance de la liberté contractuelle tant décriée par les auteurs à travers le refus de consécration de la cession de créance à titre de garantie doit d'être nuancée. En effet, ceux qui se prononcent traditionnellement en faveur de sa validité ont eux mêmes reconnu une réticence historique du droit positif français vis-à-vis d'un tel montage[19]. Partant, il n'est pas aberrant de considérer que la volonté des parties n'est pas suffisante pour créer une cession en garantie et de déduire qu'une telle création doit relever d'un texte. L'analyse de l'évolution de la matière ne fait que conforter cette affirmation puisque nous avons déjà relevé que toute consécration de la cession de créance en garantie par le passé a été effectuée à travers l'adoption de lois spécifiques[20]. C'est qu'en réalité, dans l'esprit du législateur, cette opération relève beaucoup plus de l'exception que du principe. A partir de là, les Hauts Magistrats ne devaient pas et ne pouvaient pas se substituer au législateur en prenant l'initiative de généraliser là où le législateur privilégie le cas par cas.

Ensuite, la compréhension de la décision nécessite qu'elle soit restituée dans son contexte. L'examen de celui-ci permet de déduire que la Cour de Cassation se trouvait à un tournant délicat quant à l'élaboration d'un éventuel régime de la cession en garantie.

19 Voir par ex. L. Aynès, *art. précité*, n° 3 ; J.-F. Adelle, *L'adoption de la fiducie a-t-elle remédié à la prohibition des cessions de créances en garantie de droit commun ?* Revue de Droit Bancaire et Financier, 5, Mars - Avril 2007.

20 Voir, *Supra ;* Voir aussi J. Crédot et T. Samin, *Cession de créance à titre de garantie,* Revue de Droit Bancaire et Financier, 52, Mars - Avril 2007.

Confrontée à ce défi pour le moins périlleux, la Chambre Commerciale avait à notre avis toutes les raisons de jouer la carte de la prudence en renvoyant la responsabilité au législateur[21]. En effet, dans le cadre de l'Ordonnance n° 2003-346 du 23 mars 2006 sur la réforme du droit des sûretés, le législateur avait l'occasion de valider la généralisation de la cession de créance à titre de garantie mais l'avait sciemment écartée de la réforme laissant la responsabilité à une autre réforme relative à l'introduction de la fiducie dans le droit français qui était en cours à l'époque[22]. Il en résulte que l'attitude de la Chambre commerciale qualifiée parfois de frileuse[23] paraît au contraire justifiable. Le contexte législatif dans lequel sa décision devait intervenir lui donne raison puisqu'il semblait acquis dès le moment de l'adoption de la réforme des sûretés que dans l'hypothèse où la cession de créance à titre de garantie devait faire l'objet d'une validation de principe, celle-ci serait effectuée par les soins du législateur. Par ailleurs, le fait de ne pas avoir intégré une telle validation, si toutefois il y avait lieu d'y procéder, dans les dispositifs sur le droit commun des sûretés semble traduire la tendance historique de considérer un tel mécanisme comme étant exceptionnel.

Par ailleurs, si les critiques de la décision du 19 décembre 2006 déplorent une rupture voire une contradiction avec la tendance jurisprudentielle antérieure, il convient de remarquer qu'aucune jurisprudence de la Cour de Cassation n'avait auparavant consacré à proprement parler la cession de créance de droit commun à titre de garantie. Une éminente doctrine a pu juger à ce propos que *« les arrêts cités au soutien (de la validité de la cession à titre de garantie) n'étaient guère probants »*[24]. L'arrêt cité par ceux qui se prononcent en faveur de la validité du mécanisme est celui rendu par la première Chambre civile en date du 20 mars 2001[25]. En réalité, cette décision a simplement admis que des créances éventuelles pouvaient faire l'objet d'une cession du moment qu'elles puissent être suffisamment identifiées. Des auteurs y voyaient une consécration implicite de la cession en garantie, le litige étant né à l'occasion d'une cession de

21 R. Dammann et G. Podeur, *Cession de créances à titre de garantie : la révolution n'a pas eu lieu ?* D. 2007, p. 319. Ces auteurs affirment comprendre « la prudence manifestée par la Cour régulatrice » compte tenu justement du contexte de l'époque.
22 Il s'agit de la proposition de loi déposée au Sénat en février 2006 à l'initiative du Sénateur Marini qui deviendra plus tard la loi n° 2007-211 du 19 février 2007 instituant la fiducie.
23 P. Crocq, *L'étrange refus de la cession de créance de droit commun à titre de garantie,* RTD Civ. 2007, p. 160.
24 D. Legeais, *Cession de créance à titre de garantie,* RTD Com. 2007, p. 217.
25 Bull. civ. I, n° 76.

loyers à titre de garantie[26]. Cependant, les plus ardents défenseurs de la propriété remise à titre de garantie reconnaissaient eux-mêmes la fragilité d'une telle déduction[27], raison pour laquelle, ils attendaient beaucoup de la Cour de Cassation dans l'espèce du 19 décembre 2006.

L'analyse de la jurisprudence révèle que celle-ci a au contraire condamné à plusieurs reprises des cessions consenties en garantie[28]. Ceci montre une nouvelle fois un refus bien ancré de valider le mécanisme et dès lors, la solution du 19 décembre 2006 ne devrait pas paraître aussi surprenante.

Enfin, des considérations plus techniques permettent également d'approuver le refus de consécration de la cession de créance de droit commun à titre de garantie par la jurisprudence. La première a trait à la préservation du principe de l'égalité des créanciers en cas d'ouverture d'une procédure collective. D'une efficacité redoutable, la cession en garantie met le créancier à l'abri de la loi du concours en lui conférant la propriété de la créance cédée[29], contrairement à un simple créancier gagiste.

La seconde procède d'un souci de prudence à travers la volonté de ne pas bouleverser l'équilibre mis en place par la législation et la pratique en matière de sûretés. Tout d'abord, en refusant de reconnaître la validité de principe de la cession en garantie, la Cour de Cassation respecte le principe du *numerus clausus* établi en matière de sûretés réelles[30]. Ensuite, sa position tend à préserver une certaine stabilité du paysage du droit des sûretés. Admettre une cession de créance à titre de garantie avec ses effets très énergiques entraînerait des changements radicaux dans l'équilibre de ce paysage en ruinant complètement certaines institutions comme le nantissement de créance, lequel venait pourtant de se faire octroyer une place de choix

---

26 L. Aynès, *Une discrète consécration de la cession de créances futures à titre de garantie,* D. 2001, p. 3110 ; C. Larroumet, *La cession de créance de droit commun à titre de garantie,* D. 2007, p. 344, n° 4.

27 L. Aynès, *art. précité* dans lequel l'auteur parle justement d'une « discrète » consécration ; P. Crocq, *L'étrange refus de la cession de créance de droit commun à titre de garantie,* D. 2007, p. 160 : l'auteur estime que l'arrêt du 20 mars 2001 n'était pas *« suffisamment net pour que l'on puisse en déduire, d'une manière absolument certaine, une interprétation »* qui consacre la cession de créance de droit commun à titre de garantie.

28 Civ. 13 juillet 1891, DP 1893, p. 227 ; Civ. 21 mars 1938, DH 1938, p. 257 ; Com. 13 janvier 1965, Banque 1965, p. 423, note Marin ; Com. 3 avril 1978, Bull. civ. 1978, IV, n° 112.

29 R. Dammann et G. Podeur, *art. précité.*

30 X. Delpech, *Pas de consécration générale de la cession de créance à titre de garantie,* D. 2007, p. 76.

par le législateur dans les nouveaux articles 2356 et suivants du Code Civil avec un régime simplifié et clarifié[31].

Enfin, une cession de créance à titre de garantie repose sur une conception erronée du droit de propriété en ce qu'elle réalise un transfert à titre temporaire. Ce caractère résulte du fait que la créance cédée a vocation à retourner dans le patrimoine du cédant au moment de l'extinction de la créance garantie (paiement, prescription...). En réalisant un transfert temporaire de la propriété, la cession de créance à titre de garantie va à l'encontre d'une caractéristique essentielle du droit de propriété. En effet, le caractère absolu d'un tel droit a pour conséquence sa perpétuité de telle sorte qu'il est impossible de l'affecter d'un terme. Comme le soulignait un auteur, un transfert de propriété se réalise définitivement, *« sauf situation pathologique »*[32]. Une cession à titre de garantie créerait ainsi cette situation pathologique. A l'occasion d'une décision de la première Chambre civile en date du 19 septembre 2007, rendue en matière de cession Dailly, des auteurs remettent même en cause l'existence d'un droit de propriété transmis au cessionnaire lorsque la cession intervient à titre de garantie[33].

Ainsi, il ressort de tout ce qui précède que la cession de créance à titre de garantie de droit commun n'est pas consacrée par la jurisprudence du moins en son état actuel. La doctrine reportait par conséquent ses attentes en la matière sur la loi instituant la fiducie. Néanmoins, nous allons voir que ce cadre législatif n'a pas vraiment contribué à lever le voile sur les incertitudes quant à l'avenir de la cession en garantie.

---

31 Voir *Infra.*

32 X. Delpech, *art. précité.*

33 T. Revet, *note sous Civ. 1ère, 19 sept. 2007,* RTD Civ. 2008, p. 322 ; M-A. Rakotovahiny, *note sous le même arrêt,* LPA 15 janv. 2008, p. 20. En marge d'une restitution dans le cadre d'une cession Dailly, la Cour de Cassation affirme « qu'en présence d'une cession de créance à titre de garantie (...), le cédant d'origine peut retrouver la propriété de la créance cédée sans formalité particulière (...) ». Les auteurs mentionnés dans la présente note déduisent de la possibilité accordée au cédant de recouvrer la propriété de la créance sans formalité et de l'utilisation du terme « restitution » au niveau de la jurisprudence pour désigner une telle opération, le rapprochement de la situation du cessionnaire temporaire à celle d'un détenteur précaire dans la mesure où tout se passe comme si le propriétaire qui recouvre son droit de propriété ne l'a jamais perdu.

B – La réglementation de la fiducie : une perspective limitée pour la cession de créance à titre de garantie

Le processus de pénétration de la fiducie dans l'ordre juridique français a été long et laborieux[34]. Ceci est dû en particulier à des craintes et méfiances – justifiées ou non – des acteurs de la vie juridique à l'égard de ce mécanisme qui avait pu être présenté non seulement comme étant dépourvu d'utilité réelle mais également comme une source de fraude et d'évasion fiscale[35]. La loi du 19 février 2007 qui instaure la fiducie en France consacrait par conséquent une entrée plus que timide de la notion et il n'est pas surprenant de constater qu'elle ait suscité les regrets d'une importante doctrine qui lui adressait une multitude de critiques et de réserves[36]. La notion y est définie comme étant « l'opération par laquelle, un ou plusieurs constituants transfèrent des biens, des droits ou des sûretés ou un ensemble de biens, de droits ou de sûretés, présents ou futurs, à un ou plusieurs fiduciaires qui, les tenant séparés de leur patrimoine propre, agissent dans un but déterminé au profit d'un ou plusieurs bénéficiaires ».

D'une manière générale, le texte semblait bien loin des attentes. Du coup, il était illusoire d'espérer que derrière une faiblesse intrinsèque, ce texte puisse venir au secours de la cession de créance de droit commun à titre de garantie. Et pour cause, nous allons voir que la notion même de sûreté était étrangère à la loi de 2007 (1). Néanmoins, devant les réactions négatives qui fusaient de la part de la doctrine, une série de textes est venue compléter la loi initiale avec pour objectif l'introduction entre autres de la notion de fiducie sûreté. Nous allons cependant constater que malgré cette consécration de la fiducie-sûreté, la cession à titre de garantie ne serait pas en droit d'attendre grand-chose d'une telle évolution, du moins pas dans l'immédiat (2).

---

34 Le premier projet d'instauration remonte au début des années 90 et la loi instituant la fiducie n'a finalement vu le jour que 19 février 2007.

35 C. Larroumet, *La loi du 19 février 2007 sur la fiducie. Propos critiques,* D. 2007, p. 1350. L'auteur déplore la perception de la fiducie par la plupart des juristes français qu'il fustige également en raison de *« leur chauvinisme qui les dissuade souvent d'instaurer chez eux ce qui a fait ses preuves ailleurs ».*

36 C. Larroumet, *art. précité ;* R. Dammann et G. Podeur, *Fiducie-sûreté et droit des procédures collectives : évolution ou révolution ?* D. 2007, p. 1359 ; P. Crocq, *Lacunes et limites de la loi au regard du droit des sûretés,* D. 2007, p. 1354 ; D. Legeais, *Loi n° 2007-211 du 19 février 2007,* RTD Com. 2007, p. 581 ; F. Barrière, *La loi instituant la fiducie : entre équilibre et incohérence,* JCP E, n° 36, 6 septembre 2007, 2053 ; A. Delfosse et J.-F. Péniguel, *Premières vues sur la fiducie,* Defrénois 2007, n° 8, p. 581, 38571.

1) La méconnaissance de la fiducie-sûreté dans la loi du 19 février 2007

La consécration légale de la fiducie en droit français s'effectuait dans un contexte assez particulier. La loi promulguée le 19 février 2007 ne reflète que très infidèlement la proposition déposée par le Sénateur Marini en février 2006[37]. Il paraissait cependant curieux de constater que malgré l'existence de différences notables entre la proposition initiale et la version finale adoptée, quelques mois avaient suffi pour parachever le processus d'adoption. En réalité, les dispositions de la loi seraient l'œuvre quasi exclusive du gouvernement, qui, tout en affirmant qu'il s'est inspiré de la proposition de Monsieur Marini, semble avoir beaucoup de mal à se débarrasser de ses craintes traditionnelles à l'égard de la fiducie[38]. Un tel processus ne pouvait aboutir qu'à un texte imparfait et lacunaire[39].

Les lacunes concernaient en particulier les possibilités d'utilisation de la fiducie à titre de sûreté. Une distinction classique catégorise les fiducies en fiducie-gestion et fiducie-sûreté[40] or, la loi du 19 février 2007 ne prévoit pas une telle distinction contrairement à la proposition de M. Marini. Si certains auteurs perçoivent cette lacune comme réalisant une confusion des deux mécanismes fiduciaires se traduisant par un mélange des dispositions y afférentes[41], il serait à notre avis plus juste de parler d'une intention délibérée de la part de ceux qui ont élaboré la loi[42].

En effet, le fait de passer à coté d'une distinction pour le moins évidente n'est jamais anodin, et il serait quelque peu naïf de le mettre sur le compte de l'oubli, à moins d'entamer substantiellement le caractère sérieux du texte. Partant, il n'y a qu'un pas à franchir pour conclure que la loi voulait en réalité exclure de son champ l'une des deux notions et à la lecture de son contenu, force est de reconnaître que ce texte n'entendait envisager que la fiducie-gestion. Si les

37 P. Marini, *Enfin la fiducie à la française !* D. 2007 p. 1347.
38 P. Crocq, *art. précité.* S'appuyant sur les travaux parlementaires, l'auteur justifie l'adoption précipitée de la loi par le souci des parlementaires de ne plus différer l'introduction de la fiducie même si cela devait passer par une soumission aux « desiderata du gouvernement » et l'acceptation d'un texte « qui ne ressemblait que vaguement à la proposition de loi initiale ».
39 Voir dans ce sens, D. Legeais, *Loi du 19 février 2007 instituant la fiducie,* RTD Com. P. 431.
40 Une telle distinction prévalait déjà en droit romain où l'on connaissait la *fiducia cum amico* (l'équivalent de la fiducie-gestion) et *la fiducia cum creditore* (l'équivalent de la fiducie-sûreté).
41 P. Crocq, *art. précité.*
42 Voir pour un avis identique, C. Larroumet, *La loi du 19 février 2007 sur la fiducie. Propos critiques,* D. 2007, p. 1350.

dispositions de l'article 2016 du Code civil autorisant le fiduciaire à être dans le même temps bénéficiaire semblent répondre aux conditions de la fiducie-sûreté, les restrictions édictées concernant la qualité des parties qui peuvent intervenir dans le cadre de l'opération laissent peu de doute quant aux intentions du législateur de ne prendre en considération que la fiducie-gestion. Lorsque la loi réserve aux seules personnes morales soumises à l'impôt sur les sociétés la qualité de fiduciant et celle de fiduciaire aux établissements de crédit ou assimilés, il est difficile de ne pas faire le rapprochement avec la principale méfiance des pouvoirs publics à l'égard du mécanisme à savoir le risque d'évasion fiscale[43]. Or, un tel risque n'existe que dans l'hypothèse d'une fiducie utilisée en tant qu'instrument de gestion et les restrictions sont dépourvues de tout intérêt si la fiducie devait servir d'instrument de garantie[44]. Il en résulte que ces dispositions de la loi qui peuvent être considérées comme le noyau de la réglementation sont taillées sur mesure pour la fiducie-gestion.

Enfin, un autre argument, qui s'inscrit du reste dans la continuité des précédents, pencherait également en faveur de la thèse suivant laquelle la loi de 2007 ne traite que de la fiducie-gestion. Puisque l'élaboration de la loi obéissait à des considérations de prudence, qui selon le cas peuvent être jugées comme fondées ou par contre injustifiées, à l'égard des éventuels effets pervers de la fiducie, il n'est pas interdit d'en conclure que le législateur voulait procéder à une introduction limitée sinon progressive de l'institution dans le droit positif en consacrant la réglementation à la fiducie-gestion afin de maîtriser au mieux les éventuelles dérives auxquelles elle pourrait donner lieu[45]. Cette affirmation semble être confortée au regard de l'évolution de la législation sur la fiducie puisque les textes adoptés ultérieurement à la loi du 19 février 2007 se sont principalement attelés à la mise en place d'un régime propre à la fiducie-sûreté[46].

---

43 Sur la méfiance fiscale du droit français à l'égard de la fiducie, voir C. Larroumet, *art. précité,* n° 11.

44 Voir P. Crocq, *art. précité.*

45 La frustration de ceux qui caressaient l'espoir d'un nouveau souffle de la fiducie sur la cession de créance en garantie sera d'autant plus grande dans la mesure où après avoir fait les frais selon eux, d'une frilosité de la Cour de Cassation, le mécanisme vient de manquer une occasion inespérée de se doter d'un régime général en raison d'une timidité pas toujours justifiable du législateur.

46 Voir *Infra.* Le fait pour le législateur de mettre en place ultérieurement un régime propre à la fiducie-sûreté sans le faire parallèlement pour la fiducie-gestion montre de façon implicite que cette dernière bénéficiait déjà d'un dispositif cadre dans la loi du 19 février 2007.

2) La consécration de la fiducie-sûreté dans le cadre de la réforme de la fiducie

Sous la pression de la doctrine qui brandissait parfois la menace de la perte d'attractivité et par voie de conséquence de compétitivité du droit français[47], l'intervention de dispositifs visant à combler les omissions de la loi du 19 février 2007 paraissait inévitable. Le premier de ceux-ci est la loi n° 2008-776 du 4 août 2008 sur la modernisation de l'économie dont les principales innovations en matière de fiducie-sûreté[48], les seules qui nous intéressent, se traduisent par l'élargissement du champ d'application de la fiducie. Désormais, la fiducie s'ouvre aux personnes physiques qui auront la possibilité de la constituer à titre de garantie ou à des fins de gestion.

Les modalités d'application de cette ouverture ont fait l'objet d'un deuxième dispositif à travers l'Ordonnance n° 2009-112 du 30 janvier 2009 dont les dispositions phares constituent la consécration de la fiducie-sûreté dans le droit positif français[49].

Allant cette fois-ci au bout de la logique d'introduction de la fiducie-sûreté, les pouvoirs publics se proposaient de clarifier son régime en cas d'ouverture de procédure collective à l'encontre du débiteur constituant. Cette clarification est effectuée dans le cadre de l'Ordonnance n° 2008-1345 du 18 décembre 2008 réformant les procédures collectives. D'une manière générale, ce texte se propose de concilier l'efficacité de la fiducie-sûreté à l'égard du créancier avec la nécessité de préserver au mieux les chances de redressement du débiteur[50]. C'est ainsi que la fiducie-sûreté sera neutralisée pendant la période d'observation et au cours de l'exécution du plan de

47 Voir par exemple, F. Barrière, *La loi instituant la fiducie : entre équilibre et incohérence,* JCP E 2007, 6 septembre 2007, 2053, n° 32. L'auteur parle d'une « modernisation imparfaite du Code civil » à travers la loi sur la fiducie qui selon lui n'a pas répondu à ce besoin de modernisation pas plus qu'elle n'ait réussi à rendre au droit français son « rôle de droit "inspirateur" d'autres pays ».

48 Pour une vision globale des innovations apportées par cette loi dite LME, voir R. Dammann et G. Podeur, *Le nouveau paysage du droit des sûretés : première étape de la réforme de la fiducie et du gage sans dépossession,* D. 2008 p. 2300.

49 Pour une présentation de ces dispositions, voir M. Grimaldi et R. Dammann, *La fiducie sur ordonnances,* D. 2009, p. 670, n° 2 et s. Il n'en sera pas fait une présentation détaillée dans la présente étude qui dans le cadre du présent paragraphe se propose d'apprécier l'impact de l'adoption de la fiducie sur les possibilités d'une cession de créance de garantie de droit commun.

50 En effet, la possibilité pour le créancier bénéficiaire d'une fiducie-sûreté de contourner les règles en matière de procédure collective tout en compromettant irrémédiablement les chances de redressement du débiteur avait été dénoncée par la doctrine. Voir dans ce sens, F.-X. Lucas et M ; Sénéchal, *Fiducie vs Sauvegarde, Fiducie ou sauvegarde, il faut choisir,* D. 2008, p. 29.

redressement pour retrouver toute son efficacité en cas d'échec du plan de sauvegarde ou de redressement ou en cas de liquidation judiciaire[51].

Cet arsenal législatif que nous venons de décrire sommairement témoigne de la détermination du législateur à doter la fiducie-sûreté d'un régime à la fois stable et efficace. Il est permis d'affirmer que l'institution de la fiducie en général est actuellement encadrée dans un dispositif complet. Rien ne semble donc empêcher de contourner l'obstacle jurisprudentiel relatif à la cession de créance en garantie par le biais de la fiducie-sûreté puisque toute restriction quant à la qualité du constituant a disparu alors que dans le même temps, pareille restriction n'a jamais existé vis-à-vis du bénéficiaire[52].

Néanmoins, nous nous permettons de douter du succès de cette institution d'apparence attractive et ce pour au moins deux raisons. En premier lieu, les règles qui viennent de renforcer le dispositif relatif à la fiducie-sûreté ne peuvent même pas être considérées aujourd'hui comme en phase d'expérimentation en raison de leur apparition très récente. A l'heure actuelle, il s'agit plutôt de règles théoriques. Il convient par conséquent de recommander la prudence et de différer tout jugement sur la véritable efficacité du mécanisme à un moment plus opportun lorsque les règles en question seront mises à l'épreuve de la pratique. L'observation se justifie d'autant plus que le régime de la fiducie-sûreté, tel qu'il est défini par la loi de modernisation de l'économie et son ordonnance d'application, paraît pour ainsi dire presque trop beau pour être vrai.

En second lieu, il est même d'ores et déjà possible de prédire que compte tenu de la complexité du montage de la fiducie-sûreté, son utilisation par les particuliers personnes physiques paraît inopportune spécialement lorsque le crédit est d'un montant relativement faible[53].

Par conséquent, Il faudra certainement attendre avant que la fiducie ne devienne un cadre d'épanouissement de la cession de créance à

51 Pour une présentation détaillée de ces dispositifs, voir M. Grimaldi et R. Dammann, *art. précité,* n° 15 et s.

52 Dans le même sens, voir R. Dammann et G. Podeur, *Fiducie-sûreté et droit des procédures collectives : évolution ou révolution ?* D. 2007, p. 1359. Ces auteurs admettaient déjà la possibilité d'un recours à la fiducie-sûreté pour contourner l'obstacle posé par l'arrêt du 19 décembre 2006 et ce même sous le seul empire de la loi du 19 février 2007.

53 Voir dans ce sens, A. Gourio, *La fiducie-sûreté,* D. 2009, p. 1944. L'auteur doute en particulier de l'utilisation de la fiducie-sûreté pour les crédits à la consommation.

titre de garantie et au grand dam de ses défenseurs il faut dire que le coup d'arrêt porté à ce montage par la jurisprudence n'a pas fait l'objet du désaveu qu'ils ont souhaité de la part du législateur.

Face à une telle situation, le retour et/ou le recours aux mécanismes classiques du droit des obligations à l'instar particulièrement de la délégation peut une nouvelle fois se révéler salutaire pour réaliser l'affectation de créances en garantie d'une dette. En effet, à l'heure où praticiens et législateurs déploient leurs efforts pour trouver la forme de sûreté la plus efficace, la délégation traverse le temps en se renforçant justifiant plus que jamais l'appellation de droit commun traditionnellement accolée à cette branche fondamentale du droit civil qu'est le droit des obligations.

II – LE RENFORCEMENT DE L'EFFICACITÉ DE LA DÉLÉGATION DANS SA FONCTION DE GARANTIE

En droit des obligations, la délégation est l'opération par laquelle, une personne – le délégué – s'oblige, sur l'instruction d'une autre, – le délégant –, envers une troisième, – le délégataire[54]. Le consentement des trois intervenants est toujours nécessaire et sera donné sans formalité particulière. Evoqué dans les articles 1275 et 1276 du Code civil dans la section relative à la novation, le mécanisme est traditionnellement appréhendé comme un mode simplifié d'extinction des obligations[55]. En effet et d'une manière générale, par l'exécution de son obligation envers le délégataire, le délégué éteindra dans le même temps la dette préalable du délégant envers ce dernier ainsi que sa propre dette vis-à-vis du délégant. C'est dans sa forme dite imparfaite[56] que transparaît la fonction de garantie de la délégation. Dans ce cas de figure, le mécanisme offre au créancier délégataire un débiteur supplémentaire, en la personne du délégué, à côté du

54 Terré, Simler et Lequette, *Droit civil, Les obligations,* Précis Dalloz, 9ème éd., 2005, n° 1349. Voir également, M. Billiau, *La délégation de créance, essai d'une théorie juridique de la délégation en droit des obligations,* LGDJ, 1989, préface J. Ghestin ; J. François, *Les opérations juridiques triangulaires attributives (stipulation pour autrui et délégation de créance),* thèse dactyl. Paris II, 1994.

55 Starck, Roland et Boyer, *Droit civil, Les obligations,* 6ème éd., Litec, 1999, n° 93.

56 Cette forme imparfaite qui est celle ne réalisant aucune novation constitue le droit commun de la délégation tel qu'il est décrit par l'article 1275 du Code Civil qui dispose que : « La délégation par laquelle un débiteur donne au créancier un autre débiteur qui s'oblige envers le créancier, n'opère point de novation, si le créancier n'a expressément déclaré qu'il entendait décharger son débiteur qui a fait la délégation ».

délégant. Au lendemain de la décision controversée de la Cour de cassation condamnant la cession de créance en garantie de droit commun, si la majorité des auteurs appelait à la résistance en émettant parfois le souhait de voir une Chambre mixte désavouer la Chambre commerciale[57], d'autres, préoccupés à juste titre par le souci d'offrir des solutions à la pratique, se tournaient déjà vers d'autres alternatives au sein desquelles la délégation occupe une place de choix[58]. C'est qu'en effet, l'utilisation de la délégation pour l'affectation de créances en garantie présente des avantages certains dans la mesure où en dehors de toute idée de transmission (A), elle parvient à sécuriser le créancier délégataire en lui réservant un droit exclusif (B).

A – La délégation, exclusive de toute idée de transmission

Bien que l'utilisation par la pratique du terme « délégation de créance » laisse entendre un aspect translatif de la délégation, celle-ci n'est pas un mode de transmission des obligations[59] et c'est ce qui fait essentiellement sa force en particulier lorsqu'elle est proposée comme alternative à la cession de créance en garantie. Ce caractère exclusif de toute idée de transmission lui assure une parfaite adaptation au montage de l'affectation de créances en garantie (1) d'autant plus qu'il justifie l'application de principe à l'ensemble de l'opération de la règle de l'inopposabilité des exceptions (2).

1) La facilité d'adaptation à l'affectation de créances en garantie

L'utilisation de la délégation pour l'affectation de créances en garantie consiste pour un débiteur qui est lui-même créancier dans un autre rapport d'obligation de déléguer son propre débiteur au profit de son créancier afin de garantir sa dette envers ce dernier. La différence avec la cession de créance en garantie réside ainsi dans le fait qu'au lieu de transférer sa créance, le débiteur va s'appuyer sur l'existence de celle-ci pour offrir un second débiteur à son créancier. Cependant, l'idée reste la même puisqu'il s'agit toujours de se servir d'une créance pour constituer une garantie.

---

57 Voir par ex. D. Houtcieff, D. 2007, n° 5, p. 319.

58 V. Beuzelin, *Cession de loyer à titre de garantie ou nantissement de créance, que faire ?* Successions, Libéralités, Sûretés : la mise en œuvre de la réforme. Droit et Patrimoine 2007 ; R. Dammann et G. Podeur, *Cession de créances à titre de garantie : la révolution n'a pas eu lieu ?* D. 2007, p. 319.

59 J. Ghestin, M. Billiau et G. Loiseau, *Traité de droit civil, Le régime des créances et des dettes,* LGDJ 2005, n° 873.

L'intérêt de la délégation apparaît avec évidence puisque nous avons pu constater que l'un des arguments avancés en faveur de la remise en cause de la cession en garantie est qu'elle consacre un droit de propriété à titre temporaire[60]. Cette velléité de faire de la propriété une sûreté est étrangère à la délégation parce qu'elle n'a pas vocation à réaliser un transfert de propriété sur une créance. Sa force doit être recherchée ailleurs, plus précisément dans l'engagement nouveau du débiteur délégué au profit du créancier délégataire qui est du reste considéré comme l'élément le plus important de la structure de toute délégation[61].

Par ailleurs, l'affectation de créances en garantie réalisée au moyen d'une délégation correspond à la forme la plus courante de la délégation dans la pratique. Il s'agit de l'hypothèse où celle-ci est mise en place sur la base d'un double rapport d'obligations préexistant dans laquelle le délégant occupe en quelque sorte la place de pivot de l'opération en ce qu'il cumule la qualité de débiteur et de créancier respectivement vis-à-vis du délégataire et du délégué[62]. La remarque est importante puisqu'elle a pour effet d'exclure le montage de la discussion portant sur l'influence de la préexistence des obligations quant à la validité de la délégation. En effet, si la doctrine majoritaire semble être d'accord pour considérer que l'existence d'obligations préalables entre les parties n'est pas une condition de validité de la délégation[63], une autre partie de la doctrine, certes minoritaire continue de soutenir farouchement qu'une délégation n'est concevable qu'en présence d'obligations préalables entre les protagonistes de telle sorte qu'ils considèrent ce paramètre comme étant l'une des incertitudes de la nature de la notion[64]. Ce qui est certain, c'est que la délégation utilisée comme alternative à la cession de créance à titre de garantie n'est pas concernée par cette question dans la mesure où en se greffant sur deux obligations préexistantes, elle rentre dans un schéma dont la validité ne souffre d'aucune discussion.

Il est vrai qu'il a pu être reproché à la délégation d'avoir une portée limitée en matière de financement d'opérations de constructions

60 T. Revet, *note sous Civ. 1ère, 19 sept. 2007,* RTD Civ. 2008, p. 322 ; M-A. Rakotovahiny, *note sous le même arrêt,* LPA 15 janv. 2008, p. 20.

61 Starck, Roland et Boyer, *précité,* n° 102.

62 P. Malinvaud, *Droit des obligations,* Litec, 9ème éd. 2005, n° 788.

63 Voir par ex. F. Terré, P. Simler et Y. Lequette, *Les obligations,* Dalloz, 8ème éd. Dalloz, 2002, n° 1445.

64 J. Ghestin, M. Billiau et G. Loiseau, *Traité de droit civil, Le régime des créances et des dettes,* LGDJ 2005, n° 896 et s. ; J. François, *Les obligations, régime général,* Economica, 2000, n° 510, note 2.

immobilières. Certains auteurs estiment inconcevable sa mise en place lorsque le locataire à déléguer au créancier prêteur n'est pas encore identifié et qu'aucun contrat de bail n'est conclu[65], étant entendu que l'engagement du délégué qui est l'élément décisif parmi les composantes de la relation triangulaire ne pourra être obtenu dans ce cas. Ceci paraît réduire sensiblement l'utilité de la délégation en tant que substitut de la cession de créance en garantie dans la mesure où cette dernière avait pour domaine de prédilection le financement d'un immeuble. L'observation n'est certes pas dénuée de pertinence sur le plan de la technique juridique mais il faut affirmer qu'elle n'aura quasiment pas d'incidence sur le plan pratique. En effet, les opérations de financement de construction immobilière donnent le plus souvent lieu à la conclusion en parallèle d'une promesse de bail ou d'un bail sur un immeuble futur permettant ainsi de connaître l'identité des futurs locataires et de les impliquer dès le début du processus en qualité de débiteur délégué[66]. A la limite, dans l'hypothèse où, pour diverses raisons, l'identité du délégué ne peut être connue au moment du montage de l'opération de financement, la délégation en garantie pourra toujours intervenir ultérieurement en complément des sûretés qui peuvent avoir été déjà consenties telle qu'une hypothèque ou un cautionnement.

2) L'application de la règle de l'inopposabilité des exceptions

L'inopposabilité des exceptions confère une efficacité redoutable à la délégation et accroît son attractivité parmi les mécanismes pouvant développer des effets de garantie. Cette règle signifie que dans l'exécution de son engagement vis-à-vis du délégataire, le délégué n'est pas admis à invoquer des vices éventuels affectant les rapports préexistants. La règle est en parfaite conformité avec l'absence de toute idée de transmission dans le mécanisme de la délégation. Puisque le délégant ne cède pas sa créance sur le délégué au profit du délégataire, il est constamment admis que l'engagement souscrit par le délégué est nouveau et autonome par rapport aux obligations antérieures[67].

A l'instar de l'ensemble du régime de la délégation, la règle de l'inopposabilité des exceptions s'est renforcée au fil des

65 V. Beuzelin, *art. précité.*

66 Voir dans ce sens, M.-L. Niboyet, *Une illustration du concept de droit civil des affaires : la délégation de locataire à titre de garantie,* Dialogues avec Michel Jeantin, Prospectives du droit économique, Dalloz 1999, p. 71.

67 Starck, Roland et Boyer, *précité,* n° 102 et s.

jurisprudences. Ainsi, une jurisprudence constante consacre l'inopposabilité au délégataire des exceptions nées des relations délégué-délégant[68]. La question de l'inopposabilité des exceptions tirées des relations délégant-délégataire était quant à elle plus discutée. En effet, en 1992, deux arrêts rendus respectivement par la première Chambre civile et la Chambre commerciale réglaient la question de façon totalement différente. La première formation semble refuser l'inopposabilité des exceptions lorsque celles-ci sont puisées dans le rapport délégant-délégataire[69] tandis que l'autre Chambre décidait que le délégant ne peut pas se prévaloir des moyens de défense dont le délégant pouvait invoquer à l'encontre du délégataire[70]. Cette divergence semble être réglée définitivement par un autre arrêt de la Chambre commerciale en date du 7 décembre 2004[71]. En l'espèce, l'acquéreur d'un immeuble s'est engagé à payer l'indemnité de résiliation due par le vendeur à son locataire commerçant. Après avoir analysé une telle relation en une délégation, la Cour de Cassation décide que l'extinction de la créance du locataire contre le vendeur pour défaut de déclaration au passif de sa liquidation judiciaire laisse subsister l'obligation souscrite par l'acquéreur dans le cadre de la délégation.

Cette position de la Chambre commerciale sur la question correspond à celle de la majorité de la doctrine[72].Ce qui laisse à penser qu'en matière de délégation, un double principe d'inopposabilité des exceptions est consacré de telle sorte que le délégué ne pourra se soustraire à son engagement en invoquant les vices affectant sa relation avec le délégant de même que ceux affectant la relation de ce dernier avec le délégataire.

Transposée à l'idée d'affectation des créances en garantie par le biais d'une délégation, cette double règle de l'inopposabilité des exceptions peut s'apprécier de différentes manières. D'une part, elle conforte la

68 Civ. 23 mars 1852, DP 1852, 1, 162 ; Com. 22 avril 1997, JCP 1998, II, 10050, note C. Lachièze.
69 Civ. 1ère 17 mars 1992, D. 1992, 481, note L. Aynès. La Cour de cassation affirme dans cet arrêt que « sauf convention contraire, le délégué est seulement obligé au paiement de la dette du délégant envers le délégataire, et se trouve déchargé de son obligation lorsque la créance de ce dernier est éteinte par la prescription ».
70 Com. 25 février 1992, JCP 1992 II 21922 note M. Billiau. Cette fois-ci la Chambre commerciale énonce qu'« en cas de délégation de paiement imparfaite, le délégué ne peut, sauf clause contraire, opposer au délégataire les exceptions dont le délégant pouvait se prévaloir à l'égard de celui-ci ».
71 D. 2005.1424, obs. A. Boujeka, M. Bourassin, E. Claudel et B. Thullier ; RTD Civ. 2005 p. 400, obs. J. Mestre ; Defrénois 2005, n° 7, p. 627, obs. E. Savaux.
72 Voir E. Savaux, *obs. sous l'arrêt, précité.*

position du créancier en lui conférant la sécurité souhaitée. D'autre part, puisque dans un tel montage, le délégué devient débiteur du délégataire, son adhésion à l'opération sera fonction de l'étendue de son obligation résultant de son engagement en tant que débiteur délégué. Par conséquent, le plus souvent, comme en matière de cession de créance à titre de garantie – puisque c'est bien une alternative à cette opération qui est recherchée – le délégué ne souhaite être tenu que dans la limite de ce qu'il doit au délégant. Ce désir du délégué peut être satisfait par le recours à la délégation dite « incertaine » qui consiste à calquer l'objet de son engagement sur l'un des rapports préexistants de telle sorte qu'il serait en droit d'opposer au délégataire certaines exceptions issues de ces rapports[73]. Le recours à ce type de délégation par l'insertion d'une clause le prévoyant dans l'acte de délégation est rendu possible au nom du principe de la liberté contractuelle qui est au centre de tout le mécanisme de la délégation. La problématique a été très certainement perçue par les auteurs de l'avant projet de réforme du droit des obligations qui ont prévu dans ce qu'ils proposent pour être l'article 1280, alinéa 1 du code civil que *« lorsque le délégué est débiteur du délégant, il appartient aux parties de décider s'il s'engage à payer au délégataire ce qu'il doit au délégant ou s'il souscrit envers lui un engagement expressément stipulé indépendant »*.

Ainsi, au final, la force de la délégation constituée à titre de garantie ne se situe pas plus dans les rigueurs de la règle de l'inopposabilité des exceptions que dans la faculté reconnue aux parties d'en aménager le régime en fonction des circonstances et notamment de l'importance et de la nature de l'opération de financement destinée à être garantie par le moyen de cette relation triangulaire[74].

B – La sécurisation du créancier par la reconnaissance d'un droit exclusif

L'autre conséquence de la nouveauté de l'engagement souscrit par le débiteur délégué est l'existence d'un droit exclusif à un paiement immédiat par le délégué reconnu au créancier délégataire. Le

---

73 J. Crédot et T. Samin, *Cession de créance à titre de garantie,* Revue de Droit Bancaire et Financier, Mars Avril 2007, n° 52. Ces auteurs considèrent que « la délégation imparfaite et incertaine » constituent « le substitut désigné d'une cession fiduciaire de créance en l'absence de reconnaissance de celle-ci ».

74 Voir M.-L. Niboyet, *art. précité,* qui estime que la rigueur de l'inopposabilité des exceptions présente un risque trop lourd pour un locataire délégué à l'occasion d'une transaction immobilière entre particuliers.

créancier délégataire bénéficie ainsi de cette situation d'exclusivité qui lui assure une souveraineté comparable à celle d'un propriétaire sans que justement il ait eu à revendiquer un tel statut par rapport à la créance utilisée par son débiteur pour constituer une garantie à son profit. Ceci ne fait que conforter la délégation dans son rôle de substitut de la cession de créance à titre de garantie. La sécurité offerte par ce droit exclusif se manifeste par une paralysie des droits du délégant et de ses créanciers sur la créance détenue contre le délégué (1). Mais surtout, ce droit dont bénéficie le créancier délégataire est à l'épreuve des règles de la procédure collective (2).

1) La paralysie des droits du délégant et de ses créanciers sur la créance détenue par le délégué

La reconnaissance d'un droit exclusif du délégataire à un paiement immédiat de la part du délégué a été proclamée par la jurisprudence dans un arrêt de la Chambre Commerciale du 16 avril 1996[75] par lequel elle s'est prononcée contre la possibilité d'une saisie arrêt pratiquée par un créancier du délégant entre les mains du délégué. L'esprit de ce droit exclusif reconnu au profit du délégataire est de le mettre à l'abri de ses concurrents potentiels, à commencer par le délégant, qui pourraient vouloir appréhender la créance de ce dernier contre le délégué.

Un arrêt du 29 avril 2002[76] rendu par cette même Chambre Commerciale laissait tout de même beaucoup de place au doute quant à la réalite du droit exclusif du créancier délégataire. Par cette décision, la Cour de cassation a permis à un créancier du délégant de bénéficier de l'effet attributif des avis à tiers détenteur sur les créances de ce dernier contre le délégué. Même si certains auteurs analysaient cet arrêt comme admettant uniquement le jeu de l'effet attributif de l'avis à tiers détenteur, et non le paiement des créanciers du délégant[77], d'autres estimaient que la solution contredit celle de 1996 et qu'il s'agit d'un coup d'arrêt porté à la délégation[78]. Face à une telle ambiguïté, la doctrine est restée pour le moins dubitative jusqu'à

---

75 D. 1996, p. 571, note C. Larroumet et p. 333, obs. L. Aynès ; JCP G 1996, II, 22689, note M. Billiau.

76 D. 2002, p. 1835, obs. F.B. et p. 2673, note D. Houtcieff ; JCP G 2003, II, 10154, note A.-S. Barthez.

77 D. Houtcieff, *note sous l'arrêt précité.*

78 M.-H. Monsérié, Act. Proc. Coll. n° 12, obs.; F. B., *précité.*

qualifier la question relative au sort de la créance du délégant sur le délégué comme étant une énigme[79].

C'est ainsi que dans un formidable effort de renforcement de l'efficacité du régime de la délégation, la Chambre commerciale est venue dissiper les doutes sur la question dans un arrêt du 14 février 2006[80]. A l'occasion d'une délégation qui a été mise en place justement pour assurer le remboursement d'un prêt ayant servi à une acquisition immobilière, la Cour reprend dans un attendu de principe la solution qu'elle avait posée en 1996 en énonçant que *« si la créance du délégant sur le délégué s'éteint seulement par le fait de l'exécution de la délégation, ni le délégant ni ses créanciers ne peuvent, avant la défaillance du délégué envers le délégataire, exiger le paiement ; qu'il résulte que la saisie attribution effectuée entre les mains du délégué par le créancier du délégant ne peut avoir pour effet de priver le délégataire, dès son acceptation, de son droit exclusif à un paiement immédiat par le délégué, sans concours avec le créancier saisissant »*. Ne faisant à aucun moment référence aux dispositions de l'arrêt du 29 avril 2002, la décision parachève la solution en affirmant que *« les sommes dues par le délégué (...) au délégant (...) au titre des loyers n'étaient pas saisissables par les créanciers du délégant dont le droit de créance qui demeure dans son patrimoine est indisponible à compter de l'acceptation du délégataire »*.

La créance du délégant contre le délégué est donc bel et bien indisponible tant que la délégation est pendante. Que l'on explique cette indisponibilité par une survie de la créance du délégant sous la condition suspensive de la défaillance du délégué[81] ou par la simple interdiction de ne pas se contredire[82], le résultat est bien présent : le créancier délégataire est placé dans une situation hautement sécurisée.

Par ailleurs, la condition requise pour faire naître le droit exclusif du délégataire est son acceptation de la délégation. Ceci revient à dire que ce droit existe dès que la délégation est formée puisque le

79 Ph. Simler, *L'énigme sort de l'obligation du délégué envers le délégant tant que l'opération de délégation n'est pas dénouée,* Mélanges en l'honneur de J.-L. Aubert, Dalloz 2005, p. 295.

80 D. 2006, p. 650, obs. X. Delpech ; JCP G 2006, II, 10145, note M. Roussille.

81 P. Simler, *précité.*

82 Voir dans ce sens, D. Houtcieff, *Le principe de cohérence en matière contractuelle,* PUAM 2001, Vol. 2, n° 911. Voir également M. Roussille, *note précitée,* qui explique cette indisponibilité par une sorte de mutation de l'obligation du délégué envers le délégant qui passe d'une obligation monétaire à une obligation de faire, celle d'exécuter son engagement vis-à-vis du délégataire, étant entendu que seules les créances portant sur une somme d'argent sont susceptibles d'êtres saisies.

consentement des trois intervenants est une condition de sa validité. La consolidation du droit du délégataire ne requiert donc aucune formalité particulière contrairement à ce qui prévaut en matière de cession de créance. A cela s'ajoute une conception très large de cette acceptation au niveau de la jurisprudence qui considère qu'elle peut être réalisée par le simple fait pour le délégataire de réclamer le paiement au délégué[83]. Néanmoins, le délégataire a tout intérêt à manifester le plus tôt possible son acceptation dans la mesure où intervenue après une saisie éventuelle, celle-ci ne lui garantit plus une situation d'exclusivité[84].

Il est permis d'affirmer qu'avec ce renforcement des droits du délégataire, la délégation s'est dotée d'un atout décisif pouvant séduire les adeptes les plus indéfectibles de la cession de créance à titre de garantie d'autant plus que la solution du 14 février 2006 est intervenue dans le cadre d'un schéma de garantie de remboursement d'un prêt.

D'ailleurs, le montage mis en place dans le cadre d'une délégation correspond bien à l'esprit de la cession de créances à titre de garantie. La situation d'indisponibilité confirme que la créance a été utilisée pour la constitution d'une garantie avec cette différence fondamentale qu'au lieu d'être transférée elle est d'une certaine manière happée par les effets de l'opération triangulaire.

Conférant au créancier délégataire une protection accrue tant que les liens de la délégation ne se dénouent pas, son droit exclusif n'a pas vocation à céder devant les règles de la procédure collective.

2) Droit exclusif du créancier délégataire et procédure collective

La préférence accordée par ses partisans à une généralisation de la cession de créance à titre de garantie s'explique essentiellement par l'efficacité de celle-ci en cas d'ouverture d'une procédure collective contre le débiteur cédant. En effet, puisque c'est la propriété qui est transmise, le créancier cessionnaire va pouvoir s'en servir pour échapper aux aléas des règles de la procédure collective. Au cours de nos développements précédents, nous avons pu démontrer que la délégation n'avait pas besoin d'un recours à un transfert de propriété de la créance pour conférer une situation d'exclusivité au créancier

---

83 Com. 7 décembre 2004, *précité*.
84 Voir dans ce sens, M. Billiau, *note sous 16 avril 1996, précité*.

délégataire. Une telle affirmation sera encore exacte lorsque l'opération de délégation se trouve confrontée au droit des procédures collectives. A l'instar des autres évolutions intéressant le régime de la délégation, l'articulation de ce droit exclusif avec les règles de la procédure collective a été organisée par la jurisprudence.

Ainsi, dans un arrêt du 7 décembre 2004[85], la Chambre commerciale décide que les droits issus de la délégation ne sont point affectés par l'extinction de la créance du délégataire contre le délégant pour défaut de déclaration au passif de la liquidation judiciaire de ce dernier. Concrètement, cet arrêt autorise le créancier délégataire à poursuivre le délégué en dépit de l'extinction de sa créance à l'encontre du délégant. Il est à la fois curieux et regrettable de constater que la décision ait été presque uniquement perçue comme renforçant la règle de l'inopposabilité des exceptions[86] alors qu'il s'agit également d'une illustration intéressante de l'imperméabilité du régime de la délégation aux conséquences défavorables d'une procédure collective.

Une autre problématique se pose quant au sort d'une délégation qui serait conclue au cours de la période suspecte. En effet, l'attractivité de cette opération, en particulier en tant que substitut de la cession de créance à titre de garantie, sera plus ou moins grande en fonction de sa capacité d'échapper à la nullité de droit prévue par l'ancien article L. 621-107-4° du Code de commerce devenu l'article 632-1-4° après la loi du 26 juillet 2005. Rappelons qu'aux termes de ce texte les modes de paiement qui ne rentrent pas dans son énumération n'échappent à la nullité que dans l'hypothèse où ils peuvent être considérés comme communément admis dans les relations d'affaires. Il faut reconnaître que cette qualité a été refusée à la délégation par un certain nombre de décisions[87]. Parallèlement, d'autres arrêts admettaient la validité de la délégation dans des secteurs déterminés et celui rendu par la Chambre commerciale le 21 janvier 2001[88] mérite à notre avis une attention particulière. La décision considère que la délégation est un mode de paiement communément admis dans le

85 *Réf. Précitée.*

86 Voir par exemple, E. Savaux, *note sous l'arrêt,* Defrénois 2005, p. 627.

87 Com. 30 novembre 1993, D. 1994, Somm. P. 178 qui décide qu'elle n'est pas un mode de paiement communément admis dans le commerce de viande ; Paris 27 janvier 2004, Revue de Droit Bancaire et Financier 2004, n° 136, obs. F.-X. Lucas qui décide qu'elle n'est pas non plus un mode de paiement communément admis dans le commerce de véhicules automobiles.

88 D. 2001, p. 2509, note S. Bimes-Arbus ; RTD Com. 2001, p. 977, obs. A. Martin-Serf. Voir aussi Paris 17 septembre 2003, Revue de Droit Bancaire et Financier 2004, n° 136, obs. F.-X. Lucas qui valide la délégation comme un paiement communément admis dans les relations d'affaires.

secteur bancaire. Mais son importance se situe surtout dans sa conception de la notion de relations d'affaires qu'elle détache de la notion d'usages professionnels. Désormais, pour constituer un mode normal de paiement, un mécanisme déterminé ne doit plus nécessairement résulter d'un usage. Cette position ouvre des perspectives intéressantes pour des modes de paiement comme la délégation qui ne souffriront plus d'éventuels a priori lorsqu'ils sont conclus au cours de la période suspecte.

Force est cependant de reconnaître que ces avancées obtenues par la délégation pour se prémunir contre la nullité de droit de la période suspecte sont relativement aléatoires de telle sorte que son acceptation en guise de paiement ou de garantie pourrait toujours être considérée comme relevant d'une loterie.

C'est dans ce contexte qu'est intervenu l'arrêt du 4 octobre 2005[89] de la Chambre commerciale de la Cour de cassation. Cette fois-ci encore les faits ayant donné lieu à la décision étaient basés sur une délégation de loyers en garantie. Il s'agit du schéma classique suivant lequel le bailleur consent une délégation de loyers au profit de la banque qui a financé l'acquisition d'un immeuble loué. Ladite délégation sera mise en œuvre par cette dernière en cas de non paiement par l'emprunteur d'un terme échu. Pour prononcer l'annulation de cette opération, la Cour d'appel invoquait deux arguments : le premier consistait à déclarer comme nulle la délégation conclue en l'espèce puisque ne pouvant pas constituer un mode de paiement communément admis dans les relations d'affaires ; le second fait référence à la date de cessation des paiements de l'emprunteur délégant dans la mesure où l'exécution de la délégation avait été demandée par le créancier délégataire postérieurement à cette date.

Pour censurer la Cour d'appel, la Chambre commerciale énonce qu'*« en statuant ainsi, alors que l'acte prévoyant la délégation de loyers avait été conclu avant la date d'insolvabilité notoire, peu important que son exécution fût postérieure à cette date, la cour d'appel a violé le texte susvisé »*. Ainsi, à partir du moment où l'acte constitutif de la délégation est conclu antérieurement à la date de cessation de paiements, l'opération n'encourt pas la nullité de la période suspecte même si son exécution est réalisée au cours de

89 D. 2005, p. 2591, obs. A. Lienhard ; RTD Com. 2006, p. 481, obs. A. Martin-Serf; JCP E 2006, 1347, note S. Albrieux.

cette période. De cette manière, la Cour de cassation contourne la question du caractère normal ou non de la délégation en tant que mode de paiement en la rendant sans objet.

Il est ainsi permis d'affirmer que la délégation bénéficie à l'heure actuelle d'une certaine faveur de la jurisprudence[90] et il serait souhaitable que les praticiens saisissent cette occasion pour en faire un mécanisme encore plus sûr et plus efficace en y ayant recours de plus en plus fréquemment. En effet, ce montage juridique doit sa plasticité aux aménagements suggérés par ses utilisateurs au gré des besoins de la pratique en vertu de la liberté contractuelle que la jurisprudence a parfaitement su harmoniser de telle sorte que nous nous permettons d'appeler de nos vœux pour que cette place de choix réservée à la volonté des parties soit respectée dans le cadre des réformes à venir concernant le droit des obligations en général et la délégation en particulier.

90 Voir dans ce sens J. Mestre et B. Fages, *note sous 4 octobre 2005,* RTD Civ. 2006 p. 319.

Ombres et lumières de la gestion integrée du littoral à Madagascar

Saholy RAMBININTSAOTRA

Introduction

Madagascar, « île continent », figure parmi les plus grands pays insulaires de la planète. Avec ses plus de 5000 km de linéaires côtiers, ses zones côtières constituent des milieux naturels les plus riches et les plus diversifiées du pays. Sur le plan écologique, on sait aujourd'hui que les zones côtières, au même titre que les forêts et les terres agricoles, sont parmi les principaux systèmes entretenant la vie sur notre Planète. En ce sens, la zone côtière et les divers écosystèmes qu'elle présente jouent un rôle dans nombre de processus naturels. Ainsi, certains écosystèmes des zones humides[1] côtiers comme les mangroves et les récifs coralliens[2] constituent une protection pour l'environnement littoral. Au plan économique, compte tenu de la pauvreté de la population, les ressources côtières et marines de Madagascar offrent des potentialités pour son

---

1 Les zones humides permettent la régulation des échanges d'eau en empêchant les inondations. Les écosystèmes côtiers participent au recyclage de la matière organique. Bref leur préservation conditionne la durabilité de leurs usages à des fins multiples. Convention sur les zones humides, Résolution VIII. 4, « Principes et lignes directrices pour inscrire les questions relatives aux zones humides dans la gestion intégrée des zones côtières », 8e Session de la Conférence des Parties contractantes à la Convention sur les zones humides (Ramsar, Iran, 1971) Valence, Espagne, 18 au 26 novembre 2002.

2 Les récifs coralliens protègent le littoral contre l'érosion côtière par atténuation de l'agression marine, et favorisent la formation des plages et des petites îles. Lieu de grande biodiversité, ils comptent parmi les écosystèmes les plus riches et les plus productifs de Madagascar, et Madagascar en dispose de 1400 km, ou de 2000 km^2 avec la faune corallienne la plus riche de l'Océan Indien et quelques espèces rares. GABRIE C. 1995, « Evaluation de la composante Environnement marin et côtier du programme Environnement II », Banque mondiale, Programme d'Action Environnemental de Madagascar, 1995.

développement[3], mis à part, les autres activités telles que le commerce maritime.

Toutefois, le paradoxe est que malgré la richesse de ses ressources côtières, une proportion importante de la population malgache semble avoir oubliée l'importance écologique et économique de la mer. Ce paradoxe a fait l'objet de recherche par les historiens[4]. Certes, il est impensable d'imputer cette indifférence à l'inaptitude des malgaches aux activités maritimes et à la peur de la mer car la crainte de la mer et tous ses fantasmes peuplent l'esprit des marins en tous pays et ne les écartent pas, pour autant, de la navigation.

Par ailleurs, par le fait de sa richesse même, le littoral n'est pas à l'abri des pressions anthropiques qui s'accentuent chaque jour d'avantage. En effet, selon une étude sur les zones côtière, « si l'on considère la limite des *fivondronana* à façade maritime, environ 40 % des malgaches vivent dans ces espaces qui concernent plus de 51 % du territoire[5]. Les grands courants migratoires au cours de l'histoire malgache ont fortement déterminé cette répartition spatiale. Cette pression humaine sur le littoral se traduit par un processus d'occupation et d'utilisation progressive de l'espace naturel littoral lié au développement des activités humaines et de leurs évolutions[6].

De même, les zones côtières offrent des ressources limitées, encore mal évaluées par l'Etat, et doivent être exploitées de façon rationnelle et prudente[7] car c'est dans ces zones que les menaces pesant sur l'environnement[8], sont les plus importantes. En ce sens, la gravité de

3 Les deux secteurs de la pêche et du tourisme ont généré plus de 160 millions de Dollars US en 1998, sans compter les autres activités telles que le commerce maritime.

4 F Birkeli « les projets maritimes de l'ancien gouvernement Hova », Bulletin de l'Académie Malgache, ns, XXVII, 1947, 147-156.

5 « Document d'orientation pour une politique nationale de développement durable des zones côtières à Madagascar », sous la direction de Yves Hennoque, 144 p. 2001.

6 Shine C. & Lefebvre C. – 2003 – « La conservation du littoral : éléments de stratégie politique et outils réglementaires », Collection Planète Nature. Comité français pour l'UICN, Paris, France-VII pp- p. 3, 114p

7 « Il est aujourd'hui nécessaire de faire preuve de prudence dans l'exploitation et la gestion des ressources marines afin de sauvegarder la marge de manœuvre des générations futures car les phénomènes océaniques et les phénomènes atmosphériques qui y sont liés sont encore mal connus » – Commission de développement durable Quatrième session 18 avril-3mai 1996 « Protection des océans et de toutes les mers – y compris les mers fermées et semi-fermées et des zones côtières, et protection, utilisation rationnelle et mise en valeur de leurs ressources biologiques » – Rapport du Secrétaire général.

8 La notion « d'environnement » doit être élargie pour englober un ensemble de questions socio-culturelles qui dépassent les seuls aspects écologiques et qui sont sous-jacentes aux problèmes de la qualité de la vie. La définition apportée par les dispositions de l'article 2 de la Charte de l'environnement malgache qui a donné une première définition juridique de l'environnement à Madagascar, confirme cette approche. En effet, l'environnement y est définit comme « l'ensemble des milieux naturels et artificiels y compris les milieux humains et les facteurs sociaux et culturels qui intéressent le développement national », Loi n° 90-033 du 21 décembre 1990 portant Charte de l'Environnement malgache, J.O.R.M. n° 2035 du 24.12.90, p. 2540,

la dégradation persistante des zones côtières se fait sentir particulièrement sur les milieux sensibles comme les zones récifales et les mangroves. Ces menaces sont de plus aggravées par les effets du changement climatique qui entraînent notamment le blanchissement des coraux dû à l'augmentation de la température, l'élévation du niveau des mers, modifient la fréquence et la force des tempêtes et accentuent l'érosion côtière ainsi que les risques d'inondation et la sécheresse.
De plus, les zones à proximité des grandes villes et des grandes agglomérations souffrent de plus en plus des activités non contrôlées et / ou non réglementées dont notamment, l'agriculture, l'élevage, l'exploitation de bois, le tourisme, et les activités industrielles. Par ailleurs, outre le conflit entre droit moderne et droit coutumier, des conflits d'espaces et de ressources deviennent de plus en plus aigus comme c'est le cas entre la pêche traditionnelle et la pêche industrielle et artisanale crevettière[9], conflits entre la pêche et le tourisme...
Face à ces richesses économiques et écologiques ainsi qu'aux différentes pressions enregistrées sur les territoires côtiers, la protection et l'aménagement du littoral constituent à la fois un enjeu et un défi. Le défi consiste à s'interroger sur les moyens utilisés pour la gestion durable de la zone côtière qui « contient des habitats productifs d'une grande diversité, importants pour les établissements humains, ainsi que pour le développement et la subsistance des populations locales[9'] ». En réponse à cette question, les doctrines et les instruments internationaux, dont notamment la déclaration de Rio[10] et l'Agenda 21 qui en est son prolongement préconisent la gestion

modifiée par la loi n° 97-012 du 6 juin 1997, J.O.R.M. du 09.06.97, p. 1171, Edition spéciale et n° 2584 du 12.07.99, p. 1479.
Par ailleurs, en 1999, les dispositions de l'article 3 de la loi sur la politique de gestion et de contrôle des pollutions industrielles définissent également l'environnement de la même façon que la définition exprimée par la Charte de l'environnement malgache, mais en ajoutant à sa composante les éléments biotiques et abiotiques, loi n° 99-021 du 19 août 1999 sur la politique de gestion et de contrôle des pollutions industrielles, J.O.R.M. n° 2595 E.S. du 30.08.99, p. 1962
Cette définition de l'environnement par les textes malgaches se rapproche de celle qui se trouve dans la Convention sur la responsabilité civile pour des dommages résultant d'activités dangereuses pour l'environnement, rédigée dans le cadre du Conseil de l'Europe, le 21 juin 1993. D'après l'article 2 de cette Convention, « l'environnement comprend : les ressources naturelles abiotiques et biotiques, telles que l'air, l'eau, le sol, la faune et la flore, et l'interaction entre les mêmes facteurs ; les biens qui composent l'héritage culturel ; les aspects caractéristiques du paysage »
9 En ce sens, voir Andrianirina RALISON « Pêcherie crevettière et zone de 2 miles » in Aménagement de la pêche crevettière à Madagascar p. 352-357, Actes de l'atelier-Antananarivo Madagascar du 12-14 décembre – édition Cite – 2001
9' Agenda 21, chapitre 17, p. 124 : A - Gestion intégrée et développement durable des zones côtières et marines y compris de la zone économique exclusive.
10 Le principe n° 4 de la Déclaration de Rio sur l'environnement et le développement précise que « pour parvenir à un développement durable, la protection de l'environnement doit constituer une partie intégrante du processus de développement et ne pas être considérée isolément »

intégrée du littoral[11] comme une démarche privilégiée pour tendre vers ce développement durable. Ainsi, le recours à des solutions globales[12] et intégrée est maintenant reconnu non seulement dans la gestion du littoral, mais également dans celle de la plupart des domaines de l'environnement énoncés dans l'Agenda 21[13]. Ce concept de développement durable du littoral est considéré comme un idéal vers lequel on tend[14]. Dans la poursuite de cet idéal, le système côtier, avec sa complexité naturelle, économique et sociale en perpétuelle évolution, suscite une grande capacité d'adaptation quant aux différents concepts qui y sont menées. Pour ce faire, il est important, dans le cadre de cette recherche, de définir précisément les différents concepts en présence (I) puis de justifier le choix de l'approche de gestion intégrée du littoral (II).

I – IDENTIFICATION DES NOTIONS

La recherche sur la gestion durable du littoral doit s'appuyer sur des notions claires, précises et des cadres d'actions bien déterminées.

11 « Dans le cadre de la gestion intégrée des ressources côtières, la “Gestion” s'entend par l'ensemble des activités entreprises par les pouvoirs publics (au niveau politique et administratif) pour guider et favoriser le fonctionnement du secteur économique et fournir des biens marchands. Ces activités des pouvoirs publics visent en outre à assurer que ces biens (notamment une certaine qualité de l'environnement) sont disponibles en qualité et en quantité suffisantes », OCDE, « Gestion des zones côtières – Politique intégrée », Les éditions de l'OCDE, Paris, 1993, p. 55.

12 En ce sens, le professeur S. DOUMBE-BILLE rappelle « la nécessité des solutions globales aux problèmes de dégradation écologique » véhiculé par le développement durable. Voir S. DOUMBE-BILLE, Droit international et développement durable, in « Les hommes et l'environnement , quels droits pour le XXI[è] siècle ? », Etudes en hommages à Alexandre KISS, textes réunis par M. PRIEUR et C. LAMBRECHTS, Frison-Roche, Paris, p. 256.

13 Pour une étude plus détaillée des aspects juridiques de l'Agenda 21, voir les recherches réalisées par le Centre de recherches interdisciplinaire en droit de l'environnement, de l'aménagement et de l'urbanisme (CRIDEAU-CNRS-URA 967) pour le Ministère de l'environnement, sous la Direction scientifique du Professeur Stéphane DOUMBE BILLE, « Les aspects juridiques de l'Agenda 21, la mise en œuvre juridique de la conférence de Rio », Décembre 1995, pp. 414.

14 Expression utilisée par Cyril DE KLEMM. dans « La Convention de Ramsar et la conservation des zones humides côtières, particulièrement en Méditerranée », R.J.E., 1990/4, p. 579. A cet égard, il énonce que « un aménagement en profondeur de la zone littorale s'inscrivant dans un plan d'ensemble prévoyant l'implantation des routes, le maintien de zones réservées à l'agriculture et à la sylviculture, la protection des zones naturelles sensibles et notamment de zones humides, dans le cadre d'un système de gestion intégrée semble encore le plus souvent représenter un idéal inaccessible. La nécessité d'une intégration beaucoup plus poussée de la gestion du littoral semble bien, cependant, maintenant universellement reconnue ». Cette expression a été également reprise par « le document d'orientation pour une politique nationale de développement durable des zones côtières à Madagascar », Yves HENOCQUE, S. RABELISOA et consorts, 200, p. 20.

Pour cela, il convient de clarifier les problèmes terminologiques qui risquent de brouiller la matière (A) puis ensuite, procéder la délimitation des axes de la recherche (B).

A – Détermination des termes de la recherche

Comme on l'a déjà énoncé précédemment, le document d'Agenda 21 qui accorde une place importante aux problèmes des espaces côtiers, notamment dans son chapitre 17 qui leur est consacré intégralement, préconise le concept de gestion intégrée pour parvenir au développement durable du littoral. Si la notion de gestion intégrée est un concept à la mode[15], elle se rapproche de la notion d'utilisation rationnelle[16] du territoire et se fonde sur les principes de durabilité et de la bonne pratique écologique et environnementale[17]. Ainsi, afin de mieux comprendre l'interdépendance entre ces différents concepts, il paraît opportun d'apporter des précisions sur la notion de littoral, de développement durable et de gestion intégrée appliquée au littoral.

1) De l'ambiguïté du mot littoral ou zones côtières

Il est d'emblée difficile d'essayer de donner une définition du mot littoral. En effet, cette expression ne connaît pas de définition précise et unique[18] et souvent les mot littoral et zones côtières sont confondus. Dans l'étude du sens étymologique, le mot littoral vient du latin latus,

15 Expression utilisée par le Doyen. Michel PRIEUR dans « La conservation des zones côtières en droit comparé », Colloque du Conseil de l'Europe sur la « Protection des espaces côtiers de la mer Adriatique », Colloque organisé dans le cadre de l'Année européenne de la conservation de la nature 1995, en collaboration avec le ministère de la santé et de l'Environnement de l'Albanie, Tirana, Albanie, 27-29 novembre 1994, Série « Rencontres environnement » n° 23, p. 144, Conseil de l'Europe, 1995.
Le terme gestion intégrée de l'environnement est également « un thème à la mode dans les organisations internationales », Du même auteur, « Plans municipaux et chartes pour l'environnement, Droit et ville, 1996, p. 95.

16 C'est la Troisième Session de la Conférence des Parties contractantes à la Covention sur les zones humides, qui s'est réunie à Regina, au Canada, du 27 mai au 5 juin 1987, qui a adopté la définition suivante de l'utilisation rationnelle des zones humides :
« L'utilisation rationnelle des zones humides consiste en leur utilisation durable au bénéfice de l'humanité, d'une manière qui soit compatible avec le maintien des propriétés naturelles de l'écosystème ».
L'utilisation durable y est définie comme « l'utilisation par l'homme d'une zone humide de manière que les générations présentes en tirent le maximum d'avantages durables, tout en maintenant sa capacité de satisfaire les besoins et les aspirations des générations futures », Manuel d'utilisation rationnelle des zones humide, Juin 2000.

17 Voir la Résolution du Conseil de l'Union européenne du 6 mai 1994 concernant la stratégie communautaire de gestion intégrée des zones côtières (JCOCE n° C. 135/2 du 18/5/94).

18 Jean-Marie Bécet, « L'aménagement du littoral », P.U.F., Col. Que sais-je ?, 1988, introduction.
DATAR, « Construire ensemble un développement équilibré du littoral », La documentation française, Paris, 2004, p. 13.

litoris qui signifie le « rivage » ou côte de la mer[19]. Cette thèse de l'assimilation du littoral au rivage est soutenue par les géographes et parfois même, côtes et rivages sont synonymes. Dans un sens plus large, le littoral est assimilé au rivage qui se définit comme le domaine terrestre directement soumis aux actions maritimes. Cette confusion des termes zone côtières et littoral entretient la difficulté de la définition de ce terme.

Par ailleurs, certains auteurs définissent les zones côtières comme une zone située près de l'intersection entre la lithosphère, l'hydrosphère et l'atmosphère[20]. En outre, côte et littoral sont représentés soit comme une ligne où se rencontre terre et mer, soit comme une portion de terre[21].

En Europe, la Charte européenne du littoral qui a donné la première définition du littoral[22] n'a pas fait de distinction entre zone côtière et littorale. Cette assimilation du terme littoral à la zone côtière est adoptée par de nombreux pays dans le monde[23]et est généralement considérée comme une définition large du littoral[24]. C'est dans ce sens que dans le cadre de cette étude, littoral et zones côtières sont considérés comme synonymes.

Une autre difficulté sur la pluralité de la définition du littoral réside dans le fait que chaque discipline scientifique a sa propre interprétation du littoral. Pour les géographes, le littoral est une ligne de rivage qui correspond à l'intersection de la lithosphère avec l'hydrosphère marine. Sa position connaît des modifications en liaison avec le va et vient de la marée et le déferlement des vagues[25]. Ainsi le géographe décrit le littoral comme une entité territoriale à l'interface entre terre et mer.

Pour les aménageurs, le littoral est une espace linéaire constituant les écosystèmes particulièrement sensibles aux pollutions et dégradations dues surtout aux diverses activités qui ont des besoins contradictoires[26].

---

19 L'Encyclopédie, tome 9ème, JU-MAN, édition de Neufchastel, 1765.

20 Maguelonne Dejeant Pons, « La Méditérannée en droit international de l'environnement », Economica, 1990, p. 318.

21 idem p. 325.

22 La « Charte Européenne du littoral » (CRPM, 1981) définit le littoral comme une « zone de contact entre l'espace maritime et l'espace terrestre ..., zones d'échanges entre les économies nationales et régionales..., support d'activités économiques et sociales originales..., p. 2.

23 Européan commission DGXID2 rapport final, legal and regulatory.

24 Gilberto D'AVILA RUFINO, « Droit et aménagement du littoral, étude de droit comparé », Thèse de doctorat en droit, Université de Limoges, 1994 p. 63.

25 Rolland PASKOFF ; Les littoraux, Impact des aménagements sur leur évolution, 2e édition 1994 collection géographie, Masson.

26 Norbert CALDERARO, « Droit du littoral », Le Moniteur,1993 ; Voir également, du même auteur, « Loi littoral et loi montagne, Guide de jurisprudence commentée », éd. EFE, 2005. Cet ouvrage est consacré au contentieux engendré par ces deux lois et constitue, en quelque sorte une mise à jour de l'édition de 1993.

Quant aux juristes, ils n'ont pas de définition unique universellement admise du littoral[27]. A ce titre, M. PRIEUR et M. GHEZALI énoncent que « Il n'existe pas de définition juridique des zones côtières. Le littoral-rivage de la mer cède la place à "l'espace-littoral" qui englobe une partie de la zone côtière terrestre. Le littoral, régi par un "droit de proximité de la mer" est un territoire qui vit en symbiose avec la "mer côtière" et les règles juridiques applicables empruntent aux caractéristiques des espaces terre-mer, associés dans l'espace côtier où sept milieux différents se rencontrent »[28].

D'une manière générale, les juristes se sont traditionnellement préoccupés des droits de la propriété foncière[29] qui résultent des interactions entre ces deux grands ensembles, terrestres et marins notamment le problème du recouvrement entre limites juridiques, domaine public/domaine privé, et limites administratives, régionale/locale[30].

A Madagascar, à l'heure actuelle, il n'y a pas encore de texte juridique spécifique au littoral sur lequel on peut se baser pour chercher la définition de ce concept. Pour une réflexion à cette définition, on peut se référer à la notion de domaine public énoncé par la nouvelle loi n° 2008-013 du 23 juillet 2008 sur le domaine public. En effet, cette loi définit ce concept comme « l'ensemble des biens immeubles qui, soit par leur nature, soit par suite de la destination qu'ils ont reçue de l'autorité, servent à l'usage, à la jouissance ou à la protection de tous et qui ne peuvent devenir, en demeurant ce qu'ils sont, propriété privée». Quant à sa consistance, cette loi distingue trois catégories de domaine public :

a) « Le domaine public naturel », qui représente le fondement du droit national des zones côtières et des tracés fluviaux.

---

27 En matière de littoral, il n'y a pas de définition juridique universellement admise chaque pays a sa propre définition de ce système. Voir JOHN GIBSON on behalf of MACALISTER and PARTNERS LTD" Legal and regulatory Bodies : Appropriateness to Integrated Cozstal Zone Management" October 1999. Voir également M. PRIEUR et M. GHEZALI, « Législations nationales relatives à l'aménagement et à la gestion des zones côtières en Méditerranée et propositions de lignes directrices », Plan d'action pour la Méditerranée- CAR/PAP, Split, 2000, p. 13, disponible sur : http// www.pap -thecoastcentre.org.

A titre d'exemple, la loi française n° 86-2 du 03/ 01/86, relative à « l'aménagement, la protection et la mise en valeur du littoral », ne donne aucune définition précise du littoral. Les dispositions de son article 1 énoncent seulement que « le littoral est une entité géographique qui appelle une politique spécifique d'aménagement... », J.O.R.F. du 04/01/1986, p. 200 et s.

28 M. PRIEUR et M. GHEZALI, op. cit. p. 15.

29 En ce sens, voir Michel PRIEUR, « La conservation des zones côtières en droit comparé », op. cit. p. 140 et s.

30 Voir Shine C. & Lefebvre C. – 2003 – « La conservation du littoral : éléments de stratégie politique et outils réglementaires », op. cit. p. 65 et s.

Du côté mer, celui-ci englobe la mer territoriale qui comprend l'ensemble des biens immeubles qui s'étend vers le large jusqu'à 12 milles marins à partir de la ligne de base, ainsi que les golfes, baies ou détroits enclavés dans les terres ; Le rivage de la mer jusqu'à la limite des plus hautes marées périodiques et régulière ; Une bande littorale d'une largeur de 25 mètres à partir de la limite ci-dessus ; Les étangs salés et les marais salants en communication directe et naturelle avec la mer, les chenaux et étiers, ainsi que les lagunes.
Du côté terre, il concerne tous les fleuves, rivières, cours d'eau, lacs et étangs sans exception ;

b) Le domaine public artificiel, qui fixe le statut de certains espaces crées par l'homme dont les ports et leurs dépendances ;

c) Le domaine public réglementaire[31].

En ce qui concerne le domaine public naturel, cette nouvelle loi a évolué par rapport à l'ancien code foncier de 1960[32] car elle a élargit la consistance du domaine public en y incluant la mer territoriale. Cette fixation de la limite du domaine public vers le large constitue un point fort dans la gestion durable du littoral car elle permet, en particulier, de protéger les eaux de mer contre la pollution[32']. En effet, comme la mer territoriale fait partie dorénavant du domaine public[33], celle-ci peut faire l'objet de protection contre les pollutions, ce qui permet d'éviter tout débat sur la recevabilité des actions en dommages et intérêts contre le pollueur[34].

---

31 Article 3 de la loi n° 2008-013 du 23 juillet 2008 sur le domaine public.

32 Les dispositions de l'article 2 de l'ordonnance n° 60 099 du 21 septembre 1960 réglementant le domaine public ont donné une définition restrictive du domaine public naturel. En effet, dans sa définition, il n'y avait pas eu une fixation de limite vers le large et les golfes, baies ou détroits et les rivages de la mer y étaient exclus.

32' Avant cette nouvelle loi sur le domaine public, c'est-à-dire dans l'ancien Code foncier de 1960, l'eau de mer ne faisait pas partie du domaine public. Cette situation à posé des problèmes, notamment quant à la prise de mesures sur la protection de la qualité de l'environnement et la réglementation de la ferme aquacole.

33 L'ambiguïté des anciens textes, sur le statut juridique de l'eau de mer peut s'expliquer par le fait que pour le droit maritime, l'eau de mer, tout comme l'air n'appartient à personne et que par conséquent son usage est commun à tous les hommes. Son statut de chose commune suppose qu'elle ne peut pas être incorporée à la propriété publique. Par ailleurs, la pensée doctrinale se partage quant à l'incorporation de l'eau de mer dans le domaine public maritime. En ce sens, R.J. Dupuy estime que tout espace insusceptible de propriété privée au regard de l'article 538 du Code civil, fait nécessairement partie du domaine public, voir R.J. Dupuy, « l'extension du domaine public maritime », Rev. Adm. 1966, P. 414.

34 Voir les propositions de MM. Morvan et Beurrier, « Quelques réflexions sur le concept de parc marin en droit français », R.J.E. n°4, 1980, p. 321.

Quant au fond de la mer territoriale, la nouvelle loi de 2008 reste encore floue sur son statut. Toutefois, c'est grâce à lui que la vie peut se développer, mais il est souvent menacé par la perméabilité des sédiments marins qui constituent souvent un piège pour les matières polluantes (hydrocarbures). En termes juridiques, sa limite correspondra à celle du domaine public. L'intégration du sol et du sous sol de la mer territoriale dans le domaine public naturel permettrait de faciliter le contrôle de l'Etat sur les eaux soumis à sa souveraineté.

Ainsi, pour l'approche juridique, la définition trop restreinte des espaces empêche la prise en compte des questions qui dépassent souvent le rivage proche. Par ailleurs, d'autre concept comme la séparation de la compétence administrative entre le milieu marin et le milieu terrestre risque de freiner l'approche de gestion intégrée[35].

Face à l'incertitude d'une définition juridique de la zone côtière, d'autres approches sont possibles pour la définir.

Dans une approche écologique, la zone côtière est définie en fonction des interactions écologiques entre la terre et la mer[36] ou la haute mer[37], appelée généralement « *trait de côte* », « *rivage »*, « *zone d'interface* »[38]. Dans ce cas, pour Madagascar, la zone côtière pourrait inclure tous les bassins versants, dont plus de 70 % du pays, et des grandes surfaces des mers côtières. Cependant, une telle définition est relativement difficile car cette zone varie en fonction des connaissances scientifiques des interactions. Or, l'insuffisance de connaissance de ce milieu constitue le principal enjeu de la gestion du littoral à Madagascar. Par ailleurs, cette représentation schématique du littoral est aujourd'hui contestée[39].

Dans l'approche gouvernance, la zone côtière pourrait être définie en fonction des limites de gouvernance des diverses autorités

---

35 DATAR, opt. cit. p. 14.

36 B. Bousquet., « Définition et identification du littoral contemporain », R.J.E. 4/90, pp. 451.

37 Cette possibilité de délimitation du littoral comme « interface entre la terre et la haute mer » est préconisée par la DATAR pour la préservation des ressources halieutiques. DATAR, opt. cit. P. 13.

Voir également Chris CHUNG, « La gestion intégrée des zones côtières : un cadre d'action », où il propose, parmi les responsabilités d'un organe de coordination de la gestion intégrée des zones côtières, « la prise en compte aussi bien de l'arrière pays que des eaux au large des côtes, qui peuvent parfois s'étendre aux eaux territoriales et à la haute mer. A cet égard, on peut citer les effets de l'exploitation des stocks de poisson sur la capacité de régénération des poissons du littoral, en particulier en ce qui concerne les espèces migratoires, ou les effets de la pollution pétrolière sur les ressources des zones côtières », Conseil de l'Europe, Actes du Colloque organisé dans le cadre de l'Année européenne de la conservation de la nature 1995, en collaboration avec le ministère de la santé et de l'environnement de Albanie, Tirana, Albanie, 27-29 octobre 1994, p. 129.

38 Yves. Prats « Vers une politique du littoral », AJDA 1978, pp. 601-606. De Lanversin J. « Pour un statut du littoral », AJDA 1878, pp. 597-598.

39 Claire ETIENNE, « La politique communautaire d'aménagement intégré des zones côtières », thèse de droit de l'Université de Rennes 1, 2000, p. 19.

compétentes pour chaque type de secteur d'activités. Cette approche a été adoptée dans la loi sur l'aménagement du littoral de la France[40]. Dans une approche spatiale basée sur l'interface terre mer, la détermination de l'espace littoral s'avère encore plus difficile. En effet, le problème qui se pose dans les délimitations spatiales[41] est celui de l'absence de définition claire sur la propriété des ressources des biens communs et du droit d'usage sur ces biens. La situation devient encore plus compliquée du fait que souvent, les limites juridiques sur la domanialité privé ou public du régime foncier ainsi que les limites administratives ne correspondent en général pas avec celles des écosystèmes côtiers. C'est ainsi qu'une définition fonctionnelle du littoral est proposée par le conseil de l'Europe qui énonce en ce sens que « le littoral doit être avant tout être considéré, non pas comme une « ligne de séparation » entre les milieux terrestres et marins, mais comme « le lieu géographique où se situe l'ensemble des activités humaines » s'exerçant en mer ou sur le trait côtier, « conditionnées ou influencées par la présence de la mer, et le monde marin comme une zone, « une réalité proche qui se prête à une gamme d'activités différenciées », effectuées à partir de la terre[42].

Ainsi, dans le cadre de cette définition fonctionnelle, les limites de la délimitation peut varier en fonction de la problématique posée. Il peut s'agir de considérer les objectifs qui poussent le pays à créer une politique de gestion, de la disponibilité des ressources, notamment humaines, financières et matérielles, et du degré de dégradation de l'environnement. A Madagascar, la définition de la zone côtière peut être assimilée à cette définition fonctionnelle qui donne à la zone côtière la dimension compatible avec le problème à traiter. En effet la dimension des côtes de Madagascar et sa diversité bioclimatique interdisent de généraliser des données d'une zone pour plusieurs raisons.
En premier lieu, le milieu marin malgache a très peu été exploré et la connaissance de la biodiversité marine est globalement limitée[43]. Par

---

40 Voir article 1er et 2 de la loi n° 86-2 du 3 janvier 1986 relative à l'aménagement, à la protection et à la mise en valeur du littoral, J.O du 4 janvier 1986; site : www.legifrance.gouv.fr.

41 Le littoral, constitue un espace physique dont la délimitation est loin d'être évidente, en ce sens voir notamment, J. de Lanversin, « Pour un statut du littoral «, A.J.D.A. 1978, p. 596 ; Y. Prats, « Vers une politique du littoral «, ibid., p. 601 ; H. Coulombie et J.-P. Redon, « Le droit du littoral «, Litec, 1992 ; N. Calderaro, « Droit du littoral «, éd. du Moniteur, 1993.

42 Rec (85) 18 Recommandation du Comité des ministres aux Etats membres – Conseil de l'Europe. « Politique d'Aménagement des Régions Maritimes » (23 /09 /85) « ...il ne faut plus concevoir la côte comme une composante de la terre dont l'intérêt humain est déterminé par la proximité de la mer, ni la mer comme un monde différent... mais comme une réalité qui se prête ...à une gamme d'utilisations beaucoup plus différenciées... », p. 2.

43 Rapport d'évaluation de la composante environnement marin et côtier du PEII du Plan d'Action Environnemental ; « Donnée de base Environnemental ». 1996.

ailleurs, des activités de la zone côtière qui peuvent présenter de potentiels économiques et scientifiques sont encore mal évaluées. Il en est ainsi de l'exploitation des substances marines à activité biologique, pouvant être utilisée en pharmacologie. Ces substances sont, à l'heure actuelle, largement sous exploitées, par manque de connaissances fondamentales alors que, la proportion de substances nouvelles ayant une activité biologique potentiellement intéressante serait au moins cent fois supérieure, dans le monde marin, à celle rencontrée chez les végétaux terrestres. En outre, l'exploitation des salines est relativement ancienne et n'ont encore fait l'objet que de peu d'études alors qu'elle présente de potentialités économiques importantes.

Ainsi, la délimitation aussi bien terrestre que maritime doit considérer ces implantations ainsi que les éventuels conflits d'intérêts entre les différents acteurs. Elle doit également faire état de la dégradation des ressources naturelles et de l'écosystème côtier.

Toutefois, elle ne doit pas être trop ambitieuse et doit tenir compte des disponibilités des ressources financières et humaines dont le pays dispose. Il en est ainsi de la surveillance des côtes qui nécessite des différents moyens pour faire respecter les lois.

2) Le concept de gestion intégrée du littoral

Pour gérer la complexité générée d'une part, par la diversité des espaces composant le système côtiers, la multiplicité des acteurs qui y sont impliqués et qui sont préoccupés par des objectifs à la fois communs et différenciés, et d'autre part, par les problèmes de ressources naturelles et de processus écologiques interdépendants et étroitement liés, le concept basé sur la gestion sectorielle des activités et des ressources n'est pas approprié à la gestion des espaces côtiers. C'est ainsi qu'une approche nouvelle de gestion intégrée des zones côtières a fait l'objet de recommandations par les différents instruments internationaux. Mais avant d'aborder ces différents textes qui prennent en compte directement ou indirectement la gestion des zones côtières, il importe tout d'abord d'analyser le concept de gestion intégrée de l'environnement en général.

a) La notion de gestion intégrée de l'environnement

Appliquée à la protection de l'environnement en général, la méthode intégrée « porte essentiellement non plus sur les domaines de l'environnement à défendre, ni sur les substances pouvant causer sa dégradation, mais sur les activités humaines : industrie, agriculture, transports, tourisme, production et utilisation de l'énergie »[44]. Selon le professeur Caudal-Sizaret, la protection intégrée consiste dans la poursuite simultanée de plusieurs objectifs. Elle implique en effet une démarche réfléchie, organisée reposant sur une conscience des exigences spécifiques de la conservation de la nature[45].

En effet, à la différence d'une approche sectorielle, la gestion intégrée de l'environnement, au lieu de protéger les différents secteurs eux-mêmes, vise « les substances détériorant l'environnement dans un ou plusieurs secteurs, en appliquant une méthode qui tenait compte non seulement des effets produits sur l'environnement, mais également de leur cause »[46]. Elle est fondée sur une démarche décloisonnée recherchant la convergence et les synergies entre les effets des substances ou des activités sur l'environnement, tout en s'intéressant aux processus qui affectent la dégradation de l'environnement[47]. Le terme d'intégration recouvre deux acceptions selon le professeur Caudal-Sizaret ; celle d'introduction[48] et celle de réalisation d'un tout. Cet auteur estime que, sur le plan national, l'intégration correspond à cette dernière définition. Ainsi, l'intérêt de la protection intégrée réside dans le fait qu'elle recherche la conciliation des objectifs de développement économique et de protection de l'environnement[49].

Au plan international, avant même la consécration par la conférence de Stockholm de 1972 sur l'environnement et la Déclaration de Rio de 1992 sur l'environnement et le développement, de l'approche intégrée comme condition de gestion durable de l'environnement, cette approche, a été initiée par la Convention africaine sur la conservation de la nature et des ressources naturelles. En ce sens, son principe fondamental, définit par les dispositions de son article 2, stipulent que « Les États contractants s'engagent à prendre les mesures

---

44 A. KISS, « De la protection intégrée de l'environnement à l'intégration du droit international de l'environnement, Chronique internationale 2001-2004 », RJE 3/ 2005.

45 Sylvie CAUDAL-SIZARET, « La protection intégrée de l'environnement en droit public français », Thèse de droit, Université de Lyon III, 1993, p. 53.

46 A. KISS. Cours 1 UNITAR, « Introduction au droit international de l'Environnement », p. 47.

47 La recommandation OCDEC (90) 164, a émis une Politique de base pour une approche intégrée et efficace : Développement durable ; réduction des déchets ; technologies plus propres ; principe de précaution ; information et participation du public ; application logique et efficace.

48 « On se trouve en présence aujourd'hui d'au moins deux définitions qui ne sont pas exactement semblables : l'une la plus courante, énonce qu'intégrer c'est faire entrer dans un ensemble, dans un groupe. Elle présente l'inconvénient, selon, nous, d'occulter un élément important : la formation d'un tout qui résulte de l'opération d'intégration. L'autre définition qui aura donc notre préférence, consiste à dire qu'intégrer, c'est réaliser un tout par l'addition ou la combinaison des parties séparées ou des éléments ». . Caudal-Sizaret, thèse précitée, p. 19.

49 Selon les professeurs A. KISS et J.P. BEURRIER, « La protection intégrée de l'environnement, prend en compte le développement et le contexte économique », A. KISS et J.P. BEURRIER, « Droit international de l'environnement », Pédone, Paris, 2000, p. 17.

nécessaires pour assurer la conservation, l'utilisation et le développement des sols, des eaux, de la flore et des ressources en faune, en se fondant sur des principes scientifiques et en prenant en considération les intérêts majeurs de la population[50] ». Ainsi, la convention couvre, tous les aspects de l'environnement, ses éléments, ses processus et les menaces qu'il subit[51], tout en énonçant les mesures nécessaires à son application, notamment l'harmonisation des droits coutumiers domestiques avec ses dispositions (art. XI) ; l'exigence de considérer la conservation et l'aménagement des ressources naturelles comme partie intégrante des plans de développement nationaux et de prendre pleinement en considération les facteurs écologiques dans l'élaboration de ces plans (art. XIV); l'organisation des services nationaux de conservation (art. XV) et la coopération interafricaine afin de donner plein effet à ses prescriptions (art. XVI)[52].

b) Gestion intégrée du Littoral : discipline de gestion de l'espace

Comme on l'a déjà énoncé précédemment sur le concept de gestion intégrée de l'environnement, en général, l'approche sectorielle ne permet pas d'apporter des réponses aux problèmes du littoral sur lequel différents problèmes se posent sur un même territoire le plus complexe. En effet, ce qui caractérise la région littorale par rapport aux autres espaces c'est que, ses ressources et les activités qui s'y exercent, mettent en relation des composantes marines et terrestres. Les étroites interrelations entre la bande littorale, l'arrière-pays et la mer appellent une approche particulière pour assurer la nécessaire complémentarité entre le développement des zones côtières et celui des autres parties du territoire des régions littorales[53]. Par ailleurs, ce milieu présente un mélange complexe d'activités humaines, de ressources naturelles et de processus écologiques interdépendants et étroitement liés. Ces différents problèmes ne peuvent être résolus que par une démarche multisectorielle, multidisciplinaire et intégrée. La

50 Convention africaine sur la conservation de la nature et des ressources naturelles, du 15 septembre 1968, ratifiée par Madagascar par la loi n° 70.004 du 15 juin 1970, JORM n° 1358 du 17 novembre 1970.
51 A. KISS, opt. cit. p. 48.
52 Pour une étude plus détaillée de la Convention voir Maurice KAMTO, « Les Conventions régionales sur la conservation de la nature et des ressources naturelles en Afrique et leur mise en œuvre, R.J.E. 1991/4, p. 417.
53 MAHFOUD GHEZALI, « Gestion intégrée des zones côtières : l'approche statutaire de la zone Côte d'Opale », avril 1997. p. 4.

méthode qui permet de recourir à cette approche globale est la gestion intégrée des zones côtières[54] qui mérite d'être élucidée.
Il existe plusieurs définitions de la gestion intégrée du littoral. On peut en citer quelques une, comme celle donnée par le PNUE sur les directives concernant la gestion intégrée des régions littorales, avec une référence particulière au bassin de la méditerranéen où « la gestion intégrée des régions littorales est définie comme un processus flexible de gestion des ressources en vue du développement durable de ces régions. Le développement durable exige que les ressources du littoral soient sauvegardées en quantité et en qualité, non seulement pour satisfaire aux besoins actuels mais également pour assurer une efficacité durable aux actions économiques et environnementales des générations futures[55]. Récemment, le Protocole sur la gestion intégrée des zones côtières de la méditerranée propose une autre définition selon laquelle, « la gestion intégrée des zones côtières est un processus dynamique de gestion et d'utilisation durable des zones côtières prenant en compte simultanément la fragilité des écosystèmes et des paysages côtiers, la diversité des activités et des usages, leurs interactions, la vocation maritime de certains d'entre eux, ainsi que leurs impacts à la fois sur la partie maritime et la partie terrestre »[56].
Une autre définition relativement complète de gestion intégrée des zones côtières est proposée par le Doyen Michel PRIEUR dans le modèle de loi sur la gestion durable des zones côtières selon lequel, la gestion intégrée des zones côtières est « l'aménagement et l'utilisation durable des zones côtières prenant en considération le développement économique et social lié à la présence de la mer, tout en sauvegardant, pour les générations présentes et futures, les équilibres biologiques et écologiques fragiles de la zone côtière et les paysages[57] ». Par ailleurs, « la mise en place d'une gestion intégrée des zones côtières exige la création d'instruments institutionnels et

---

54 Sur les problèmes de la confusion entre les termes « zone côtière » et « littoral », le Doyen Michel PRIEUR explique, dans le cadre de l'étude de faisabilité pour un instrument juridique régional de gestion intégrée des zones côtières en Méditerranée, que la différence n'est que mineure et trouve probablement son explication dans des nuances de traduction entre l'anglais et le français, et que l'utilisation du « coastal » est uniforme en anglais. Centre d'activités régionales pour le Programme d'Actions Prioritaire, « Etude de faisabilité pour un instrument juridique régional de gestion intégrée des zones côtières en Méditerranée », Plan d'action pour la Méditerranée – CAR/PAP, Split, 2003. p. 7 ; disponible sur www.pap-thecoastcentre.org.
55 PNUE, opt. cit. p. Vii.
56 PNUE, sous la direction de Michel PRIEUR, « Projet de protocole sur la gestion intégrée des zones côtières de la méditerranée », op. cit.
57 Michel PRIEUR « Un nouveau Protocole sur la Gestion Intégrée des Zones Côtières : Protocole de Madrid du 21 janvier 2008 in Vertig – La revue électronique en science de l'environnement, Hors série 5 – mai 2009 – Disponible sur le site : http://Vertigo.revues.org/index 8426 html

normatifs assurant une participation des acteurs et la coordination des objectifs, des politiques et des actions, à la fois sur le plan territorial et décisionnel et impose de traiter les problèmes non pas au coup par coup mais de façon globale et en tenant compte de l'interaction entre tous les éléments qui composent l'environnement »[58]. Ce qui est intéressante dans cette dernière définition, c'est que la gestion intégrée des zones côtières y est décrite comme un processus selon lequel, il importe de tenir compte à la fois, de l'interdépendance entre des contraintes des conditions physiques, sociales et économiques, avec les contraintes imposées par les institutions et systèmes légaux, financiers et administratifs.
Ainsi, même s'il existe plusieurs définitions de la gestion intégrée du littoral, ces définitions diffèrent peu les unes des autres parce qu'elles reposent toutes sur les mêmes principes. La compréhension d'une alliance nécessaire entre les ressources côtières, leur utilisation et l'impact du développement à la fois sur la société, l'économie et l'environnement.

Une fois l'identification des concepts ayant un rapport direct et indirect avec le concept de gestion intégrée appliquée au littoral abordée, il importe maintenant de délimiter les différents axes de la recherche.

B – Délimitations des axes de la recherche

Parce que la gestion intégrée des zones côtières est une démarche basée sur toutes les interactions entre les différentes activités et demandes de ressources au sein de la zone côtière, et entre les activités de cette zone et d'autres régions[59] et dont l'objectif consiste à gérer les conflits et les synergies entre les acteurs à tous les niveaux, il postule la pluridisciplinarité des approches. A cet égard, il convient d'analyser les différentes formes d'intégrations juridiques qu'elle préconise et ensuite, étudier les différents principes qu'elle met en avant.

C – Les différentes formes d'intégration juridique de la gestion intégrée des zones côtières

Comme on l'a déjà exposé précédemment, l'approche sectorielle n'est pas appropriée à la gestion du littoral, du fait de la multiplicité des problèmes générés par le nombre d'acteurs intervenants sur ce milieu

58 Conseil de l'Europe, « Modèle de loi sur la gestion durable des zones côtières », Sauvegarde de la nature, n° 101, Editions du Conseil de l'Europe, Strasbourg, 1999, p. 13.
59 OCDE, « Gestion des zones côtières – Politique intégrée », op. cit. p. 17.

composé à la fois d'éléments naturels et artificiels, marins et terrestres[60]. Sur le plan juridique, le droit applicable à l'espace littoral[61] est relativement nombreux, c'est un « grand consommateur de droit[62] ». Selon le professeur CAILOSSE, le littoral « sollicite en même temps plusieurs disciplines juridiques. Celle, traditionnelle, de la domanialité publique (...) ; celle plus moderne de l'urbanisme et de la construction ; celle plus récente encore de l'environnement[63] ». Ainsi, le choix du mécanisme de gestion intégrée du littoral qui constitue une technique d'administration et de gestion du territoire[64], et dont l'objectif est de régler les conflits d'usage du sol et de la mer, de concilier au mieux urbanisation, activités économiques et préservation de l'environnement[65], constitue un défi pour le droit[66].

Ainsi, « les dispositions législatives et réglementaires applicables au littoral appartiennent à de nombreuses branches du droit : droit de l'urbanisme, droit rural, droit de la santé publique, de la pêche, de la forêt, du domaine public maritime, de la protection de la nature, des pollutions et des déchets, il est particulièrement délicat d'harmoniser ou même de fusionner ces instruments juridiques en les adaptant à la situation du littoral »[67].

Par ailleurs, généralement, le droit est de nature sectorielle, notamment, dans l'organisation de la répartition de compétence entre les différents acteurs intervenants sur un même territoire. Il organise

60 Jacques CAILLOSSE, « Qui a peur du littoral ? », R.J.E. 1993/4, p. 514.

61 En ce sens, l'appellation est différente selon les auteurs. Pour H. COULOMBIE et J.-P. REDON, « Le droit littoral », Litec, 1992, pour N. CALDERARO, « Droit du littoral », Ed. du Moniteur, 1993, ou « statut du littoral », pour J. DE LANVERSIN, « pour un statut du littoral », AJDA, 1978, p. 596.

62 Selon les professeurs M. PRIEUR et M. GHEZALI, « L'espace côtier dont le territoire est constitué des communes littorales est en effet *saturé de droit*, en raison même de la nature de l'espace mi-terrestre, mi-aquatique et de sa propension à consommer une profusion de règles juridiques issues de la domanialité publique, de l'urbanisme, de la construction, de l'environnement, du foncier... Bien plus encore en fonction des multiples usages sociaux, le littoral rend compte d'un précoce appétit de régulation juridique, nécessitant une production intarissable de textes de toutes sortes et faisant face en permanence à des conflits d'usages et d'intérêts ». M. PRIEUR et M. GHEZALI, opt. cit. p. 5. Voir également Jacques CAILLOSSE, op. cit. p. 515.

63 Idem. Jacques CAILLOSSE.

64 A. MIOSSEC, « La gestion intégrée des espaces littoraux, interfaces entre milieux continentaux et milieux marins, place donnée à la question de l'eau ». Acte du séminaire de recherche Eau et territoire du 14 octobre 2004 E.N.G.E.F. Paris.

65 Ministère de l'Aménagement du Territoire et de l'Environnement et Ministère de l'Agriculture et de la pêche, « Schéma de services collectifs des espaces naturels et ruraux », DATAR, 2002, p.1155 ; disponible sur : www.datar.gouv.fr.

66 Voir CAUDAL-SIZARET, « La protection intégrée de l'environnement en droit public français », op. cit. p. 414.

67 DEJEANT-PONS, Maguelonne, « L'insertion de la loi littoral du 3 janvier 1986 dans le droit international de l'environnement relatif aux espaces côtiers », La loi littoral, Société Française pour le Droit de l'Environnement, Actes du Colloque de Montpellier, Ed. Economica, 1986, 388 pages, p. 83, pp. 56-90.

de façon verticale la répartition des compétences entre les différentes autorités à chaque niveau. Ce qui n'est pas le cas dans le mécanisme de gestion intégrée du littoral, celui-ci organise les institutions, les compétences, et l'exercice du pouvoir non seulement de façon verticale, mais également horizontale[68] afin d'harmoniser et de régler un ensemble de problèmes qui ne se situent ni dans le même champ thématique ni dans le même espace.

Tous ces propos confirment que la gestion intégrée du littoral nécessite non seulement une intégration entre les différentes branches du droit, mais aussi une « coordination institutionnelle »[69], afin d'assurer un terrain d'entente entre les pouvoirs, entre les administrations de même niveau, et également entre les autorités de hiérarchie différentes.

Ce mécanisme d'intégration peut prendre différentes formes, on peut en citer quelques aspects : « **Intégration géographique :** Tous les systèmes côtiers sont connectés et il n'y a pas une seule organisation qui puisse contrôler l'ensemble ou la majorité des intrants et sortants d'un côté de la côte à un autre. C'est pourquoi l'attention doit être accordée aux interdépendances entre les milieux terrestres et marins qui peuvent concerner des distances plus ou moins grandes (en fonction du problème). **Intégration dans le temps :** Le littoral est affecté de manière significative par l'impact cumulé de nombreuses décisions individuelles et actions prises par les utilisateurs des ressources et les autorités. C'est pourquoi, l'attention doit être accordée aux conséquences de ces décisions et actions et à leurs implications à court, moyen et long termes. **Intégration à travers les secteurs :** Une vaste gamme d'activités humaines est implantée sur

---

68 Selon le Doyen Michel PRIEUR, « La coordination horizontale doit se faire à plusieurs niveaux de façon horizontale : entre les départements ministériels intéressés et entre les administrations de terrain qui se partagent les compétences maritimes et les compétences terrestres. Il ne s'agit pas nécessairement de fusionner des services, mais surtout de les décloisonner et d'organiser de façon permanente une coordination appropriée afin d'aboutir à une intégration territoriale en ce qui concerne la séparation terre-mer (...). La coordination verticale entre les autorités nationales en charge des zones côtières et les diverses autorités régionales ou locales concernées (...) doit concerner non seulement les phases de planification des activités et des territoires, mais également la phase de délivrance des autorisations d'activités ». PNUE, « Projet de Protocole sur la gestion intégrée des zones côtières de la Méditerranée », op. cit. p. 8-9.

69 « Les institutions d'intégration fonctionnent sur le fondement de la concertation et de la collégialité des organes. La collégialité signifie que chaque représentant d'une commune ou d'un groupement pré-constitué de communes (district, syndicats, communautés de communes...) doit faire prévaloir les objectifs communs et non pas les siens propres. Il doit inscrire l'ambition de sa commune ou de son groupement dans l'ambition collective. Mais ces institutions ne sont pas constituées comme des structures supra-communales imposant leurs décisions (...). L'intégration joue d'avantage au service de la cohérence et de la rationalité des projets et des objectifs, qu'à celui d'une architecture purement administrative (...). La règle du consensus est l'une des expressions de l'intégration institutionnelle avec la règle de coordination ». M. PRIEUR et M. GHEZALI, op. cit. p. 20-21.

la côte, y compris l'agriculture, le commerce, la pêche, la foresterie, l'industrie, l'usage militaire, l'exploitation minière, les réserves naturelles, le développement pour les besoins des loisirs et du logement, l'utilisation des ressources de subsistance, les infrastructures touristiques et de transport. L'attention doit donc être accordée à « intégration horizontale » des secteurs traditionnellement considérés séparément, ainsi que des agences gouvernementales en charge et qui exercent une influence sur la planification et la gestion des systèmes et ressources côtiers. **Intégration politique et institutionnelle :** Le fait que les limites des écosystèmes côtiers dépassent les limites dans lesquelles interviennent les différentes autorités locale, provinciale et, très souvent, nationale, pose un véritable défi. C'est pourquoi, on doit également porter l'attention sur l'intégration verticale entre les différentes sphères gouvernementales, du local à l'international, et sur l'intégration entre les institutions, la société civile et le secteur privé, qui influent sur la planification et la gestion des ressources et écosystèmes côtiers. De manière idéale, les cadres législatifs et de planification ainsi que les procédures d'assistance au développement devraient être intégrés… »[70].
Ainsi, même s'il existe une grande variété d'intégration, seules certaines formes seront étudiées dans le cadre de cette étude : intégration interne, intégration externe, intégration territoriale et intégration institutionnelle.

1) Mécanisme d'intégration interne

Sur le plan juridique, l'objectif de ce type d'intégration consiste à cerner, dans une vue d'ensemble, les différents problèmes d'environnement qui sont, d'une manière générale, traités indépendamment les uns par rapport aux autres par le droit. On peut citer comme exemple, le problème de l'eau traitée indépendamment du problème de déchet, il en est de même de la gestion des forêts de mangroves, étudiée séparément des problèmes des ressources halieutiques marines… En effet, ce principe d'intégration interne permet de décloisonner les différentes branches du droit, de tempérer les aspects négatifs de la dispersion des actions juridiques, et la parcellisation du droit pour tendre vers un « corps de règles et d'institutions véritablement autonome »[71]. En outre, elle résoudrait de

70 Source DEAT, 1998, citée par PNUE/PAM/PAP: Livre blanc : Gestion des zones côtières en Méditerranée. Split, Programme d'actions prioritaires, 2001.
71 Selon G. VEDEL, « Un droit ne constitue une discipline autonome, avec un corps de règles qui lui est propre que lorsqu'il a franchi deux stades d'évolution préalables qui sont successivement : le stade du droit spécialisé délimité par un objet et une matière déterminés (par

multiples problèmes « transversaux » en faisant éclater les vieilles branches du droit qui n'ont pour objet que de protéger certains milieux – mer, fleuves, air…, ou certaines ressources – espèces sauvages, faune, flore –[72]. Elle se traduit par un effort de cohérence, de coordination, et de garantie pour les liens entre ces différentes matières de droit. En ce sens, pour résoudre des problèmes relatifs à la gestion de la pêche, par exemple, l'intégration interne permettrait de prendre en considération l'ensemble des interactions qui se manifestent entre les différents secteurs de droits se rapportant à la gestion de cette ressource[73]. Appliqué aux territoires littoraux, qui sont caractérisés par la complexité des rapports y existant, ce mécanisme d'intégration interne semble *a priori* être difficile à mettre en œuvre. En effet, il constitue en quelque sorte un défi dans la mesure où il semblerait difficile pour des multitudes d'intérêts divergents, et en conflit permanents, de s'assembler et de s'organiser suivant un plan cohérent et en vue d'objectifs définis de façon globale. Le problème consiste à intégrer les règles de droit dans une dynamique *a priori* non adaptée avec « le caractère figé d'institutions juridiques prisonnières de principes rigides et immuables »[74]. C'est ainsi que, pour correspondre à la nature spécifique du littoral, le droit devra s'accommoder de régler un ensemble de problèmes dont souvent, les solutions dépendent des règles comportant des mesures protégeant des éléments de l'environnement qui ne relèvent pas véritablement du droit de l'environnement[75].

---

exemple le droit de la fonction publique ou le droit des loyers) ; le stade du droit carrefour de différentes branches d'une discipline mère (par exemple le droit des affaires qui puise ses règles dans le droit civil, le droit commercial, le droit fiscal, le droit international privé…) ; mais il arrive que l'émergence d'un espace juridique prépare autre chose que l'un de ces droits spécialisés ou l'un des droits carrefour. Il s'agit alors d'un corps de règles et d'institutions véritablement autonome, non certes coupé de la théorie générale et de la sociologie du droit, mais opérant avec ses concepts propres, ses méthodes spécifiques de raisonnement, sa jurisprudence originale ». Cité par C. LEPAGE et C. HUGLO, « Comment défendre la nature ? », Esprit, Mai 1995, p. 72.

72 Voir à ce sujet, A. Ch. KISS, « L'état du droit de l'environnement en 1981 : Problèmes et solutions », J.D.I.P., N° 3, 1981, p. 499, pp. 524, 525.

73 Cet exemple est illustré, en droit comparé, dès le Symposium sur l'aménagement des ressources vivantes de la zone littorale en Méditerranée, organisé les 18, 19, et 20 septembre 1980 à Palma de Majorque dans le cadre de la quinzième session du C.G.P.M., et qui a, en particulier, reconnu que la solution des problèmes de la pêche passait inévitablement par « une approche intégrée » prenant en compte l'ensemble des interactions qui se manifestent dans la zone littorale. Rapport de la quinzième session du C.G.P.M., Rome, F.A.O., C.G.P.M., 1980, pp 7, 45, 46.

74 Gilberto d'Avila Rufino, « Droit et aménagement du littoral étude de droit comparé », opt. cit. p. 28.

75 Voir à ce sujet les propos du Doyen PRIEUR qui énoncent que « On arrive à protéger de façon satisfaisante les zones humides avec des règles qui ne sont pas faites pour le littoral : pour protéger les établissements de pêche au niveau environnement marin, on utilise des règles qui ne sont pas faites pour cela ; on protège l'environnement avec le Code de l'urbanisme qui n'est pas fait précisément pour l'environnement marin ; pour se défendre contre la pollution tellurique,

Sur le plan international, le professeur A. KISS a fait remarquer que, la partie XII de la Convention des Nations unies sur le droit de la mer constitue un exemple remarquable dans la méthode d'intégration de la gestion de l'environnement. Cette partie est consacrée au « milieu marin », c'est-à-dire qu'elle vise non seulement la mer proprement dite, mais aussi les estuaires et les zones côtières. En même temps, la Convention comprend des règles concernant toutes les formes de pollution et déclare que les Etats ont le devoir de ne pas déplacer, directement ou indirectement, le préjudice ou les risques d'une zone dans une autre et de ne pas remplacer un type de pollution par un autre[76]. Il est bien évident que cette disposition vise la pollution d'autres secteurs de l'environnement, tels que l'atmosphère ou le sols. Par ailleurs, plusieurs règles insérées dans différentes parties de la Convention cherchent à protéger les ressources biologiques de la mer[77].

En matière de droit comparé, la loi française du 3 janvier 1986 dite couramment « loi littoral » constitue une illustration de ce propos puisque son contenu, outre des dispositions non codifiées, est éparpillé dans toute une série de codes : de l'urbanisme, du domaine de l'Etat, de la santé publique ou encore aujourd'hui dans le Code général des collectivités territoriales[78].

En droit malgache, il n'existe pas encore, à l'heure actuelle, de texte spécifique au littoral, toutefois, la loi n° 96-025 du 30 septembre 1996 sur la gestion locale des ressources naturelles renouvelables peut offrir une illustration probante à ce phénomène d'intégration interne. En effet, cette loi s'inscrit dans la reconnaissance du droit de la population locale dans la décentralisation de gestion des ressources naturelles renouvelables. Tout d'abord, compte tenu de l'importance relative que joue le droit coutumier dans le droit positif malgache[79], le

---

on utilise la loi sur les installations classées qui n'est pas faite non plus spécialement pour l'environnement marin. Par conséquent, cet arsenal général de droit commun semblerait finalement s'être adapté aux nécessités de la protection de l'environnement marin. Michel PRIEUR, « Droit de l'environnement marin, Développements récents », Actes du colloque de Brest, 26, 27 novembre 1987. Rapport de synthèse. Le cadre national : le droit interne. Société Française pour le droit de l'environnement, Ed. Economica. Paris 1988, 402 pages, pp. 383-384.

76 Article 195 de la Convention des Nations unies sur le droit de la mer.

77 A. KISS, « Evolution et principales tendances du droit international de l'environnement », op. cit. p. 48.

78 Michel PAILLET, « Le contentieux administratif de la responsabilité et la loi littoral », RJE, 1997/S, p. 101

79 Le professeur Annie RHOUETTE, au cours du Colloque du Droit malgache, le 20 octobre 1964, a énoncé que « Il est utile d'établir et de préciser le rôle que les coutumes jouent dans le Droit de Madagascar. Les coutumes, en effet, participent dans une large mesure à la formation de ce Droit traditionnel que le gouvernement de ce pays entend utiliser pour l'édification des règles juridiques uniformes et précises, applicables à l'ensemble des citoyens malgaches ». Annie RHOUETTE, « Le rôle des coutumes dans le droit des personnes », Annales malgaches Droit II, 1964, p. 31.

législateur a en quelque sorte permit, à travers cette loi, l'intégration entre le droit moderne et le droit coutumier pour permettre la gestion durable des ressources. Ainsi, il a tenu compte « du milieu social auquel cette loi est destinée »[80] en donnant un statut juridique à la communauté rurale de base et en reconnaissant les capacités d'arbitrages des autorités locales par le recours au « *Dina* », institution coutumière, dans l'organisation des rapports internes au sein des communautés rurales bénéficiaires du transfert de gestion locale.

Par ailleurs, cette loi affiche d'emblée son caractère transversal, puisque d'une part, elle s'applique aux « ressources naturelles renouvelables » définies comme « les forêts, la faune et la flore sauvage aquatiques et terrestres, l'eau et les territoires de parcours, relevant du domaine de l'Etat ou des collectivités territoriales[81] », donc applicable au littoral. D'autre part, elle est basée sur un ensemble de texte qui touche de loin ou de près la protection de l'environnement[82] tels que : les lois domaniales, la législation liée à la décentralisation et à l'organisation territoriale de l'Etat, dont notamment la politique de la décentralisation et la réglementation des collectivités territoriales décentralisées. Dans le cadre de la gestion intégrée de l'environnement, la notion de protection ne doit plus se limiter aux

80 Afin d'avoir la certitude de l'adhésion populaire et la garantie de son application, un texte juridique doit être conforme avec les coutumes en vigueur. Voir en ce sens, A. RAMANGASOAVINA, ministre de la justice de Madagascar : «Du Droit coutumier aux codes modernes malgaches », où il est précisé que « la codification est conçue comme une rénovation, comme une adaptation des lois et coutumes malgaches aux impératifs moderne. Le Code civil n'opérera pas une révolution car il n'introduira pas dans le droit de Madagascar des dispositions empruntées à des législations étrangères et inadaptées à la mentalité juridique de la législation de ce pays ». Rec. Penant, n° 692, 1962, P. 327-347, p. 345. Voir également René DAVID, « Précis des grands systèmes de Droit contemporain », où à ce sujet, il s'exprimait ainsi : « Le reproche le plus grave qui peut être adressé au système colonial n'est pas d'avoir atteinte au droit coutumier ; c'est bien plutôt d'avoir eu, à l'égard du droit traditionnel une attitude négative. On a introduit en Afrique et à Madagascar une civilisation entièrement nouvelle. On s'est comporte à l'égard du droit coutumier, comme s'il ne devait pas être affecté de ce fait.
Il était légitime de condamner certains abus qui trop souvent avaient été admis dans le système traditionnel. Si l'on voulait sauver le système traditionnel, il ne suffisait pas de proclamer un principe de respect des coutumes (dites « indigènes »). Cette affirmation était illusoire si l'on ne mettait pas le Droit coutumier en état de survivre. A cet effet, une œuvre positive s'imposait : il fallait clarifier, réformer, systématiser les coutumes, donner au Droit coutumier le moyen de s'affirmer à côté du droit européen. On s'en est peu soucié… Au lieu d'adapter le droit coutumier au circonstances nouvelles comme il aurait été nécessaire, l'administration coloniale a travaillé, sans bien s'en rendre compte, de manière à le figer et le scléroser », Dalloz, 1964.

81 Article 2 de la loi n° 96-025.

82 Sur la définition de la protection de l'environnement, le professeur A. KISS énonce que « la "protection" peut être entendue non seulement comme l'abstention de tout acte pouvant porter préjudice à l'environnement, mais aussi comme l'action comportant l'adoption de mesures cherchant à empêcher la détérioration de l'environnement. Le contenu du concept de protection ne cesse de s'élargir, comportant désormais la planification, et la gestion écologiques intégrées, comprenant réglementation, procédures et institutions nationales ». A. KISS, Cours UNITAR, op. cit. p. 19.

séries de prohibitions et de contraintes qui constituent un frein au développement. Cette notion ne doit pas être entendu dans un sens restrictif mais dans un sens très large qui permet d'englober non seulement la lutte contre la dégradation, mais également « la préservation, l'entretien, l'utilisation durable, la restauration et l'amélioration du milieu naturel »[83]. Protéger, « ce n'est pas en effet seulement préserver de la destruction », mais c'est aussi « assurer l'utilisation la plus rationnelle des ressources naturelles, voire améliorer la qualité des éléments naturels[84] ». La Déclaration de Rio sur l'environnement et le développement souligne à cet égard que « pour parvenir à un développement durable, la protection de l'environnement doit faire partie intégrante du processus de développement et ne peut être considérée isolément[85] ».

Outre l'intégration entre les différentes normes juridiques, la gestion intégrée des zones côtières nécessite une intégration entre les différents éléments contribuant au processus de développement de ce milieu.

---

83 Dans le cadre de la Convention pour la protection de la mer Méditerranée contre la pollution, les dispositions de l'article 4 de cette Convention stipulent, que « Aux fins de protéger l'environnement et de contribuer au développement durable de la zone de la mer Méditerranée, les Parties contractantes :

a) appliquent, en fonction de leurs capacités, le principe de précaution en vertu duquel, lorsqu'il existe des menaces de dommages graves ou irréversibles, l'absence de certitude scientifique absolue ne devrait pas servir d'argument pour remettre à plus tard l'adoption de mesures efficaces par rapport aux coûts visant à prévenir la dégradation de l'environnement ;

b) appliquent le principe pollueur-payeur en vertu duquel les coûts des mesures visant à prévenir, combattre et réduire la pollution doivent être supportés par le pollueur, en tenant dûment compte de l'intérêt général ;

c) entreprennent des études d'impact sur l'environnement concernant les projets d'activités susceptibles d'avoir des conséquences défavorables graves sur le milieu marin et qui sont soumises à autorisation des autorités nationales compétentes ;

d) encouragent la coopération entre les États en matière de procédure d'études d'impact sur l'environnement concernant les activités relevant de leur juridiction ou soumises à leur contrôle qui sont susceptibles de porter gravement préjudice au milieu marin d'autres États ou zones au-delà des limites de la juridiction nationale, par le biais de notifications, d'échanges d'informations et de consultations ;

e) s'engagent à promouvoir la gestion intégrée du littoral en tenant compte de la protection des zones d'intérêt écologique et paysager et de l'utilisation rationnelle des ressources naturelles ».

84 Jean LAMARQUE, « Droit de la protection de la nature et de l'environnement », L.G.D.J., 1973, p. XIV.

85 Principe 4 de la Conférence des Nations Unies pour l'Environnement et le Développement, « Action 21 » – Déclaration de Rio sur l'environnement et le développement », ONU, disponible sur www.un.org/french/events/rio92.

2) Mécanisme d'intégration externe

Cette forme d'intégration recherche la conciliation, l'équilibre entre l'environnement et le développement[86]. Elle a pour objet de rattacher l'environnement dans les autres domaines politiques, économiques, sociaux et culturels[87]. Elle se reflète à travers le quatrième principe de la Déclaration adoptée en 1992 lors de la Conférence de Rio sur l'environnement et le développement, cité précédemment dans le cadre du concept de protection. C'est un synonyme du développement durable[88].

C'est la conférence de Stockholm de juin 1972 et la déclaration y afférente qui ont été l'origine d'une réflexion sur la notion de développement durable. Dans le cadre de ses principes, il est énoncé qu'« afin de rationaliser la gestion des ressources et ainsi d'améliorer l'environnement, les Etats devraient adopter une conception intégrée et coordonnée de leur planification du développement, de façon que leur développement soit compatible avec la nécessité de protéger et d'améliorer l'environnement dans l'intérêt de leur population », « qu'une planification rationnelle est un instrument essentiel si l'on veut concilier les impératifs du développement et la nécessité de préserver et d'améliorer l'environnement » et qu'en planifiant les

86 Voir à ce sujet l'intervention du professeur A.-Ch..KISS. lors du Colloque de l'Académie de La Haye de 1973 sur « la protection de l'environnement et le droit international », selon lui, « la protection de l'environnement est une attitude générale qui se retrouve, qui doit se retrouver comme une toile de fond (...). Il s'agit (...) d'une sorte de philosophie. Elle doit apparaître aussi bien lorsqu'il s'agit d'urbanisation que d'aménagement du territoire, de politique d'industrialisation, de politique agricole, de décentralisation, etc. (...). On pourrait parler d'une intégration générale de la protection de l'environnement dans la politique générale de l'Etat ». Par ailleurs, il précise qu'il sera dans les relations internationales « de plus en plus difficile de faire une distinction entre le développement en général ou la coopération économique en général d'une part et la protection de l'environnement de l'autre », Sijthoff, Leiden, 1975, p. 461 et pp. 619-620.

87 Voir H. Coccossis et Y. Henocque, « Le livre blanc, gestion des zones côtières en Méditerranée », où il est énoncé « qu'une stratégie de durabilité ne peut être mise en oeuvre sans tenir compte de la diversité du développement dans le sens économique, social et culturel du terme », PNUE/PAM/PAP : « Livre blanc : Gestion des zones côtières en Méditerranée ». Split, Programme d'actions prioritaires, 2001. Disponible sur www.pap-thecoastcentre.org.

88 Sur le plan juridique, la Convention sur la coopération pour la protection et le développement durable de l'environnement marin et côtier du Pacifique du Nord-Est adoptée à Antigua le 1 février 2002, propose dans son article 3 consacré aux définitions celle du développement durable. Ainsi, « Le développement durable signifie le processus de changement progressif de la qualité de la vie des êtres humains, qui les place en tant que sujets premiers au centre du développement, grâce à la croissance économique combinée avec la justice sociale et la transformation des méthodes de production et de consommation, et qui est soutenu par l'équilibre écologique et vital de la région. Ce processus implique le respect pour la diversité ethnique et culturelle aux niveau régional, national et local ainsi que la participation pleine et entière du peuple, jouissant d'une coexistence pacifique et en harmonie avec la nature, sans préjudice de la qualité de la vie des futures générations et leur assurant cette qualité ». Cité par A. KISS, « De la protection intégrée à l'intégration du droit international », op. cit. p. 265.

établissements humains et l'urbanisation, il faut veiller à éviter les atteintes à l'environnement et à obtenir un maximum d'avantages sociaux, économiques et écologiques pour tous »[89]. La Stratégie mondiale de la conservation de la nature de 1980 définit le développement comme « la modification de la biosphère et l'emploi des ressources humaines, financières, vivantes et non vivantes, pour satisfaire aux besoins des hommes et améliorer la qualité de leur vie », et précise que « pour assurer la pérennité du développement, il faut tenir compte des facteurs sociaux et écologiques, ainsi que des facteurs économiques, de la base des ressources vivantes et non vivantes, des avantages et désavantages à long terme et à court terme des autres solutions envisageables »[90].

Le concept de développement durable est apparu lors du rapport de la Commission mondiale sur l'environnement et le développement, appelé communément « Rapport Brundtland », en 1987[91]. Ce rapport réconcilie les termes de « développement » et d'« environnement », longtemps reconnus comme contradictoires. Il décrit le développement durable comme un développement susceptible de « répondre aux besoins du présent sans compromettre la possibilité pour les générations à venir de satisfaire les leurs ». Malgré l'existence de plusieurs définitions qui se dégagent au sein de ce concept, on peut retenir que l'ensemble de ces définitions tourne autour de deux grands principes de gestion. Il s'agit du principe de gestion rationnelle et du principe de gestion intégrée[92]. La Déclaration de Johannesburg adoptée par le Sommet mondial sur le développement durable de 2002, a confirmé ce concept d'intégration en insistant sur le fait que le développement durable repose sur trois piliers interdépendants et complémentaires : le développement économique, le développement social et la protection de l'environnement.

En droit malgache, il convient de noter que le Concept de développement durable a été reconnu par la Constitution de la

---

89 Nations Unies, « Rapport de la Conférence des Nations Unies sur l'environnement », Stockholm, 5-16 juin 1972, A/ CONF, Doc. NU A/CONF, 48/Rev. 1. 1972, Chapitre II, Principe 13, 14, 15.

90 Section 1 § 3.

91 Cette commission s'était réunie à partir de 1983 sous l'égide des Nations Unies, et sous la présidence de l'ancien Premier Ministre Norvégien, Gro Harlem BRUNDTLAND. Le rapport a donné lieu à publication : Commission mondiale sur l'environnement et le développement, « Notre avenir à tous (Rapport Brundtland) », Trad. française, Editions du Fleure, Montréal, 1988.

92 Pour une analyse critique et relativement complète de ces deux principes, voir « Contexte économique Agenda 21, publication du CRIDEAU.

93 Loi constitutionnelle de la République de Madagascar de 2007, J.O. n° 3104 du 3 mai 2007, pages 2897-2923).

république de Madagascar[93] dans son préambule[94]. Il y est stipulé que l'épanouissement de la personnalité et de l'identité de tout Malagasy, est « le facteur essentiel du développement durable et intégré dont les conditions sont reconnues comme étant (...) la gestion rationnelle et équitable des ressources naturelles pour les besoins du développement de l'être humain ; la bonne gouvernance et la transparence dans la conduite des affaires publiques (...) ; l'application effective de la décentralisation ».
Par ailleurs, la Constitution énonce dans ses dispositions que la protection de l'environnement constitue un devoir pour tout citoyen, et que l'Etat, avec la participation des collectivités décentralisées, assurent la protection, la conservation et la valorisation de l'environnement par des mesures appropriées[95] ».
Toutefois, au vu de ces formulations, il semblerait que l'esprit « intégrateur » du concept de développement durable n'est pas tout à fait clair dans les dispositions Constitutionnelles malgaches.
En effet, la notion de développement durable est qualifiée de « notion d'intégration[96] » dans la mesure où « il tend à intégrer l'économie à l'écologie, afin d'assurer à long terme le bien-être des humains de la planète »[97]. Par ailleurs, « la notion (...) de développement durable (...) implique de traiter de manière équilibrée les aspects économiques, écologiques et sociaux[98] ». Ainsi, il dépasse la composante environnementale ainsi que les questions relatives à sa dégradation et intègre plutôt des considérations économiques et sociales pour tendre vers l'harmonie et l'équilibre. Selon ces différents textes, on peut résumer que le concept de développement durable est intégrateur du développement economique, de la protection de l'environnement et de la justice sociale à tous les niveaux.

---

94 La valeur juridique et le caractère obligatoire d'un Préambule de la Constitution peuvent faire l'objet d'un débat de droit public. Pour le cas de Madagascar, ce débat n'a plus de place : il est précisé dans les dispositions de l'article 13 de l'Ordonnance n° 62.041 du 19 septembre 1962 que « Les principes généraux contenus dans le Préambule de la Constitution de la République Malgache s'imposent aux juges qui doivent, en tous les cas, en faire assurer le respect et l'observation dans le cadre de la législation en vigueur. J.O.R.M. n° 244 du 28-9-62, p 1989, complétée par la loi n° 98-019 du 2 décembre 1998. J.O.R.M. n° 2549 du 15.12.98, p. 3642 et 3654 ; Errata : J.O.R.M. n° 2571 du 26.04.99, p. 1060.
95 Article 39 de la loi constitutionnelle, op. cit.
96 J. PIETTE, « Evolution institutionnelle et modes d'intervention du droit international de l'environnement et du développement », RJE, 1993/1, p. 8.
97 A. KISS, « Evolution et principales tendances du droit international de l'environnement », UNITAR, Programme de formation à l'application du droit international de l'environnement, Cours 10, éd. 2000, P. 22.
98 Rapport au conseil européen d'Helsinki, « Stratégie visant à intégrer les questions d'environnement et de développement durable dans la politique énergétique », 3 décembre 1999, 13773/99), disponible sur site Europa : www. Europa.org.

On peut citer d'autres exemples du concept d'intégration externe, en se référant à la définition de la notion de pollution où dans certains contextes notamment, transfrontalier, cette notion a été élargie, en y incluant le concept « d'impact ». Il en est de même de la définition de l'environnement qui est dorénavant considéré comme incluant des ressources naturelles biotiques et non biotiques comme l'air, l'eau, le sol, la faune et la flore ainsi que l'interaction entre ces facteurs, les biens faisant partie du patrimoine culturel et les principales caractéristiques des paysages[99].

En droit interne, la loi n° 90-033 du 21 décembre 1990 portant Charte de l'environnement malgache[100] constitue le principal instrument qui permet d'illustrer clairement le concept d'intégration externe. Cette Charte fixe le cadre d'exécution de la politique nationale de l'environnement, trace les grands axes du Plan d'Action Environnementale, instrument de mise en œuvre de cette politique, et énumère les institutions concourant à la mise en œuvre de ce Plan d'Action. Bien que la politique environnementale malgache a vu le jour avant l'Agenda 21 et la Déclaration de Rio sur l'environnement et le développement, ses grandes lignes se retrouvent dans ces deux instruments. Ainsi, il est énoncé dans les annexes de la Charte que « La Politique Nationale de l'Environnement est une politique tenant compte de la globalité des problèmes environnementaux, sociaux, économiques et culturels. Elle vise à rétablir un équilibre durable et harmonieux entre les besoins de développement de l'homme et les soucis écologiques. Elle s'efforcera donc de situer le développement par rapport à la conservation, d'en limiter et d'en définir les interactions, interactions dont les conséquences, en définitive, ne se font ressentir que sur deux points majeurs : l'homme ; son environnement physique »[101]. Que parmi les conditions de réussite de la politique environnementale figurent « l'intégration de l'environnement dans le processus planification à moyen et long terme (...). Ainsi, il faut lutter contre la tendance d'aujourd'hui qui traitait de l'environnement comme d'un "secteur" plus ou moins marginal, en

99 L'article 2 de la Convention de Lugano de 1993 sur la responsabilité civile des dommages résultant d'activités dangereuses pour l'environnement énonce que : « L'"environnement" comprend :
– les ressources naturelles abiotiques et biotiques, telles que l'air, l'eau, le sol, la faune, et la flore, et l'interaction entre les mêmes facteurs ;
– les biens qui composent l'héritage culturel ; et
– les aspects caractéristiques du paysage ». Idem.

100 J.O.R.M. n° 2035 du 24.12.90, p. 2540 modifiée par la loi n° 97-012 du 6 juin 1997, J.O.R.M. du 09.06.97, p. 1171, Edition spéciale et n° 2584 du 12.07.99, p. 1479 et par la loi n° 2004-015 du 19 août 2004.

101 Charte de l'environnement, op. cit., Titre II, « Politique nationale de l'environnement : objectifs et principes ».

dehors des affaires économiques. Au contraire, l'environnement doit être au cœur de notre réflexion, en particulier lors de la conception et de l'évaluation, à tous les niveaux, des programmes de développement du Pays (...) »[102].
Outre les principes d'intégration interne et externe, la gestion intégrée des zones côtières met en avant, un troisième principe qui est l'intégration institutionnelle.

3) Mécanisme d'intégration institutionnelle

La nécessité d'un processus d'intégration institutionnelle sur l'espace littoral se justifie par la multiplicité des secteurs d'activités et des organismes qui œuvrent sur cet espace et qui peuvent très facilement entrer en conflit. En effet, l'insuffisance de coordination entre les différents acteurs peut entraîner un chevauchement de responsabilité entre ces différentes entités[103]. Au niveau institutionnel, le mécanisme d'intégration tente d'appréhender plusieurs problèmes d'environnement par l'intervention d'une autorité qui aura une vision d'ensemble par rapport à ces problèmes. A ce titre le Doyen PRIEUR a fait remarquer que « le modèle institutionnel classique avec des structures administratives verticales et cloisonnées est impuissant pour réguler un espace aussi complexe que le littoral (...). Il convient d'inventer des mécanismes institutionnels qui permettent à une même autorité d'intervenir à la fois en mer et sur terre ou qui instituent des coordinations structurelles fortes. Il ne s'agit pas, certes, d'instituer un organisme central unique polyvalent. La tendance générale est de rendre plus responsables les collectivités locales (...). L'essentiel est de rompre le découpage administratif de base totalement inadéquat pour une politique intégrée »[104]. Cette forme d'intégration se manifeste aussi bien au niveau horizontal que vertical. En ce sens, les professeurs M. PRIEUR et M. GHEZALI énoncent, dans le cadre des propositions de lignes directrices pour l'aménagement et la gestion des zones côtières en méditerranée, que « Des mécanismes de coordination entre institutions et administrations, tant publiques que privées, devront être mis en place pour faciliter la gestion intégrée des zones côtières. Cette coordination devra se faire au plan vertical (entre institutions centrales et locales), horizontal (entre institutions locales et régionales), spatial (entre territoires administratifs voisins),

---

102 Charte de l'environnement, op. cit., Chapitre III « Les conditions de réussite de notre politique environnementale ».
103 Chris CHUNG, « La gestion intégrée des zones côtières : un cadre d'action », in « La protection des espaces côtiers dans la mer Adriatique », op. cit. p. 110-123, pp. 123.
104 Michel PRIEUR, « Conservation des zones côtières en droit comparé », op. cit. p. 142.

et temporel (les objectifs et priorités fixés à un certain moment doivent être harmonisés et suivis par tous les acteurs en même temps) »[105]. Aussi, de nouvelles organisations se doivent-elles d'être définies afin d'équilibrer, à leur juste mesure, les besoins de tous les administrateurs et à tous les niveaux. Ce qui n'est pas chose facile[106]. En effet, il est à craindre que les administrations les plus puissantes, généralement nationales, soient privilégiées par rapport au niveau local[107]. Par ailleurs, l'intégration institutionnelle a pour objet de permettre une vision globale au niveau des instruments de planification du développement et d'assurer que des contradictions ne se produisent dans les politiques définies par les pouvoirs publics. Le Chapitre 17 de l'Agenda 21 prévoit à cet égard que « chaque Etat côtier devrait envisager de créer ou, le cas échéant, de renforcer les mécanismes de coordination appropriés (par exemple un organe de planification de haut niveau) pour la gestion intégrée et le développement durable des zones côtières et marines et de leurs ressources, aux niveaux à la fois local et national »[108].

A Madagascar, faute de texte spécifique à la gestion intégrée du littoral, la Constitution modifiée du 18 septembre 1992 et la loi d'orientation n° 93-005 du 26 janvier 1994 constituent les cadres politico-juridiques de la décentralisation dite « effective », sur lequel reposait la structure de l'Etat. Concernant la Constitution, elle énonce que les collectivités territoriales décentralisées constituent le cadre institutionnel de la participation effective des citoyens à la gestion des affaires publiques et garantissent l'expression de leurs diversités et de

105 M. PRIEUR et M. GHEZALI, « Législations nationales relatives à l'aménagement et à la gestion des zones côtières en Méditerranée et propositions de lignes directrices », op. cit. p. 73.
106 Les difficultés du mécanisme institutionnel de gestion des zones côtières ont fait l'objet de nombreuses études. Voir H. Coccossis et Y. Henocque, « Livre blanc gestion des zones côtières en méditerranée », op. cit. p. ix ; F. Moderne « L'action des autorités décentralisées et déconcentrées en matière de protection de l'environnement marin ». Société française pour le droit de l'environnement, Droit de l'environnement marin : développements récents. Collection droit et économie de l'environnement, 1988. 397 p. pp. 165 ; B. Cicin-Sain & R. Knecht, "Integrated coastal and ocean management, concepts and practices", *Island Press*, Washington, 1998, p. 62 : "a fundamental part of integrated coastal management programs is the institutional mechanism created to harmonise the various activities and programs that affect the coastal area and its resources" ; PNUE, « Directives concernant la gestion intégrée des régions littorales avec une référence particulière au bassin méditerranéen », Rapports et études des mers régionales, n° 161, Plan d'action pour la Méditerranée-CAR/PAP, Split, 1995, p. 62 ; Conseil de l'Europe, « Modèle de loi sur la gestion durable des zones côtières », « Sauvegarde de la nature », n° 101, Editions du Conseil de l'Europe, Strasbourg, 1999, p. 13.
107 Chris. CHUNG, « La gestion intégrée des zones côtières : un cadre d'action », op. cit. p. 121.
108 CNUED, « Action 21-Déclaration de Rio sur l'environnement et le développement », Organisation des Nations-Unies, New York, 1993, point 17-6, « Recueil francophone des textes internationaux en droit de l'environnement », publié sous la direction de Michel Prieur et de Stéphane Doumbé-Billé, Bruylant, Bruxelles, 1998, 719 pages.

leurs spécificités. Elle en prévoit deux catégories dont les régions et les communes. Dans le cadre de la décentralisation, son article 35 doit être cité mais suscite plusieurs interrogations : il prévoit en effet que les « *fokonolona* » peuvent prendre des mesures destinées à protéger leur environnement et que la portée et les modalités des dispositions énoncées doivent être déterminées par la loi. Il convient de noter que le *fokonolona* ne figure pas parmi les collectivités territoriales décentralisées. En l'état actuel de la législation, la seule loi qui fasse allusion au *fokonolona,* sans toutefois lui donner une personnalité morale ou le statut juridique d'une collectivité territoriale décentralisée, est la loi n° 2001-004 du 25 octobre 2001[109] portant réglementation des *dina* en matière de sécurité publique. Il résulte de cette loi que les *fokonolona* est constitué par tout groupe de personne présentant un projet de *dina* au niveau d'un hameau, d'un village, ou d'un *fokontany* et pouvant s'étendre à une communauté et même à une sous-préfecture. Par ailleurs, les dispositions de l'article 39 de la Constitution rappellent le devoir qui incombe à toute personne de respecter l'environnement. L'expression importante à souligner est celle concernant les rapports entre les autorités centrales et les Collectivités territoriales décentralisée selon laquelle « L'Etat et les Collectivités territoriales décentralisée assurent la protection, la conservation et la valorisation de l'environnement par des mesures appropriées ». Ces principes de la décentralisation, énoncés dans la Constitution, sont repris par la loi n° 93-005 du 26 janvier 1994 portant orientation générale de la politique de décentralisation. Sur la compétence des collectivités décentralisées dans le domaine de l'environnement, même si aucun texte sur la décentralisation ne contiennent pas de dispositions spécifiques à la gestion du littoral, la loi n° 94-001 du 26 avril 1995 relative aux pouvoirs, compétences et ressources des collectivités décentralisées prévoit que les communes exercent des compétences notamment dans les matières suivantes : les opérations de voirie, d'assainissement, d'hygiène et d'enlèvement des ordures ménagères, la gestion de son patrimoine propre[110].

Une fois les difficultés sur les différentes formes d'intégration de la gestion du littoral abordées, la question se pose ensuite sur la nécessite d'une approche de gestion intégrée sur cet espace.

109 J.O.R.M. n° 2746 du 19.11.2001, p. 3047.

110 Article 9 de la loi n° 94-007 du 26 avril 1995 relative aux pouvoirs, compétences et ressources des Collectivités territoriales décentralisées , J.O. R.M. n° 2304 du 05.06.95, p. 1241.

II – JUSTIFICATION DU CHOIX DU CONCEPT

L'importance du littoral est caractérisée non seulement par son luxe esthétique[111], mais également par sa valeur économique. Comme on l'a déjà énoncé précédemment, l'espace littoral est caractérisé par sa nature complexe et sensible qui est composée à la fois du milieu marin et terrestre proche de la ligne de rivage. Il joue un rôle important dans le fonctionnement global de l'écosystème marin et côtier. Un grand nombre de normes internationales ayant trait à la protection de l'environnement reconnaissent l'importance fondamentale ce milieu et ont préconisé l'adoption de l'approche de gestion intégrée. Quelques exemples de ces normes vont être cités pour justifier que la prise de conscience de l'importance des zones côtières dans un concept de développement durable n'est pas propre à Madagascar. Elle a été initiée par l'émergence du soutien mondial et de l'engagement politique vis-à-vis du développement durable et de la conservation de l'environnement.

Il en est ainsi du Plan d'action pour l'environnement adopté à Stockholm le 16 juin 1972 par la Conférence des Nations Unies sur l'environnement qui déclare que « le milieu marin et tous les organismes vivants qu'il comporte ont une importance vitale pour l'humanité, qu'il est dans l'intérêt de chacun de veiller à ce que ce milieu soit protégé contre tout ce qui peut nuire à sa qualité et à ses ressources, et que cela s'applique notamment aux Etats qu'intéressent particulièrement la gestion des ressources de la zone côtière [112] ». Il convient de noter que, bien que cet instrument n'a pas encore abordé le concept de gestion intégrée des zones côtières, la notion de gestion intégrée de l'environnement est prévue dans son principe 13 qui énonce que « Afin de rationaliser la gestion des ressources et ainsi d'améliorer l'environnement, les États devraient adopter une conception intégrée et coordonnée de leur planification du développement, de façon que leur développement soit compatible avec la nécessité de protéger et d'améliorer l'environnement dans l'intérêt de leur population »[113].

Vingt ans plus tard une approche dynamique au moyen de la gestion intégrée, appliquée au littoral, a été préconisée par le Chapitre 17 de

111 Voir A. KISS et J. D. SICAULT, « La Conférence des Nations unies sur l'environnement », A.F.D.I., 1972, p. 612.

112 A/CONF. 48/ 14/ Rev. 1, Recommandation 92.

113 Assemblée Générale des Nations-Unies le 15 décembre 1972, Résolution 2998. « Recueil francophone des textes internationaux en droit de l'environnement », op. cit.

l'Agenda 21, adopté lors la conférence des Nations unies sur l'environnement et le développement. Il énonce à cet égard que pour « protéger et mettre en valeur de façon durable le milieu marin, les zones côtières et leurs ressources », il convient d'adopter « de nouvelles stratégies, qui doivent être intégrées et axées à la fois sur la précaution et la prévision comme le montrent les domaines d'activités suivants : gestion intégrée et développement durable des zones côtières, y compris de la zone économique exclusive ; protection du milieu marin ; exploitation durable et conservation des ressources biologiques marines de haute mer... »[114]. Outre le Chapitre 17 de l'Agenda 21, deux autres Conventions internationales adoptées à Rio, lors de la Conférence des Nations Unies sur l'Environnement et le Développement, préconisent la gestion intégrée des zones côtières. Il en est ainsi de la Convention sur la Diversité biologique et la Convention Cadre sur les Changements Climatiques.

Pour la Convention Cadre sur les Changements Climatiques, les dispositions de son article 4-e stipulent que « toutes les Parties, tenant compte de leurs responsabilités communes, mais différenciées, et de la spécificité de leurs priorités nationales et régionales de développement, de leurs objectifs et de leur situation, s'engagent à concevoir et à mettre au point des plans appropriés et intégrés pour la gestion des zones côtières »[115]. A la différence de la Convention Cadre sur les Changements climatiques, le concept de gestion intégrée des zones côtières ne figure pas dans les dispositions de la Convention sur la diversité biologiques. Ce concept est traité spécifiquement par le Mandat de Jakarta sur la diversité biologique des mers et des zones côtières adopté par la Conférence des Parties lors de sa deuxième session. Ainsi, ce texte énonce que, la gestion intégrée des zones côtières « institue le cadre le plus approprié pour s'attaquer au problème de l'incidence des activités humaines sur la diversité biologique marine et côtière, et favoriser la conservation et l'utilisation durable de la diversité biologique »[116]. Par ailleurs, la « Conférence des parties » encourage également les Etats signataires à « adopter des arrangements institutionnels, administratifs et législatifs, et/ou à renforcer ceux qui existent, en vue de la mise au point de méthodes de gestion intégrée des écosystèmes marins et côtiers et de plans et

114 CNUED, « Action 21 – Déclaration de Rio sur l'environnement et le développement », Organisation des Nations Unies, New York, 1993, point 17-1.
115 Disponible sur site : www.unfccc.int.
116 Conférence des parties de la convention sur la diversité biologique, «Décision II-10 relative à la conservation et à l'utilisation durable de la diversité biologique marine et côtière », 15 novembre 1995, Djakarta, Indonésie, point 2; Site web : www.biodiv.org/decisions.

stratégies pour les zones marines et côtières et de leur intégration aux plans nationaux de développement »[117].

Par ailleurs, la Convention de Ramsar relative aux zones humides d'importance internationale particulièrement comme habitat de la sauvagine, contribue à la protection du littoral qui entre dans son champ d'application. En effet, les zones humides se définit comme « des étendus de marais, de fagnes, de tourbières ou d'eaux naturelles ou artificielles permanentes ou temporaires, où l'eau est stagnante ou courante, douce saumâtre ou salée, y compris des étendues d'eau marine dont la profondeur à marée basse n'excède pas six mètres ». En novembre 2002, la « Conférence des parties » à la convention de Ramsar a adopté des lignes directrices et des principes destinés à inscrire les questions relatives aux zones humides dans la « gestion intégrée des zones côtières ». La Résolution définissant ces lignes directrices et ces principes[118] est venue compléter une Recommandation adoptée en 1996 lors de la 6e session de la Conférence des parties et qui invitait déjà les Etats signataires « à adopter et à appliquer des principes de planification stratégique et de GIZC comme préalable à toute prise de décision concernant la conservation et l'utilisation rationnelle des zones humides côtières »[119].

III – CONSTAT DE LA MISE EN ŒUVRE NATIONALE DE LA GESTION INTÉGRÉE DU LITTORAL

Les réflexions stratégiques sur la gestion durable du littoral sont relativement récentes à Madagascar. C'est ainsi que le concept de GIZC n'a pas été appréhendé de manière explicite lors de l'élaboration de la Charte de l'environnement malgache qui constitue le cadre général d'exécution de la politique de l'environnement. Il convient toutefois de noter que l'adoption de cette Charte a permis d'intégrer les dimensions environnementales dans les différentes politiques sectorielles et d'exiger la pratique de l'étude d'impact

117 *Ibid*, point 3.

118 Conférence des Parties contractantes à la Convention de Ramsar sur les zones humides, « Résolution VIII.4 relative aux principes et lignes directrices pour inscrire les questions relatives aux zones humides dans la gestion intégrée des zones côtières », 8e session, Valence, Espagne, 18 au 26 novembre 2002, 38 p.; Site web : www.ramsar.org.

119 Conférence des Parties contractantes à la Convention de Ramsar sur les zones humides, « Recommandation VI.8 relative aux plans stratégiques pour les zones humides côtières », 6e session, Brisbane, Australie, 19-27 mars 1996, 2 p.

environnementale pour les projets ou activités ayant des incidences sur l'environnement. On peut également signaler la publication, en 1996, de la loi sur le transfert de gestion locale des ressources naturelles renouvelables. L'importance de cette loi se manifeste par le transfert de gestion locale des ressources naturelles renouvelables et la reconnaissance juridique de l'utilisation de technique traditionnelle de règlement de litige qui est le « fihavanana » à travers la médiation. En effet, dans le cadre de cette loi, le processus de ce transfert de gestion au profit des communautés locales s'opère par un contrat qui nécessite une procédure de médiation[120]. Ainsi, on peut s'inspirer de cette procédure de « fihavanana » pour régler certains problèmes qui caractérisent la GIZC dont notamment, les conflits entre les différents acteurs qui ont des intérêts souvent contradictoires sur le littoral, et la difficulté de coopération, d'harmonisation et de coordination des actions des différents administrateurs de cet espace.

Par ailleurs, l'engagement politique pris par Madagascar, dans le cadre des conventions internationales ratifiées et le programme régional environnement consacré à la gestion intégrée des zones côtières de la Commission de l'Océan Indien, ont permit la publication du « Document d'orientation pour une politique de développement durable des zones côtières à Madagascar » en 2001. Ce « Document d'orientation » a été suivi d'un livre blanc décrivant la politique de développement durable des zones côtières et marines à Madagascar, ainsi que d'un plan d'action national zones côtières et marine. Récemment, un projet de décret portant création du cadre institutionnel de la mise en œuvre de la Politique de développement durable des zones côtières et marines de Madagascar a été adopté. Ce projet de texte définit l'organisation et le fonctionnement d'un comité national des zones côtières et marines qui a des ramifications au niveau régional et communal. Les documents de livre Blanc et de planification donnent des informations sur l'importance du processus GIZC pour la gestion durable du littoral malgache et suscite la réaction de tous, en vue de la mise en œuvre effective de la GIZC à Madagascar. Ces documents mettent en avant la promotion de l'approche intégrée par des aménagements progressifs, de manière adaptative et concertée, Un texte juridique spécifique à la GIZC n'existe pas encore. A cet effet, le document d'orientation propose

120 Aux termes de l'article 17 de la loi GELOSE, « la médiation environnementale a pour but de faciliter les discussions et les négociations entre les différents partenaires de la gestion locale des ressources naturelles et à les aider à comprendre leurs points de vue respectifs sur les ressources naturelles ; élaborer une certaine vision commune de l'avenir à long terme de ces ressources ; construire des stratégies communes de gestion de ces ressources ; définir les procédures permettant leur gestion effective, en bien commun, sur la base de cette vision et de ces stratégies communes ».

plusieurs options de mesures juridiques pouvant contribuer à la gestion intégrée des zones côtières. Parmi toutes ces options, celle relative à l'approche progressive et adaptative nous semble la plus appropriée à la situation malgache. En effet, comme cette approche ne nécessite pas l'adoption d'un nouveau texte, du moins au début, et qu'elle se contente d'une combinaison d'aménagements stratégiques des textes existants, elle est plus avantageuse car beaucoup plus rapide et moins coûteux que les autres approches.
Par rapport à ces divers textes juridiques et documents spécifiques à la GIZC, Madagascar doit accroître ses connaissances en matière de gestion durable des zones côtières, réglementer les activités et effectuer la répartition équitable des instruments économiques et financiers.

Conclusion

Les zones côtières sont des milieux complexes caractérisés par la présence de nombreuses interactions. L'existence de plusieurs acteurs, qui ont des intérêts souvent contradictoires sur ces espaces, et les difficultés de coopération, d'harmonisation et de coordination des actions entre les différents administrateurs, nécessitent de méthodes appropriées. La GIZC est préconisée par certains instruments internationaux comme le meilleur moyen de faire face à ces difficultés. En effet, ce concept permet de faciliter le dialogue entre les représentants des divers intérêts influant sur cet espace et de briser les actions sectorielles. A cet égard elle exige une approche de gestion des ressources et des activités côtières mieux coordonnée et une coopération plus étroite entre les différents acteurs intervenant sur cet espace pour tendre vers une gestion cohérente.
La question qui se pose est alors de savoir si, à la lumière du contexte malgache, les réalités sont en mesure de faire face à ces exigences de la GIZC ?
A l'heure actuelle, les cadres juridiques, politiques et institutionnels concernant les différents secteurs d'activités influant sur les zones côtières restent cloisonnés entre eux. Les textes sont encore flous sur l'attribution des responsabilités des Collectivités Territoriales Décentralisées concernés par la gestion des ressources situées à l'interface terre-mer. Malgré l'existence d'un ministère chargé de l'environnement, la coordination entre institutions ou organismes impliqués dans la gestion des zones côtières fait encore défaut.

Ainsi, la tendance actuelle en matière de gestion des zones côtières est encore l'approche sectorielle, éclatée qui ne correspond pas aux exigences d'une stratégie adaptée à cet espace. Il n'existe pas non plus d'instruments ni de structures capables de traduire la dimension globale de la gestion du littoral.

Récemment, des efforts ont été fait, dont notamment l'intégration de la mer territoriale dans le domaine public naturel, l'impossibilité de l'affectation privative de la bande littorale d'une largeur de 25 mètres de la limite des plus hautes marées périodiques et régulières ; l'adoption du décret sur la mise en compatibilité des investissements sur l'environnement ; la loi sur le transfert de gestion locale des ressources naturelles renouvelables, la révision de la loi portant Code des aires protégée en y intégrant les catégories V et VI de l'Union mondiale pour la nature afin de rendre effective l'utilisation durable des ressources naturelles, l'élaboration du projet de décret portant création du cadre institutionnel de la mise en œuvre de la Politique de développement durable des zones côtières et marines de Madagascar, l'élaboration d'un livre blanc sur la politique de développement des zones côtières et marines de Madagascar et du plan d'action national zones côtières et marines... Un comité national de GIZC a été officiellement institué par décret en 2008.

Pour que tous ces efforts ne restent pas vains et que les menaces qui pèsent sur les zones côtières malgaches ne continuent à s'aggraver, il faut que le pouvoir public malgache manifeste sa volonté de prendre en compte, dans le développement national, l'importance socio-économique et écologique des zones côtières. Ces dernières sont considérées depuis longtemps comme des milieux marginalisés alors qu'elles présentent d'énormes opportunités pour le développement durable et pour la lutte contre la pauvreté qui sévit à Madagascar.

Les nouveaux aspects du droit foncier malgache

Arielle F. TSIAZONANGOLY

Introduction

Madagascar se trouve actuellement en phase de transition foncière en ce sens où le système foncier jusqu'alors en vigueur est secoué par une vague de nouvelles règlementations qui tend à l'anéantir et, dans cette mesure, mérite que l'on s'y intéresse de près. En effet, ce pays possède depuis toujours un droit foncier qui lui est propre, que l'on peut considérer comme étant unique. Pour le peuple malgache, la terre présente une vocation non seulement économique mais aussi sociale, autant que culturelle.

Au lendemain de l'indépendance, le législateur a adopté le système de l'immatriculation comme régime foncier malgache, mais cela n'a guère eu d'impact sur la pratique foncière traditionnelle laquelle a continué de régir tant la propriété que l'usage de la terre. Dernièrement, la nécessité de rénover la législation foncière s'est faite sentir, à la suite de laquelle les autorités ont pris l'initiative de modifier le système foncier. Actuellement, une réforme foncière est entamée, une nouvelle législation est adoptée ou en cours d'adoption qui tend à éradiquer totalement les bases jusqu'alors reconnues et acceptées du mécanisme foncier. De nouvelles priorités sont définies accompagnées de nouveaux principes. Beaucoup de choses peuvent être évoquées sur ce sujet, mais nous allons nous limiter à évoquer les grands changements issus de cette réforme. En quoi consistent-ils, quels sont leurs atouts, quelles sont leurs faiblesses et qu'en est il de leurs impacts ?

Avant d'évoquer en détail les nouveaux aspects du droit foncier malgache, un bref résumé de l'évolution de ce régime foncier s'impose. Etant donné que le système foncier de ce pays présente des spécificités intéressantes, pour mieux comprendre l'ampleur de ces nouveaux aspects, l'on ne peut se passer de l'étude de l'histoire de ce système.

I – L'ÉVOLUTION DU RÉGIME FONCIER MALGACHE

Les Malgaches accordent une grande importance à leur terre. Depuis toujours, dans le but de perfectionner le système foncier, les autorités éprouvent de nouveaux principes. Ainsi, le droit foncier malgache n'a cessé d'évoluer. Cette évolution se manifeste en trois temps : le temps de la royauté, celui de l'après indépendance et finalement la réforme de 2005.

A – La législation foncière du temps de la royauté

Aux 18ème et 19ème siècles, le peuple malgache possédait déjà sa propre « législation » foncière. Malgré la succession de plusieurs souverains, le droit de propriété foncière était presque identique d'un royaume à un autre. Généralement, le régime foncier de cette époque, se caractérisait par la sacralité de la terre, le principe de la propriété collective et celui de l'inaliénabilité des terres.

La terre possède une valeur exceptionnelle pour les Malgaches : elle est sacrée. Ce principe constitue le fondement même du droit foncier malgache et les autres principes issus du droit foncier coutumier, tel l'inaliénabilité, ne sont que les conséquences directes de ce caractère. En effet, dans le droit foncier coutumier malgache, il est défendu d'aliéner des terres à des étrangers. Le code des 305 articles dans ses articles 85 et 86 indique clairement que les terres ne peuvent être ni vendues ni hypothéquées à des étrangers. L'aliénation d'une parcelle de terre à un étranger est considérée comme l'aliénation de l'ensemble du « tanindrazana[1] ».

De par son importance, de par sa valeur, la terre exige ainsi un mode de gestion particulier. Ce mode de gestion peut s'avérer différent pour chaque royaume, mais le principe de base reste le même : la terre est

1 Terre des ancêtres.

un bien commun et elle est inaliénable. Ainsi, à titre d'exemple pour la royauté merina, les terres sont la propriété du roi. Il appartient au souverain de conserver cette richesse commune. Toutefois, chaque individu peut exploiter les terres inoccupées et acquérir un droit de possession sur la terre ainsi cultivée. Le souverain reste le nu-propriétaire. Il faut tout de même nuancer puisque la gestion d'une grande partie des terres appartient également aux populations ou « fokonolona ». Dans ce cas, celui qui met en valeur une partielle de ces terres n'est qu'un simple occupant. Le fokonolona conserve tout droit de propriété y afférent. Dans la partie sud est de l'île par contre, la gestion de la propriété foncière est attribuée à une entité spéciale appelée « Tranobe » ; la terre est considérée comme un bien familial, sa gestion appartient au chef de famille ou au chef du clan.

De ce qui précède, l'on se demande alors si la propriété foncière individuelle existe réellement en droit coutumier malgache. Comme la terre constitue le bien de tous, la notion de propriété privative semble ne pas y avoir sa place. Mais si la propriété collective est la règle à cette époque, la propriété individuelle constitue l'exception. Ainsi, dans la pratique foncière merina, accéder au titre du « vrai propriétaire » requérait sous la royauté, pour les sujets de droit de cette époque, d'avoir rendu un grand service pour le royaume. En guise de récompense, le souverain donne des terres à de telles personnes[2]. C'est uniquement dans ce cas qu'une personne pouvait avoir un droit de propriété absolu sur la terre et en disposer librement.

Au temps de l'annexion de Madagascar par la France, le régime foncier malgache a subi des modifications, l'adoption du système foncier suivant le model australien de l'« Act Torrens ». Nonobstant ce changement, la survie du droit coutumier reste évidente. Une grande partie de la population a préféré opter pour le mode de gestion coutumière pour régir leur propriété.

B – La législation foncière de l'après indépendance (de 1960)

Loin de vouloir abandonner totalement les principes issus du droit coutumier, le législateur de l'indépendance, a choisi d'instaurer une législation jugée « mieux adoptée aux nécessités modernes »[3]. Ainsi, le régime de l'immatriculation foncière a été adopté comme régime foncier applicable à Madagascar.

2 L'interprétation du code civil : le droit de propriété foncière à Madagascar par Mme Bakolalao Ramanandraibe Ranaivoharivony - Revue juridique de l'océan indien.
3 Exposé des motifs de l'ordonnance n° 60-146 du 03 octobre 1960.

Toutefois, conscients de l'importance des pratiques coutumières, les législations successives ont essayé d'adapter des règles relativement souples, plus conformes aux besoins de la population. Dans ce sens, nonobstant le fait que le régime de l'immatriculation soit devenu le droit commun en matière foncière, l'immatriculation est restée facultative. Indirectement, le législateur a ainsi laissé le champ libre à la population de choisir le régime foncier à leur convenance : celui du droit coutumier ou celui de l'immatriculation foncière.

En réalité, malgré l'emprunt des règles étrangères, on peut affirmer que le droit foncier malgache a conservé sa spécificité. Les grands principes du droit coutumier ont été conservés tel celui du tanindrazana où la terre est censée être un bien commun et dont l'Etat n'est que le conservateur. Le principe de l'inaliénabilité des terres aux étrangers a également été réaffirmé. A cet égard, les Malgaches ont beau avoir été colonisés, ils ont su conserver leur identité culturelle et juridique. C'est pourquoi les législateurs de 1960 ont décidé de mettre en harmonie les nouvelles législations adoptées avec les institutions traditionnelles. Or, les besoins de la population évoluent. La législation de 1960 a été considérée comme ne plus correspondre à ces nouveaux besoins, d'où la réforme foncière.

C – La nécessité d'une réforme de la législation foncière

Les Malgaches ont toujours assigné au système foncier une fonction à la fois sociale, économique mais aussi politique. Dans le courant des années 2000, des considérations jugées politiques plus qu'économiques ont poussé les dirigeants de ce pays à planifier des projets de réforme du droit foncier.

D'une part, il faut le reconnaitre certes, le système foncier instauré au temps de l'indépendance présente un bilan très lourd. L'état des lieux démontre que le pays se trouve au bord d'une véritable crise foncière. Le service foncier est devenu inaccessible à l'ensemble de la population malgache qui éprouve des sentiments d'insécurité dans la jouissance de leur terre. L'insécurité foncière est généralisée dans toute l'île, les conflits issus du problème foncier nuisent au climat social et à l'ordre public.

D'autre part, le régime de l'immatriculation foncière n'est pas effectif du fait de sa complexité. Deux règles différentes régissent le système foncier malgache puisqu'une grande majorité de la population, surtout celle du milieu rural, éprouve encore un grand attachement à la gestion foncière coutumière. Pourtant, avec l'évolution de la société, la seule pratique de la propriété foncière traditionnelle ne suffit plus à gérer la propriété foncière. De nouvelles exigences sont apparues. Ainsi, l'acte de témoignage ne suffit plus à lui seul pour attester le droit de propriété foncière d'une personne ; l'écrit est devenu indispensable en matière de preuve. Or, l'obtention du titre foncier étant difficile voire même impossible pour certains. Une telle situation a fini par engendrer l'apparition « des petits papiers » qui consiste en une création de la pratique foncière locale.

Les petits papiers sont définis selon la lettre de politique foncière comme des « actes sous seing privés, enregistrés par les démembrements locaux de l'Etat à savoir les Fokontany et Communes. Ils sont conçus de manière identique sur l'ensemble du territoire, malgré l'absence de normes nationales ». Par défaut de réglementation connue et acceptée par tous, ces « petits papiers » accompagnent systématiquement les transactions sur la terre. Or ces documents présentent une très faible portée juridique, n'apportant aucune garantie légale à leur détenteur accentuant ainsi l'insécurité foncière.

Bref, la lourdeur et la lenteur des procédures d'immatriculation d'un côté, la non correspondance des textes à la réalité de l'occupation de l'autre côté, mais aussi la pratique globalisée des petits papiers, font qu'une prise de mesure s'impose afin de rétablir la situation foncière à Madagascar. Cet état d'irrégularité et d'incertitude dans lesquels se trouvent des « présumés » propriétaires devait cesser. D'où la réforme foncière qui constitue la solution avancée par le pouvoir public.

La réforme foncière a été officiellement entamée en 2005 avec la « lettre de politique foncière » du gouvernement. Mais, égard, elle a commencé bien avant, avec l'adoption de la loi 2003 028 permettant à des étrangers d'accéder à la propriété immobilière[4]. Les journaux locaux se sont fait l'écho de ce texte dans la mesure où il semble porter atteinte à la notion de l'inaliénabilité du « Tanindrazana ». Le Tanindrazana est inaliénable par principe, et Madagascar constitue le Tanindrazana de tous les Malgaches. Céder ne serait-ce qu'une parcelle de celui-ci est considéré comme sa cession tout entière. Et pourtant, dans le processus de la lutte contre la pauvreté, certains

---

4 Loi n° 2003-028 modifiant et complétant certaines dispositions de la loi n° 62-006 du 6 juin 1962 fixant l'organisation et le contrôle de l'immigration modifiée par la loi n° 95-020 du 27 novembre 1995.

affirment que cette conception constitue un frein au développement du pays et est déjà dépassée par le temps.

Ainsi les textes issus de l'indépendance sont considérés par le législateur actuel comme la cause profonde de la crise foncière qui affecte la vie des Malgaches, plus précisément celle des petits paysans. Mais peut-on véritablement affirmer que le régime de l'immatriculation édicté par les textes de 1960 constitue la cause de la crise foncière puisqu'il ne répond plus aux attentes de la population ? La réponse à cette question ne peut qu'être négative puisque l'immatriculation des terres consacre le droit de propriété, or la consécration de leur droit sur leurs terres constitue la principale attente des Malgaches en matière foncière. Dans cet ordre d'idées, la cause du problème foncier ne se situe pas au niveau de la réglementation de 1960. On serait tenté de penser que c'est plutôt le non respect des prescriptions légales ou règlementaires ainsi que la lourdeur extrême des procédures de consécration de la propriété foncière qui constituent les principaux facteurs de cette crise. Mais puisque l'administration actuelle a jugé nécessaire d'entamer une réforme foncière, il s'avère intéressant d'analyser en quoi cette réforme consiste réellement.

II – L'ESPRIT DE LA RÉFORME FONCIÈRE

L'esprit de la réforme est relaté dans la lettre de politique foncière de 2005[5]. Cette nouvelle politique foncière a pour finalité une gestion foncière favorable au développement socio-économique du pays. Son objectif principal est de « répondre à la demande massive en sécurisation foncière, dans de brefs délais et à des coûts ajustés au contexte économique, par la formalisation des droits fonciers non écrits et par la sauvegarde et la régularisation des droits fonciers écrits[6].

Cette nouvelle politique foncière présente comme principaux objectifs :

5 La lettre de politique foncière est un document élaboré par le Programme National Foncier (PNF) précisant les orientations en matière domaniale et foncière et fixant les cadres stratégiques de la nouvelle politique foncière malgache.
6 Lettre de politique foncière.

- la réorganisation du système foncier par l'institutionnalisation de la décentralisation foncière,
- l'instauration de la sécurisation foncière,
- la mise en place d'un environnement économique et juridique sain dans le but de relancer les investissements dans la grande île.

Ces objectifs ne peuvent pas être atteints sans une rénovation fondamentale de la réglementation domaniale. Dans ce sens, de nouvelles lois ont été promulguées à savoir, notamment, la loi n° 2005 -019 du 17 octobre 2005 fixant les principes régissant les statuts des terres, la n° 2006-031 du 24 novembre 2009 fixant le régime juridique de la propriété foncière occupée non titrée, la loi n° 2008-013 du 03 juillet 2008 sur le domaine public, la loi n° 2008-014 du 03 juillet 2008 sur le domaine privé de l'Etat, des collectivités décentralisées et des personnes de Droit public ou encore la loi 2007-036 du 14 janvier 2008 sur l'investissement.

De ce qui précède, la réforme foncière vise ainsi à la mise en place d'une refonte totale de la législation foncière. L'intention des initiateurs de la réforme consiste, dit-on, à rendre plus accessible non seulement les services fonciers mais aussi et surtout la réglementation foncière. A notre grande surprise, lors des diverses investigations sur terrain, force a été de constater d'une part, que plusieurs acteurs du domaine foncier n'ont pas été informés de ces nouvelles législations ; que, d'autre part, la majorité de la population ignore l'existence de ces nouvelles règles. Ainsi, si l'esprit de la réforme en soi est louable, la réalité est tout autre, faute d'une réelle vulgarisation des nouveaux textes. Quoi qu'il en soit, cette réforme avance des objectifs bien définis dont il importe de préciser leur contenu.

A – La sécurisation foncière

Les statistiques démontrent que plus de 70 % des litiges traités au niveau des tribunaux concernent la terre. Les litiges fonciers encombrent les juridictions judiciaires et sont estimés causes du désordre social. L'insécurité foncière est, dit-on, généralisée dans l'ensemble du pays. Cette situation est concrétisée par la faiblesse du taux d'immatriculation foncière. Sauf à le répéter, les actions des services domaniaux sont jugés insuffisantes et ne répondent plus aux attentes des usagers. La réalité du terrain a déjà été évoquée plus haut : survie du droit coutumier, paralysie du système foncier appliqué, invention du droit local et surtout de nombreux litiges. Le système foncier en vigueur est jugé trop lourd, trop lent et très couteux.

Quant à la population, sa principale attente en matière foncière est la sécurisation de son droit sur la terre. Le système de sécurisation déjà en place, à savoir la procédure d'immatriculation, est considéré – pour emprunter les termes de la lettre de politique foncière – comme insuffisant. Il reste néanmoins que le titre foncier délivré à la suite de la procédure d'immatriculation constitue la preuve irréfutable du droit de propriété. Aussi, une question se pose: outre la procédure d'immatriculation, quel type de sécurisation foncière peut être jugé « suffisant » ?

La loi n° 2005-019 avance de nouveaux statuts de terres. Le principal changement réside dans l'apparition d'une propriété privée non titrée. En effet, les terrains des personnes privées sont répartis en terrains titrés et terrains occupés non titrés[7]. Le droit de propriété d'un terrain titré est reconnu par un titre foncier alors que la reconnaissance de droit de propriété d'un terrain occupé non titré se fait par une procédure de certification foncière.

En conséquence, à lire les nouvelles mesures, outre la procédure d'immatriculation foncière, celle de la certification est également un outil de sécurisation foncière. Avec cette réforme foncière, deux options s'ouvrent ainsi aux usagers pour sécuriser leurs terres. **L'immatriculation**, rappelons le, se définit comme « la phase qui permet l'identification du terrain par le bornage de celui-ci et l'attribution d'un numéro chronologique au livre foncier »[8]. Le titre foncier qui est délivré à la suite de cette procédure est définitif et inattaquable. La **certification foncière** quant à elle peut se définir comme étant une procédure publique et contradictoire effectuée par les autorités locales, consistant à la reconnaissance du « droit de propriété » sur un terrain simplement occupé. Cette procédure n'exige pas le bornage du terrain, il suffit que le terrain demandé soit occupé et mis en valeur par le demandeur depuis un certain temps[9] et qu'il ne soit l'objet d'aucune opposition ni litige non résolu. La procédure de certification foncière est simple et très rapide. Au bout de trente jours, un propriétaire peut obtenir un document administratif attestant sa propriété. Toutefois, il s'agit d'une propriété non titrée et le terrain n'est pas borné.

---

7 Article 21 de la loi n° 2005-019 du 17octobre 2005 fixant les principes régissant les statuts des terres.

8 Définition donnée par la loi n° 2005-019 du 17 octobre 2005 fixant les principes régissant les statuts des terres.

9 Les textes ne définissent pas de manière précise le délai exigé avant que la demande en certification foncière soit recevable. Cette situation mérite plus précision.

Le principe de bornage individualise les terrains, l'implantation des bornes prouve ainsi la reconnaissance de droit de propriété d'une personne sur un terrain dont la superficie est bien délimitée. Le bornage s'avère donc être la consécration physique du droit de propriété. Le propriétaire d'un terrain titré et borné peut jouir librement et sereinement de son bien. Ce serait effectivement la forme de sécurisation attendue par les Malgaches du fait que par là, ils sont à l'abri de toute tentative de spoliation. Mais peut-on en dire autant des terrains simplement certifiés ? La procédure de certification est elle suffisante pour garantir une sécurisation foncière pérenne ?

B – Une gestion foncière participative

Le relatif désintéressement de l'Etat à la gestion foncière constitue également un des grands changements issus de la réforme foncière. L'Etat transfère à la collectivité décentralisée de base, notamment la Commune, des pouvoirs en matière de gestion foncière. A cet effet, la compétence communale en matière foncière se trouve élargie. Cela se manifeste par l'institution de la décentralisation foncière. Conformément à la loi de « cadrage » (la loi sur le statut des terres), un service administratif spécifique, dénommé « guichet foncier » est implanté au niveau des collectivités décentralisées de base pour assurer le système de certification foncière.

Avec la mise en place de ces guichets fonciers, toutes les procédures de reconnaissance des terrains peuvent s'effectuer au niveau communal. Ainsi, les droits sur la terre peuvent faire l'objet d'une constatation, non pas uniquement par les services des domaines, mais aussi par les collectivités locales de base via le guichet foncier. Dans le cadre du service foncier décentralisé, la population, représentée par les notables, participe activement à la procédure de reconnaissance du droit de propriété foncière. Toutes les étapes de certification foncière se font au niveau local, depuis la réception de la demande en certification jusqu'à la délivrance du certificat foncier signé par le chef de l'exécutif de la collectivité décentralisée, c'est-à-dire le maire. Les services des domaines ne tiennent aucun rôle dans la procédure de certification foncière. Des systèmes d'information entre les guichets fonciers et les services fonciers sont néanmoins prévus, mais en général ces derniers n'interviennent qu'au moment de la mutation des certificats fonciers en titre foncier[10].

10 Le décret n° 2007-1109 portant application de la loi n° 2006 031 fixant le régime juridique de la propriété foncière privée non titrée, en son article 52, prévoit la possibilité de muter le certificat foncier en titre foncier. La réalité est qu'aucune demande en mutation n'a été reçue par les agents guichetiers. De telle situation peut s'expliquer d'abord par le défaut d'information mais aussi par le fait que le certificat foncier est considéré par les usagers comme un véritable titre foncier.

L'un des mérites de ce nouveau système foncier malgache réside dans son aspect participatif. Le système de décentralisation foncière veut impliquer tous les principaux acteurs dans la reconnaissance du droit de propriété. Néanmoins, des doutes subsistent quant à la neutralité de ces acteurs, principalement ceux qui sont des personnalités élues et qui ont une propension à vouloir se faire attribuer certaines propriétés. Nul n'ignore que les services fonciers constituent le champ de prédilection de la corruption. Des mesures devraient donc être prises pour éviter la continuation de telles pratiques.

C – Le système foncier comme facteur de développement

Il ressort de l'analyse des nouveaux outils législatifs que dans la nouvelle culture juridique malgache, la terre est devenue un bien de nature purement économique, un bien simplement marchand. A en juger par les pratiques actuelles, la terre malgache semble ainsi avoir perdu ses caractères originaires, sacré, collectif et inaliénable. Les valeurs coutumières semblent laisser la place à l'exigence des modernités. Or, à Madagascar, il est impératif de concilier développement et propriété foncière étant donné que la terre constitue la principale richesse de ce pays. Ceci peut s'expliquer non seulement par le fait que la majorité de la population travaille et vit de la terre mais aussi et surtout par la considération que font les Malgaches de la terre comme étant « masina » ou « sacrée ». La question qui mérite d'être posée est de savoir si la notion de « terre sacrée » est conciliable avec les exigences du développement.

La réforme foncière entre dans le cadre du processus de développement rapide et durable de Madagascar. La terre constitue « le capital » qu'il faut gérer. Or une grande partie de ce capital est non exploitée. Les législations et les pratiques foncières antérieures ont été jugées comme étant les facteurs de blocage du développement du milieu rural. De telles raisons ont poussé le gouvernement à entamer la réforme foncière. Sous un autre angle, l'on pourrait penser que cette réforme peut jouer un rôle de conscientisation des Malgaches quant à la valeur réelle de leur terre. Indirectement, les législateurs veulent faire comprendre à tous les Malgaches que la terre possède une valeur autre que culturelle ; elle a également une valeur économique.

Encore une fois, il importe de rappeler que la réforme foncière de 2005 a été effectuée dans un but bien précis : la sécurisation foncière afin d'encourager le développement du pays. Le peuple malgache doit prendre conscience de la valeur économique que représente leur terre. Cette attention particulière concernant les législations foncières démontre l'importance du foncier dans le processus de développement du pays. Il en est même le moteur.

Dans le même esprit mais sur un autre plan, on dénonce un autre constat : le milieu rural malgache manque d'investissement. Une grande superficie de terres est encore mal exploitée. Malgré le fait que la terre soit considérée comme la principale richesse de ce pays, le système foncier applicable est jugé facteur de pauvreté. On dénote encore une prédominance de l'économie de subsistance en milieu rural. Les agriculteurs malgaches, ne possédant pas suffisamment de moyens aussi bien matériels que financiers, travaillent la terre dans le but uniquement de subvenir aux besoins de leur famille. De plus, la perception malgache de la terre ne correspond pas au système de l'économie de marché que l'on veut implanter à Madagascar. Certes, la terre constitue une richesse ; mais pour le peuple malgache, elle présente beaucoup plus qu'une simple valeur économique. Il existe un lien très fort entre les Malgaches et leur terre, un lien qui les empêche de voir en la terre un bien simplement marchand. Ce qui fait qu'aussi pauvres qu'ils puissent être, les Malgaches ne cèdent pas leur propriété.

Il s'avère dès lors que dans ce contexte, il est nécessaire de concilier culture, coutume et économie. Pour être effectives, les législations foncières doivent refléter cette conciliation. L'on se pose alors la question de savoir si les réformes foncières récemment entamées font apparaître cette exigence de cohabitation ? En outre, le constat a été fait que lors de l'adoption de ces nouveaux textes fonciers, le législateur, en essayant de répondre aux exigences de la mondialisation, s'est plutôt montré en faveur des « systèmes modernes » au détriment des pratiques coutumières. Le droit coutumier ainsi que le sens culturel de la terre malgache semblent avoir été mis de côté. Face aux nécessités de développement, les principes fondamentaux de la propriété foncière malgache ont été négligés. On assiste dès lors à une révolution, à un changement radical non seulement de législation mais aussi de la culture, de la mentalité et même de l'identité malgache.

En principe, vu l'importance du concept de propriété foncière à Madagascar, toute réforme concernant le système foncier doit préalablement faire l'objet d'une consultation auprès de la population pour vérifier sa conformité par rapport à ses attentes. Pour un meilleur résultat, la participation de cette population dès l'élaboration des nouveaux textes est ainsi souhaitée. Si les changements sont le fruit d'un consensus conclu entre les véritables représentants des « vahoaka » et les gouvernants, il serait facile pour la population de les accepter. Par contre, s'ils ont été « imposés » unilatéralement par les hommes forts du pays, sans nul doute, au lieu d'être un facteur de développement, les nouvelles législations vont freiner le processus de développement faute d'effectivité. Cette nuance est utile puisque beaucoup s'interrogent sur l'effectivité des nouvelles législations foncières malgaches. A peine quelques mois de leur promulgation, ces textes font déjà l'objet de contestations, l'application de certains d'entre eux est même suspendue[11]. On a ainsi l'impression que la réforme foncière entamée par le gouvernement malgache en 2005 s'est effectuée de manière trop expéditive, sinon à quoi imputerait-on ces diverses contestations ? Face à cette situation, l'on ne peut pas passer sous silence les questions relatives à la représentativité des parlementaires.

Il est à remarquer que les contestations portent surtout sur l'institutionnalisation de propriété sans titre et l'accès des étrangers à la propriété foncière. L'une comme l'autre, ces innovations ont été effectuées dans le but d'améliorer l'environnement social et économique à Madagascar. L'intention du législateur est certes estimable, d'autant plus que le milieu rural nécessite des investissements et des capitaux. Cependant, même si la sécurisation foncière est une priorité, l'instauration d'une propriété foncière « sans titre » comme moyen de sécurisation paraît dérisoire. Par ailleurs, le système de vente ou de location des terres à des étrangers sont appliqués dans d'autres pays pour inciter l'investissement des étrangers, mais cette stratégie ne correspond pas à la réalité malgache et se trouve être en contradiction avec la culture et le droit coutumier malgaches. Chaque pays possède des règles et des principes spécifiques. Les pratiques qui ont eu du succès dans un pays ne peuvent forcément pas aboutir dans un autre.

Les nouveaux outils et systèmes fonciers peuvent probablement garantir le développement rapide du pays. Néanmoins, certains d'entre eux sont jugés inconciliables avec la pratique foncière locale malgache. Par conséquent, aussi important que puisse être le développement du pays, le respect du principe, « terre sacrée, terre des ancêtres » semble prendre le dessus pour les Malgaches. Pour

11 Texte sur l'accès des étrangers à la terre.

qu'un processus de développement touchant la terre puisse être durable, il est impératif qu'il soit élaboré conformément aux principes du droit coutumier. Cela démontre qu'en termes de développement, les attentes de la population majoritairement paysanne diffèrent de celles des gouvernants et de certains investisseurs.

III – LES GRANDES INNOVATIONS DU SYSTÈME FONCIER MALGACHE

Depuis 2005, le système foncier malgache a subi plusieurs modifications, il s'agit d'une véritable révolution foncière. Ce système foncier a franchi une étape, celle de vouloir dépasser les principes traditionnels. Est-ce une étape nécessaire ? Cette question mérite d'être posée d'autant que le système de tenure foncière et la pratique foncière coutumière sont d'usage encore très courant auprès de beaucoup de malgaches. Quoi qu'il en soit, il est intéressant d'évoquer ces nouveaux aspects de la terre, leurs atouts et leurs impacts.

A – Une nouvelle forme de propriété foncière : celle non titrée

L'apparition d'une nouvelle forme de propriété foncière, celle privée occupée non titrée constitue l'une des grandes innovations de la réforme foncière. La propriété privée non titrée est établie afin de faciliter l'accès des malgaches aux services fonciers et de répondre à leur demande massive en sécurisation foncière. L'institutionnalisation de cette nouvelle forme de propriété est la solution apportée par le gouvernement face à la lourdeur et la complexité du système d'immatriculation. Désormais, la consécration du droit de propriété ne se fait plus uniquement par le titre foncier. Actuellement, il existe un droit de propriété sans titre à Madagascar : la propriété privée occupée non titrée.

Cette nouvelle forme de propriété est concrétisée par la délivrance d'un certificat foncier à la suite de la procédure de certification foncière évoquée plus haut. Le certificat foncier n'est pas un titre foncier. C'est un acte administratif attestant l'occupation, l'utilisation et la mise en valeur d'une parcelle de terre. Cependant, on constate que beaucoup confondent ces deux documents. La majorité des « occupants » qui a procédé à la certification de leur terre ne font aucune différence entre titre foncier et certificat foncier. Pour eux, le certificat foncier est un titre foncier[12]. Or, à la différence du titre foncier qui est définitif et inattaquable, le certificat foncier est document attaquable par la preuve contraire, situation que beaucoup ignorent.

Une confusion est donc appréhendée au niveau des deux formes de propriété, celle titrée et celle non titrée. Cette situation est dangereuse dans la mesure où une propriété (occupée) non titrée est différente d'une propriété titrée. Les deux ont chacune leur propre règlementation et sont régies par des régimes juridiques différents. La propriété occupée non titrée n'implique pas droit de propriété absolu. En effet, il s'agit d'une forme de propriété simplement opposable aux tiers jusqu'à preuve du contraire.

La population n'est pas suffisamment informée sur le régime de cette nouvelle forme de propriété. Or, si la propriété privée occupée non titrée est instituée dans le but de sécurisation foncière, cette absence d'information ne contredit-elle pas cet objectif ? Et si la population a été bien informée sur la différence entre ces deux formes de propriétés, optera-t-elle toujours pour la procédure de certification foncière qui consacre un droit de propriété non absolu ?

B – L'élimination du principe de présomption de domanialité

Aux termes de l'exposé des motifs de la loi 2005.019 sur le nouveau statut des terres, « L'innovation majeure apportée par ce texte de cadrage réside sur la reconnaissance d'un droit de propriété correspondant aux occupations pérennes exercées par les populations sur les terres non encore immatriculées et présumées appartenir à l'Etat dans la législation antérieure ». Par cette présentation, la présomption de domanialité publique a vécu, les auteurs de la loi ont évoqué la notion de présomption de « domanialité privée »...ce qui, en soi, recèle une contradiction intrinsèque.
En effet, dans l'ancienne conception, la présomption de domanialité publique avait une vocation purement symbolique et n'empêchait nullement l'appropriation privée de la terre. Elle désignait simplement la vocation qu'avaient les pouvoirs publics d'être le dépositaire transitoire de la gestion des espaces immenses de Madagascar, dans l'attente de leur appropriation privative. En effet, comme l'espace terrestre et géographique de Madagascar se présentait des milliers de fois plus important par rapport au nombre de sa population, il était impensable que cet immense espace eut pu faire originairement l'objet

12 Cf. Rapport CEReJ : « guichets fonciers : réalités et perspectives ».

d'une appropriation privative. L'histoire du monde enseigne que pareille appropriation s'effectue nécessairement par des actes positifs d'occupation du lieu. Aussi, dans l'esprit de la législation de 1960, quand des populations s'installaient sur une portion libre et inoccupée du territoire de Madagascar, elles devenaient propriétaires des lieux. Et quand ultérieurement, elles voulaient muter leur propriété coutumière en propriété moderne, elles devaient nécessairement s'adresser à une instance supérieure qui délivrait le titre foncier de propriété. Toute la présomption de domanialité publique prenait alors tout son sens.

Par contre, lorsque les rédacteurs et les présentateurs de la loi de 2005 et des textes subséquents brandissent la notion de présomption de domanialité privée, cela tend à sous-entendre qu'originairement, des lieux libres et inoccupés sur lesquelles une personne ou un groupe désireraient s'installer, feraient déjà l'objet systématiquement, inéluctablement et préalablement, d'une appropriation privée. Ce qui est tout simplement un non-sens juridique.

Il y a plus. Les effets pernicieux du nouveau système risquent de ne pouvoir être muselés. D'une part, si auparavant le principe était que la terre appartenait à tous les Malgaches, qu'elle constituait un bien commun dont l'Etat n'en était que le dépositaire transitoire, actuellement, hormis les terrains qui font déjà l'objet d'une appropriation privative, tout terrain anciennement domanial appartiendrait désormais en pleine propriété à l'Etat. Il pourrait en disposer librement, passant du statut de propriétaire présumé à celui de propriétaire de plein droit de tous les terrains domaniaux.

D'autre part et dans le même esprit, on serait tenté de penser que l'objectif de l'élimination du principe de présomption de domanialité consiste à laisser le champ libre aux gouvernants de disposer librement des terrains domaniaux. Dans le processus de prise de décision que ces derniers doivent effectuer, ils ont besoin d'une autorité absolue, ce qui n'a jamais été le cas à Madagascar, en matière foncière. Etant un sujet extrêmement sensible, toute décision pouvant affecter la terre a toujours été traitée avec précaution.

A l'inverse de leur pouvoir souvent excessif, les personnalités politiques n'ont jamais eu une véritable liberté d'action en matière foncière. Une simple mesure disproportionnée impliquant la terre peut constituer un levier pour faire chuter un régime en place. Ainsi se manifeste le caractère sociopolitique du foncier à Madagascar. De ce fait, l'attribution de qualité du « propriétaire de plein droit » à l'Etat confère à des personnalités étatiques et gouvernementales une quasi-garantie d'impunité dans l'exercice de leur pouvoir en matière foncière. L'on ne peut ne pas s'inquiéter sur le danger réel que représenterait pareille situation.

C – L'accès des étrangers à la propriété foncière

« La terre ne se vend point ». Jadis, il était impensable que des personnes de nationalité étrangère puissent accéder à une propriété foncière ou immobilière à Madagascar. En effet, les Malgaches ont toujours refusé de léguer la propriété foncière à des étrangers. Aussi, le législateur de 1960 a-t-il fortement insisté sur le fait que seules les personnes jouissant de la nationalité malgache peuvent bénéficier de l'accès à la propriété foncière.

En 2003, un nouveau texte[13] a été adopté modifiant certains principes fondamentaux du droit foncier malgache. Ce texte est une première puisqu'elle précise la possibilité pour les étrangers – entendons : des personnes ne possédant pas la nationalité malgache – d'accéder à la propriété foncière. Des personnes ne possédant pas la nationalité malgache peuvent aussi avoir recours aux droits des citoyens Malagasy. L'article 11 de la loi 2003-028 stipule que « tout étranger peut être autorisé à acquérir des biens immobiliers sur présentation d'un programme d'investissements. »

L'accès des étrangers à la terre est ainsi soumis à des conditions bien précises : entre autre un programme d'investissement. Le décret n° 2003/897[14] prévoit la création d'un guichet unique chargé d'autoriser l'acquisition des biens immobiliers par des étrangers. Par conséquent, une étude minutieuse sera menée avant d'attribuer des terres à des étrangers. En contrepartie, le demandeur doit investir à Madagascar et les biens immobiliers ainsi acquis doivent être affectés à la réalisation du projet d'investissement. Les limites des superficies à accorder à chaque demandeur sont également prévues par le décret

---

13 Loi 2003 028 modifiant et complétant certaines dispositions de la loi 62-006 du 06 juin 1962 fixant l'organisation et le contrôle de l'immigration modifiée par la loi n° 95-020 du 27 novembre 1995.

14 Décret n° 2003/897 modifiant certaines dispositions du décret modifié n° 94-652 du 11 octobre1994 fixant les modalités d'application de la loi n° 62-006 du 06 juin 1962 sur l'organisation et le contrôle de l'immigration.

précité. Elles dépendent en effet des secteurs d'activités dans lesquels le demandeur prévoit investir[15].

D'après ce nouveau texte, il suffit pour une personne de nationalité étrangère d'apporter un fonds d'investissement supérieur ou égal à 500.000 USD à Madagascar et d'investir dans l'un des secteurs précisés par la loi pour pouvoir accéder à la propriété foncière. Si l'investisseur choisit par exemple, le secteur bancaire, il peut acquérir jusqu'à 10000 m^2 en fonction du volume de son investissement[16].

La promulgation de ce texte a fait réagir plus d'un. Le gouvernement a été accusé de trahison envers le peuple malgache. Permettre à des étrangers l'accès à la propriété foncière signifie pour certains la vente même du « tanindrazana ». Au demeurant, en tenant compte de la valeur monétaire malgache, les étrangers bénéficient d'un très large pouvoir d'achat les permettant d'acquérir d'énorme superficie de terres. Avant même que cette loi ait été promulguée, les plus belles places du pays sont déjà occupées par les étrangers si l'on ne cite que le cas du Nosy Be. Sans nul doute que les étrangers vont se précipiter pour acquérir des terres à Madagascar et les plus belles de surcroît. Qu'en est-il des malgaches dont la majorité n'arrive même pas à faire immatriculer leur lopin de terre faute de moyens ? Que restera-t-il pour les générations futures ?

1) La soumission de la cession aux principes du droit privé

La cession des terres est une opération régie par le droit des contrats : il s'agit d'un contrat de vente de droit commun dont l'objet porte sur la terre. La cession est un contrat par lequel le cédant transfère un bien à une autre personne, le cessionnaire, qui a l'obligation d'en verser le prix. Si le contrat porte sur un terrain, le cédant transfère ses droits de propriété au cessionnaire, ce dernier, après avoir honoré ces obligations, devient le nouveau propriétaire du terrain ainsi cédé. L'obligation principale du cessionnaire consiste ainsi à payer le prix.

Or, à Madagascar, bien que la terre soit un bien, elle est un bien de nature quasi-inaliénable. Ainsi, la cession de terre a beau être régie

---

15 Article 32 nouveau, décret n° 2003/897 : secteur bancaire et assurances : dix mille (10.000) m^2, secteur immobilier : quinze mille (15 000) m^2, secteur touristique : vingt cinq mille (25 000) m^2, autres : cinq mille (5000) m^2.

16 Les textes précisent même que des dérogations sur la superficie à attribuer, peuvent être accordées par l'Etat « suivant l'importance des devises » apportées par l'investisseur.

par le droit commun des contrats, du fait de son objet, cette cession présente et doit présenter des particularités. Les anciens textes ont bien mis en exergue combien les procédures d'acquisition des terres étaient difficiles. Actuellement, les règles ont été changées : la terre est devenue un bien économique simplement cessible au même titre que tout autre bien. Certes, les textes ont été assouplis ; on dénote toutefois que le principe de cession des terres conserve son particularisme. Cela est confirmé par des nouvelles dispositions qui prévoient des autorisations particulières pour l'acquisition des terrains ou encore l'obligation d'investissement qui pèse sur les investisseurs étrangers voulant acquérir des terres à Madagascar.

La détermination des parties à ce contrat de cession s'avère également importante dans la mesure où l'Etat peut y figurer. En effet, avec l'annulation du principe de présomption de domanialité, l'Etat devient le cédant dans le cas de cession de terrain domanial. Les autorités étatiques se trouvent ainsi être les principaux acteurs de la transaction : ils définissent les termes du contrat et déterminent ainsi les contreparties de la cession.

La cession des terres à des étrangers emporte propriété foncière individuelle au bénéfice de ces derniers. La superficie ainsi cédée sera immatriculée au nom de l'investisseur étranger qui accèdera ainsi au statut de véritable propriétaire. Même si le terrain sera affecté au projet d'investissement, il ne reste pas moins que l'investisseur y jouira d'un véritable droit de propriété, généralement définitif et inattaquable. Par conséquent, l'Etat et le peuple malgaches perdront tout droit sur les terres ainsi cédées. Tout cela illustre le changement de conception du droit foncier malgache.

Cette forme de cession présente forcément des avantages, mais aussi importants soient-ils, une grande partie de la population trouve encore inconcevable qu'un étranger puisse devenir propriétaire des hectares et des hectares de terres dans un pays auquel il n'est même pas originaire, auquel il n'a aucun attachement. Certes, c'est une vérité bien connue qu'en affaire, le sentiment n'a pas sa place. Toutefois, pour ce qui est de la terre, du moins dans un pays comme Madagascar qui a une conception bien définie de la terre et des droits sur la terre, la volonté du peuple doit primer face à toutes sortes d'idées de profit.

Fort heureusement, cette nouvelle législation a été fortement critiquée. Ainsi, la règle de l'accès des étrangers à la propriété foncière a été modifiée. Désormais, il n'est plus permis à des étrangers d'acquérir directement en leur nom personnel des propriétés foncières. En revanche, l'article 18 la loi n° 2007-036 du 14 janvier 2008 sur l'investissement prévoit que les sociétés de droit malgache, dont la gestion est placée sous le contrôle d'étrangers ou d'organismes dépendant eux-mêmes d'étrangers, sont autorisées à acquérir des biens immobiliers sous réserves d'investissement à Madagascar. Par conséquent, pour pouvoir accéder à la propriété foncière, les étrangers doivent préalablement créer une société ou un organisme de droit malgache. Le même article en son alinéa deux, avance également la possibilité pour des étrangers de contracter un bail emphytéotique d'une durée maximale de quatre-vingt-dix-neuf ans.

L'on pourrait reformuler les textes, mais le fait est qu'à Madagascar, les étrangers peuvent désormais accéder à la propriété foncière, peu importe la forme que la cession prendra : soit par l'intermédiaire d'une personne morale de droit malgache, soit par la conclusion d'un bail emphytéotique. Le principe d'inaliénabilité des terres n'existe plus, la terre a changé de nature et est devenue un bien économique simplement cessible.

2) Du guichet unique

A côté du projet d'investissement, une autorisation d'acquisition de propriété foncière délivrée par une structure non gouvernementale constitue l'autre condition d'accès à la propriété foncière pour les étrangers[17]. En effet, comme cité précédemment, les textes prévoient la création d'un guichet unique chargé d'autoriser l'acquisition des biens immobiliers par des étrangers. L'Etat a mis en place une structure dénommée EDBM[18] pour tenir ce rôle de guichet unique. L'EDBM a la charge de « développer les investissements locaux et internationaux et de trouver les moyens de créer une croissance économique forte et soutenue. »[19]. De ce fait, autoriser les étrangers à accéder à la propriété foncière est considéré comme un des moyens pour relancer la croissance économique de Madagascar.

17 Cette autorisation est nécessaire uniquement dans le cas de cession de terrains au profit des étrangers. La cession des terrains entre malgache est libre.
18 L'EDBM ou Economic developpement Board of Madagascar, est un établissement public industriel et commercial (EPIC) au sein duquel est représenté chaque ministère sous forme de guichet unique. Son objectif consiste à favoriser l'émergence et le développement du secteur privé de Madagascar.
19 www.edbm.gov.mg

La question qui se pose en premier lieu est de savoir pourquoi un simple EPIC est autorité à délivrer une autorisation d'acquisition foncière. Ensuite, qu'en est-il de la valeur de cette autorisation ?

L'article 09 de la nouvelle loi sur les investissements précise que la délivrance des autorisations d'acquisitions foncières est une des attributions de l'EDBM. Dans un souci d'accélérer l'approbation des projets d'investissement, l'EDBM agit pour le compte des Ministères concernés. Comme nous sommes dans le cadre foncier, il agit pour le compte du Ministère chargé des domaines. Il reçoit et étudie toutes les demandes d'acquisition de terres émises par des étrangers. Au bout de vingt jours, l'EDBM informe le demandeur du résultat de son étude. Soit la demande est rejetée, soit elle est acceptée. Dans le premier cas, l'EDBM délivre une autorisation d'acquisition foncière. Ce document permettra au demandeur d'entamer les procédures exigées pour l'acquisition d'un titre de propriété foncière. Mais, ces quelques jours suffiront-ils à prendre la décision d'autoriser à un étranger d'acquérir des millions d'hectares de terrain, d'autant plus que pour les nationaux cette procédure peut durer des années ?

Néanmoins, il est à souligner que l'autorisation ainsi délivrée n'équivaut pas à un titre de propriété « mais seulement le document permettant aux parties de procéder aux formalités légalement prévues pour la cession d'un immeuble[20] ». Cela signifie que l'autorisation d'acquisition foncière délivrée par l'EDBM ne constitue pas un document attestant la propriété foncière. L'autorisation certifie que la demande de l'intéressé répond aux critères prévus par les textes pour l'accès des étrangers à la propriété foncière. Sa délivrance implique l'enclenchement des procédures prévues pour la cession des terres.

Il faut néanmoins reconnaitre que dans le domaine économique, permettre à des étrangers l'accès à la propriété foncière présente des aspects positifs. En effet, tous les ministères concernés collaborent afin de relancer le développement du pays et le pouvoir central a institué le système du guichet unique afin de faciliter cette collaboration. Souvent, l'accès des étrangers à la propriété foncière est interprété comme une ouverture de l'économie malgache aux investisseurs « étrangers ». Par rapport aux îles voisines, Madagascar se trouve largement dépassé en matière de développement économique. Le problème foncier a toujours été classé parmi l'un des principaux obstacles au développement du pays. Pour les étrangers,

20 Article 09 alinéa 2 da la loi 2007 036.

l'accès à la propriété foncière constitue une garantie de leur investissement. Aussi, il n'est pas étonnant que le volume des investissements directs étrangers ait fortement augmenté. Le nombre de nouvelles sociétés créées ont dépassé les objectifs, entrainant une forte création d'emplois pour les Malgaches qui se contentent toutefois du statut de simples ouvriers. Mais chaque médaille a son revers puisque avec l'accès des étrangers à la propriété foncière, beaucoup risquent de se faire déposséder de leur « tanidrazana ». En effet, la pauvreté pousse les gens, surtout les petits paysans à se dessaisir de leur terre pour une modique somme d'argent[21]. Or nul n'est sensé ignorer que la terre constitue le gagne pain de ces paysans. Sans travail, sans terre, il leur serait impossible de subvenir aux besoins fondamentaux de leur famille. Ainsi, si le problème semble être résolu du côté des étrangers, du côté des malgaches, de nouveaux soucis tant sociaux que juridiques, apparaissent.

3) Du bail emphytéotique

La nouvelle loi sur l'investissement prévoit la possibilité pour des étrangers de contracter un bail emphytéotique. Le bail emphytéotique se définit comme « un bail de dix huit à quatre vingt dix neuf ans qui permet au bénéficiaire de disposer du terrain pour y réaliser des impenses qui reviendront au propriétaire à l'issu du bail, moyennant le versement d'une redevance annuelle dont le montant est inversement proportionnel à la valorisation du terrain attendue à l'expiration du contrat ».[22]

A défaut d'accès proprement dit à la propriété foncière, il est d'usage que des étrangers voulant s'investir dans un pays, contractent un bail emphytéotique sur un terrain domanial. En effet, une occupation effective de grandes étendues de terres pendant quatre vingt dix neuf ans pourrait s'interpréter comme une forme d'appropriation. Cette occupation confère au preneur un droit réel, certaines doctrines avancent même la notion de « quasi propriété » qui fait de cette pratique une garantie des investissements des étrangers.

Le bail emphytéotique n'est pas une notion nouvelle. Toutefois du fait du principe de l'inaliénabilité des terres, les Malgaches ont démontré une certaine réticence face à cette notion. Actuellement, le nouveau système foncier mis en place encourage la pratique du bail

21 1 000 000 ar pour une assez grande superficie de terres (dans la région d'Itasy).
22 Définition tirée de la loi 2005 019 fixant les principes régissant les statuts des terres.

emphytéotique. La procédure de conclusion du bail emphytéotique a été allégée et facilitée par les nouveaux textes. A titre d'exemple, l'article 18 de la loi sur l'investissement en son alinéa 2 dispose que « les personnes physiques ou morales étrangères peuvent librement et sans autorisation préalable contracter un bail emphytéotique d'une durée maximale de quatre vingt dix neuf ans, renouvelable ».

L'Etat facilite ainsi l'accès des étrangers à la terre par le bais du bail emphytéotique. Par là même, il incite également l'investissement étranger. Cette pratique a le mérite d'être simplement un bail, mais un bail qui néanmoins confère à des investisseurs étrangers des droits de disposer librement du lieu loué presqu'au même titre et aussi longtemps qu'un propriétaire légitime. De plus, le risque en matière de bail emphytéotique réside dans sa nature négociable. En effet, le « preneur peut librement laisser ce bail en sécurité (sic) ou en nantissement d'un prêt ou de toute autre opération financière auprès des tiers »[23]. Et si le preneur est une personne de nationalité étrangère, ce risque s'amplifie dans la mesure où n'ayant aucun lien de rattachement au terrain, il est fort probable que le terrain devienne l'objet d'une simple spéculation.

L'application de ces nouveaux textes a suscité de vives réactions. Le bail emphytéotique n'implique pas cession définitive ; toutefois, ces deux actes juridiques présentent des similarités. Ils impliquent pour le propriétaire du l'immeuble, cédant ou bailleur[24], la dépossession du terrain cédé. Certes, la dépossession issue de la conclusion d'un bail emphytéotique n'est pas absolue. Toutefois, le bailleur sera dépossédé de son bien pour une durée de quatre vingt dix neuf ans. Les Malgaches assimilent purement et simplement cette dépossession de longue durée en une aliénation. Le dossier Daewoo[25] illustre cette affirmation. Des groupes de lobbying[26] se sont même formés afin de protéger les terres malgaches contre le phénomène d'accaparement des terres effectué par des étrangers.

---

23 Article 1, alinéa 2 de la loi n° 96-016 du 13 aout 1996.

24 Le cédant ou le bailleur peut être un simple particulier ou l'Etat malgache lui-même dans le cas de terrain domanial.

25 Daewoo est le nom de l'entreprise sud-coréenne qui a tenté de louer la moitié des terres cultivables de l'île pour cultiver l'huile de palme, acquisition dont le peuple malgache a contesté fortement.

26 Le collectif pour la défense des terres malgaches, les Amis de la terre, ...

IV – DE L'EFFECTIVITÉ DES NOUVEAUX PRINCIPES FONCIERS

Quatre longues années se sont écoulées depuis que les nouveaux principes issus de la réforme foncière malgache sont appliqués. Un bilan peut donc être effectué. Concernant les nouvelles législations foncières, le programme national foncier a beau essayé de les vulgariser, force est de constater que beaucoup ignorent encore leur existence. De ce fait, il est assez inquiétant de savoir que dans plusieurs régions de l'île, plus précisément celles qui ne disposent pas encore d'un service foncier de proximité[27], ni les autorités étatiques, ni les responsables des services du domaine, encore moins l'ensemble de la population ne connaissent l'existence de la nouvelle législation foncière ainsi que des changements qu'elle apporte.

Par ailleurs, parmi ceux qui sont au courant, beaucoup semblent ne pas être convaincus par les nouveaux principes que la nouvelle règlementation véhicule. Certains responsables au niveau des services du domaine et de la topographie dénoncent l'institutionnalisation des services fonciers décentralisés et de la propriété privée non titrée comme solution à la crise foncière. De plus, non seulement, le nouveau système ne touche pas l'ensemble du pays mais des localités choisies comme expérience-pilotes[28], parallèlement la population elle-même hésite encore à opter pour ce nouveau système de gestion foncière. De telles situations en disent long sur la perspective de cette nouvelle législation ainsi que celle des principes qu'elle a institués.

En revanche, force est de reconnaitre que le nouveau système foncier mis en place apporte une certaine sécurisation psychologique aux paysans touchés par la mesure. En effet, le système de décentralisation de la gestion foncière garantit aux paysans l'acquisition d'un « document administratif[29] » attestant leur droit de propriété. Mais, puisque ce document implique seulement un droit de propriété « sans titre », un droit de propriété « provisoire », l'on se demande alors s'il emporte réellement résolution des problèmes fonciers malgaches ?

---

27 L'administration et les bailleurs de fonds choisissent les communes auprès de qui un guichet foncier sera implanté. Par rapport aux quelques 1500 communes de l'île, le nombre de guichet foncier fonctionnel n'atteigne ne serait ce que les tiers du nombre des communes. Souvent, le lieu d'implantation dépende du site de travail du bailleur qui financera le projet.

28 Le système de « communes pilotes » a été mis en place afin de vérifier l'impact des changements entrepris sur la population.

29 Le certificat foncier.

Concernant l'accès des étrangers à la propriété foncière, cette nouvelle vision fait l'objet de diverses contestations. La majorité des Malgaches refuse encore ce système de « capitalisation » des terres. Ainsi qu'on l'a énoncé plus haut, la terre a changé de nature ; elle a perdu la valeur que la coutume lui a assignée. Dans le droit coutumier malgache, la terre a certes été estimée autrement, mais elle n'en est pas moins un bien, et elle est régie par le droit des biens. Par conséquent, le principe de l'inaliénabilité des terres ne signifie pas que la terre ne peut faire l'objet d'aucune aliénation. Ce principe a été instauré pour préserver le tanindrazana de toute idée de spéculation. La terre peut faire l'objet d'une aliénation, elle ne devient inaliénable que lorsque l'aliénation est de nature à porter atteinte à la sécurité du tanindrazana. Ainsi, si le droit coutumier a insisté sur le principe de l'inaliénabilité des terres à des étrangers, c'est que cette forme d'aliénation serait une atteinte à la sécurité du tanindrazana.

Actuellement, les règles ont changé, la cession des terres à des étrangers n'est plus interdite. La marchandisation des terres est même devenue le principe. Toute transaction sur la terre présente des risques et particulièrement celle portant sur une grande superficie du territoire. Une nation peut-elle continuer à exister si la majorité de ses terres est transférée en pleine propriété à des étrangers ? A la limite, si l'on continue à encourager cette pratique, la grande Ile elle-même risquerait de devenir propriété des étrangers. L'image est caricaturale, mais elle exprime l'immense déception occasionnée par la nouvelle règlementation foncière. Dans le but de préserver la Nation, la culture et l'âme malgaches, le droit coutumier, en instituant le principe d'inaliénabilité des terres, a voulu écarter toute idée spéculative sur la terre. Un nouveau système foncier pouvant mettre en péril ce qui fait le fondement d'une nation mérite-t-il d'être appliqué ?

Conclusion

La réforme foncière a comme principaux objectifs la mise en place d'un système foncier répondant aux attentes du peuple malgache ainsi que la création d'un environnement économique favorable aux investissements étrangers. Or, cette double finalité recèle un paradoxe. D'une part, l'attente majeure de la population malgache, généralement paysanne, consiste en la sécurisation de leur terre et de leurs droits sur la terre. D'autre part les investisseurs étrangers, souhaitant avoir des garanties de leurs investissements, espèrent l'annulation des principes coutumiers contraires à leurs intérêts et l'apparition de nouveaux principes leur permettant l'accès facile à la propriété foncière.

En réponse à ces différentes attentes, l'Etat Malgache a adopté une nouvelle règlementation impliquant de grands changements dans le système foncier. Désormais, le pouvoir de l'Etat de disposer de terrains domaniaux est renforcé. De nouvelles formes de propriété sont apparues. Finalement, le principe de l'inaliénabilité des terres est aboli, au grand bonheur des étrangers.

Parmi ces nouveaux principes en matière foncière, le phénomène d'accès des étrangers à la terre s'avère être le plus inquiétant. Notre souci réside d'abord sur l'ampleur des prospections des terres malgaches effectuées par les grandes firmes étrangères ; ensuite sur les impacts qu'auront les transactions foncières sur les petits paysans et sur la souveraineté de l'Île ; enfin, et non le moindre, sur les contreparties de ces aliénations des terres aux étrangers. Ces contreparties doivent être définies clairement et le peuple malgache doit en être les principaux bénéficiaires. Or, le fait est que la conclusion des contrats de cession se fait souvent de manière secrète et n'implique que quelques personnalités étatiques. Ce manque de transparence fait peser le doute sur la sincérité, l'objectivité et l'honnêteté de ces opérations et des personnes qui y sont impliquées.

Il apparait ainsi que les nouveaux principes fonciers semblent plus favoriser les intérêts des étrangers et de certains investisseurs nationaux que répondre aux véritables besoins de la population de Madagascar. Par conséquent, il serait légitime de poser les questions suivantes : quelle est la réelle finalité de cette réforme foncière, pour qui est-elle effectuée et à qui profite-t-elle le plus ?

L'entreprise

Pot pourri autour du droit des procédures collectives d'apurement du passif en droit malgache

Riaka RAKOTOBE

Introduction : De l'état du droit positif malgache en matière de procédures collectives

Le droit des procédures collectives malgache[1] se trouve essentiellement inspiré des anciennes législations françaises du 13 juillet 1967 et du 25 janvier 1985. L'amalgame législatif qui en résulta trouve en fait son origine dans l'adoption par les états africains des actes uniformes de l'Ohada (Organisation pour l'Harmonisation du droit des affaires en Afrique), lors de la grande réforme du droit des affaires à Madagascar[2]. Quelle que soit l'opinion que l'on peut porter sur ces actes, nous n'évoquons ici que l'influence qu'ils ont eue dans la réforme entreprise par le législateur malgache.

D'emblée, la question se pose de savoir si le droit positif malgache en matière de procédures collectives gagnerait à suivre l'évolution insufflée par le droit français, ou doit-il se contenter des directives données par l'Ohada et se cantonner à une législation qui, bien qu'ayant eu son heure de gloire en droit positif français, a été néanmoins abandonnée en raison d'un manque de coïncidence avec la réalité ?

Il nous semble que la seconde option, bien que reflétant l'état actuel des choses, pourrait paraître manquer d'un peu de réalisme. Le bon

---

1 L'ancienne législation malgache en la matière était l'ordonnance n° 62-008 du 31 octobre 1962, « des faillites et règlements judiciaires, de la réhabilitation et des banqueroutes et autres infractions en matière de faillite », livre III, du code de commerce Malgache de 1807.

2 Cette réforme intervint essentiellement à travers un effort de compilation et de codification mais aussi de rénovation des textes régissant entre autres le droit des affaires (décembre 2000, cd-rom 1000 textes)

sens empêcherait de reprendre ce qui a été rejeté. Les directives même de l'Ohada préconisent que les pays soient libres d'aménager les actes uniformes pris au sein de l'organisation. Cela ne permet-il pas de sous entendre que ce législateur admet que les dispositions prises pourraient ne pas refléter les réalités au sein de chaque pays, voire même accuseraient nécessairement un certain retard par rapport aux législations en vigueur dans d'autres pays dont les entreprises seraient nécessairement amenées à entretenir des rapports avec les sociétés locales ? De plus, la récente crise économique mondiale vient corroborer les problèmes liés à une globalisation des échanges et partant des législations. Si les actes uniformes de l'Ohada visaient à uniformiser les législations des pays membres ainsi que ceux des pays africains d'une manière globale, ce qui pécherait dans la législation d'un pays vaudrait dès lors pour l'ensemble des autres pays[3]. Mais au-delà encore, et sans vouloir généraliser, est-il concevable que les législations des pays amenés à entretenir un partenariat soient de toute évidence nettement plus avancées, révélant ainsi un décalage important, alors même que les législations appliquées par l'Ohada proviennent desdits pays ?

La question de l'évolution des législations en matière de procédures collectives en France a déjà interpellé la doctrine[4] qui avait estimé que le changement de textes chronique (presque toutes les décennies) ne résidait pas dans le fait que lesdits textes étaient mauvais en soi, mais résultait d'une volonté de trouver des dispositions légales qui coïncidaient au mieux avec la perpétuelle évolution de la pratique. Le débiteur représentant une entité sociale se devait d'être protégé. La protection du créancier s'est dès lors reportée sur le débiteur. L'évolution ainsi engendrée, nous semble-t-il, en cette ère de la globalisation, intéresse nécessairement l'ensemble des pays africains, et *a fortiori* Madagascar.

Dès lors, il convient d'insister sur le fait que l'adoption desdits textes hérités d'anciennes dispositions françaises ne peut que constituer une étape vers l'amélioration du droit positif et plus spécialement de celui de Madagascar. A notre sens, c'est bien ce sentiment qui a dicté le législateur malgache en optant pour ces textes. En effet bien qu'accusant un relatif décalage l'actuelle législation rejoint, dans ses grandes lignes, le droit positif français qui sert de référence. De plus

---

3 L'exposé des motifs de l'acte uniforme de l'Ohada pose clairement ce problème de la recherche d'une uniformisation des législations des Etats-parties à l'Ohada, en dénonçant l'hétérogénéité du droit des procédures collectives suite aux évolutions disparates de la législation de certains membres.

4 LUCAS F.X. « Aperçu de la réforme du droit des entreprises en difficulté par la loi de sauvegarde des entreprises du 26 juillet 2005 », bull. Joly Sociétés, 01 nov. 2005, n° 11, p. 1181.

tout ne relève que de la volonté des acteurs du droit de combler ledit décalage et d'adapter ainsi notre législation à celle des pays appelés à entretenir des relations économiques avec Madagascar.

Dans la problématique ci-dessus exposée, nous trouverons une des raisons pour lesquelles Madagascar ne fait pas parti des pays ayant adhéré à l'Ohada. Il en découle qu'en l'absence d'explication officielle concrète fournie, nous sommes conduits à nous cantonner au constat d'un simple refus d'adhésion. On pourra néanmoins déduire de ce choix la justification des modifications apportées par le législateur malgache au niveau des textes. Aussi, tel que nous l'évoquions précédemment, nul doute que ce désir de ne pas s'aligner aux textes préconisés par l'Ohada à travers ses différents actes uniformes, n'aurait en fait pour finalité que de permettre une amélioration de ces derniers. En effet, la signature d'un traité n'a-t-il pas généralement pour conséquence d'enfermer le signataire dans les obligations en résultant ? La non-adhésion ne peut dès lors que se présenter comme un avantage. Lesdits actes uniformes pourront servir de base et être modifiés à volonté. Ce qui ne peut qu'être profitable au droit positif, et tendre vers son amélioration.

1) Evolution du droit des procédures collectives : inévitable face au développement de la pratique des affaires

Le droit des affaires malgache connaît une histoire bonifiée par de récents changements qui ne peuvent passer inaperçus après un long marasme législatif. Changements nécessaires afin d'aboutir à une législation plus adaptée, remise au goût du jour, et donc apte à faire face à l'évolution du monde moderne[5].
Ainsi, bien que parfois qualifiés de « vieillots »[6] les textes malgaches ont connu un certain renouveau, insufflé par les acteurs juridiques faisant « œuvre créatrice d'adaptation ». Renouveau souhaité, que les auteurs et les praticiens n'ont pas manqué de relever[7].

---

5 Il faut souligner que les modifications apportées par la loi n° 2007-018 du 27 juillet 2007 consistaient pour la plupart en des ajouts ayant pour vocation de régler certaines incompréhensions résultant justement de l'absence de précisions adéquates. Le texte originel du 03 septembre 2004 est donc maintenu dans sa quasi-totalité.

6 RAMAROLANTO-RATIARAY, les mutations du droit privé à Madagascar, PUAM 1999, p. 80.

7 Notamment l'article de M. RAMAROLANTO-RATIARAY relève, entre autres, un effort de « compilation des textes » à travers un « phénomène de codification prometteur» (op. cit. p. 87 et s). D'une manière plus générale, il souligne le caractère unifié du droit des affaires, particulièrement sa nature adaptée à l'évolution du monde moderne. De plus grâce à l'œuvre des juges ainsi que des praticiens le « droit positif malgache (s'enrichi) d'exploration et d'investissements intellectuels ». Cette amorce de « mutations du droit privé » telle que

Un auteur souligne, qu'à son origine se trouve une forte potentialité du système d'interprétation de la loi malgache, provenant entre autres et surtout des juges ainsi que des praticiens. Cette affirmation apportera une grande valeur à notre réflexion puisque cette force contribuerait pour une grande part au développement de l'ordonnancement juridique malgache (l'auteur ne manque pas de mentionner que cela a eu pour conséquence de créer un « décalage » entre la pratique et « l'immobilisme des textes » mais que cela constituait une bonne chose en soi, car représentait «le fruit de l'accélération de l'Histoire ».)
Il convient de signaler que même si les réflexions de l'auteur ne portent que sur des « branches fondamentales du droit privé » il est concevable, qu'à plus forte raison, l'esprit de cette intervention puisse, d'une certaine manière, être généralisé et donc se rapporter à d'autres branches, plus ramifiées, et en l'occurrence au droit des procédures collectives.

2) Une évolution, œuvre des acteurs du droit : le juge et les acteurs contractuels

Il est généralement admis par la doctrine (française en l'occurrence) que le principe de la souveraineté de la volonté contractuelle était « un mythe » en raison du fait que ladite volonté s'incline face aux impératifs posés par le droit positif et ce tant sur le plan de la formation que des effets du contrat (largement différents de ceux prévus initialement par les parties généralement).
Néanmoins la pratique malgache donne une lecture, autrement différente quant au mérite d'une force certaine reconnue à la volonté. Force qui se fonde essentiellement sur la liberté contractuelle. A été cité ainsi « l'imagination des contractants »[8], entre autres causes de la prépondérance admise de l'autonomie de la volonté. Ce qui aura pour effet de faire naitre au sein de la pratique malgache une multitude de solutions tenant au caractère nécessairement disparate (car subjectif) du critère sur lequel s'appuient les décisions ainsi rendues. Il s'agit en effet d'un élément purement psychologique mais dont les conséquences, juridiquement parlant, conduiront dès lors à admettre une place importante non pas « aux bases stables du droit positif »,

---

soulignée par l'auteur trouvera son écho dans les réformes apportées tout récemment dans les textes adoptés (entre autres loi n° 2003-042 du 03 septembre 2004 modifiée par la loi n° 2007-018 du 27 juillet 2007 portant procédures collectives d'apurement du passif).

8 Selon l'auteur ce qui contribuerait à assimiler le droit des contrats à « une mosaïque » réside dans la combinaison de certains éléments à savoir « la présence de nouveaux acteurs contractuels, la résurgence des contrats de droit traditionnel et l'imagination des contractants », op.cit. *supra*.

mais à une « mosaïque » de bases qui va constituer une sorte de précédent pour les contractants. Il va sans dire que cet état de chose pourrait avoir une incidence assez importante sur la recherche et l'instauration d'une jurisprudence stable. Il faut cependant nuancer nos propos. En effet cela ne revient pas à dire que le juge ne se baserait pas sur les textes de loi[9] pour rendre ses décisions[10]. Bien au contraire, mais l'obligation d'interpréter les textes existants peut donner lieu à des décisions pouvant fluctuer au gré des interprétations.

Sans doute la solution proposée peut s'analyser comme participant à faire perdurer des règles disparates. Mais le rôle de la loi n'est-il pas de dresser un tissu normatif afin de poser des principes directeurs, des règles et ce dans le but de préserver l'ordre public ? L'interprétation qui en sera donnée relevant dès lors du pouvoir souverain du juge.

En tout état de cause, l'office du juge œuvre pour une amélioration du droit positif. En effet, dans l'hypothèse inverse, de l'absence de textes, le juge devra s'adapter et cherchera une solution en s'inspirant du droit français à titre de raison écrite[11]. Qu'il s'agisse d'une interprétation ou d'une référence à des règles du système juridique français, la recherche d'une solution par le juge conduit à une édification progressive du droit positif malgache.

Si le constat ainsi dressé correspond à la réalité il y a une décennie de cela[12], aujourd'hui encore, nonobstant une politique de réforme à l'instar de celle entreprise au sein du droit des affaires, des lacunes persistent et nécessitent toujours pareille office du juge, en l'occurrence en matière de procédures collectives.

De plus, s'il faut admettre, et particulièrement dans le droit malgache, que la pratique, à travers les interprétations de la loi qui y sont

9 Textes qui comme le souligne l'auteur vont fixer des effets largement différents de ceux prévus initialement par les parties. La jurisprudence malgache ne s'écarte dès lors en rien « des schémas classiques », le juge restant le garant de la bonne application de la loi. (op. cit. p. 76)
10 M. RAMAROLANTO-RATIARAY de préciser que les « bases stables » n'existent qu'à l'« égard de la théorie générale des obligations » (loi 66.003 du 2 juillet 1966). En d'autres termes les textes de références existent, mais à leur côté la pratique tend à permettre un développement propre de la matière visée (l'auteur prend ainsi l'exemple de l'évolution du droit des biens).
11 L'auteur pose ici la controverse née de l'abrogation des accords du 27 juin 1960 par les accords de coopération franco-malgache du 4 juin 1973. Les accords de 1960 prévoyant qu'« en l'absence de textes spécifiques en droit malgache, le code civil français continuait à s'appliquer sur le territoire de Madagascar » (art.4), devraient, selon lui, continuer à recevoir application pour aider le juge dans son œuvre d'interprétation et surtout dans sa contribution au développement du droit positif en se référant au droit français (op. cit. p. 77 et 81).
12 Le constat posé au travers de l'analyse de M. RAMAROLANTO-RATIARAY porte sur les mutations appréhendées à la fin du XXe siècle (décembre 1997), et constituait non seulement un bilan mais était surtout précurseur du droit du début du XXIe siècle.

données, contribue à forger le droit positif, cela reviendrait à dire que cette pratique participerait d'une manière active au développement de l'ordonnancement juridique malgache, et conduirait à reconnaître comme efficace des systèmes qui en naissent, telle la clause pénale, fruit de la volonté contractuelle.

Rechercher l'amélioration de l'ordonnancement juridique et particulièrement du droit des procédures collectives par le truchement de l'évolution de la pratique paraît somme toute logique. Néanmoins la consécration d'un fait nouveau nécessite un délai de maturation. À travers la clause pénale c'est la notion de volonté même qui retrouve une place particulière dans le droit des procédures collectives, et partant, aura pour effet d'améliorer la situation du débiteur. La clause de style que constitue la clause pénale aura la tâche d'y contribuer.

Si celle-ci est reconnue par la loi (art. 182 et suivant de la LTGO[13]), elle est paradoxalement d'un usage limité dans la pratique. Les décisions judiciaires en la matière sont quasi inexistantes. Mais néanmoins c'est de la pratique que doit naitre la nouvelle appréhension de la notion. En effet, si le droit positif ne fait qu'en poser le principe, il appartiendra à la pratique d'exploiter au maximum le mécanisme de la clause pénale. Les incidences de la volonté, à l'origine de cette dernière, pouvant se rencontrer entre autres dans le cadre des procédures collectives.

Ainsi dans le droit positif français on relèvera quelques hésitations de la doctrine française quant à la valeur à accorder à cette manifestation de volonté qu'est la clause pénale. Selon M. E.M. BEY, elle ne peut se voir reconnaître un paiement préférentiel en cas de survenance des conditions de sa réalisation[14]. En d'autres termes, et à titre comparatif, le titulaire de la clause pénale ne peut bénéficier du privilège de l'ancien article 40 de la loi du 25 janvier1985, c'est-à-dire un paiement par privilège. Aucun autre auteur n'est venu prendre position de manière significative par rapport à ce paiement de la clause pénale dans le cadre d'une procédure collective.

Néanmoins, certaines positions doctrinales peuvent s'analyser comme plaidant en la faveur d'une concession du bénéfice de l'article 40 à la clause pénale[15].

La pratique malgache, en adoptant un raisonnement similaire, gagnera à enrichir un ordonnancement juridique malgache qui n'a pas encore pris position quant à la valeur à accorder aux stipulations

13 **Art. 182,** loi n° 66-003 du 2 Juillet 1966 portant sur la théorie générale des obligations – « On peut, par clause pénale écrite, s'engager au paiement d'une réparation forfaitaire en cas d'inexécution, d'une obligation ».

14 E.M. BEY, « le crédit-bail dans la réforme des procédures collectives opérées par la loi du 10 juin 1994 », Revue de Droit des Affaires, n°8/9, 01 Août 1994, p. 707-721.

15 Nous en exposerons certaines dans les développements ultérieurs *infra*.

contractuelles, et particulièrement à celles prévoyant une peine à titre de sanction de l'inexécution, dans le cadre d'une procédure collective. Elle servira dès lors à catalyser l'évolution du droit des procédures collectives, en instituant une « nouvelle » catégorie de créanciers.

I – LA PRATIQUE, CATALYSEUR DE L'ÉVOLUTION DU DROIT DES PROCÉDURES COLLECTIVES

La clause pénale est une clause de style, pur fruit de la volonté, ayant tôt fait d'investir les relations contractuelles du monde des affaires[16]. Et ce, bien que le concept même de la notion ne soit pas appréhendé convenablement. Il faut admettre cependant que c'est bien la pratique qui vient introduire la notion dans différents domaines juridiques et en l'occurrence dans le droit des procédures collectives. Dès lors, sa consécration dans le cadre des procédures collectives soulève un certain nombre de questions notamment en raison de l'avantage que procure celle-ci à son titulaire. Se pose ainsi la question de sa validité en cas d'ouverture d'une procédure collective, ou encore celle du sort de son titulaire face aux autres créanciers.

A – De la validité du contrat de clause pénale dans la procédure collective

La jurisprudence française a, par une décision de la cour de cassation[17], décidé que la clause pénale s'impose à la masse des créanciers qui ne pouvait opposer au crédit-bailleur la règle de l'égalité des créanciers.

A l'instar de l'indemnité de résiliation, la cour de cassation a donné une base qui se trouve applicable à la clause pénale. Si la clause de résiliation, qui a pour objet l'évaluation forfaitaire du préjudice subi par le bailleur, n'a pas le caractère d'une clause pénale, elle est néanmoins prévue pour le cas d'une inexécution de ses obligations par la partie débitrice. Une similitude de cause qui peut permettre un rapprochement sans toutefois les confondre[18]. Cette inexécution

16 Contrat type de crédit-bail de la Bankin'ny Indostria Crédit agricole (BNI-CA) année 2007. Mais bien avant les stipulations ayant vocation à garantir l'exécution par les sanctions qu'elles prévoient en cas d'inexécution, étaient déjà reines dans la plupart des contrats. Et ce en raison de l'article 123 de la LTGO qui prône la force de la volonté contractuelle.

17 Cass. Com. 14 Mars 1989, arrêt n° 420 D, Sté Ordinabail c/ Irrifrance.

18 Résolution ou résiliation, ces deux notions sont étroitement liées à la clause pénale dans la pratique. En effet généralement la clause résolutoire prévoit qu'en cas de survenance de l'inexécution d'une condition déterminée contractuellement la résolution ou la résiliation

confèrera au créancier la possibilité d'exiger la résiliation et le paiement d'une indemnité préalablement convenue[19]. Il a ainsi été décidé que ladite indemnité, puisque prévue dès la conclusion du contrat et ayant comme contrepartie la remise à disposition de la chose louée, résulte uniquement de « l'exécution d'une clause du contrat librement acceptée par le preneur, pour le cas où il cesserait de payer ses redevances »[20].
La clause ayant donc été librement acceptée par les parties, il ne serait pas concevable de l'analyser comme conférant un « enrichissement sans cause », bref conférant un avantage particulier au créancier bénéficiaire. Elle est dès lors valable et ce malgré l'ouverture d'une procédure de redressement judiciaire ou de liquidation des biens à l'encontre du débiteur, et ne vient en rien rompre l'égalité des créanciers. La clause pénale va dès lors participer au bon déroulement de la procédure collective.

B – La clause pénale et la discipline collective : garanties du bon déroulement de la procédure

Le contrat de clause pénale une fois intégré dans le cadre des procédures collectives sera soumis à un régime collectif[21]. La discipline qui y est instaurée, transparait particulièrement au travers des actes résultant du concordat et qui s'imposent à chacun des créanciers ayant consenti une remise ou un délai. Il en sera ainsi s'agissant particulièrement de créanciers titulaires d'une sûreté réelle spéciale (art. 140, al. 2 PCAP malgache du 03/09/2004), qui eux ne sont tenus que des délais et remises qu'ils ont consentis. Mais en tout état de cause, le concordat est obligatoire, et ce conformément aux dispositions de l'article 140 de la loi malgache du 03/09/2004.
Lorsque le débiteur viendrait à ne pas respecter une de ces obligations concordataires, cela ne pourrait s'analyser qu'en une inexécution du concordat, donnant droit à l'un quelconque des créanciers concordataires de demander la résolution dudit concordat. Le fondement de cette action réside dans le fait que l'acceptation par un des créanciers d'une remise ou d'un délai autre que celle ou celui concédé dans le concordat, eu égard à la situation particulière ou à la relation d'affaire ou tout simplement à l'affinité entre le débiteur et ce

---

interviendra de plein droit et une indemnité sera dès lors due. Quant à la distinction entre indemnité de résiliation (clause d'indemnisation forfaitaire) et clause pénale cf. D. Mazeaud, « la notion de clause pénale », LGDJ, 1992, n° 258 et s.

19 Cass. Com. 3 févr. 1975 : Bull. Civ. IV, n° 32 ; D. 1975, somm. p. 71.

20 Cass. Com. 21 oct. 1974 : D. 1975, p. 4.

21 Cette intégration se fera par le biais d'une déclaration au passif du débiteur lors de l'ouverture de la procédure conformément aux articles 122 et s. PCAP 03/09/2004.

créancier complaisant, pourrait être considérée par les autres créanciers comme un signe précurseur d'une inexécution ou révélateur d'un non paiement de leur créance. Ils ont alors un intérêt à demander la résolution pour inexécution du concordat.
L'hypothèse se poserait dans le cas où le créancier bénéficiaire de la clause pénale viendrait à accorder une remise ou un délai supplémentaire quant au quantum de la somme prévue lorsque la peine vient à se réaliser (le concept de base provient de l'idée selon laquelle le débiteur contre qui est ouverte une procédure collective, n'aurait pas exécuté le contrat et se trouve confronté au paiement de la peine prévue par la clause pénale et éprouve donc des difficultés (financières) à s'en acquitter. Il recherche par conséquent à se voir accorder auprès du créancier une remise ou un délai supplémentaire).
Il serait légitime que les autres créanciers voient dans cette démarche un risque pour leur créance. Les autres créanciers concordataires dont la créance n'est pas directement concernée par cette remise issue de la clause pénale, pourront demander la résolution du concordat pour inexécution.

Cet aperçu de la discipline collective laisse présager de la rigueur entourant les procédures collectives, et dans laquelle doit évoluer la clause pénale.

1) Discipline collective et la révision du contrat

L'autre aspect de la discipline existante au sein des procédures collectives se traduit également par la possibilité de réviser le montant de la peine prévue par la clause pénale.
Le juge possède le pouvoir d'y procéder au moment de la réalisation de la peine[22]. Le problème se pose s'agissant d'une peine devant faire, par principe, l'objet d'un concordat au moment de l'ouverture de la procédure. La remise qui pourrait en résulter ne constitue-t-elle pas une violation des termes initiaux du contrat ? D'autre part, et pour donner suite à ce que nous évoquions précédemment, si la révision (concordataire) est permise, le fait pour le créancier de la peine d'accorder une autre remise hors concordat permettra-t-il aux autres créanciers de s'en prévaloir pour demander la résolution ? Quid de la révision judiciaire ?

---

22 Plus communément admis comme étant « le pouvoir de révision judiciaire ».Cf. notamment R. Rakotobe, « la clause pénale dans les procédures collectives en droit malgache », thèse Perpignan 2009, la réflexion sur la liquidation de la peine, IIème partie, chap. II, section 2.

En matière de continuation de contrats en cours, deux points de vue s'opposent. Selon la première, celle communément admise, le contrat est continué conformément aux termes convenus par les parties au jour de la conclusion. La législation et une grande partie de la doctrine s'aligne à cette idée. Toutefois un second courant est apparu et sans réellement contredire le premier vient à préciser que le contrat est continué selon les conditions existantes au jour de la décision d'ouverture[23].

Dans le droit malgache, lorsqu'au moment de la continuation le contrat de clause pénale aura fait l'objet d'une décision d'acceptation par l'administrateur ou le syndic, il est prévu que la décision de poursuite se fera sur la base des termes initiaux du contrat[24]. Cette continuation sera motivée par la nécessité que présente ce contrat pour le maintien de l'activité de l'entreprise.

A titre comparatif, les anciennes solutions issues de la loi française (art. 26-1 al. 2 loi du 10 juin 1994, art. 37 loi du 25 janvier 1985) posent que l'administrateur doit veiller à disposer des fonds nécessaires en vue d'assurer le paiement des échéances successives ; mais en plus chaque fois qu'il se rendra compte qu'il ne pourra faire face à la prochaine échéance (s'agissant d'un contrat à exécution ou paiement successif) il devra demander la résiliation du contrat (la résiliation interviendra et le créancier devra procéder à la déclaration de sa créance au passif chirographaire) sans quoi il verra sa responsabilité engagée. Mais rien n'empêche précise M. E.-M. BEY (« le crédit-bail dans la réforme des procédures collectives opérée par la loi du 10 juin 1994 », RJDA 8-9/94, p. 707 et s.) pour l'administrateur de « solliciter un report d'échéance ou l'aménagement de l'échéancier ».

Dans cet ordre d'idée, (bien que dans le droit français le report de l'échéance ne conduise nullement à la révision des conditions du contrat et plus précisément du montant de la prestation) l'offre de concordat proposée par le débiteur pourrait donc *en pratique*[25] viser le montant dû en cas de réalisation de la clause pénale. Révision qui ferait l'objet d'une offre concordataire. Et qui une fois acceptée entrainerait modification du montant de la peine prévue.

Cette hypothèse est valable dans le cas où la clause pénale est considérée comme un contrat à part entière, nécessaire pour la

---

23 Cependant la controverse résultant de ces deux courants ne devrait pas avoir d'incidence sur notre sujet de réflexion.

24 Cette affirmation est déduite de l'art. 111, al. 1er de la loi du 03/09/2004 : « le syndic conserve seul, quelle que soit la procédure ouverte, la faculté d'exiger l'exécution des contrats en cours à charge de fournir la prestation promise à l'autre partie ». La prestation promise à fournir étant nécessairement celle prévue initialement par les termes du contrat.

25 Souligner par nous.

poursuite du contrat et continué en tant que tel par décision du syndic (art. 111).

L'offre concordataire comportant les « modalités de continuation à savoir la demande de délais et de remises... » (Art. 13 loi du 03/09/2004) devra passer par les créanciers.

Le contrat de clause pénale continué figurera nécessairement dans le concordat. Autrement dit il n'aurait pas été continué s'il n'a pas fait l'objet d'une demande concordataire[26]. Il faut donc insister que le projet de concordat, lui, émane bien du débiteur.

Dès lors une question pourrait se poser : le fait de laisser au débiteur l'initiative de demander dans l'offre de concordat de réduire le montant de la clause pénale n'ôterait-il pas à cette dernière de sa fonction incitative ? Nous ne le croyons pas. Il faut toujours avoir à l'esprit que le débiteur fait face à des difficultés d'ordre financier. Autrement dit, tout est bon pour lui dès l'instant où il pourrait obtenir une remise de sa dette mais à la condition que le montant de la peine ainsi réduite reste encore assez important pour garantir l'exécution. Si la fonction incitative s'en trouve ainsi préservée, pareil raisonnement conduit à admettre que le contrat de clause pénale serait dès lors continué conformément aux conditions existantes au jour de l'admission de l'offre concordataire, en d'autres termes, aux conditions existantes au jour de la décision d'ouverture. La distinction peut paraître ténue mais elle doit être soulignée.

Plus encore, on pourrait soutenir que la volonté du débiteur de modifier le montant de la peine prévue par la clause pénale avant même que celle-ci ne se réalise ne ferait-il pas sous entendre une certaine mauvaise foi ? Mais à cela l'on pourrait rétorquer que dans la pratique il est concevable que, eu égard à sa situation, le débiteur aurait pu négocier toutes les prestations portant sur le paiement d'une somme d'argent. Les termes du contrat étant, conformément à la logique précédemment exposée, appréciés, en vue de sa poursuite, au jour de la décision de continuation.

La doctrine dominante française propose une solution qui pourrait mettre tout le monde d'accord, tant sur l'hypothèse selon laquelle le débiteur pourrait modifier la peine avant sa réalisation, que sur la question des conditions du contrat continué. En effet, un constat a été fait par la doctrine, en l'occurrence par M. MAZEAUD : « le juge peut en vertu des articles 1152, alinéa 2 et 1231 du code civil, modifier la peine allouée en cas d'inexécution ou de retard, *et non celle* qui est simplement prévue par le contrat. Par conséquent, quel que soit le

---

26 On aurait, en effet, pu en douter puisque l'article 111 réserve la décision de continuation du contrat en cours à la seule autorité du syndic.

comportement du débiteur, le contrat de clause pénale reste intangible durant toute la période précédant une éventuelle inexécution. Autrement dit durant la phase où la clause peut jouer son rôle comminatoire ».

Ce raisonnement aura un très grand intérêt en matière de continuation du contrat et plus précisément au cours d'une procédure collective. En effet il précise que le contrat de clause pénale, à l'ouverture d'une procédure collective, sera continué conformément aux termes initialement prévus par les parties.

Plus encore, ledit raisonnement aura le mérite d'entériner le principe de l'intangibilité de la clause pénale. L'exception étant la révision. Ce principe et son exception seront donc ici confortés par M. MAZEAUD[27]. Il en résulte que le pouvoir de révision judiciaire n'aura dès lors vocation à être mis en œuvre qu'au stade de l'exécution de la clause pénale, période où par hypothèse ne s'exerce plus l'aspect comminatoire.

Enfin une dernière question se pose de savoir si le fait pour le créancier bénéficiaire de la clause pénale d'accorder une autre remise autre que celle figurant déjà au concordat, pourrait s'analyser en une inexécution du concordat et donc justifier la résolution.

L'hypothèse de la réflexion est la suivante. Le montant de la peine prévue par la clause pénale a déjà fait l'objet d'une remise lors de l'assemblée concordataire. La peine se réalise par la suite pour inexécution illicite c'est-à-dire pour une cause contractuellement prévue. Elle devient exigible et le débiteur sollicite une autre remise de la part du créancier bénéficiaire.

Vraisemblablement une réponse affirmative s'impose ici. En effet, la procédure étant collective il est normal que le concordat, adopté par l'ensemble des créanciers, s'il est violé par l'un seul d'entre eux, soit dans son ensemble résolu à la demande de l'un quelconque des créanciers. La situation s'avère d'ailleurs bien plus grave. Nous nous trouverions en fait dans une situation conduisant à la mise en œuvre de la double sanction de l'inexécution d'un engagement pris dans le concordat. La première réside dans la conversion de la procédure en liquidation des biens pour résolution du concordat résultant du non respect de ses termes, la deuxième résidant dans la mise en œuvre de la peine prévue par la clause pénale. (La deuxième étant conventionnelle.)

---

27 M. MAZEAUD, op. cit. n° 143.

Dès lors, qu'adviendra-t-il de cette créance résultant de l'inexécution ? Devra-t-elle faire l'objet d'une déclaration au passif bien qu'étant née régulièrement après le jugement d'ouverture ?
Cette interrogation a le mérite de nous interpeller sur un point sensible de notre réflexion et qui en donnera toute sa mesure : la clause pénale, garantie de l'exécution mais surtout conférant à son titulaire un statut particulier en le mettant hors concours.
Toutefois nous verrons que le législateur français avait opté pour une solution radicale. Celle d'admettre la clause pénale, puisque s'analysant en une indemnité contractuelle, à la déclaration au passif[28].

2) Discipline collective et action en résolution du contrat de clause pénale

Le concordat est une mesure collective s'appliquant à chaque créancier. Le non respect par l'un d'entre eux des accords concédés au cours de l'assemblée concordataire, peut motiver l'action en résolution par l'un quelconque des créanciers concordataires[29]. Cette idée est corroborée par une affirmation de M. SOINNE[30] se basant sur l'ancienne législation française : s'agissant du concordat préventif (c'est la loi française du 1er mars 1984 qui a institué le règlement amiable) qui s'analyse en un ensemble d'engagements financiers conclus avec les créanciers, l'article L.2 alinéa 2 de la loi du 25 janvier 1985 prévoit l'ouverture de la procédure dès l'inexécution des engagements conclus avec « un de ses créanciers ». (SOINNE n° 178). Et que cette ouverture pouvait avoir lieu « en l'absence même de cessation des paiements » (SOINNE op. cit. n° 125)
L'affirmation est on ne peut plus claire. Il serait possible donc que le non respect par un seul des créanciers des termes du concordat conduise à la résolution de l'ensemble des engagements concordataires.
Cependant si cette affirmation valait pour la législation ancienne (L. 13 juillet 1967), même si reprise par la loi du 1er mars 1984, elle n'avait plus droit de cité sous la loi du 25 janvier 1985. Ainsi l'action *ut singuli*, admise par le régime antérieur et permettant à tout créancier de la masse d'exercer une action par rapport à la fraction du préjudice qui lui appartenait, devait, en toute logique, profiter à l'ensemble de la masse. Et c'est sans doute sur la base de cette acception de l'action

28 Il s'agit ici d'une solution issue de la loi française : art. 40 al. 5 nouveau de la loi du 25/01/1985.
29 Il s'agit ici de la justification doctrinale de l'idée de la résolution précédemment invoquée.
30 B. SOINNE, « traité théorique et pratique de procédures collectives », Litec 1995.

ut singuli que le créancier pourrait agir, dans l'hypothèse d'un non respect du concordat par un seul des créanciers, en annulation de l'ensemble du concordat[31].

Avec la suppression de la masse des créanciers en droit français, ce type d'action ne devrait plus pouvoir se faire[32].

Néanmoins, il peut encore s'exercer dans le système malgache puisque les créanciers sont regroupés en une masse (mais dont les actions sont exercés par le syndic). Les décisions françaises montraient la volonté du juge de rompre avec la jurisprudence antérieure et donc d'abandonner l'action *ut singuli*. La justification de cette solution d'exclusion de l'action *ut singuli* réside selon les auteurs dans la suppression de la masse des créanciers. Conclusion qui justifie la validité de l'action dans notre système juridique (malgache).

Pour terminer, il faut souligner que la doctrine française relève un certain paradoxe dans le concept du groupement des créanciers : la masse des créanciers a cédé le pas à la collectivité des créanciers[33]. Cette dernière n'étant pas dotée de la personnalité morale, le produit de toutes actions pour le compte des créanciers ne pourra être recueilli au sein d'un patrimoine quelconque. Ce qui aura pour effet de l'opposer à l'action *ut singuli*. Toutefois ce groupement, cette collectivité sera « capable de générer un intérêt collectif » dont la défense appartiendrait au représentant des créanciers. Et les auteurs de conclure que c'est « l'intérêt collectif qui sert de fondement, de ciment à cette collectivité ». Néanmoins les créanciers pourront toujours engager la responsabilité de leur représentant qui n'aurait pas agi. Mais cette absence de personnalité morale (déduite de la suppression de la masse) résulte d'une œuvre de la volonté expresse du législateur conduisant la jurisprudence à faire valoir son pouvoir souverain en ne tenant compte que de l'intérêt collectif des créanciers.

31 F. AUBERT, « Droits d'action des créanciers antérieurs à l'ouverture de la procédure collective » Droit et Patrimoine, n° 57, février 1998, p. 46-52.

32 Encore que les décisions de la cour commerciale du 3 Juin 1997 qui nous servent ici de point de repère et qui illustrent la suppression de la masse initiée par la loi du 25/01/1985, visaient essentiellement l'action *ut singuli* du créancier qui ne recherchait que la réparation de sa part de préjudice dans celui collectif des créanciers. Cependant M. DERRIDA, qui commente lesdites décisions, souligne expressément que l'arrêt du 3 Juin 1997 « est totalement étranger au préjudice strictement personnel », et donc n'interdit que l'action d'un créancier visant à obtenir la réparation du préjudice collectif), sauf à soutenir le rôle important du représentant des créanciers, malgré le fait que son action soit déterminée par la loi (F. AUBERT), qui serait à même d'apprécier l'opportunité de l'action à faire puisque agissant au nom et dans l'intérêt des créanciers (art. 46 al. 1er et 148 al. 3 loi du 25 janv. 1985 : Seul le représentant des créanciers peut agir en réparation du préjudice collectif, (Ou le commissaire à l'exécution du plan ou le liquidateur, selon le stade de la procédure où l'on se trouve) : C. Cass. 03 juin 1997, pourvoi n° H. 95-15. 681, Laferrière c/ Société générale et Beauquis).

33 F. DERRIDA, note sous arrêts du 03/06/1997 : redressement et liquidation judiciaires : feue la masse des créanciers...vive « la collectivité des créanciers », Petites Affiches, 28/11/1997, n° 143.

Que faut-il retenir, sinon que la clause pénale participe au déroulement de la procédure collective en étant assurée de l'intangibilité de la peine qu'elle contient et ce malgré sa continuation. Tout changement des termes du contrat provoquant la résolution de celui-ci. Autrement dit, la clause pénale est une garantie de l'exécution, plus précisément elle confère à son titulaire un statut particulier.

II – LE TITULAIRE D'UNE STIPULATION À VOCATION DE GARANTIE FACE AUX AUTRES CRÉANCIERS

Le créancier titulaire de la clause pénale bénéficie d'abord et avant tout de la force contraignante de la clause. En effet à travers ladite clause les parties vont rechercher à aménager entre elles des stipulations qui vont permettre de garantir l'exécution de leurs obligations.
Ces aménagements contractuels sont reconnus et entérinés par le législateur et particulièrement par le droit des procédures collectives, et ne viennent violer en rien la discipline collective qui y est instaurée.

A – Admission d'une certaine liberté contractuelle face à l'égalité des créanciers

En prônant l'égalité des créanciers (et non l'égalité entre créanciers) une partie de la doctrine penche pour la reconnaissance de l'existence entre les créanciers de stipulations contractuelles qui peuvent avoir pour effet de ménager une situation préférentielle à leur titulaire, le but recherché étant de favoriser les créances qui permettront le redressement de l'entreprise.
Cette doctrine soutient de plus que le maintien de cette égalité des créanciers contribuera à préserver le crédit aux entreprises. Rappelons que cette égalité DES créanciers telle que prônée par certains auteurs[34], découle d'une acception concrète et pragmatique de l'égalité. En effet il s'agirait d'une égalité tenant compte des créances aptes à permettre le redressement. Cela impliquant que peuvent dès lors être pris en considération (en vue de leur accorder un statut de « créancier postérieur ») les créanciers dont le statut privilégié découle de garanties aménagées conformément à la volonté des parties. Cette notion d'égalité procède dès lors de la reconnaissance d'une certaine « inégalité » entre les catégories de

34 Mlle Hélène FORSTER et M. Julien MILINKIEWICZ, « le principe d'égalité entre les créanciers », séminaire de droit des procédures collectives, 30/11/2004.

créanciers (chirographaires, privilégiés et munis de sûretés), plus exactement elle procède d'une égalité plus concrète et réaliste des créanciers et compatible avec la logique des procédures collectives, car est recherché essentiellement ici, non plus le règlement des créances mais surtout le redressement de l'entreprise, le maintien de l'emploi.

Une grande partie de la doctrine soutient la possibilité qu'il y ait dans les propositions de redressement faites par le débiteur, des « modalités de remboursement favorables » à un créancier en particulier. S'il peut sembler peu évident de voir dans ces propositions une source d'inégalité des créanciers, la doctrine majoritaire française admet que la pratique connaît pareil cas de figure, en favorisant des créanciers chirographaires. En effet lesdites propositions ne faisant l'objet que d'une acceptation individuelle, « la règle de l'égalité leur est étrangère » affirment MM. DERRIDA, GODé et SORTAIS[35]. Un tel point de vue découle de l'interprétation même du texte de loi (l'article 24 de la loi de 1985, devenu l'article L.621-60 dans le code de commerce)[36].
Qu'il soit ainsi prévu une garantie découlant d'une stipulation contractuelle au profit d'un créancier ne constitue en rien une atteinte au principe de l'égalité des créanciers. En ce sens nous avions déjà vu que la clause pénale ne porte pas atteinte à cette égalité. Autrement dit, la garantie qu'elle confère ne devrait poser aucun problème d'opposabilité à l'égard des autres créanciers et partant devrait même conférer à son titulaire une position favorable quant à la réalisation de la créance.
C'est sans doute face à ce risque de voir les différences de traitement des créanciers et partant les inégalités en résultant, que le législateur français a décidé que les pénalités étaient exclues du bénéfice du privilège de l'article 40. Dans le même ordre d'idée, il est possible que le législateur ait voulu d'une certaine manière protéger le crédit. Ce qui procède d'une certaine sagesse. En effet, le sacrifice des créanciers sur l'autel du redressement n'aurait pour conséquence que d'attiser une certaine réticence des banques à accorder du crédit.
Toutefois, à l'instar de Mlle Hélène FORSTER et M. Julien MILINKIEWICZ[37], il faut relever que « le règlement préférentiel de certains créanciers puisse être justifié par des intérêts économiques »,

35 Redressement et liquidation judiciaires des entreprises, Dalloz 3ème édition, 1991, cf. *infra*.
36 Cette interprétation peut également être donnée aux textes malgaches : art.122 et s. loi malgache du 03/09/2004.
37 MM. DERRIDA, Godé et SORTAIS (Redressement et liquidation judiciaires des entreprises, Dalloz 3ème édition, 1991, p. 413, n° 554) s'associent également à ce point de vue et soutiennent

et qu'ainsi il ne serait pas exact de soutenir que les propositions du débiteur portant sur des modalités favorisant un créancier particulier ne se baseraient que sur le « bon vouloir » de l'administrateur ou du débiteur[38]. D'où la qualification d'« égalité subtile » utilisée par lesdits auteurs.
Conformément à ce raisonnement donc, il serait concevable que le créancier titulaire d'une clause pénale puisse être favorisé, en ce sens que la garantie que lui confère par essence la clause en elle-même, et partant la volonté contractuelle, lui procure un statut privilégié. Nous pensons qu'à travers ce privilège reconnu par le débiteur à un créancier particulier, il ne se réaliserait en fait que la juste contrepartie de l'effort de maintien de l'activité.

Un autre raisonnement nous permet d'aboutir à la même conclusion, à savoir que la clause pénale peut bénéficier d'un statut privilégié, et ce de par la volonté des parties.
L'absence de choix du créancier (confronté à une option dans laquelle il n'a aucun pouvoir de décision puisque la poursuite est décidée par le syndic (l'administrateur) ou le débiteur selon que le contrat considéré soit jugé par eux comme étant nécessaire) dans la continuation du contrat a pour contrepartie le bénéfice de l'article 120 (art. 40 loi française du 25/01/1985) pour les prestations accomplies en attendant que le syndic (l'administrateur) ou le débiteur se prononce sur la suite à donner au contrat. Dans pareille hypothèse le créancier cocontractant ne peut demander la résiliation ou se prévaloir de l'exception d'inexécution pour refuser d'exécuter son obligation contractuelle et ce même en l'absence d'exécution de la part de l'administrateur ou du débiteur. Autrement dit, tout contrat poursuivi du jour de la décision d'ouverture au jour de l'exercice de l'option bénéficiera du privilège de l'article 40[39].
La condition essentielle pour que cette hypothèse ait lieu repose sur le fait que le contrat ne soit pas arrivé à terme. M. LE CORRE vient alors conclure que « pour être résilié, le contrat doit être non continué ou être d'abord continué, *mais ne peut simplement être en cours* »[40]. Ainsi le contrat de clause pénale profitera pendant un temps déterminé s'étalant du jugement d'ouverture au jour de l'option, du privilège de

---

que « il pourrait être prévu des modalités particulières à tel ou tel créancier qui doit être ménagé, en raison de la situation propre, de l'importance de son rôle économique, de sa créance, etc. ; dès lors que ces propositions ne sont l'objet que d'une acceptation individuelle, la règle de l'égalité leur est étrangère ».

38 B. SOINNE, Le bateau ivre, RPC 1997, p. 105.

39 M. LE CORRE op. cit. n° 727, p. 962.

40 Souligné par nous. Ainsi soutenue par M. LE CORRE l'idée selon laquelle « tant que l'option sur la continuation du contrat n'est pas intervenue, et dès lors que le contrat n'est pas arrivée à

l'article 120 (art. 40 loi française du 25/01/1985). Aussi longtemps qu'il n'y aura eu de décision portant sur la poursuite ou non du contrat de clause pénale, celui-ci pourra en théorie bénéficier du régime de l'article 120. Si donc, la condition suspensive contenue dans son obligation venait à se réaliser (à savoir l'inexécution illicite de l'obligation principale) la peine due bénéficierait du régime de l'article 120 et devrait dès lors être payée par privilège[41].

B – La clause pénale et le régime des créances postérieures

Le régime des créances postérieures fait appel au régime posé par l'article 40 de la loi française du 25/01/1985. La doctrine en la matière a été abondante et a permis de déterminer avec précision des règles propres aux créances postérieures au jugement d'ouverture. D'une manière globale d'ailleurs, cet ancien droit français sera à la source des solutions que nous apporterons à la plupart des hypothèses pouvant résulter de la continuation, et partant du concours entre les créances dans le cadre d'une procédure collective.
Ainsi, M. LE CORRE soutient que deux règles découlent de l'article 40 de l'ancienne législation française : celle principale engendrant paiement à l'échéance et celle subsidiaire engendrant un paiement par priorité.
S'agissant du *paiement à l'échéance*, cette règle ne s'applique que dans l'hypothèse de la poursuite d'une activité. Ainsi les contrats continués en période de liquidation judiciaire *avec* poursuite d'activité seront exécutés conformément aux échéances déterminées par les stipulations contractuelles au jour du jugement d'ouverture.

---

terme, il reste en cours. Il en résulte pour le cocontractant l'obligation de fournir la prestation promise. Il bénéficiera, en contrepartie, des dispositions de l'art. 40 pour les prestations comprises entre le jugement d'ouverture et l'option...tant que l'option n'est pas intervenue, le contrat ne peut être résilié, même si la contrepartie attendue de l'administrateur ou du débiteur n'est pas fournie. Car pour être résilié, le contrat doit être non continué ou être d'abord continué, mais ne peut simplement être en cours ». op. et loc. cit.

41 Il en sera autrement uniquement dans l'hypothèse où le contrat est poursuivi puis résilié. Le droit positif français est catégorique : « en cas de résiliation d'un contrat régulièrement poursuivi, les indemnités et pénalités sont exclues du bénéfice de la présente disposition » (article 40, alinéa 5 nouveau de la loi du 25 janvier 1985). Cependant, dans le droit malgache cette restriction fait défaut. En effet, il est prévu dans les dispositions relatives à la continuation de l'activité que « toutes les dettes nées régulièrement, après le jugement d'ouverture, de la continuation de l'activité et de toute activité régulière du débiteur ou du syndic sont des créances contre la masse » (art. 120 de la loi du 03/09/2004). Autrement dit la créance résultant du contrat de clause pénale devrait être considérée comme une créance contre la masse. L'utilité du contrat de clause pénale étant établie, puisque pouvant garantir le maintien de l'activité, la créance qu'elle serait amenée à générer devrait en toute logique bénéficier du régime de cet **article 120, équivalent dans le droit malgache de l'article 40**.

Dès lors ce paiement à l'échéance n'aura pas lieu s'agissant d'une liquidation sans poursuite d'activité, ni également après le plan de cession[42].

Quid du contrat en cours au jour de l'ouverture de la procédure et continué après le jugement ? La terminologie du paiement « au comptant » prévu par l'article 37, alinéa 2 ne vise que les contrats « à obligation instantanée » (contrat de vente), par contre s'agissant de contrat à exécution successive il ne peut s'agir que d'un « paiement à l'échéance ». En effet poursuit l'auteur, le paiement au comptant ne peut avoir lieu avant la naissance de l'obligation. « L'obligation doit être née avant de devenir exigible »[43].

Ce paiement à l'échéance aura pour conséquence de mettre à l'écart le principe d'intangibilité de la procédure. Autrement dit le créancier bénéficiaire de l'article 40 ne sera pas concerné par l'arrêt des poursuites individuelles et des voies d'exécution[44]. Dès lors, et en toute logique le bénéficiaire n'aura pas à se soumettre aux dispositions régissant la reprise des poursuites individuelles après clôture pour insuffisance d'actifs de la procédure de cession ou de liquidation[45].

Un autre problème qui pourrait se poser, serait celui du concours des créanciers de l'article 40, pour des créances qui seraient exigibles au même moment c'est-à-dire des créances ayant vocation à un paiement à échéance. Recevra paiement celui d'entre eux qui aura été « le plus diligent à prendre un titre et à le porter à exécution ».

D'une manière globale, il faut retenir que les créanciers de l'article 40 devant être payés à l'échéance, sont exclus d'un quelconque plan de continuation. « Leur créance n'est susceptible ni de délai, ni de remise ».

Cependant cette première règle sera tempérée par celle du **paiement par priorité**. En effet le paiement par priorité n'intervient que dans les stades de la procédure où il n'y aurait pas eu de paiement à l'échéance (en cas de cession totale, de non paiement à l'échéance en cas de poursuite, en cas de liquidation judiciaire).

L'article 40 confère dès lors à son titulaire un « véritable privilège », par effet de la loi et portant sur l'ensemble des biens du débiteur,

---

42 Sauf si la demande a été introduite avant le plan. Le droit à paiement à échéance étant dès lors antérieur au plan, sa réalisation pourra être poursuivie après l'arrêté du plan souligne M. LE CORRE.

43 M. LE CORRE op. cit. n° 694.

44 Il n'a pas corrélativement à déclarer sa créance. M. LE CORRE cite une grande partie de la doctrine qui soutient cette opinion : op. cit. n° 699.

45 Art. 161 et 203 loi malgache du 03/09/2004 et art. 92 (rel. à la cession) et 169 (rel. à la liquidation) de la loi française du 25/01/1985.

qualité que la volonté contractuelle ne pourrait procurer à une créance ne pouvant pas bénéficier légalement du régime de cet article 40.
Appliquées à la clause pénale, ces règles auront pour mérite que d'en renforcer la nature juridique. En effet, d'une part, son bénéficiaire pourra, en vertu du paiement à l'échéance, être tenu à l'écart de la suspension des poursuites individuelles (poursuites qu'il pourra entreprendre dès l'exigibilité de sa créance). Si, d'autre part, elle ne peut recevoir paiement à échéance puisque n'étant exigible qu'en cas d'inexécution illicite de l'obligation principale, elle serait appelée le cas échéant à recevoir un paiement par priorité. Toutefois la clause étant essentiellement d'origine contractuelle, M. LE CORRE avait affirmé qu'elle ne pourrait de ce fait, par la seule volonté des parties, acquérir le statut de créance de l'article 40.
Cependant à ce raisonnement, qui vient corroborer la position légale d'alors, refusant le bénéfice de l'article 40 aux indemnités d'origine contractuelle et en l'occurrence à la clause pénale, nous pouvons rétorquer que cette dernière pouvant contribuer au maintien de l'activité, il serait légitime de lui accorder un paiement dès la survenance de la condition emportant réalisation de la peine prévue originellement.
Cette première analyse sera renforcée par le respect des conditions de l'article 120.

C – Conditions du bénéfice de l'article 120 : signe du respect de la volonté des parties

Pour que le régime de l'article 120 puisse être mis en œuvre, certaines conditions, au nombre de deux, doivent être remplies. Celles-ci sont notamment celles qui s'appliquaient au régime de l'article 40 de la loi française du 25/01/1985. Ces deux conditions qui vont être ici également reprises[46].
La régularité de la naissance de la créance suppose **d'une part** le respect des pouvoirs entre le débiteur et les organes de la procédure. Deux hypothèses sont ici classiquement avancées :
S'agissant de créances contractuelles, il faut en premier lieu tenir compte de la question de la titularité de l'option de continuation.
L'intervention de l'administrateur, s'il en existe un, est une condition de la régularité de la naissance de la créance.
Les prestations fournies par le cocontractant, en présence d'un contrat en cours au jour du jugement d'ouverture, dans l'attente de l'option de

46 Ces conditions sont exposées par l'ancienne doctrine en la matière : en l'occurrence M. LE CORRE, op. cit.

l'organe compétent, sont couvertes par l'article 40. M. LE CORRE de retenir qu'il importe peu que l'option intervienne pour la non continuation du contrat, les créances nées entre le jugement d'ouverture et l'option de non continuation bénéficient de l'article 40[47], et ce indépendamment même de l'existence d'une prolongation du délai d'option[48] (les créances de cette période restant toujours couvertes par l'article 40). Tant qu'une mise en demeure n'a pas été effectuée, l'article 40 aura donc vocation à s'appliquer, la mise en demeure étant facultative pour le cocontractant[49].

En l'absence d'un administrateur, il faut obtenir l'autorisation du juge-commissaire.

S'agissant de créances extra contractuelles, il a été admis l'application de l'article 40 dans le cadre d'une faute quasi-délictuelle commise par le liquidateur ès qualité[50]. Et d'une manière générale, est admise la naissance d'une créance du fait ou de la faute du débiteur et donnant droit à la victime au bénéfice de l'article 40, dès lors que les pouvoirs entre les organes de la procédure et le débiteur on été respectés.

D'autre part, l'autre condition de la régularité de la naissance de la créance tient au lien entre la naissance de la créance et la continuation de l'activité professionnelle du débiteur.

Les créances nées en dehors de l'activité professionnelle (assurance du véhicule servant aux besoins de la famille fera naitre pour la couverture du risque postérieur au jugement, une créance de l'article 40) seraient couverts part ledit article[51] et ce en raison de la règle de l'unité du patrimoine[52].

La créance doit également avoir un lien avec la poursuite de l'activité En effet « Il ne serait pas concevable qu'il y ait une créance de l'article 40 en dehors de toute poursuite d'activité ». D'une manière générale, les créances nées de l'activité de l'entreprise au jour de la procédure, et seulement dans cette hypothèse dans laquelle une poursuite de l'activité est possible nonobstant les règles du dessaisissement du débiteur interdisant d'exercer une nouvelle activité susceptible

---

47 M. LE CORRE, op. cit. n° 687 et les références jurisprudentielles citées : Com. 15 oct. 1991 : rev. Trim. Dr. com. 1992, 681, obs. Y. CHAPUT; 2 Fév. 1993: JCP éd° G 1993, IV, 98.
48 Com. 12 juil. 1994 : rev. Proc. Coll. 1995, 299, n° 3, obs. C. SAINT-ALARY HOUIN.
49 Com. 2 Avril 1996 : bull. civ. IV, n°108 : rev. proc. Coll. 1997, 68, obs. C. SAINT-ALARY HOUIN. Néanmoins est-ce à dire qu'en l'absence de mise en demeure expresse de la part du créancier il pourra bénéficier du régime de l'article 40 ? La question est de mise dans l'hypothèse où l'administrateur ne se prononce pas quant à l'utilité du contrat en question. Nous pensons que pour que ce genre de situation ne voit le jour une certaine diligence est requise de l'administrateur, le créancier contractant étant en effet censé déclarer sa créance.
50 M. LE CORRE op.cit.n° 689 et les références jurisprudentielles citées.
51 M. LE CORRE op. cit., n° 690 et les références jurisprudentielles citées.
52 DERRIDA, Godé et SORTAIS, op. cit. n° 410, JEANTIN, op.cit. n° 674.

d'engendrer une créance de l'article 40[53], seront seules soumises au régime de l'article 40.
L'auteur en déduit pour conclure que la créance qui n'est pas née régulièrement (au sens de l'article 40) ne bénéficiera point du régime favorable de cette dernière. Toutefois s'agissant d'une créance née de l'activité de l'entreprise elle aura vocation à être payée, mais uniquement une fois que seront réglées toutes les autres créances et avant la clôture de la procédure pour extinction du passif. M. LE CORRE qualifiera lesdites créances de créances « hypo-chirographaires ».

La reprise de la deuxième condition exposée précédemment, procédant de la régularité de la naissance des créances postérieures, vient soutenir notre point de vue selon lequel la poursuite du contrat de clause pénale dépend de son utilité, ce qui amènera à tenir compte du « lien » avec la poursuite de l'activité. Toutefois, la première des conditions n'est pas en reste. En effet toute créance contractuelle, en cours au jour de l'ouverture de la procédure, est appelée à bénéficier du régime de l'article 120 et ce jusqu'au jour de l'exercice du droit d'option, indépendamment de toute prolongation du délai de réflexion. En bref, la clause pénale se prête aisément au régime de l'article 120, et ce malgré le fait qu'elle ne procède que d'une volonté contractuelle et donc n'ayant pas vocation à bénéficier de l'article 40 (si l'on se conforme au régime déterminer par l'ancien droit français), dont l'octroi relève du seul apanage de la loi.

Conclusion

S'il est vrai que dans l'ancienne législation française les indemnités contractuelles y compris la clause pénale ne peuvent bénéficier du régime de l'article 40 (et ce de par la volonté du législateur), nous avons vu qu'il est néanmoins possible que dans certaine phase de la procédure collective la clause pénale pouvait en bénéficier, voire

53 M. LE CORRE expose ici un raisonnement se fondant sur la question de savoir si une activité nouvelle pourrait faire naitre une créance de l'article 40. La réponse nuancée qu'il y apporte se focalise essentiellement sur la faisabilité d'une telle activité (nouvelle) dans le cadre des procédures collectives. Dans le cadre de la liquidation aucune activité nouvelle ne peut être exercée en raison du dessaisissement du débiteur. En matière de redressement judiciaire, une autorisation préalable de l'administrateur serait nécessaire. Mais en tout état de cause, les créances nées d'une poursuite régulière de l'activité devraient normalement bénéficier du régime de l'article 40 (op. cit. p. 918).

même qu'elle pouvait remplir toutes les conditions ouvrant droit au bénéfice du régime privilégié de créances postérieurs.
Le droit malgache, dans ses dispositions, et d'une manière plus générale dans l'esprit animant les procédures collectives, prévoit tout simplement que « toutes dettes nées régulièrement après le jugement d'ouverture, de la continuation de l'activité et de toute activité du débiteur ou du syndic, sont des créances contre la masse... »[54]. La généralité des termes du texte de loi permet d'avancer que le contrat de clause pénale ayant contribué au maintien d'un « bien », d'une obligation « utile » à la survie de l'entreprise pourra être considéré comme une créance contre la masse dès lors que son rôle de garantie a été poursuivi et maintenu après le jugement d'ouverture. Mais encore, il pourra être soutenu que la peine qu'il contient, devenue exigible en raison de la survenance de la condition suspensive formant son obligation, à savoir l'inexécution illicite de l'obligation garantie, pourra dès lors recevoir paiement par préférence.
Il ne faut cependant pas se méprendre sur notre démarche intellectuelle lorsqu'elle vient à prendre pour visa un droit français qui a fait son temps alors même que nous remettions en cause la référence qu'en a fait les actes uniformes de l'Ohada. En effet notre démarche vise, en nous basant sur l'ancien droit positif français, à démontrer que la clause pénale, et d'une manière globale la volonté des parties à la procédure, a un rôle à jouer dans la recherche des solutions aux difficultés rencontrées par l'entreprise. Dès lors, même si cette clause a été écartée du cadre des procédures collectives, il n'en reste pas moins que la prise en compte de l'essence même de la notion (à savoir sa fonction de garantie) peut conduire à enrichir notre droit positif en matière de procédures collectives.

54 Art. 120 de la loi du 03/09/2004. « Toutes les dettes nées régulièrement, après le jugement d'ouverture, de la continuation de l'activité et de toute activité régulière du débiteur ou du syndic, sont des créances contre la masse, sauf celles nées de l'exploitation du locataire-gérant qui restent exclusivement à sa charge sans solidarité avec le propriétaire du fonds ».

Réflexions sur le harcèlement au travail

Vololona RASOLONANAHARY

Introduction

Pourquoi le harcèlement au travail et qui peut y mettre fin ? Harcèlement sexuel, harcèlement moral peuvent surgir que ce soit dans le secteur formel ou le secteur informel. Mais il n'est pas facile à déceler d'autant plus que généralement les auteurs ne s'exposent pas au grand jour. Aujourd'hui, le phénomène est mieux connu, grâce notamment à l'Organisation Internationale du Travail (OIT), qui le combat en élaborant des règles et en le faisant sortir de l'ombre, en organisant des ateliers de formation et d'information sur les principes et droits fondamentaux et les normes internationales du travail à Madagascar.

L'égalité de chances et de traitement occupe une place importante dans la politique et les activités de l'OIT. L'adoption de la convention n° 111 et de la recommandation n° 111 qui la complète a concrétisé son engagement dans l'élimination de la discrimination dans l'emploi quels que soient son fondement et sa forme. Par conséquent, en adhérant à l'OIT, les Etats Membres souscrivent sans réserve à ce principe de base et s'engagent à participer à l'œuvre collective d'éliminer la discrimination et de promouvoir l'égalité.
La convention n° 111 qui est une des conventions fondamentales définit la discrimination comme « toute distinction, exclusion ou préférence fondée sur la race, la couleur, le sexe, la religion l'opinion politique, l'ascendance nationale ou l'origine sociale, qui a pour effet de détruire ou d'altérer l'égalité de chances et de traitement en matière d'emploi ou de profession. »

Les femmes sont presque les plus exposées au phénomène de discrimination, notamment celle fondée sur le sexe et la Convention sur l'élimination de toutes les formes de discrimination à l'égard des femmes fait état de ce que la discrimination à l'encontre de femmes viole les principes de l'égalité des droits et du respect de la dignité humaine, qu'elle entrave la participation des femmes dans les mêmes conditions que les hommes, à la vie politique, sociale, économique et culturelle de leur pays.
L'article 11 de cette Convention prévoit que « les Etats parties s'engagent à prendre toutes les mesures appropriées pour éliminer la discrimination à l'égard des femmes dans le domaine de l'emploi, afin d'assurer, sur la base de l'égalité de l'homme et de la femme, les mêmes droits, et en particulier : a) le droit au travail en tant que droit inaliénable de tous les êtres humains, b) le droit aux mêmes possibilités d'emploi, y compris l'application des mêmes critères de sélection en matière d'emploi… »
Madagascar, Membre de l'OIT a ratifié la convention n° 111 le 11 août 1961 et la Constitution a posé parmi les principes fondamentaux, l'égalité des citoyens en stipulant en son article 8 que : « tous les individus sont égaux en droit et jouissent des mêmes libertés fondamentales protégées par la loi sans discrimination fondée sur le sexe, le degré d'instruction, la fortune, l'origine, la race, la croyance religieuse ou l'opinion ». Pour confirmer cette volonté de lutter contre toutes formes de discrimination notamment en matière d'emploi et de profession, l'article 28 d'ajouter : « nul ne peut être lésé dans son travail ou dans son emploi en raison du sexe, de l'âge, de la religion, des opinions, des origines, de l'appartenance à une organisation syndicale ou des convictions politiques ».
En effet, l'Avant Projet d'Acte Uniforme de l'Organisation pour l'Harmonisation du Droit des Affaires en Afrique (OHADA), (TPOM 927/928- JUILLET-AOUT 2OO3) fait état de la nécessité pour chaque pays d'adopter par voie réglementaire des dispositions de protections spécifiques concernant la violence au travail et le harcèlement sexuel ou moral.

C'est ainsi que la n° 2003-044 du 28 juillet 2OO4 portant Code du Travail a tenu compte des principes fondamentaux entre autre le respect des droits fondamentaux prévus par les Conventions Internationales du Travail et a consacré un chapitre sur le respect de la dignité de la personne humaine. L'article 5 alinéa 1 et 2 de ladite loi prévoit que : « Tout salarié a droit au respect de sa dignité. Dans toutes les relations de travail, nul ne peut être victime de mauvais

traitement ou de violence portant atteinte à l'intégrité physique ou morale prévue et sanctionnée par le Code Pénal.
« Aucun salarié ne peut faire l'objet d'une sanction, ni d'une discrimination dans sa carrière ou dans son travail, ni d'un licenciement pour avoir résisté à des agissements de harcèlement d'un employeur, de son représentant ou de toute autre personne qui, abusant de l'autorité que lui confèrent ses fonctions, ses relations ou sa position dans l'entreprise, a donné des instructions, proféré des menaces, imposé des contraintes ou exercé des pressions de toute nature sur ce salarié dans le but d'obtenir des faveurs de nature sexuelle ou autres à son profit ou au profit d'un tiers. »

Le projet d'acte uniforme fait la différence entre violence au travail et harcèlement sexuel ou moral en définissant la violence au travail comme toute situation de fait où un travailleur est persécuté, menacé ou agressé psychiquement ou physiquement lors de l'exécution de son travail.
Actuellement le phénomène de harcèlement commence à faire des ravages encore sous-estimés dans le monde du travail et Madagascar n'en fait pas exception. Sexuel ou moral, il a des conséquences graves pour les travailleurs qui en sont victimes, qu'il soit cadre ou non, homme ou femme.
Le but de notre étude c'est d'attirer l'attention de tout un chacun sur le fait que le harcèlement au travail existe bien à Madagascar qu'il soit sexuel ou moral. Certes la jurisprudence en la matière n'est pas assez nombreuse mais elle va nous permettre de prendre conscience du mal qui entoure les salariés.
Par ailleurs, l'on s'accorde à dire que le harcèlement qui est une forme de comportement immoral et abusif frappant au cœur la dignité et l'intégrité humaine, constitue une forme de discrimination fondée sur le sexe.
Comment alors le prévenir et quelle sera la sanction à prendre contre le ***harceleur ?***
Pour mieux comprendre le phénomène, voyons successivement le harcèlement sexuel et le harcèlement moral.

I – LE HARCELEMENT SEXUEL

L'article 1 paragraphe 1 a) de la Convention n° 111 et les dispositions correspondantes de la recommandation n° 111 se réfèrent à sept critères de discrimination. Aujourd'hui, il est universellement acquis

que la discrimination fondée sur de tels critères est contraire à l'idée de justice et à la dignité humaine. Le critère dont il est question dans notre étude est le sexe. En effet, quand on parle de distinctions fondées sur le ***sexe***, on veut dire qu'on utilise l'ensemble de caractères et des fonctions biologiques qui différencient l'homme de la femme pour créer des distinctions.
Les distinctions fondées sur le sexe s'entendent de celles qui s'établissent explicitement ou implicitement au détriment de l'un ou de l'autre sexe. Elles s'observent le plus souvent à l'égard des femmes et tel qu'il ressort du rapport de la commission d'experts pour l'application des conventions et recommandations sur l'égalité dans l'emploi et la profession, 83e session, 1996, une législation sur la non-discrimination entre les sexes constitue un élément important de la politique d'égalité de chances et de traitement dans l'emploi et la profession. Les discriminations à l'égard de l'emploi des femmes restent souvent alimentés par d'autres considérations qui limitent leurs possibilités d'accès à l'emploi ou de maintien dans l'emploi, dont le harcèlement sexuel.

A – La définition

L'avant-projet d'acte uniforme OHADA définit « le harcèlement sexuel comme toute forme de comportement verbal, non verbal ou corporel de nature sexuelle, dont celui qui s'en rend coupable affecte la dignité de femmes ou d'hommes sur les lieux de travail. »

Aux termes de l'article 5 alinéa 3 du Code du Travail, « est considéré comme harcèlement sexuel au travail, toute conduite non souhaitée, de nature sexuelle qui interfère avec le travail, conditionne l'emploi ou le déroulement normal de la carrière ou crée un environnement de travail intimidant. »
Il en résulte que le harcèlement sexuel met en péril l'égalité sur le lieu de travail en mettant en jeu l'intégrité personnelle et le bien être des travailleurs, il nuit à l'entreprise en sapant les fondements des relations de travail et entravant la productivité.

La Convention sur l'élimination de toutes les formes de discrimination à l'égard des femmes définit la discrimination à l'égard des femmes « comme toute distinction, exclusion ou restriction fondée sur le sexe qui a pour effet et pour but de compromettre ou de détruire la reconnaissance, la jouissance ou l'exercice par les femmes, quel que soit leur état matrimonial, sur la base de l'égalité de l'homme et de la femme, des droits de l'homme et des libertés fondamentales dans les domaines politique, économique, social, culturel et civil ou dans toute autre domaine. »

Le Comité pour cette élimination (Recommandation générale n° 19, 11e session Violence à l'égard des femmes) a apporté certaines observations notamment en parlant de la violence fondée sur le sexe c'est-à-dire violence exercée contre une femme parce qu'elle est une femme ou qui touche spécialement la femme et la classe parmi les formes de discrimination. En effet, elle englobe les actes qui infligent des tourments ou des souffrances d'ordre physique, mental ou sexuel, la menace de tels actes, la contrainte ou autres privations de liberté.

Ainsi à cause de la gravité du harcèlement et de ses répercussions, on remarque que dans certains pays, notamment à Madagascar, il y a une tendance à inclure l'interdiction de cette pratique dans la législation nationale et à assortir cette interdiction de sanctions civiles et/ou pénales.

La Résolution de l'OIT sur l'égalité des chances et d'accès au travail du 27 juin 1985 indique au paragraphe 5, à l'alinéa relatif aux conditions de travail et l'environnement de travail que « les gênes de nature sexuelle sur le lieu de travail nuisent aux conditions de travail et aux perspectives de promotion des travailleurs. »

D'où la nécessité de prévenir le harcèlement sexuel.

B – La prévention

Le Code Pénal contient des dispositions susceptibles de s'appliquer dans le cadre du travail Elles concernent des atteintes à la dignité (harcèlement sexuel) qui sont également incriminées par le Code du travail.
Le harcèlement sexuel est sanctionné par des dispositions du Code pénal et par des dispositions du Code du travail.
Selon l'article 333 bis alinéa 1er du Code Pénal, « quiconque aura subordonné l'accomplissement d'un service ou d'un acte relevant de sa fonction à l'obtention de faveurs de nature sexuelle ou qui exige à une personne des faveurs de même nature avant de lui faire obtenir, soit pour elle-même, soit pour autrui un emploi, une promotion, une récompense, une décoration, un avantage quelconque ou une décision favorable sera puni d'un emprisonnement de un à trois ans et d'une amende de 1 000 000 Ariary à 4 000 000 Ariary. »

Cette incrimination n'exige pas de relation d'autorité entre le harceleur et le harcelé.

L'alinéa 2 du même article prévoit que « quiconque aura usé de menace de sanctions, de sanctions effectives ou de pressions graves pour amener une personne placée sous son autorité à lui consentir des faveurs de nature sexuelle ou pour se venger de celle qui lui aura refusé de telles faveurs sera puni de deux à cinq ans d'emprisonnement et d'une amende de 2 000 000 Ariary à 10 000 000 Ariary. »

Cette incrimination plus sévère exige une relation d'autorité.

En outre, l'article 261 du Code du travail érige en infraction tout manquement à certaines dispositions de ce même Code et notamment à l'article 5 du Code du Travail qui impose le respect de la dignité de la personne humaine.
Le Code du travail sanctionne ainsi d'une amende de 1 tapitrisa Ariary ou 5.000 000 Fmg à 3 tapitrisa Ariary ou 15 000 000 Fmg et d'un emprisonnement de un (01) à trois (03) ans ou l'une de ces deux peines seulement, tout traitement discriminatoire fondé sur la race, la religion, l'origine, le sexe, l'appartenance syndicale, l'appartenance et les opinions politiques du travailleur en ce qui concerne l'accès à l'emploi et à la formation professionnelle, les conditions de travail et d'avancement, les conditions de rémunération, le licenciement.
Et le même article ajoute que : « les auteurs des infractions aux dispositions de l'article 5 du présent Code du Travail sont sanctionnés par les dispositions du Code Pénal qui prévoient et répriment les actes de harcèlement sexuel ou tous autres actes de violence perpétrés contre le travailleur. »

En réalité, les agissements de l'article 333 bis du Code pénal visent le harcèlement en lui-même tandis que les dispositions du Code du travail concernent plutôt les conséquences du harcèlement et leur prise en considération pour les décisions prises en matière d'embauche, de rémunération, etc.

C – La sanction

Celle-ci peut être pénale ou civile.

1) Sanction pénale

Le Code pénal :

Les peines applicables sont d'un emprisonnement de 1 à 3 ans et d'une amende de : 1 000 000 Ariary à 4 000 000 Ariary pour le fait visé à l'alinéa 1.
Les faits prévus à l'alinéa 2 sont punis de deux à cinq ans d'emprisonnement et d'une amende de 2 000 000 Ariary à 10 000 000 d'Ariary.

Le Code du Travail :

Les peines applicables sont d'une amende de 1 tapitrisa Ariary ou 5 000 000 Fmg à 3 tapitrisa Ariary ou 15 000 000 Fmg et d'un emprisonnement de un (01) an à trois (03) ans ou de l'une de ces deux peines seulement.

Mais il est à noter que les infractions prévues par le Code pénal et le Code du travail sont complémentaires : le Code pénal sanctionne le harceleur et le Code du travail sanctionne, lui, les mesures prises suite au harcèlement.

La juridiction répressive d'Antananarivo a connu quelques cas :

Premier cas :

Une salariée a dénoncé des faits de harcèlement sexuel commis par son supérieur hiérarchique. Elle a porté plainte contre ce dernier pour attentat à la pudeur consistant en des attouchements sexuels sur les hanches et les zones génitales. Ces attouchements sont accompagnés de menaces de sanctions dans le travail jusqu'à une totale perte de confiance par le directeur général de a société où elle a travaillé. Ce supérieur hiérarchique a également demandé à celle-ci de montrer son string quand elle était en retard. Elle avait aussi fait l'objet d'injures telles « je vous emmerde sortez de mon bureau », injures accompagnées des gestes brutaux et menaces de sanctions répétés qui lui font pression et provoqué une perte de connaissance.

Selon le tribunal correctionnel ces faits d'une part, démontrent qu'il y a des faveurs sexuelles exigées par son employeur et les a qualifiés de harcèlement sexuel et d'autre part, constituent une violence qui a causé une vive impression constitutive d'infraction de violence et voies

de fait .Il a déclaré qu'il y a confusion de peine et par jugement n° 6493 – FD du 14 décembre 2005, le harceleur a été condamné à 12 mois d'emprisonnement et au paiement d'une amende de 2 000 000 Ariary fermes et à des dommages et intérêts d'un montant de 3 000 000 Ariary, ce en application des dispositions des articles 333 bis alinéa 2 et 311 du Code pénal.
Cette décision a été frappée de recours et la procédure est pendante devant la Cour d'Appel.

Deuxième cas :

Des travailleuses ont dénoncé des faits de harcèlement sexuel commis par les gérants de la société où elles ont travaillé. Elles ont porté plainte contre ce dernier pour les avoir contraintes à leur consentir des faveurs de nature sexuelle (attouchement des seins, succion de leurs organes génitaux (pénis) et usé des menaces de sanction en l'occurrence le licenciement.

Par jugement n° 5680 rendu le 29 septembre 2006, le tribunal correctionnel a déclaré lesdits gérants coupables de harcèlement sexuel et les a condamnés chacun à 2 000 000 Ariary d'amende et à deux ans d'emprisonnement fermes (jugement devenu définitif faute de recours) et ce en application de l'article 333 bis alinéa 2 du Code pénal.

En effet, l'on pense que la difficulté de rapporter la preuve du harcèlement sexuel est la cause de la rareté de la jurisprudence en la matière mais il y a aussi la pudeur ou seulement, les victimes n'osent pas ou ne souhaitent pas dénoncer ce qu'elles subissent.

Pour terminer avec le harcèlement sexuel, il n'est pas sans intérêt de citer certains faits ou gestes pouvant être qualifiés de harcèlement sexuel tel qu'ils sont rapportés dans le rapport de la commission d'experts pour l'application des conventions et recommandations – Conférence Internationale du Travail – 83è session 1996 :

– toute insulte ainsi que toute remarque, plaisanterie, insinuation ou commentaire faits mal à propos sur les vêtements d'une personne, son corps, éventuellement son âge, sa situation de famille, etc.
– toute attitude condescendante ou paternaliste ayant une implication sexuelle qui porte atteinte à la dignité ;
– toute invitation ou requête importunes, implicites ou explicites, accompagnées ou non de menaces ;

- tout regard concupiscent ou autre geste associé à la sexualité ;
- tout contact physique inutile comme les attouchements, les caresses, les pincements, les voies de fait.

Selon toujours la commission d'experts, pour être considéré comme harcèlement dans l'emploi, ces actions doivent en outre soit être perçues à juste titre comme une condition de maintien dans l'emploi ou une condition préalable à l'emploi, soit influencer sur les décisions prises en ce domaine et/ou nuire au rendement professionnel.
Enfin, et de tout ce qui précède, le harcèlement sexuel inclut les comportements non souhaités comme étant d'ordre sexuel tels que les contacts physiques et les avances, les remarques à caractère sexuel, le fait de montrer de la pornographie ou des demandes sexuelles, en paroles ou en actions. De tels comportements peuvent porter atteinte à la santé physique ou mentale du salarié et à sa sécurité.

2) Sanction civile

Principalement, elle se manifeste par l'octroi des dommages et intérêts. A cet effet, le Code du travail en son article 23 prévoit la possibilité pour le salarié de rompre le contrat de travail pour cause de harcèlement sexuel ou moral en stipulant que « la rupture pour cause de harcèlement sexuel ou moral peut donner lieu à la partie victime des dommages et intérêts fixés par la juridiction compétente à la charge de l'auteur de l'acte. » Donc la victime de faits de harcèlement sexuel réellement établis peut prendre la décision de rompre son contrat de travail et de demander réparation des préjudices moraux qu'il en a subis, la rupture étant imputable à l'employeur.
Le tribunal répressif peut également condamner le harceleur à des dommages et intérêts pour les préjudices subis par le harcelé. C'est ainsi que la victime des faits de harcèlement sexuel et des voies de fait de son supérieur hiérarchique s'est vu octroyée la somme de 3 000 000 Ariary à titre de réparation des préjudices subis (jugement n° 6493 – FD du 14.12.2005).

D – Les responsabilités pénales

Le salarié tout comme l'employeur, en tant que personnes physiques peuvent commettre des infractions au cours de leurs relations de travail.

Ainsi l'un comme l'autre peut être l'auteur d'un harcèlement sexuel étant donné que ce harcèlement peut être descendant (d'un supérieur à son subordonné) et découle généralement de la position de commandement entre le sujet actif et le sujet passif, ou inversement ascendant, il peut également se faire entre collègues de travail, de façon latérale. Ils peuvent alors voir leurs responsabilités engagées.

II – LE HARCELEMENT MORAL

Il est aussi une forme de violence qui n'est pas toujours perçue comme telle, mais qui fait beaucoup souffrir : le harcèlement moral c'est-à-dire les vexations collectives infligées à un travailleur par ses collègues et/ou ses supérieurs hiérarchiques.
Le phénomène se manifeste sous des formes diverses, par des attitudes, des brimades, des pressions, des vexations, voire des refus de communications, soit tout un ensemble de comportements diversifiés qui, de prime abord, peuvent paraître anodins, mais que leur répétition injustifiée rend condamnable.

Pour revenir à l'article 5 du Code du travail, « tout salarié a droit au respect de sa dignité. Dans toutes les relations de travail, nul ne peut être victime de mauvais traitement ou de violence portant atteinte à l'intégrité physique ou morale prévue et sanctionnée par le Code pénal. »

De ce texte, on tire la conséquence que l'atteinte à l'intégrité morale c'est-à-dire la violence morale ou le harcèlement moral est aussi condamnable.

A – La définition

L'avant-projet d'Acte Uniforme OHADA sur le Droit du Travail considère le harcèlement moral au travail comme les conduites abusives et répétées de toute origine, externe ou interne à l'entreprise, qui se manifestent notamment par de comportements, des paroles, des intimidations, des actes, des gestes et des écrits unilatéraux, ayant pour objet ou pour effet de porter atteinte à la personnalité, la dignité ou l'intégrité physique ou psychique d'un travailleur lors de l'exécution de son travail, de mettre en péril son emploi ou de créer un environnement intimidant, hostile, dégradant, humiliant ou offensant.

Le Code du travail malagasy n'a pas donné de définition du harcèlement moral, mais la Cour d'Appel d'Antananarivo, dans son arrêt n° 409 du 06 décembre 2007 l'a défini comme « toute conduite (geste, parole, comportement, attitude...) qui porte atteinte par sa répétition ou sa systématisation, à la dignité ou à l'intégrité psychique ou physique d'une personne mettant en péril l'emploi de celle-ci ou dégradant le climat du travail. »

Il résulte de ces deux définitions que pour parler de harcèlement moral, trois critères sont indispensables : la répétition et la durée, la souffrance et l'atteinte à la dignité et à la santé et enfin la dégradation des conditions de travail.

1) La répétition et la durée

Le terme même de harcèlement renvoie d'abord à la notion de systématisation, de répétition. Il faut qu'il y ait un enchaînement de pratiques sur une période assez longue avec répétition d'attitudes destinées à nuire une personne en particulier. Aucun salarié (ou aucun agent de la fonction publique) ne doit subir des agissements répétés ayant certaines caractéristiques et certaines conséquences.
Le harcèlement moral se caractérise avant tout par sa répétition. Ainsi un agissement isolé voire accidentel ne peut de ce fait constituer un harcèlement moral.

2) La souffrance et l'atteinte à la dignité et à la santé

Les comportements, gestes, paroles, intimidations, actes vont infliger une souffrance intense à la personne qui va se sentir dévalorisée, isolée et qui a l'impression de vivre une situation de « fous ». Il va y avoir altération de la santé physique et mentale de la personne harcelée.
La victime du harcèlement moral se trouve souvent atteinte de pathologies multiples pouvant conduire jusqu'au suicide. C'est ainsi que des salariés sont contraints de démissionner pour protéger leur santé. En Arabie Saoudite, par exemple, il arrive souvent que des femmes étrangères se jettent du haut des immeubles dans lesquels elles travaillent pour échapper à des employeurs qui les maltraitent. Ce genre de problème n'existe pas vraiment à Madagascar, mais même si certains employeurs agissent très mal envers eux, les salariés victimes n'osent pas dénoncer ce qu'ils subissent. Il y a aussi la crainte de licenciement qui conduit des salariés surtout en charge

de famille à endurer des situations aussi humiliantes qu'inacceptables surtout en ce temps de crise où le chômage se généralise.
Le problème réside également dans le fait où il y a la nécessité d'établir le lien de causalité entre le harcèlement moral et la maladie. Mais serait-il facile de l'établir ?

3) Une dégradation des conditions de travail

Le harcèlement va entraîner progressivement une dégradation des conditions de travail telle qu'il va mettre en péril l'emploi de la personne harcelée et compromettre son avenir professionnel.
Les agissements répétés doivent en effet entraîner certaines conséquences qui ont alors pour objet ou pour effet une de dégradation de conditions de travail.
La notion de conditions de travail recouvre l'ensemble des circonstances qui entourent l'exécution de la prestation de travail. Ainsi, la répétition de petites vexations ou brimades au même titre que des mutations ou encore des privations de travail relèvent des conditions de travail. Par conséquent quel qu'en soit l'auteur, quels que soient les moyens utilisés, le harcèlement moral se traduit toujours par une dégradation des conditions de travail.
Par ailleurs, toute décision de l'employeur relative aux conditions de travail constitue soit une modification du contrat de travail, soit un changement des conditions de travail. Atout moment, l'employeur peut proposer ou imposer une modification de son contrat de travail ou des conditions d'exécution de ce contrat. Les modifications peuvent être soit non substantielles soit substantielles. Elle est substantielle lorsqu'elle touche aux clauses du contrat de travail telles que la classification professionnelle, la rémunération et le poste occupé qui ne peuvent faire l'objet d'une modification moins favorable et l'article 11 alinéa 2 du Code du travail stipule « la rupture occasionnée par une modification substantielle unilatérale des clauses du contrat de travail est imputable à l'auteur de la modification. ». Celle-ci doit nécessairement être acceptée par le salarié.
En revanche, la modification non substantielle ou changement des conditions de travail entre dans l'exercice normal du pouvoir de direction de l'employeur et n'a pas à faire l'objet d'un accord du salarié. C'est donc le terrain privilégié par l'employeur dans le cadre du harcèlement moral étant donné que les modalités d'exécution du contrat de travail peuvent être imposées au salarié. C'est ainsi que c'est souvent sous la forme de mesure d'ordre professionnel, c'est-à-dire relevant a priori de l'exercice normal des prérogatives patronales, que le harcèlement moral se manifeste. Dans cette hypothèse, ces

mesures ont pour unique but de détériorer les conditions de travail du salarié.
Mais le changement des conditions de travail ne constitue pas toujours un harcèlement moral.

En outre, la notion de dégradation délibérée des conditions de travail permettait de sanctionner ces mesures dès lors qu'elles ont pour seule finalité de détériorer, intentionnellement, les conditions dans lesquelles le salarié exécute sa prestation, autrement dit de le faire craquer.
A cet égard, l'employeur ou ses représentants vont abuser de l'état de subordination dans lequel se trouve le salarié pour le harceler Il y a ainsi dans le harcèlement moral une volonté délibérée de nuire à une personne en particulier par des pratiques variées.
A titre d'exemples, citons certains faits tirés da la jurisprudence de la Cour d'Appel d'Antananarivo :

- installer le salarié alors ancien Directeur Administratif et Financier, dans une grande salle d'attente et salle de bibliothèque (arrêt n° 164 du 18 avril 2008)
- rétrograder le salarié alors Directeur, en Chef de Projet Formation Technique (arrêt n° 165 du 18.04.2008)
- adresser souvent des demandes d'explication à un Directeur doté d'un pouvoir d'organisation et d'initiative de sa direction (arrêt n° 409 du 06.12.2007)

Nombreux sont encore les agissements qui peuvent être qualifiés d'actes humiliants et vexatoires caractéristiques du harcèlement moral tels : isoler la personne et interdire à ses collègues de lui parler – ne plus lui donner de travail (mise au placard) – lui donner du travail humiliant – lui fixer des objectifs impossibles à atteindre ou au-dessus de ses compétences – ne plus lui transmettre des consignes, ne plus l'inviter aux réunions ou au moment de partage de l'entreprise – multiplier les brimades et les remarques.
Mais il est des cas qui ne relèvent pas du harcèlement moral tel le stress qui trouve son origine dans le harcèlement professionnel. Dans le harcèlement moral, le terme moral marque l'importance de l'humiliation et du manque de respect. De même, les agressions ponctuelles ne sont pas non plus du harcèlement moral qui comme nous l'avons déjà dit, se caractérise avant tout par la répétition.

Le harcèlement moral peut être vertical, d'un supérieur hiérarchique vers un subordonné (ou inversement !) mais également harcèlement horizontal entre collègues, dans la mesure où aucun lien de subordination n'est exigé.

Arrivera-t-on un jour à éradiquer la discrimination et faire cesser le harcèlement au travail ?

B – La prévention

Aux termes de l'article 5 alinéa 1 du Code du travail, « tout salarié a droit au respect de sa dignité. Dans toutes les relations de travail, nul ne peut être victime de mauvais traitement ou de violence portant atteinte à l'intégrité physique ou morale prévue et sanctionnée par le Code pénal. »

Comme l'employeur a le seul pouvoir de direction et d'organisation, il lui incombe de prendre les mesures nécessaires pour prévenir ou faire cesser toute forme de harcèlement moral au sein de l'entreprise et ce, quel qu'en soit l'auteur. Il a donc l'obligation d'assurer à tout salarié des conditions de travail normales.
En son article 23, le Code dispose que « toute rupture du contrat de travail pour cause de harcèlement sexuel ou moral est imputable à la partie auteur de l'acte. Il appartient à la partie requérante de fournir les preuves de l'acte par tous les moyens. La rupture pour cause de harcèlement sexuel ou moral peut donner lieu à la partie victime des dommages et intérêts fixés par la juridiction compétente à la charge de l'auteur de l'acte. »
Cet article parle plus des conséquences du harcèlement que de prévention.

A propos de la preuve, il est exigé de la partie demanderesse de prouver ses allégations. Par contre, il y a renversement de la charge de la preuve lorsque le salarié concerné établit des éléments de faits qui laissent supposer l'existence du harcèlement. Dans ce cas, la partie défenderesse devra prouver que ses agissements ne sont pas constitutifs de harcèlement mais plutôt relèvent des éléments objectifs étrangers à tout harcèlement.

Par ailleurs, comme nous l'avons soulevé, les agissements de harcèlement moral sont susceptibles d'altérer la santé physique ou morale de la victime. Comment alors garantir la protection de la santé notamment du salarié harcelé dans la mesure où la charge de la preuve incombe à ce dernier ?

Il est exigé en effet que soit établi le lien de causalité entre le fait de harcèlement et la maladie. Autrement dit, la victime doit démontrer l'existence du harcèlement moral et prouver que ce dernier met en péril sa santé. Le Code du Travail a prévu à son titre IV, les conditions d'hygiène, de sécurité et d'environnement du travail et au chapitre IV, il prévoit l'institution de la médecine du travail en stipulant en son article 128 que « le service médical du travail a pour mission de prévenir toute altération de la santé des travailleurs du fait de leur travail, en particulier de surveiller les conditions d'hygiène et de sécurité sur les lieux du travail. Son rôle est prioritairement préventif. »

Le médecin du travail n'aurait-il pas dans ce sens un rôle très important dans le dépistage des violences physique ou morale et ne pourrait-on inclure au nombre de causes pouvant justifier son intervention le harcèlement moral ? Il pourra dans ce cas prononcer l'inaptitude du salarié au travail qui ne saurait être envisagée cependant qu'en dernier recours lorsqu'il n'y a pas d'autre moyen de sortir de cette situation. Il pourra aussi constater l'impossibilité pour le salarié en raison de son état de santé, d'occuper son poste de travail ou tout autre emploi dans l'entreprise.
Si tout harcèlement moral constitue à terme un danger pour la santé de la victime, il n'en est pas toujours ainsi dès l'origine, notamment lorsqu'il prend la forme de vexations, de brimades ou d'insultes répétées. Aussi, même s'ils ne constituent pas en eux-mêmes un danger pour la santé, de tels agissements méritent néanmoins d'être sanctionnés avant que la situation de la victime ne s'aggrave.

C – Les sanctions

Sanctionner les agissements de harcèlement moral (pressions psychologiques) au travail favoriserait une prise de conscience tant des victimes que des auteurs. Les sanctions peuvent être aussi bien disciplinaire, civile que pénale.

1) Sanction disciplinaire

Lorsque le harcèlement est le fait d'un collègue de travail, le rôle de l'employeur consisterait à repérer ce genre de problème sans pour autant aller à la « chasse aux sorcières », à le raisonner et à s'en séparer s'il ne change pas d'attitude.

2) Sanction civile

Elle pèse surtout sur l'employeur qui a l'obligation d'assurer au salarié des conditions de travail dignes et respectables conformément aux dispositions de l'article 5 du Code du travail. Comme en matière de harcèlement sexuel, le harcèlement moral peut aussi être l'origine de la rupture du contrat de travail. A cet égard reprenons les dispositions de l'article 23 du Code du travail ainsi libellées « toute rupture du contrat de travail pour cause de harcèlement sexuel ou moral est imputable à la partie auteur de l'acte. Il appartient à la partie requérante de fournir les preuves de l'acte par tous les moyens.
La rupture pour cause de harcèlement sexuel ou moral peut donner lieu à la partie victimes des dommages et intérêts fixés par la juridiction compétente à la charge de l'auteur de l'acte. »
Il en résulte que bien que l'initiative de la rupture émane du salarié, le tribunal de travail peut, si les faits de harcèlement sont établis condamner l'employeur à des dommages et intérêts pour préjudice moral.
A titre d'illustration, par jugement n° 278 du 01 juin 2007 (déjà évoqué auparavant), le tribunal du travail a dit et jugé qu'il y a harcèlement moral, que la rupture du contrat de travail liant les deux parties est imputable à l'employeur et a condamné l'employeur à payer à la victime la somme de 100 000 000 Ariary pour préjudice moral. Ce jugement a été confirmé par la Cour d'Appel.

De même lorsque l'employeur n'est pas à l'initiative du harcèlement, nous pensons que sa responsabilité doit néanmoins être engagée lorsqu'il est constaté qu'il n'a pas pris les mesures nécessaires pour lutter conte ce fléau au sein de son entreprise.
Lorsque le harceleur est un salarié, il peut alors faire l'objet d'une sanction disciplinaire et voir sa responsabilité recherchée devant le juge et lorsque le harceleur est l'employeur, seules des sanctions judiciaires peuvent être prononcées.
Cependant, nous savons que le harcèlement moral vise directement à porter atteinte à la dignité et à l'intégrité psychique d'une personne, ainsi la sanction civile semble ne pas suffire. En effet, l'incrimination pénale des auteurs de harcèlement moral au travail renforce son caractère dissuasif, la prévention.

3) Sanction pénale

L'article 261 du Code du travail érige en infraction tout manquement à certaines dispositions du Code du travail particulièrement à l'article 5 qui impose le respect de la dignité de la personne humaine.
Ledit article 261 *in fine* stipule que « les auteurs des infractions aux dispositions de l'article 5 du présent Code du travail sont sanctionnés par les dispositions du Code pénal qui prévoient et répriment les actes de harcèlement sexuel ou tous autres actes de violence perpétrés contre le travailleur. » Pourtant le Code pénal réprime les faits de harcèlement sexuel en son article 333 bis.
Est-ce à dire que le harcèlement moral n'est pas répréhensible ? En effet, en son alinéa 1 le même article 261 du Code du travail prévoit la punition de tout traitement discriminatoire fondé sur la race, la religion, l'origine, le sexe, l'appartenance syndicale, l'appartenance et les opinions politiques du travailleur en ce qui concerne l'accès à l'emploi et à la formation professionnelle, les conditions de travail et d'avancement, les conditions de rémunération, le licenciement.
Le harcèlement qui est une forme de discrimination fondée sur le sexe et ne peut être séparé des conditions de travail. Les peines prévues à l'article précité peuvent ainsi être appliquées à l'auteur de l'infraction de discrimination fondée sur le sexe notamment le harcèlement moral à savoir : – Amende de 1 tapitrisa Ariary ou 5 000 000 Fmg à 3 tapitrisa Ariary ou 15 000 000 Fmg et emprisonnement de un (01) an à trois (3) ans ou de l'une de ces deux peines seulement et en cas de récidive, les peines d'amende et d'emprisonnement seront portées au double.

Nous tenons ici à faire la remarque suivante : faisant partie des dispositions de l'article 5 du Code du travail, le traitement discriminatoire fondé sur le sexe en ce qui concerne les conditions du travail est un des cas de violation flagrante des dispositions légales qui nécessite la saisine obligatoire de l'Inspection du travail sur dénonciation de l'une des parties (employeur ou salarié), (Art.199 du Code du travail).

Quel est alors le rôle de l'Inspecteur du travail dans la prévention et la sanction du harcèlement ?

Le rôle de l'inspecteur du travail en général est défini dans les articles 234 et suivants du Code du travail.
L'inspecteur du travail territorialement compétent, doit être préalablement saisi. Il est habilité à faire cesser une infraction aux

dispositions du Code du travail dès qu'il aura les preuves formelles et demander le rétablissement de la situation. En outre, muni d'un ordre de mission, il a l'initiative de ses contrôles et de ses enquêtes dans le cadre de la législation et de la réglementation en vigueur. A cet effet, l'employeur et le travailleur doivent répondre à une convocation de l'Inspecteur du travail relative à l'exercice des contrôles et enquêtes dévolus aux Inspecteurs du travail et des lois sociales. Il constate par procès verbal faisant foi jusqu'à preuve du contraire les infractions aux dispositions de la législation et de la réglementation. Sous peine de nullité, l'original du procès-verbal doit être adressé dans les six (06) de la clôture au Procureur de la République et une copie certifiée conforme, adressée à la partie intéressée ou son représentant. Le Procureur de la République est tenu d'enrôler, dans un délai de un (01) mois, le procès-verbal par voie de citation directe.
Ainsi, la partie qui entend dénoncer de faits de harcèlement notamment moral et qui désire les faire cesser ou avoir la condamnation pénale de l'auteur par l'application des dispositions de l'article 261 du Code du travail doit saisir obligatoirement l'Inspection du travail.

Nous pensons que les organisations syndicales ne doivent pas être étrangères à ce phénomène de harcèlement surtout si au sein de l'entreprise des délégués du personnel sont institués. Ils ont un rôle non moins négligeable dans la lutte contre l'élimination de la discrimination en matière d'emploi et de profession.

Le rôle des délégués du personnel ?

Le Code du travail a consacré un chapitre pour les Délégués du personnel (Chapitre II du Titre V relatif aux relations professionnelle, art. 153 et suivants). Ils ont entre autres pour mission :

– de présenter aux employeurs, toutes les réclamations individuelle ou collectives concernant notamment les conditions du travail, la protection des travailleurs, l'application des conventions collectives, des classifications professionnelles et des taux de salaire,
– de saisir l'inspection du travail de toute plainte ou réclamation concernant l'application des prescriptions légales et réglementaires qui n'auraient pas été satisfaites au niveau de l'entreprise,
– de veiller à l'application des prescriptions relatives à l'hygiène, à la sécurité des travailleurs et à la protection sociale et, de proposer toutes mesures utiles à ce sujet.

Il en résulte que tout salarié victime d'un harcèlement peut s'adresser à son délégué du personnel pour dénoncer les faits, partager ses soucis, avoir de l'aide ou des conseils à propos. Compte tenu de sa mission, celui-ci doit en faire part à l'employeur qui doit prendre les dispositions nécessaires pour remédier à la situation après enquêtes. Il peut éventuellement en cas d'inaction de l'employeur ou de divergence sur la réalité des faits, de saisir l'Inspection du travail territorialement compétente.

Quid des témoins aux agissements de harcèlement ?

L'article 5 alinéa 5 du Code du travail prévoit qu'« Aucun salarié ne peut faire l'objet d'une sanction, ni d'une discrimination dans sa carrière ou dans son travail, ni d'un licenciement pour avoir témoigné des agissements définis à l'alinéa précédent ou pour les avoir relatés. »

La violation de cette disposition légale expose également son auteur aux sanctions prévues à l'article 261 du même Code du travail : peine d'Amende de 1 tapitrisa Ariary ou 5 000 000 Fmg à 3 tapitrisa Ariary ou 15 000 000 Fmg et d'un emprisonnement de un (01) an à trois (03) ans ou de l'une de ces deux peines seulement. Et en cas de récidive, les peines d'amende et d'emprisonnement seront portées au double.

Conclusion

A Madagascar, le harcèlement sous ses deux faces est là et commence à avoir de l'ampleur, à faire des ravages. Les femmes en tant que groupe vulnérable en sont les plus touchées. Que faire pour éliminer la discrimination ou du moins la faire régresser ?

Quelles sont les solutions envisageables ?

Malgré la volonté du pays à lutter contre la discrimination en général et le harcèlement en particulier en milieu du travail, en l'absence de directives pratiques et une politique nationale, il n'est pas du tout facile d'avoir de résultat positif. Ce qu'il ne faut pourtant pas oublier c'est que la discrimination concerne tous les acteurs du monde du travail : l'Etat, les organisations d'employeurs et les organisations des travailleurs.

En attendant la définition d'une politique nationale de lutte, nous suggérons la mise en place par l'employeur des mesures nécessaires pour prévenir ou décourager les actes de harcèlement. Parmi ces mesures :

- rappeler dans le règlement intérieur les dispositions relatives à l'interdiction de toute pratique de harcèlement,
- prévoir des sanctions disciplinaires à l'encontre du harceleur,
- assurer au travailleur un environnement de travail sécurisé et des conditions de travail dignes et appropriées,
- prévoir des formations relatives au respect de la dignité de la personne humaine,
- rappeler aux salariés la procédure pénale…

Le 10 décembre 1948, les Nations Unies ont sorti officiellement la Déclaration Universelle des Droits de l'Homme. Le 10 décembre dernier Madagascar a célébré la Journée Internationale des Droits de l'Homme. La Commission Internationale des Droits de l'Homme (CNDH) a à cet effet organisé une conférence débat sur le thème « Optez pour la diversité et mettez fin à la discrimination », thème choisi par les Nations Unies. La CNDH a adopté une autre version complétant cette formule « pour la tolérance, pour la paix et pour la justice, optez pour la diversité et mettez fin à la discrimination. »

Dans son article 23, 1 la Déclaration Universelle des Droits de l'Homme, stipule que « toute personne a droit au travail, au libre choix de son travail, à des conditions équitables et satisfaisantes de travail et à la protection contre le chômage. »
Pour y parvenir, les acteurs du monde du travail doivent ensemble trouver les mesures nécessaires et les moyens efficaces pour éliminer la discrimination en matière d'emploi et de travail et faire cesser par là même le harcèlement au travail.

Pour en terminer, devant la difficulté pour remédier à la situation et face à l'insuffisance des textes législatifs et réglementaires, nous croyons nécessaire la refonte du Code du travail et y consacrer un chapitre relatif aux principes généraux de prévention. Prévoir à cet effet des mesures de sécurité, de protection de la santé physique et mentale des travailleurs et ajouter au titre IX relatif aux pénalités une section concernant la sanction du harcèlement moral proprement dit.

De la responsabilité des pillages lors des émeutes et de la protection des investissements

Johary RAVALOSON

Introduction

Saluant la nouvelle Loi n° 2007-036 sur les investissements du 14 janvier 2008, nous avons publié un article sur la sécurisation juridique offerte par cette Loi[1]. Force est de constater depuis la crise politique que traverse Madagascar que la sécurité matérielle des investissements n'est parfois pas même assurée.

Ainsi, lors des émeutes de ce lundi fumeux de 26 janvier 2009 à Antananarivo, plusieurs entreprises ont été pillées puis incendiées sans aucune réaction des forces de l'ordre. Ces dommages ayant eu lieu à la suite de dérive d'une manifestation de nature politique, ils ne sont couverts quasiment par aucune compagnie locale d'assurance[2]. Et la plupart de ces entreprises n'ayant malencontreusement pas souscrit aux polices exorbitantes des compagnies internationales, se retrouvent dans des difficultés insurmontables.

En vue de soutenir ces entreprises, nous nous proposons de livrer une indication sur la responsabilité objective des dommages causés par ces émeutes, *id est* celle déterminée par les textes. Le concept de responsabilité juridique facilite la tâche de la victime car en mettant en évidence l'écart existant entre les comportements réels et le contenu

---

1 *Cf.* « La sécurisation des investissements dans le régime instauré par la Loi n° 2007-036 du 14 janvier 2008 », *RJFMCI*, n° 41, 1er trim. 2008, pp. 1-20.
2 *Cf.* ANDRIAMAHEFAZAFY Mialy, « Assurances anti-émeutes et autres garanties pour risques non commerciaux », *supra*.

des obligations juridiques, il permet de réclamer réparation à la personne objectivement responsable.

L'établissement de la responsabilité, sans rechercher les mobiles de l'acte ou les intentions de ses auteurs individuels, tout en soulignant les obligations de réparations des préjudices résultant d'un manquement au droit, éloigne par ailleurs des polémiques.

En ce qui nous concerne, les textes aussi bien nationaux qu'internationaux établissent de façon certaine la responsabilité de l'Etat et de ses collectivités publiques pour les dommages réalisés lors des émeutes. Néanmoins la demande de réparation peut rencontrer des embûches administratives et financières parfois difficiles à surmonter pour les PME.

I – DE LA RESPONSABILITÉ DE L'ETAT ET DE SES COLLECTIVITÉS PUBLIQUES LORS D'ÉMEUTES

1 - Selon l'article 38 de la Constitution, l'Etat garantit la sécurité des capitaux et des investissements. Cette garantie est renforcée par l'article 4 de la fameuse Loi sur les investissements de 2008 citée ci-dessus[3]. Plus précisément, la Loi n° 94-008 du 26 avril 1995 fixant les règles relatives à l'organisation, au fonctionnement et aux attributions des collectivités territoriales décentralisées détermine qu'en cas d'émeute, la responsabilité est partagée entre l'Etat et la municipalité.

D'une part, l'article 88 dispose que « les communes sont civilement responsables des dégâts et dommages résultant des crimes et délits commis à force ouverte ou par violence, sur leur territoire, par des attroupements ou rassemblements armés ou non armés, soit envers les personnes, soit contre les propriétés publiques ou privées »[4].

---

3 La Loi n° 2007-036 sur les investissements du 14 janvier 2008 en son article 4 intitulé « De la protection des droits de propriété » dispose que : « L'Etat garantit le respect des droits de propriété individuelle ».

4 Loi n° 94-008 du 26 avril 1995 fixant les règles relatives à l'organisation, au fonctionnement et aux attributions des collectivités territoriales décentralisées.

Elle dispose par ailleurs que : « Les indemnités, les dommages-intérêts et les frais dont la commune est responsable sont répartis, en vertu d'un rôle spécial entre toutes les personnes inscrites au rôle d'une des contributions directes dans le ressort de la commune, à l'exception des victimes des troubles auxquelles auront été allouées ces indemnités, proportionnellement au montant en principal de toutes les contributions directes.

Cette responsabilité communale est fondée sur la mission première de la police municipale de maintien de l'ordre public. La même Loi, en son article 84, dispose en effet que « la police municipale a pour objet d'assurer le bon ordre, la sûreté, la sécurité et la salubrité publique. Elle comprend notamment (...) :

2° Les soins de réprimer les atteintes à la tranquillité publique telles que les rixes et disputes accompagnées d'ameutement (*sic*) dans les rues, le tumulte excité dans les lieux d'assemblée publique, les attroupements, les bruits et rassemblements nocturnes qui troublent le repos des habitants, et tous actes de nature à compromettre la tranquillité publique ; (...)
3° Le maintien du bon ordre dans les endroits où il se fait de grands rassemblements d'hommes, tels que les foires, marchés, réjouissances et cérémonies publiques, spectacles, jeux, cafés et autres lieux publics »[5].

D'autre part, l'Etat n'en est pas pour autant moins responsable conjointement de la paix et de la tranquillité sur le territoire de la commune ainsi désignée.

En l'occurrence, l'article 87 dispose que « les pouvoirs qui appartiennent au Maire, en vertu de l'article 84 ne font pas obstacle à ceux du Ministre de l'Intérieur de prendre, pour plusieurs communes, et dans tous les cas où il n'y aurait pas été suffisamment pourvu par les autorités municipales, toutes mesures relatives au maintien de la salubrité, de la sûreté et de la tranquillité publiques. Quand l'ordre est menacé dans deux ou plusieurs communes limitrophes, le représentant de l'Etat peut, par arrêté motivé, se substituer aux Maires intéressés pour exercer les pouvoirs de police prévus aux paragraphes 2 et 3 de l'article 84. Lorsqu'il y a urgence dans les cas

Si le montant des dommages-intérêts et des frais mis à la charge de la commune excède le quart du produit en principal des contributions directes, le paiement en sera effectué au moyen d'un emprunt qui sera remboursé à l'aide d'une imposition extraordinaire perçue chaque année en vertu d'un rôle établi comme il est dit à l'alinéa précédent.
Cet emprunt et la création des ressources destinées à en assurer le service et l'amortissement sont autorisés par décret en conseil des Ministres.
Faute par la commune de prendre les mesures nécessaires pour le paiement des frais et dommages-intérêts mis à sa charge, dans le délai d'un mois à dater de la fixation et de la répartition définitives du montant de ces frais et dommages intérêts, il y est procédé d'office par décret en conseil des Ministres, dans les conditions spécifiées ci-dessus.
Art. 89 - Si les attroupements ou rassemblements ont été formés d'habitants de plusieurs communes, chacune d'elles est responsable des dégâts et dommages causés, dans la proportion qui sera fixée par les tribunaux de l'ordre judiciaire. »
5 **Art. 86** - Pour l'exercice des pouvoirs de police qui lui sont conférés, le Maire emploie les forces armées mises à sa disposition en cas de besoin.

prévus aux trois alinéas ci-dessus du présent article, le représentant de l'Etat peut se substituer au Ministre de l'Intérieur auquel il en rend compte immédiatement. »

L'Etat demeure même le premier responsable comme le statue l'article 112 de la Loi qui dispose que « le représentant de l'Etat a la charge des intérêts nationaux, du respect des lois et de l'ordre public. A cet effet, il dispose de toutes les forces de police stationnées dans sa circonscription. Il requiert, dans les formes réglementaires, les unités de gendarmerie et de l'armée stationnées dans sa circonscription ».

2 - Du point de vue international, de surcroît, la responsabilité de la commune est englobée dans celle de l'Etat. Il est en effet entendu coutumièrement que, vis-à-vis de ses partenaires extérieurs, l'Etat est responsable des actions ou omissions de ses collectivités publiques, et notamment de ses Etats fédérés, régions, collectivités locales ou de toute autre entité sur lesquels l'Etat exerce une tutelle, la représentation ou la responsabilité de ses relations internationales ou sa souveraineté. Ainsi le proclament également tous les traités bilatéraux de promotion et de protection des investissements liant Madagascar.

Les accords de protection des investissements reprennent, pour la plupart, des clauses-types du droit international, éventuellement adaptées au contexte local. Leur but est d'apporter une protection contre les risques politiques découlant d'une éventuelle dégradation de la situation intérieure des pays où travaillent les opérateurs économiques. Ils ont l'avantage d'instaurer un cadre clair et normalisé, supérieur dans la majorité des cas aux dispositions de la législation du pays intéressé.

Ils définissent, tout d'abord, les notions d'investissement, de société, de revenu, ainsi que leur zone géographique d'application, qui recouvre généralement le territoire national, ainsi que la zone maritime.

Le principe de l'encouragement des investissements réciproques y est posé, ainsi que le traitement équitable de ceux-ci. Les revenus et intérêts découlant de l'activité économique ou de sa cession sont librement transférables.

Ces accords garantissent aussi que les investissements étrangers bénéficient d'un traitement de même nature que celui réservé aux investissements nationaux, ou que celui réservé à ceux de la nation la plus favorisée, s'il est plus avantageux. Il en est ainsi notamment pour les pertes résultant « d'une guerre ou de tout autre conflit armé, révolution, état d'urgence national ou révolte » qui doivent être traitées de la même façon que si elles affectaient une société nationale.

Plus précisément en ce qui nous concerne, « la sécurité et la protection pleines et entières » sont garanties aux investisseurs par l'Etat d'établissement. Le principe d'une indemnisation prompte et adéquate en cas de dépossession est inscrit dans ces traités. Le montant de cette indemnité doit être évalué à la date de la dépossession au regard « *d'une situation économique normale et antérieure à toute menace de dépossession* ».

Les différends éventuels pouvant survenir à propos de cette indemnisation mais plus généralement entre un investisseur et un Etat contractant sont soumis, faute d'accord amiable, à l'arbitrage du Centre international pour le règlement des différends relatifs aux investissements (CIRDI).

Ce centre a été créé en 1965 par une convention conclue à Washington sous l'égide de la Banque Mondiale, et compte à ce jour 155 Etats contractants dont 143 ont déposé leurs instruments de ratification. Madagascar a signé la Convention le 1er juin 1966, déposé les instruments de ratification le 6 septembre 1966 ; la Convention est entrée en vigueur en ce qui le concerne le 11 octobre 1966. En l'occurrence, les investisseurs des Etats de la République Française, de l'île Maurice, de la République populaire de Chine, de l'Union économique Belgo-Luxembourgeoise, de la République d'Afrique du sud, de la République fédérale d'Allemagne et des Etats-Unis d'Amérique disposent de tels *Umbrella Agreements* qui peuvent être efficacement invoqués dans les cas d'émeutes et de pillages[6].

---

6 La Loi n° 2007-006 du 27 juillet 2007 autorisant la ratification de l'Accord conclu le 8 avril 2006 entre le Gouvernement de la République de Madagascar et la **République Fédérale d'Allemagne** relatif à l'encouragement et à la protection mutuels des investissements (J.O. n° 3153 du 10/12/2007 p. 9100) ;

- La Loi n° 2007-003 du 27 juillet 2007 autorisant la ratification de l'Accord conclu le 22 septembre 2006 entre la République de Madagascar et la **République d'Afrique de Sud**, relatif à la promotion et à la protection réciproque des investissements. (J.O. n° 3136 du 24/09/2007 p. 5600) ;
- La Loi n° 2006-028 du 24 novembre 2006 autorisant la ratification de l'Accord conclu le 29 septembre 2005 entre le Gouvernement de la République de Madagascar et **l'Union Economique Belgo-Luxembourgeoise** relatif à l'Encouragement et à la Protection réciproque des investissements. (J.O. n° 3092 du 12/03/2007 p. 1731) ;

En effet, dans chacun de ces Traités le liant avec ces différents Etats, Madagascar s'est engagé à garantir aux investissements provenant des différentes parties « une protection pleine et entière sur le territoire ». Le fait de ne pas avoir protégé les biens meubles et immeubles des investisseurs engage la responsabilité internationale de l'Etat malgache. Le principe de la responsabilité implique la substitution de l'obligation pour laquelle l'Etat est défaillant par une autre : la réparation, sous quelque forme qu'elle soit. L'obligation secondaire est en fait une « exécution par équivalence » de l'obligation internationale, dont elle doit s'approcher le plus possible.

Lors de la journée du 26 janvier 2008 et la nuit qui s'ensuivit, il est clair que l'Etat malagasy a failli à son devoir de protection des personnes et des biens situés sur son territoire, notamment dans la capitale, à Antananarivo. Les forces de sécurité (police, gendarmes et militaires) ont disparu scandaleusement du paysage urbain. Les vandales ont forcé les portes des magasins, les ont pillés et par la suite incendiés devant des milliers de témoins sans pour autant être inquiétés le moins du monde[7].

Il ne s'agit pas ici de se demander qui était responsable de la gabegie (le gouvernement qui a ou n'a pas donné d'ordre d'intervention / de laisser-faire, les forces de sécurité qui n'ont pas obéi, ou encore une transmission inopérante, etc.). Le fait est que l'Etat malagasy a failli à ses obligations coutumières de protection des étrangers sur son sol et,

---

- La Loi n° 2006-027 du 24 novembre 2006 autorisant la ratification de l'Accord conclu le 4 novembre 2005 entre le Gouvernement de la République de Madagascar et la **République Populaire de Chine** relatif à la Promotion et à la Protection réciproques des Investissements. (J.O. n° 3092 du 12/03/2007 p. 1731) ;
- La Loi n° 2005-001 du 2 août 2005 autorisant la ratification de l'Accord conclu le 6 avril 2004 entre le Gouvernement de la République de Madagascar et le Gouvernement de la **République de Maurice** relatif à la promotion et à la protection réciproques des investissements. (J.O. n° 2959 du 24/10/2005 p. 5121) ;
- La Loi n° 2004-043 du 14 janvier 2005 autorisant la ratification de l'Accord conclu le 25 juillet 2003 entre le Gouvernement de la République de Madagascar et le Gouvernement de la **République française** sur l'encouragement et la protection réciproques des investissements. (J.O. n° 2955 du 14/02/2005 p. 2391) ;
- La Loi n° 99-007 du 21 avril 1999 autorisant la ratification de l'Accord conclu le 31 mars 1998 entre le Gouvernement de la République de Madagascar et le Gouvernement des **Etats-Unis d'Amérique** visant à encourager les investissements (J.O n° 2572 E.S. du 27.04.99, p. 1154).

Par ailleurs, le 19 novembre 2008 à Antananarivo, la **Suisse** et Madagascar ont signé un Accord de promotion et de protection réciproque des investissements. Cet Accord remplace les dispositions relatives aux investissements d'un accord que les deux pays avaient conclu en 1964, clauses qui ne répondent plus aux exigences d'aujourd'hui, notamment en matière d'accès à l'arbitrage international. De même, le 12 novembre 2008, un Accord similaire a été signé avec le **Pays-Bas**. Des négociations sont en cours avec le **Canada**.

7 *Cf.* tous les journaux du lendemain et les images qui circulent depuis sur Internet.

plus particulièrement, à l'obligation qu'il a souverainement contractée dans les différents Traités cités précédemment.

Le droit international coutumier établit de façon certaine que la responsabilité internationale de l'Etat à raison des dommages causés sur son territoire à la personne ou aux biens des étrangers comporte le devoir de réparer ces dommages s'ils sont la conséquence d'actes ou d'omissions contraires aux obligations internationales de l'Etat, commis par ses organes ou ses fonctionnaires. Bien sûr, l'Etat n'est responsable, en ce qui concerne les faits dommageables commis par des particuliers, que lorsque le dommage résulte du fait qu'il aurait omis de prendre les mesures auxquelles, d'après les circonstances, il convenait normalement de recourir pour prévenir ou réprimer de tels faits.

Néanmoins s'il est avéré que l'Etat malagasy ou ses agents ont sciemment omis de prendre des mesures qui auraient pu éviter les dommages, la seule manière pour l'Etat malagasy d'échapper à l'imputation de cette responsabilité serait d'invoquer une excuse justifiant le non-respect d'obligations auxquelles il est tenu ; comme peut-être d'alléguer l'*état de nécessité*[8]. Le cas échéant, il appartiendrait à l'Etat malagasy d'apporter preuve des risques encourus et d'établir que les mesures adoptées étaient adaptées par rapport à la menace.

---

8 L'état de nécessité est défini par l'article 25 des Articles sur la responsabilité de l'Etat. Ce dernier dispose que :

« 1. L'Etat ne peut invoquer l'état de nécessité comme cause d'exclusion de l'illicéité d'un fait non-conforme à l'une de ses obligations internationales que si ce fait :

a) constitue pour l'Etat le seul moyen de protéger un intérêt essentiel contre un péril grave et imminent ; et

b) ne porte pas gravement atteinte à un intérêt essentiel de l'Etat ou des Etats à l'égard desquels l'obligation existe ou de la communauté internationale dans son ensemble.

1) En tous cas, l'état de nécessité ne peut être invoqué par l'Etat comme cause d'exclusion de l'illicéité :

a) si l'obligation internationale en question exclut la possibilité d'invoquer l'état de nécessité ; ou

b) si l'Etat a contribué à la survenance de cette situation ».

Articles annexés à la Résolution de l'Assemblée générale des Nations Unies, *responsabilité de l'Etat pour fait internationalement illicite,* A/RES/56/83, 12 décembre 2001. *Cf.* CRAWFORD James, *Les Articles de la Commission du Droit international sur la responsabilité de l'Etat – Introduction, textes et commentaires*, Paris, Pédone, 2003. Si l'état de nécessité serait reconnu alors l'illicéité des actes ou omissions de l'Etat malagasy sera exclue, ce qui l'exonère par conséquent de sa responsabilité et de toute conséquence potentiellement afférente, comme l'obligation d'indemniser les pertes prospective ou « punitive ». Ce qui ne le dispenserait pas du devoir de dédommager les investisseurs des pertes effectives.

Il reviendrait alors éventuellement à un tribunal arbitral international comme le CIRDI (Centre International de Règlement des Différends relatifs aux Investissements) de statuer sur la responsabilité qui en découle et des réparations qui peuvent lui être réclamées.

Aussi bien les textes nationaux qu'internationaux établissent de façon certaine la responsabilité de l'Etat et de ses collectivités publiques dans la réalisation de dommages lors d'émeutes. Néanmoins, l'application de ces textes, notamment pour les demandes d'indemnisation peuvent rencontrer des embûches administratives et financières parfois difficiles à surmonter pour les PME.

II – LA DEMANDE D'INDEMNISATION POUR CAUSE DE PILLAGES LORS D'ÉMEUTES

1) Le principe du recours

La responsabilité implique pour l'Etat auteur d'un acte ou d'une omission contraire à ses obligations et ayant causé un dommage l'obligation de réparer et de se prêter éventuellement à un mécanisme de règlement international de différends.

Les entreprises nationales comme étrangères peuvent s'adresser évidemment aux **tribunaux malgaches** pour leurs réclamations. En effet, selon l'article 90 de la Loi n° 94-008 du 26 avril 1995 précitée, pour les recours en responsabilité en cas d'émeutes, les actions tant principales qu'en garantie, sont portées devant les tribunaux de l'ordre judiciaire qui statuent comme en matière sommaire.

L'Etat peut intervenir à l'action principale en première instance ou à défaut en appel. Qu'il soit ainsi intervenu ou non, il peut aussi faire appel ou se pourvoir en cassation contre tout jugement ou se pourvoir en cassation contre tout arrêt rendus en application de l'alinéa précédent lorsque ces décisions sont susceptibles d'avoir pour effet de l'obliger à contribuer au paiement des dommages-intérêts et frais visés à l'article 88. L'Etat est représenté par le Ministre chargé de l'Intérieur.

Par ailleurs, l'Etat est garant du paiement des dommages-intérêts que l'on peut réclamer à la suite de ces violences. En effet, l'article 90 de la Loi précise que « l'Etat contribue pour moitié au paiement des dommages-intérêts et frais visés par l'article 88. Toutefois, si la municipalité a manqué à ses devoirs par inertie ou connivence avec les émeutiers, l'Etat peut exercer un recours contre la commune, à concurrence de soixante pour cent (60 p. 100) des sommes mises à sa charge par l'alinéa précédent. Si au contraire et sous réserve de l'application de l'alinéa précédent, la commune n'a pas momentanément la disposition de la police locale ni de la force armée ou si elle a pris toutes les mesures en son pouvoir à l'effet de prévenir ou de réprimer les troubles, elle peut exercer un recours contre l'Etat dans les mêmes proportions »[9].

Du point de vue international, l'engagement de « sécurité et protection pleines et entières » consenti par l'Etat malgache dans les Traités bilatéraux de protection des investissements qu'il a signés et ratifiés le lie indéniablement par rapport aux investisseurs victimes des troubles[10].

De surcroît, tous les traités précités contiennent une clause d'arbitrage en cas de litige entre l'Etat malgache et un investisseur de la nationalité d'une des parties contractantes.

---

9 Néanmoins, selon l'article 91, « l'Etat, la commune ou les communes déclarés responsables peuvent exercer un recours contre les auteurs ou les complices du désordre ».

10 Par ex., l'Article 5 du de l'Accord conclu le 25 juillet 2003 entre le Gouvernement de la République de Madagascar et le Gouvernement de la République française intitulé : « Dépossession et indemnisation » dispose que :

1. Les investissements effectués par des nationaux ou sociétés de l'une ou l'autre Partie contractantes bénéficient, sur le territoire et dans la zone maritime de l'autre Partie contractante, d'une protection et d'une sécurité pleines et entières.

2. Les Parties contractantes ne prennent pas de mesures d'expropriation ou de nationalisation ou toutes autres mesures dont l'effet est de déposséder, directement ou indirectement, les nationaux et sociétés de l'autre Partie des investissements leur appartenant, sur leur territoire et dans leur zone maritime, si ce n'est pour cause d'utilité publique et à condition que ces mesures ne soient ni discriminatoires, ni contraires à un engagement particulier.

Toutes les mesures de dépossession, notamment, mais non exclusivement, d'expropriation et d'envoi en possession immédiate, qui pourraient être prises doivent donner lieu au paiement d'une indemnité prompte et adéquate.

Cette indemnité, son montant et ses modalités de versement sont fixés au plus tard à la date de dépossession et, à défaut d'accord amiable, par voie judiciaire. Cette indemnité est effectivement réalisable, versée sans retard et librement transférable. Elle produit, jusqu'à la date de versement, des intérêts calculés au taux d'intérêt de marché approprié.

Le montant de l'indemnité, égal à la valeur réelle des investissements concernés, doit être évalué par rapport à une situation économique normale et antérieure à toute menace de dépossession.

3. Les nationaux ou sociétés de l'une des Parties contractantes dont les investissements auront subi des pertes dues à la guerre ou à tout autre conflit armé, révolution, état d'urgence national ou révolte survenu sur le territoire ou dans la zone maritime et l'autre Partie contractante, bénéficieront, de la part de cette dernière, d'un traitement non moins favorable que celui accordé à ses propres nationaux ou sociétés ou à ceux de la nation la plus favorisée ».

Ce principe de recours à un arbitrage international, extérieur à l'Etat d'établissement et donc neutre, demeure une garantie des plus fortes et des plus réclamées en matière de protection des investissements. Néanmoins, la pratique montre que l'accès est relativement parsemé d'embûches, notamment pour les PME.

2) L'accès difficile aux juridictions

Sans même évoquer les tractations effarantes qui se déroulent dans les parkings des tribunaux d'Anosy, il est relativement aisé de comprendre qu'un investisseur étranger hésite à recourir aux institutions judiciaires d'un pays hôte pour un différend qui l'oppose aux pouvoirs publics locaux.

Le pouvoir unilatéral de modification de son système juridique par l'Etat d'accueil pouvant aboutir à des expropriations rampantes ou à des nationalisations instaure à la base un déséquilibre des forces en présence et justifie corrélativement la méfiance. Et c'est justement pour se prémunir contre « cet aléa de souveraineté »[11] que les systèmes de règlement extérieur aux Etats des différends comme le CIRDI ont été institués. Le consentement des Etats à se soumettre à l'arbitrage de ces derniers améliore de façon certaine la confiance des investisseurs et des pays étrangers.

Pour rendre effectif l'arbitrage CIRDI, l'Etat doit non seulement adhérer à la convention CIRDI mais aussi consentir spécifiquement à ce que les différends concernant un investissement particulier soient réglés par arbitrage devant le CIRDI[12]. Si l'adhésion à la convention CIRDI relève d'un acte général et unilatéral de l'Etat, son consentement à l'arbitrage peut trouver sa source dans différents engagements de sa souveraineté :

– soit lorsque le différend se présente, dans un compromis d'arbitrage, l'Etat s'engage avec l'investisseur à soumettre leur litige devant un tribunal du CIRDI ;

---

11 WEIL Prosper, « Les clauses de stabilisation ou d'intangibilité insérées dans les accords de développement économique », *in Mélanges offerts à Charles Rousseau, la communauté internationale*, Pédone, Paris, 1974, p. 302.

12 L'article 25 (1) de la Convention dispose que : « la compétence du Centre s'étend aux différends d'ordre juridique entre un Etat contractant (ou telle collectivité publique ou tel organisme dépendant de lui qu'il désigne au Centre) et le ressortissant d'un autre Etat contractant qui sont en relation directe avec un investissement et que les parties ont consenti par écrit à soumettre au Centre. Lorsque les parties ont donné leur consentement, aucune d'elles ne peut le retirer unilatéralement ».

– soit avant que le différend ait lieu, dans une clause compromissoire contenue dans un contrat qui lie l'Etat avec l'investisseur ;
– soit dans un acte unilatéral général, comme un régime de zones franches ou un code d'investissements, l'Etat s'engage à soumettre tout litige lié à l'application du régime, avec un investisseur étranger ;
– ou encore, dans un traité bilatéral ou multilatéral, l'Etat s'engage à soumettre tout litige concernant les investissements provenant de l'autre Etat partie devant un tribunal CIRDI.

Ainsi, le Rapport de la Commission des Affaires étrangères, de la défense et des forces armées du Sénat français sur le projet de loi autorisant l'approbation de l'Accord entre le Gouvernement de la République française et le Gouvernement de la République de Madagascar sur l'encouragement et la protection réciproques des investissements du 25 juillet 2003, lequel contient ledit consentement étatique à l'arbitrage, s'en félicite et vante « les dispositions particulièrement protectrices pour (les) entreprises (françaises) et surtout pour les plus petites d'entre elles »[13].

Toutefois, la mise en œuvre de ce genre d'accord présente des difficultés matérielles relatives notamment, mais pas seulement, à ses coûts[14]. La plupart des PME victimes des émeutes sont en effet des entreprises individuelles dont les personnes responsables dépendent du bon vouloir de l'Etat malgache pour l'exercice de leurs activités et leurs séjours sur le territoire. Le fait de recourir contre les pouvoirs publics pourrait les exposer à des tracasseries administratives individuelles et les obligerait à l'encontre de la fin recherchée, laquelle rappelons-le est le redémarrage des activités, à abandonner leurs investissements. Car, faut-il le préciser, ces entrepreneurs individuels accordent autant d'importance à leurs installations à Madagascar qu'à la récupération de leurs investissements.

Malgré les garanties que peut fournir un traité de protection des investissements, l'aléa administratif demeure ainsi pour les PME. Il est évident que de grandes sociétés anonymes ressentiraient moins ces risques. En ce qui nous concerne, une association des entreprises victimes les réduirait probablement en même temps qu'elle en mutualiserait les coûts.

---

13 Sénat, Session ordinaire de 2004-2005, Annexe au procès-verbal de la séance du 15 décembre 2004, *cf.* http://extranet.senat.fr/rap/l04-119/l04-1190.html
14 L'introduction d'une requête au CIRDI coûte la bagatelle de 25000 dollars US.

Le temps de travail effectif

Caroline RANJATOSON

Introduction

Le temps de travail effectué par le salarié conditionne le salaire auquel il pourra prétendre. La détermination du coût de l'achat de la force de travail dépend de ce que l'on considère comme travail pouvant donner lieu au paiement d'un salaire.

Le droit du salarié en matière de rémunération s'apprécie en fonction du volume d'heures effectuées. C'est la notion de travail effectif qui permet d'appréhender le volume des heures consacrées à l'exécution d'une tâche.

Il est primordial de mentionner l'existence d'une relation entre temps de travail et rémunération. La relation de travail est basée sur trois éléments : une production, pendant un temps de travail, donnant droit à une rémunération[1]. Le temps de travail ne coïncide pas avec le temps de présence au lieu de travail. Il n'équivaut pas à l'amplitude de la journée de travail.

Le problème tourne alors autour de la question de savoir quelles sont les périodes valant temps de travail dans la relation du travailleur avec son employeur. En effet, c'est du temps de travail effectif que dépend le montant du salaire.

La durée du travail correspond au temps de travail effectif. Elle est règlementée par la loi. Il peut arriver que le salarié soit amené à

---

1 Bruno ACAR et Gilles BELIER, « Astreintes » et temps de travail, Dr.soc. 1990, p. 512.

effectuer un temps de travail effectif supérieur à celui prévu légalement.

La durée légale constitue ainsi un seuil à partir duquel le salarié acquiert des droits supplémentaires.

I – PRISE EN COMPTE DU TEMPS DE TRAVAIL

A – Limites fixées par la loi

1) Nécessité de l'instauration d'une durée légale de travail

La durée du travail est un élément du contrat de travail[2]. Cela peut s'expliquer par ses liens avec la rémunération. L'utilité de la durée légale réside dans le fait qu'elle constitue une limite. Et c'est à partir de cette limite que, par un alourdissement du coût du travail et par l'octroi des repos, l'employeur doit choisir, pour faire face aux exigences de l'entreprise, d'autres solutions que l'augmentation du nombre d'heures. Il peut notamment opter pour le recrutement de nouveaux salariés. De plus, l'horaire collectif en vigueur dans l'établissement peut correspondre à une durée effective de travail inférieure à la durée légale.

La durée légale n'est pas impérative. Elle est un seuil à partir duquel naissent des droits à majorations de salaire et à repos. La réglementation de la durée du travail n'est pas complètement d'ordre public en raison de la possibilité de faire accomplir des heures supplémentaires. Un auteur affirme que la durée légale « a la particularité d'être et de n'être pas impérative »[3] ; d'un côté elle est impérative car elle s'impose en tant que modalité de calcul, et d'un autre côté elle n'est pas impérative, car elle autorise l'accomplissement d'heures supplémentaires. Des heures peuvent être effectuées au-delà de la durée légale.

Des durées maxima doivent impérativement être instaurées dans le but de protéger la santé et la sécurité. L'employeur peut exiger que les travailleurs exécutent des heures de travail effectif au-delà de la durée

2 Cass.soc. française, 20 octobre 1998, Dr.soc. 1998, 1045, obs. Ph.WAQUET.
3 Philippe LANGLOIS, La réduction du temps de travail et la rémunération, Dr.soc. 1998, p. 785.

légale, et ce, en vertu de son pouvoir de direction. Cependant celles-ci vont être obligatoirement rémunérées plus cher.

2) Mise en œuvre du principe

a) Référence à la semaine

En général, les modes de répartition des horaires sont enfermés dans le cadre de la semaine. C'est ce qui justifie que la durée légale de travail est fixée par référence à la semaine.

Une majoration de salaire est prévue à partir du seuil qui matérialise la durée légale. Et au delà, la majoration sera augmentée. Dans le célèbre arrêt Behr du 25 juillet 1984 (Dr. ouvrier 1985, p. 329), la Cour de cassation française a considéré que les droits au repos compensateur et à majoration pour heures supplémentaires ne pouvaient être subordonnés à l'existence d'un décret, eu égard à leur caractère d'ordre public.

Il est possible de répartir inégalement les temps de travail sur des périodes plus longues, essentiellement par accords collectifs. Mais le module de droit commun d'organisation de la durée légale du travail retenu reste donc la semaine civile.

La législation malgache a adopté le principe de la semaine des quarante heures et ce, dès l'époque coloniale. Du temps de l'ancien code du travail du 25 août 1995 (loi n° 94-029 ; J.O. n° 2324 du 25-09-1995, p. 2564), la durée légale du travail était fixée à quarante heures par semaine (article 85 alinéa 1er). Le même principe était prévu par l'article 73 du code du travail de 1960.

L'article 75 du code de 2004 prévoit que la durée légale du travail des employés ou ouvriers de l'un ou l'autre sexe, ne peut excéder cent soixante treize virgule trente trois heures par mois. Dans les entreprises agricoles, les heures de travail sont basées sur deux mille deux cent (2200) heures par an (article 75 alinéa 1 et 2 du code du travail). Les usages et conventions collectives de travail peuvent toujours fixer des limites inférieures (article 77 du code du travail malgache).

Les employeurs pourront faire travailler les salariés plus de quarante heures par semaine sans avoir à solliciter l'autorisation de l'inspecteur du travail, mais sans pouvoir dépasser un nombre d'heures de 173,33 par mois.

b) Référence à la journée de travail

Dans un objectif de protection de la santé et de la sécurité du travailleur, la durée quotidienne du travail est limitée par un temps de repos minimum. En droit malgache trois modes de répartition au choix sont fixés par les arrêtés d'application. Des limitations sont donc prévues. Les employés peuvent soit travailler 8 heures par jour pendant cinq jours ouvrables avec un jour de repos en plus du dimanche, soit travailler 6 heures 40 minutes par jour dans la semaine, soit répartir de façon inégale le nombre d'heures entre six jours de travail. Chaque journée ne doit cependant pas dépasser 8 heures par jour. Dans les entreprises de transport, la durée journalière de travail peut varier avec un maximum de 10 heures[4]. L'article 85 du code du travail malgache prévoit dans son dernier alinéa que le repos quotidien des femmes et des enfants doit avoir une durée de douze heures consécutives. La convention internationale du travail n° 89 sur le travail de nuit des femmes prévoit que les femmes ne pourront être employées pendant la nuit dans aucun établissement industriel de quelque nature que ce soit. L'article 85 alinéa 2 du code du travail malgache va également dans ce sens.

Un repos est impératif pour chaque jour de travail. Toutefois, en raison des activités caractérisées par la nécessité d'assurer une continuité du service, ou en raison d'un surcroît d'activité, il peut être dérogé à cette durée minimale de repos quotidien soit par accord d'entreprise ou d'établissement, soit par convention. Mais la durée quotidienne ne peut pas être portée à plus de 12 heures. La dérogation peut également résulter d'une décision de l'inspecteur du travail après avis du comité d'entreprise ou, des délégués du personnel. Les demandes de dérogation mentionnant les justifications utiles et l'avis du comité d'entreprise sont adressées par l'employeur à l'inspecteur du travail.

La mise en œuvre de ces dérogations est soumise à l'octroi de périodes de repos au moins équivalentes ou bien, si la dérogation résulte d'un accord collectif, d'une contrepartie équivalente.

4 RAKOTOBE RALAMBONDRAINY Nelly, Droit malgache du travail – Les relations individuelles de travail, éd.2006., p. 90.

Concernant la dérogation à la durée maximale de nuit, il peut être dérogé à la durée de 8 heures soit sur autorisation de l'inspection du travail donnée après avis des délégués syndicaux et du comité d'entreprise, soit par accord collectif de branche étendu. En tout état de cause, les heures de travail de nuit doivent être payées et majorées[5]. En droit malgache, le décret n° 68-172 du 18 avril 1968 portant réglementation des heures supplémentaires de travail et fixant les majorations de salaire pour le travail de nuit, des dimanches et des jours fériés (décret modifié et complété par décret n° 72-226 du 6 juillet 1972 ; J.O. n° 588 du 4 mai 1968, p. 886 et n° 147 du 15 juillet 1972, p. 1465) prévoit que le salaire des heures de travail effectuées la nuit est majoré comme suit : travail de nuit habituel, majoration du salaire horaire au minimum 30 %, travail de nuit occasionnel : majoration de 50 %. Est réputé travail de nuit le travail effectué entre vingt-deux heures et cinq heures (article 3 alinéa 2 du même décret, repris à l'article 83 alinéa 1 et 2 du code du travail).

Les durées maxima fixées par la loi peuvent toujours être réduites par voie conventionnelle. Il s'agit donc de dérogations plus favorables aux salariés. Leur non-respect peut engager la responsabilité contractuelle de l'employeur.

B – Recours à la notion de temps de travail effectif

La définition du temps de travail correspondant à la durée légale n'est pas affaire facile étant donné la divergence des modes d'organisation des temps de travail ou des conditions de travail afférentes au poste du salarié. Toutefois, la durée du travail se rattache étroitement au contrat de travail, c'est à dire que la durée du travail est liée à l'autorité de l'employeur par la voie du lien de subordination.

Il n'existait aucune définition légale de la notion de travail effectif auparavant. En droit français, il revenait donc à la jurisprudence de poser certaines règles pour distinguer le travail effectif des astreintes. Ainsi, le travail effectif était considéré comme « le fait pour un salarié de rester en permanence à la disposition de l'employeur pour participer à l'activité de l'entreprise »[6] ; tandis que l'astreinte consistait en « l'obligation pour un salarié de demeurer à son domicile ou à proximité en vue de répondre à un appel de son employeur pour effectuer un travail au service de l'entreprise ».

5 Cour d'appel d'Antananarivo, arrêt n° 170 du 04-10-2001, 89/00.
6 Cass.soc. française, 7 avril 1998, Dr.soc. 1998, p. 530.

Actuellement, le législateur prévoit que la durée du travail s'entend du temps de travail effectif (article 79 alinéa 3 du code du travail malgache), c'est-à-dire le temps pendant lequel le salarié est à la disposition de l'employeur et doit se conformer à ses directives sans pouvoir vaquer librement à des occupations personnelles. Les heures effectuées au-delà de l'horaire collectif ne sont considérées comme un temps de travail effectif que si elles sont effectuées avec l'accord de l'employeur.

C – Critères retenus pour la qualification de temps de travail effectif

Il ne faut pas confondre le travail effectif avec le temps de présence. Le temps de travail effectif est « le temps de travail commandé »[7]. Il en résulte que le temps pendant lequel le salarié se trouve à la disposition de l'employeur constitue le temps d'exécution du travail commandé[8]. Le temps de travail effectif correspond à celui qui est commandé par l'employeur. C'est le cas chaque fois que la présence sur le lieu de travail fait suite à un ordre de l'employeur. Il faut donc considérer le travail réel. Il a été invoqué que « le lien de subordination caractéristique du contrat de travail ne peut s'exercer que sur les lieux où celui-ci s'effectue, que son extension à d'autres lieux constituerait un danger pour les libertés dont jouissent les salariés comme les autres citoyens, telle l'inviolabilité du domicile »[9]. Dans les cas où le travail n'est pas effectué dans les locaux de l'entreprise, l'employeur n'est plus en mesure de contrôler l'exécution de la prestation de travail. Il faut alors dans cette situation évaluer le travail effectué en prenant comme référence le volume de la production pendant un temps normal d'exécution.

Le seul critère de travail commandé n'est pas suffisant pour distinguer le temps de travail effectif des autres temps de présence du salarié. C'est ainsi que la Cour de cassation ajoute un autre critère : celui de la mise à disposition à l'égard de l'employeur[10]. La notion de temps de travail est étroitement liée à celle de contrat de travail caractérisé par la subordination du travailleur à son employeur. La définition du temps de travail effectif est liée non seulement à l'idée que le travail effectif

---

7 J.BARTHELEMY, « Le temps de travail des cadres », JCP éd.E 1997, 662, n° 13.
8 Antoine JEAMMAUD, Le temps de travail effectif, entre jurisprudence et législation, Dr.soc. 1998, p. 746.
9 Ch.soc. Orléans, 13 juin 1974, D.1975.Somm.54, note Yves Saint-Jours.
10 Cass. soc. française, 6 juin 1985, Bull. civ. V, n° 285.

est l'exécution d'un travail commandé mais aussi à la soumission du travailleur à la subordination de l'employeur.

L'élément « subordination » caractérise la qualité de travailleur[11]. Ce lien doit exister pour retenir l'existence du contrat de travail, et partant la rémunération[12].

Le lien de subordination est défini comme suit par la jurisprudence : il s'agit de l'exécution d'un travail sous l'autorité d'un employeur qui a le pouvoir de donner des ordres et des directives, d'en contrôler l'exécution et de sanctionner les manquements de son subordonné. D'après Michel MORAND : « La suspicion qui résulte de cette subordination à l'égard du consentement du salarié fait que le contrat de travail est une notion d'ordre public : ce ne sont pas les manifestations de volonté qui sont déterminantes mais la réalité de la situation des parties »[13].

La subordination juridique est un critère fondamental du contrat de travail ; l'employeur contrôle le travail accompli et peut édicter des sanctions en cas d'exécution incorrecte du travail. La subordination se manifeste par l'aménagement de conditions de travail décidées unilatéralement par l'employeur dans le cadre de son pouvoir de direction. Ne peut se prévaloir d'heures supplémentaires le salarié qui n'a pas voulu jouir de la pause qui lui était accordée et alors qu'il ne restait pas à la disposition de son employeur[14]. Par contre, le fait de se mettre et de rester à la disposition d'autrui pendant un certain nombre d'heures, et en assumant la tâche qu'il confie constitue une manifestation intense de la subordination[15].

L'employeur dispose du pouvoir de donner des ordres. Toutefois l'étendue de ce pouvoir dépend des attributions du salarié, de ses compétences, ou de ses responsabilités. L'employeur sera plus précis avec l'ouvrier sans aucune qualification, quant à son travail à exécuter, il le sera moins vis-à-vis d'un cadre qui est doté d'une plus grande capacité d'initiative.

11 C.S.Antananarivo, arrêt n° 68 du 28-11-1978, 35/78.
12 C.S.Antananarivo, arrêt n° 44 du 17-06-1963, 6/63 ; arrêt n° 53 du 27-06-1972, 80/71.
13 Michel MORAND, Temps de travail- Travail effectif, Juriscl.Trav.1992, fasc. 21-12, p. 4, n° 9.
14 Cass. soc. française, 9 mars 1999, Dr. soc. 1999, p. 524, note C. Radé
15 Antoine JEAMMEAUD, Le temps de travail effectif, entre jurisprudence et législation, op.cit., p. 747.

La nécessité de la définition du temps de travail effectif permet d'en connaître les limites pour établir le droit au paiement des heures supplémentaires, par exemple, ou du droit au repos compensateur.

II – VARIATION DE LA DURÉE DE TRAVAIL

A – Augmentation de la durée de présence sur le lieu de travail

Dans certaines professions, la nature de l'activité exercée a pour effet que certains employés ne peuvent effectuer aucune tâche à certains moments durant leurs heures de travail. Ainsi l'on considère le temps de présence au travail comme simplement équivalent à une durée de travail inférieure. Certains temps d'inaction ne sont donc pas considérés comme temps de travail effectif, même s'il s'agit de temps de présence. Cela signifie que le salarié ne travaille pas en permanence. Certains emplois connaissent des heures creuses. Il en résulte que par l'instauration du système d'équivalence, des périodes d'inaction sont légalement exclues de la qualification de temps de travail effectif.

Ainsi, sont considérés comme inactifs à certains moments de leur journée de travail, le coiffeur, le vendeur qui ne reçoit pas de client, l'agent de sécurité à son poste de garde.

Ne peut se voir opposer un système d'équivalence, un employé à qui il est confié des attributions accessoires et distinctes de ses attributions principales qu'il devait accomplir pendant son temps de travail soumis à équivalence[16].

La prise en compte du critère de disposition à l'égard de l'employeur dans la définition de la notion de durée effective du travail influence le contenu et l'existence de la notion d'équivalence[17]. Si on considère que le temps pendant lequel le salarié reste à la disposition de l'employeur constitue un travail effectif, il en résulte que le temps pendant lequel le salarié peut vaquer à des occupations personnelles ne constitue pas un travail effectif. Il en est ainsi du salarié qui peut lire des magazines, regarder la télévision, sans être soumis à une

16 Cass.soc. française, 29 mai 1990, Bull.civ. V, n° 340.
17 Jacques BARTHELEMY, La nouvelle jeunesse de la notion d'équivalence, JCP 1999, éd.E, p. 1232.

quelconque sanction du moment qu'il reste sur les lieux du travail pour accomplir sa prestation dès qu'il sera en situation de devoir l'exécuter.

1) Mise en place du système d'équivalence

C'est en 1937 que les premiers décrets pris en application de la loi de 1936 sur la semaine de quarante heures mettant en place des régimes d'équivalence apparaissent. Une loi française du 28 août 1942 énonce que : « la durée du travail effectif établie par la loi du 21 juin 1936 s'entend du travail effectif, à l'exclusion du temps consacré à l'habillage et au casse-croûte ainsi que des périodes d'inaction dans les industries et commerces déterminés par décret ». Puis la loi du 25 février 1946 concernant les heures supplémentaires prévoit que seules les heures effectuées au-delà de la durée légale du travail ou de la durée considérée comme équivalente seront majorées. Le Code du travail prévoit donc depuis 1942 la possibilité de recours à des équivalences. La mise en place du système d'équivalence doit être prévue expressément par un texte réglementaire. Elle ne peut concerner qu'un secteur d'activité spécifique.

Par la suite, les organisations syndicales ont protesté contre ce régime. Des conventions ou accords collectifs plus favorables ont été adoptés. Un décret a même réduit la durée de toutes les équivalences réglementaires (décret n° 78-1155 du 12 décembre 1978 relatif à la réduction des équivalences). Dans quelques professions, les équivalences seront supprimées par décret ou par arrêté. Et le code du travail malgache prévoit expressément : « les catégories d'emploi et les heures d'équivalence y afférentes dans les différentes branches d'activité sont déterminées par un décret pris après avis du Conseil National du travail » (article 79 alinéa 2).

Un contrat de travail ne peut pas prévoir la mise en place d'un système d'équivalence[18]. L'équivalence ne peut pas résulter d'un usage[19]. Dans un arrêt du 29 octobre 1996 (arrêt Ponsolle, 29 octobre 1996, Dr.soc. 1996, p. 1014), la Cour de cassation française affirme « qu'il ne peut être dérogé aux dispositions fixant la durée légale du travail dans un sens défavorable au salarié ». Les dispositions qui fixent la durée du travail sont donc des dispositions d'ordre public social. Les heures d'équivalence en constituent les dérogations qui sont évidemment

18 Cass. soc. française, 5 oct. 1960, Bull. civ. IV, n° 817.
19 Cass.soc. française, 14 novembre 1990, RJS 12/1990, n° 978 ; 19 février 1992, RJS 1992, n° 454.

moins favorables que ce qui est prévu légalement en matière de temps de travail.

En l'absence de dispositions réglementaires, une convention ou un accord collectif peut instaurer un régime d'équivalence si la nature de l'activité le justifie[20]. Une convention collective peut donc prévoir la rémunération des temps d'équivalence, ou supprimer des temps d'équivalence fixés réglementairement, ces périodes se transforment automatiquement en temps de travail effectif et payées au taux normal.

L'équivalence ne peut concerner qu'un horaire à temps plein. Il ne peut y avoir d'équivalences pour le temps partiel. En effet l'équivalence ne s'applique qu'à la durée légale.

2) Justifications du système

a) Le système concerne un secteur d'activité particulier

Le régime d'équivalence n'est pas lié à la qualification du salarié qui l'exerce mais plutôt à la nature de l'activité exercée. Selon l'article 78 du code du travail malgache, « soit en raison de la nature du travail, soit en raison de son caractère intermittent, le présent code du travail admet des équivalences, c'est-à-dire, une durée de présence considérée comme correspondant à un travail effectif d'une durée inférieure. Certaines professions connaissent des périodes d'inaction ou « périodes creuses », ou encore « temps morts »[21]. Du fait de la nature de certaines activités, il arrive que le salarié se trouve face à des temps d'inaction, des heures creuses, cela en raison du caractère intermittent du travail. Il remplit un temps de présence en effectuant une activité qui n'est pas continue, contenant de nombreux temps morts. Dans le cadre du gardiennage par exemple, la durée hebdomadaire de 56 heures est considérée comme équivalente à 40 heures de travail effectif par semaine.

L'équivalence est donc justifiée par l'existence de temps inclus dans l'horaire collectif mais qui ne sont pas consacrés à l'exécution de tâches. Le système des équivalences permet de prendre en considération la faible productivité des salariés soumis à ce régime. Les heures d'équivalence sont destinées à prendre en considération

---

20 Jacques BARTHELEMY, Les relations du salaire et des temps de travail, Dr.soc.1997, p. 584.
21 Cass.soc. française, 26 mai 1982, Bull.V, n° 349.

les « périodes d'inaction » qui se retrouvent dans certaines industries et certains commerces. Il est important de rappeler qu'une équivalence ne peut être appliquée en dehors des activités ou des emplois visés par les textes réglementaires et les conventions collectives.

b) Le système suppose des temps d'inaction

Ces temps ne correspondent pas à du travail effectif, de ce fait, ils n'ont pas à être rémunérés. Les périodes pendant lesquelles le travailleur se trouve dans l'entreprise sans accomplir de travail effectif ne sont pas rémunérées. Les temps d'équivalence ne sont pas rémunérés dans leur totalité comme un temps de travail effectif. Le temps de présence supérieur est réduit au temps réellement assimilé à un travail effectif et payé comme tel. La durée effectuée au-delà de la durée normale ne donnera pas lieu à des heures supplémentaires.

Vue de cette manière, cette solution paraît juste car il serait anormal de rémunérer de la même manière des travailleurs qui restent sur les lieux du travail mais bénéficiant de nombreuses heures creuses, et des travailleurs qui effectuent en permanence un travail effectif. Les temps morts ne seront donc pas rémunérés comme un travail effectif. Lorsqu'en vertu du système d'équivalence, le salarié est astreint à une durée de travail hebdomadaire de cinquante six heures, il n'y a pas lieu à paiement d'heures supplémentaires s'il n'a pas travaillé au-delà de cette durée[22]. Les parties peuvent toujours prévoir dans le cadre d'un régime de faveur, que ces heures de présence seront assimilées à du travail effectif et être rémunérés au taux normal.

La mise en place du système d'équivalence n'exclut pas l'octroi d'heures supplémentaires lorsque le salarié effectue une durée de travail supérieure à l'équivalence. Lorsqu'il est prouvé que des heures supplémentaires sont effectuées au-delà de la durée d'équivalence, elles doivent être rémunérées[23]. Le calcul de ces heures supplémentaires se fait en tenant compte du taux horaire normal. Le fait qu'un gardien soit soumis à la règle de l'équivalence pour une certaine durée de travail effectif ne saurait dispenser l'employeur du paiement des majorations de nuit, dès lors que ces heures ont été effectuées[24].

---

22 Cour d'appel d'Antananarivo, arrêt n° 97 du 06-05-2004, 191/03.
23 Cour d'appel d'Antananarivo, arrêt n° 155 du 05-05-1983, 232/82.
24 Cour d'appel d'Antananarivo, arrêt n° 189 du 04-10-2001, 90/00.

L'équivalence concerne donc le travail qui comprend de nombreux temps morts pendant lesquels le salarié est tenu de rester sur les lieux de travail et à la disposition de l'employeur. Le travail ne sera pas rémunéré proportionnellement au temps de présence du salarié à l'entreprise ; il percevra une rémunération équivalente pour une durée de présence moindre.

On peut alors s'interroger sur la légitimité du système. C'est un régime qui autorise l'employeur à ne pas rémunérer certaines heures de travail effectif, ou à rémunérer différemment une même durée de travail effectif en fonction des tâches qui sont confiées aux salariés. Avec le système d'équivalence, les employeurs ont l'avantage de transférer aux salariés la charge d'un véritable risque d'entreprise : celui de la faible productivité du travail[25]. Si on ne peut nier que certains salariés connaissent des temps d'inaction pendant certaines périodes, on ne peut tout de même pas dire qu'ils sont totalement oisifs. Ils sont peut-être moins actifs qu'à certaines périodes, mais ils accomplissent toujours une tâche sous les ordres de leur employeur.

B – Augmentation de la durée effective de travail dans le cadre des heures supplémentaires

La durée légale de travail ne peut être appliquée de façon uniforme dans toutes les professions. Dans certains cas la prolongation de cette durée s'impose. Le recours aux heures supplémentaires peut être justifié par des travaux urgents et exceptionnels. La durée effective du travail peut être inférieure ou supérieure à la durée légale qui n'est pas impérative. Les heures effectuées au-delà de la durée légale du travail constituent des heures supplémentaires qui donnent lieu à majoration (article 75 alinéa 3 du code du travail malgache).

Lorsque la durée effective du travail est différente de la durée légale, il est nécessaire d'octroyer aux salariés des droits spécifiques ainsi que des contraintes particulières à l'employeur. Cela découle de l'ordre public social. Afin d'éviter de nuire à la santé des travailleurs, des durées maxima doivent être prévues pour pallier aux excès de temps de travail que ce soit quotidien, hebdomadaire, mensuel ou annuel.

---

25 Mireille POIRIER, A propos des horaires d'équivalence, Dr.ouv. 1999, p. 349-350.

1) Le recours aux heures supplémentaires

En droit malgache, le décret n° 68-172 précité du 18 avril 1968 portant réglementation des heures supplémentaires de travail et fixant les majorations de salaire pour le travail de nuit, des dimanches et des jours fériés prévoit en son article 2 alinéa premier que les dépassements prévisibles de la durée du travail sont soumis à l'autorisation écrite préalable de l'inspecteur du travail. Cette autorisation qui précise la période et les modalités d'application des heures supplémentaires est donnée sur demande motivée soit par un surcroît extraordinaire de travail, soit par la nécessité de maintenir ou d'accroître la production, soit par la pénurie de main-d'œuvre. En cas de nécessité urgente et imprévisible, le recours à des heures supplémentaires doit être précédé de l'envoi à l'inspecteur du travail d'une lettre recommandée précisant le motif et la durée du dépassement de l'horaire habituel (alinéa 2 du même article).

Les heures supplémentaires sont des heures de travail effectuées au-delà de la durée normale de travail, elles sont justifiées à titre temporaire, par les travaux urgents, exceptionnels ou saisonniers, soit par un surcroît extraordinaire de travail, soit par la nécessité de maintenir ou d'accroître le niveau de production, soit par la pénurie de main-d'œuvre[26].

En droit malgache, les heures supplémentaires sont interdites aux enfants jusqu'à l'âge de dix-huit ans (article 101 alinéa 2 du code du travail).

L'article 76 du code du travail malgache prévoit que ce sont des décrets pris après avis du Conseil National du Travail qui déterminent, par branche d'activité ou par catégorie professionnelle s'il y a lieu, les modalités d'application de la durée du travail et des dérogations, ainsi que la nature et la durée maximum des heures supplémentaires qui peuvent être effectuées avec ou sans autorisation préalable, et le taux de majoration des heures supplémentaires.

Notons que ne constitue pas une modification du contrat de travail la réduction ou la suppression des heures supplémentaires par une simple décision unilatérale de l'employeur. Les heures supplémentaires peuvent toujours être librement supprimées sans que cela ne puisse être considéré comme une modification du contrat

26 Cour d'appel d'Antananarivo, arrêt n° 270 du 16-11-1995, 119/89.

requérant l'accord du salarié. En réduisant ou en supprimant les heures supplémentaires, l'employeur ne modifie pas le contrat de travail[27]. En effet, les heures supplémentaires imposées par l'employeur, dans la limite du contingent prévu par la loi n'entraînent pas une telle modification. Il peut faire effectuer librement des heures de travail supplémentaires, dans la limite de ce que prévoient les textes.

Toutes les heures qui excèdent la durée légale ne s'imputent pas automatiquement sur le contingent. Il en est ainsi des heures de récupérations. Elles excèdent la durée légale hebdomadaire mais ne donnent pas pour autant droit à la majoration pour heures supplémentaires. Elles conservent la qualification d'heures normales.

2) Contrepartie de l'exécution d'un travail supplémentaire

a) Le droit au bénéfice d'une majoration pour heures supplémentaires

Les heures supplémentaires doivent être rémunérées[28], y compris celles effectuées le dimanche[29]. C'est une règle d'ordre public. Les majorations pour heures supplémentaires « représentent un travail supplémentaire »[30]. Le salaire est majoré au-delà du seuil qui matérialise la durée légale[31]. Le salarié est en droit de percevoir la rémunération de ses heures supplémentaires[32]. La majoration pour heures supplémentaires est prévue en raison du surcroît d'activité qui est censé être plus fatigant au-delà de la durée légale. Au-delà la majoration sera augmentée. Le décret n° 68-172 du 18 avril 1968 prévoit une majoration de 30 % du salaire horaire minimum pour chacune des huit premières heures supplémentaires dans la semaine, et une majoration de 50 % pour les heures suivantes.

La majoration joue quel que soit le mode de paiement du salaire que ce soit au mois, aux pièces, ou à la tâche[33]. La convention des parties

---

27 Cass.soc. française, 10 mars 1998, Dr.soc.1998, 492, note BARTHELEMY.
28 Cour d'appel d'Antananarivo, arrêt n° 140 du 18-11-2003, 197/03 ; arrêt n° 141 du 18-11-2003, 198/03.
29 C.S. Antananarivo, arrêt n° 54 du 22-06-1976, 104/75 ; Cour d'appel d'Antananarivo, arrêt n° 119 du 17-05-2001, 192/00.
30 Cass.soc. française, 13 octobre 1955, Bull.civ. IV, n° 706.
31 Arrêt n° 26 du 23-04-1974, 65/73, Bulletin des arrêts de la Cour Suprême de Madagascar, Chambre de cassation, année 1973, 1er et 2ème semestre, année 1974 1er et 2ème semestre, Antananarivo 1976, p. 242.
32 Cour d'appel d'Antananarivo, arrêt n° 193 du 04-10-2001, 05/01 ; arrêt n° 270 du 16-11-1995, 119/89.
33 Cass. soc. française, 2 déc. 1960, JCP CI 1961, 68813.

ne peut pas déroger aux dispositions relatives aux majorations[34], sauf dans un sens plus favorable au salarié.

Le versement par l'employeur d'une prime ne peut pas le décharger de ses obligations. L'octroi de primes ne peut remplacer le paiement des heures supplémentaires. Il en est de même du versement d'« indemnités de découcher »[35], qui ne peuvent remplacer les majorations pour heures supplémentaires.

Un travailleur est libre de refuser d'accomplir les heures supplémentaires prévues dans son contrat de travail lorsque son employeur ne lui a pas versé les sommes correspondant aux heures supplémentaires déjà effectuées et auxquelles il est en droit de prétendre. Le licenciement du salarié motivé par la non exécution de ces heures de travail est dépourvu de cause réelle et sérieuse. Aucune faute grave ne peut être retenue à l'encontre du salarié[36].

Les sommes qui rémunèrent les heures supplémentaires sont assimilées au salaire et ont un caractère alimentaire[37]. La majoration s'applique au salaire contractuellement fixé. Le calcul de la majoration dépend donc de la définition du salaire horaire. Il est donc important de savoir quels éléments de rémunération il convient d'y inclure. Le salaire pris en compte sera le salaire minimum légal ou le salaire conventionnel correspondant à la qualification de l'intéressé.

Le salaire horaire s'entend du salaire effectif payé aux travailleurs en vertu de la réglementation en vigueur. Ce salaire peut être fixe, à la tâche, au rendement. Le salaire horaire est déterminé par le travail fourni individuellement. Il suppose ensuite que l'heure est retenue comme unité de calcul de la rémunération[38].

b) Possibilité d'aménagement entre les parties

Certains travailleurs peuvent être difficilement soumis à un horaire fixe de travail. Les parties sont libres de convenir d'une rémunération forfaitaire correspondant aux heures supplémentaires effectuées. Mais l'octroi d'un forfait pour le paiement des heures supplémentaires doit être prévu par une convention entre les deux parties. Il ne peut

---

34 Cass.soc. française, 29 avr. 1970, Dr. ouvrier 1970, p. 259.
35 Cass.soc. française, 27 juin 2000, Bull.civ. V, n° 248.
36 Cass.soc. française, 7 décembre 1999, D. 2000, Inf.Rap., p. 32.
37 Cour d'appel d'Antananarivo, arrêt n° 164 du 13-09-2001, 72/01.
38 Gérard LYON-CAEN, obs sous Cass.soc. 19 octobre 1966, D.1966, juris., p. 742.

pas résulter d'un usage de l'entreprise[39]. L'employeur est condamné au paiement des heures supplémentaires s'il n'est pas prouvé que le salarié a donné son accord.

Une rémunération forfaitaire peut être accordée pour les heures de travail effectif dépassant le seuil légal. La rémunération forfaitaire effective doit être au moins égale à celle que percevrait le salarié sur la base du salaire auquel il peut prétendre, si toutes les heures supplémentaires comprises dans le forfait étaient effectivement travaillées. Le salaire forfaitaire ne doit pas être moins avantageux pour le salarié, sinon la convention de forfait serait nulle. Pour que la convention de forfait soit licite, il faut que la rémunération forfaitaire soit au moins égale au salaire minimum mensuel en tenant compte de la rémunération majorée de toutes les heures susceptibles d'être effectuées dans la limite du nombre d'heures qui a été préalablement prévu[40]. Le forfait ne doit pas porter sur un salaire total inférieur à ce que percevrait le salarié s'il était payé pour chacune des heures de travail supplémentaires.

Une convention collective ne peut enfreindre les dispositions d'ordre public du code du travail. La validité d'une convention de forfait est subordonnée à la possibilité d'une comparaison entre le forfait et le salaire minimum conventionnel augmenté des heures supplémentaires. Ce qui n'est pas le cas lorsque les fiches de paie ne mentionnent aucune indication sur la quantité probable d'heures supplémentaires éventuellement effectuées par le salarié.

Lorsque la rémunération du salarié est soumise à une convention de forfait, cette rémunération doit couvrir la rémunération légalement prévue, ainsi que les majorations pour les heures supplémentaires. Et dans ce cas, le salarié n'est plus admis à invoquer le mode de calcul déterminé par le code du travail[41].

Les responsabilités du salarié, les principes d'indépendance et de liberté, peuvent justifier le paiement d'une rémunération forfaitaire dès lors qu'elles sont rattachées à la nature de la profession. Cette pratique concerne surtout les cadres.

La qualité de cadre d'un salarié ne constitue pas une cause valable suffisante pour exclure le droit au paiement des heures

39 Cass.soc. française, 31 mars 1998, D. 1998, Inf.Rap., p. 130.
40 J. BARTHELEMY, obs. sous Cass. soc. 10 mars 1998, Dr. soc. 1998, p. 492 et s.
41 Cour d'appel d'Antananarivo, arrêt n° 229 du 19-10-1995, 22/94.

supplémentaires. De plus, l'existence d'un salaire forfaitaire doit comprendre les dépassements d'horaire résultant des impératifs de la fonction exercée. Lorsque ce n'est pas le cas, le salarié a le droit de prétendre au versement de sommes résultant des heures effectuées au-delà de la durée légale[42]. Le salarié serait recevable à réclamer le paiement des heures supplémentaires. Ce qui n'est pas le cas de l'employé qui est rémunéré par un forfait à titre d'heures supplémentaires et de majorations légales et qui ne réussit pas à prouver que les droits qui lui sont réellement dus par suite d'exécution d'heures supplémentaires, d'heures de nuit et de dimanche sont supérieurs à cette somme mensuelle régulièrement perçue[43].

Pour que cette pratique puisse être admise, certaines conditions doivent donc être remplies : que l'horaire soit prévu d'avance, que le salarié ait donné son consentement, et que le forfait ne soit pas désavantageux pour le salarié[44]. Il a ainsi été décidé qu'une convention de forfait n'est licite que si la rémunération qui correspond à un nombre d'heures supérieur à la durée légale est au moins égale au salaire qui serait obtenu en rémunérant toutes les heures susceptibles d'être effectuées dans le cadre de cet horaire sur la base du salaire minimum conventionnel[45]. En principe, « le salaire de base convenu par l'employeur et le travailleur, au moment de l'embauche, tend à la rémunération du travail exécuté pendant la durée légale ; qu'à moins d'un accord des parties faisant leur loi, accord selon lequel le salaire proposé englobe les rémunérations des heures normales et celles des heures supplémentaires, et à la condition que ce salaire constitue effectivement un forfait avantageux accepté par le travailleur, toute heure de travail effectuée au-delà, doit être rémunérée suivant un taux majoré »[46].

Le paiement des heures supplémentaires selon un forfait ne peut résulter que d'un accord entre les parties. L'employeur est tenu d'apporter la preuve de l'acceptation du salarié[47] dont dépend la validité de la convention de forfait. Cette preuve peut résulter de l'écrit. Le fait qu'un salarié n'ait pas fait valoir ses droits pendant l'exécution

42 Cass. soc. française, 14 juin 1990, D. 1990, Inf.Rap., p. 202.
43 Cour d'appel d'Antananarivo, arrêt n° 145 du 19-07-2001, 108/00.
44 Définition et composition de la rémunération, RPDS 1978, n° 399-400, p. 201.
45 Cass.soc. française, 29 mai 1986, Bull.civ. V, n° 271.
46 Arrêt n° 26 du 23-04-1974, 65/73, Bulletin des arrêts de la Cour Suprême de Madagascar, Chambre de cassation, année 1973, 1er et 2ème semestre, op.cit., p. 242.
47 Cass. soc. française, 11 déc. 1980, Bull. civ. V, n° 885.

du contrat ne constitue pas cette preuve et ne vaut pas renonciation au paiement des heures supplémentaires[48].

c) Exigence d'une preuve de l'accomplissement d'heures supplémentaires

Lorsque la preuve de l'exécution des heures supplémentaires n'est pas apportée, le salarié n'est pas en droit d'en prétendre le versement[49]. Il en est ainsi lorsque les pièces du dossier n'ont pas permis de savoir l'exactitude des heures effectuées par semaine[50]. Les salariées qui reconnaissent qu'elles gèrent elles-mêmes leur temps de travail doivent rapporter la preuve des heures supplémentaires effectuées[51]. Le salarié doit justifier l'exécution d'heures supplémentaires pour en percevoir le paiement[52]. Un carnet de pointage est accepté[53]. En sa qualité de gardien, le travailleur restait en permanence sur les lieux de travail, ce qui fait présumer l'effectivité du travail fourni lors des jours fériés. L'employeur doit ainsi remplir le travailleur de ses droits[54].

L'employeur doit fournir au juge les éléments qui permettent de justifier la réalité des horaires effectivement réalisés par le salarié en cas de litige relatif à l'existence ou au nombre d'heures effectuées. C'est d'ailleurs une manifestation de l'article 10 du Code civil d'après lequel chacun est tenu d'apporter son concours à la justice en vue de la manifestation de la vérité. Cela ne signifie pas que la preuve des heures de travail effectuées incombe spécialement à l'une des parties[55]. Le juge ne peut donc pas refuser de verser au salarié les sommes correspondant aux heures supplémentaires qu'il a effectuées en arguant que ce dernier n'apporte aucune preuve dans ses prétentions. Il appartient au juge d'ordonner toutes les mesures d'instruction utiles et d'examiner les éléments qui justifieraient l'existence réelle de ces heures supplémentaires[56].

48 Cass. soc. française, 9 févr. 1983, JCP G 1989, IV, p. 135.
49 Cour d'appel d'Antananarivo, arrêt n° 109 du 04-11-2003, dossier n° 163/01 ; arrêt n° 122 du 03-06-2004, Dossier n° 210/03 ; arrêt n° 136 du 17-06-2004, Dossier n° 02/03 ; arrêt n° 137 du 17-06-2004, dossier n° 03/03.
50 Cour d'appel d'Antananarivo, arrêt n° 132 du 18-11-2003, 144/03.
51 Cour d'appel d'Antananarivo, arrêt n°152 du 17-06-2004, 280/03.
52 Cour d'appel d'Antananarivo, arrêt n° 282 du 16-11-1995, 110/89-P.
53 Cour d'appel d'Antananarivo, arrêt n° 119 du 17-05-2001, 192/00.
54 Cour d'appel d'Antananarivo, arrêt n° 245 du 19-10-1995, 153/93.
55 Cass. soc. française, 3 juillet 1996, JCP 1996 ; II, n° 22697 ; 16 juin 1998 ; RJS 8-9/98.
56 Cass. soc. française, 3 juillet 1996, D. 1998 ; Somm.comm., p. 261.

La Cour d'appel d'Antananarivo a retenu que si la preuve de l'existence des heures supplémentaires n'est pas rapportée, le demandeur est débouté de sa demande[57]. La preuve des heures supplémentaires incombe au salarié, il peut administrer cette preuve par tous moyens. Mais les juges ont un large pouvoir d'appréciation compte tenu des éléments de preuve fournis. Ainsi un arrêt a-t-il pu énoncer « qu'il résulte de l'enquête effectuée ainsi que de tous les éléments de la cause, des indices et des présomptions suffisantes prouvant que des heures supplémentaires ont été réellement effectuées »[58].

Lorsque le salarié est tenu de tenir des fiches de temps, les juges peuvent se fonder sur ces fiches pour prouver les heures supplémentaires effectuées[59].

C – Présence dans l'entreprise sans accomplissement de travail

Il peut arriver que la journée soit marquée par un arrêt de travail. L'article 79 alinéa 3 du code du travail malgache exclut du temps de travail effectif le temps nécessaire à l'habillage et au casse-croûte. Mais cette liste d'exclusion n'est pas limitative. A défaut d'assimilation prévue par la loi, tous les temps de repos, et les temps de présence sur le lieu de travail non consacré à une activité effective ne doivent en principe pas automatiquement être assimilés à un temps de travail effectif.

Ne sont donc pas comptés dans la durée effective du travail, les temps pendant lesquels un salarié est présent dans l'entreprise mais n'effectue aucun travail. Il peut s'agir des temps consacrés au casse-croûte ou au repas pris dans l'enceinte de l'entreprise, des temps de pause prévus, ou même tout simplement des temps d'inaction. De même le temps de trajet du domicile au lieu de travail ne fait pas partie du temps de travail effectif, peu importe que le lieu de travail soit l'établissement de l'entreprise ou un chantier[60]. Toutefois, il peut arriver que le salarié se tienne à la disposition de l'employeur pendant un temps de trajet qui va du siège de l'entreprise à l'endroit du chantier. Dans ce cas cette période doit être considérée comme un temps de travail effectif.

---

57 Arrêt n° 108 du 04-11-2003, dossier n° 162/01.
58 C.S. Antananarivo, arrêt n° 54 du 22-06-1976, 104/75.
59 Cass. soc. française, 19 janvier 1999, D. 1999, Inf. Rap., p. 50.
60 Cass. soc. française, 26 févr. 1976, Bull. civ. V, n° 98.

Ainsi, ces périodes peuvent selon les situations, être requalifiées en temps de travail effectif. En effet, même si le salarié n'exécute pas en permanence ses tâches, il reste néanmoins en permanence présent sur les lieux de travail, ce qui laisse supposer qu'il reste à la disposition de l'employeur.

a) Le temps consacré à la restauration

D'après la cour de cassation, cela ne pouvait empêcher que ce temps soit pris en compte dans la durée effective du travail, si le travailleur est à disposition de l'employeur sans pouvoir vaquer à des occupations personnelles[61]. En effet, le temps consacré au repas sur les lieux de travail peut entraîner la requalification en temps de travail effectif de cette période si le salarié reste soumis à l'emprise de l'employeur durant celui-ci[62].

Il peut arriver qu'en raison de la nature de leurs fonctions il soit interdit aux travailleurs de s'éloigner de leur poste de travail pendant les temps de repas. Cette période durant laquelle ils sont encore à la disposition de l'employeur est prise en compte dans la durée effective de travail[63].

En ce qui concerne le casse-croûte, il n'est pas rémunéré en tant que travail effectif. Il permet au travailleur de prendre une collation sur place[64].

Toutefois, la cour de cassation a dans certaines situations considéré comme temps de travail effectif, les temps de casse-croûte car les salariés mis en cause ne pouvait rentrer chez eux, ils devaient rester sur les lieux du travail pour exercer, pendant le temps du repas, le contrôle des machines[65].

b) Temps consacré à la douche

S'agissant des entreprises nécessitant des travaux salissants et insalubres, les temps consacrés à la douche sont payés au taux normal. Il a été admis que dans le cas où le temps consacré à la douche ne figure pas sur le bulletin de paie, il est présumé ne pas

61 Cass.soc. française, 10 mars 1998, Dr. soc. 1998, p. 494, obs. J. BARTHELEMY.
62 Cass. soc. française, 4 janvier 2000, Dr.soc. avril 2000, p. 439.
63 Cass. soc. française, 10 mars 1998, Dr.soc. 1998, 494, obs. J. BARTHELEMY.
64 Cass. soc. française, 28 mars 1973, Dr. soc. 1973, p. 516.
65 Cass.soc. française, 10 mars 1998, Dr. soc. 1998, p. 494, obs. J. BARTHELEMY

avoir été versé par l'employeur qui n'est donc pas libéré de ses obligations[66]. Le temps consacré à la douche devrait être assimilé à du travail effectif par des décrets dans les métiers salissants et dangereux[67] .

c) Qualification du temps de pause

Le principe reste applicable. Les temps de pause peuvent ou non être du travail effectif selon les cas. Si le salarié reste à la disposition de l'employeur pendant ses temps de pause, ces périodes sont assimilées à du travail effectif.

La Cour de cassation française avait souvent l'occasion de statuer sur ce point : elle affirme que pour qualifier les temps de pause de travail effectif, le juge doit rechercher si le salarié reste pendant ces périodes à la disposition de son employeur ou si au contraire il pouvait vaquer à des occupations personnelles[68]. Le temps de pause ne constitue pas un temps de travail effectif, sauf s'il existe des dispositions favorables prévoyant le contraire, ou si le salarié reste sous la subordination de son employeur à cause de la spécificité de son travail.

Il est à noter que certains emplois sont soumis obligatoirement à la prise de temps de pauses fréquents; il en est ainsi par exemple pour les employés appelés à faire face à des écrans de visualisation.

d) L'habillage et le déshabillage

Ces périodes ne sont pas considérées comme un temps de travail effectif (article 79 alinéa 3 du code du travail malgache), mais des dispositions conventionnelles peuvent prévoir l'octroi d'une contrepartie soit sous forme de repos, soit financière. Toutefois cette possibilité est soumise à deux conditions : en premier lieu le port d'une tenue doit être prévu par des textes ou par une convention ; ensuite le règlement dispose que l'habillage et le déshabillage doivent être impérativement réalisés dans l'entreprise. Dès lors que les parties décident d'assimiler le temps d'habillage et de déshabillage à un temps de travail effectif, la contrepartie financière doit être prévue par le contrat de travail ou par un accord collectif[69].

---

66 Cass. soc. française, 19 nov. 1996, Bull. civ. V, n° 336.
67 Jacques BARTHELEMY, Les relations du salaire et des temps de travail, Dr.soc.1997, p. 584.
68 Cass. soc. française, 13 mars 2001, Dr. soc. 2001, p. 555, note C. Radé.
69 Michel MORAND, Michel MORAND, Temps de travail- Travail effectif, Juriscl.Trav.1992, fasc. 21-12., p. 7, n° 19.

Conclusion

La notion de travail effectif est d'une importance capitale en droit du travail car c'est elle qui permet d'appliquer l'ensemble des règles relatives à la durée du travail et l'ensemble des règles relatives à la rémunération du travail. Il s'agit d'une « norme de mesure » de la durée légale[70].

Le salarié peut être amené à effectuer différents temps de présence au sein de l'entreprise, parmi lesquels il y a lieu de faire la nuance entre ceux qui s'imputent sur la durée légale et les autres pour savoir si réellement la durée légale est respectée.

Il y a lieu également de distinguer les activités qui relèvent de la vie professionnelle et les autres parmi celles qui ne sont pas exécutées dans l'enceinte de l'entreprise.

En règle générale, c'est à partir du temps de travail correspondant à la durée légale qu'est déterminé le montant du salaire rémunéré au taux normal, ou majoré des heures supplémentaires s'il y a lieu.

70 Mireille POIRIER, A propos des horaires d'équivalence, Dr.ouv. 1999, p. 349.

Liste des auteurs
(par ordre alphabétique)

ANDRIAMANANTENA Rindra
Agent d'assurance

ANDRIANAIVOTSEHENO Ravaka
Maître de Conférences
Faculté de Droit, d'Economie, de Gestion et de Sociologie
Université d'Antananarivo

CADOUX Charles
Professeur émérite de l'Université d'Aix Marseille III
Ancien doyen de la faculté de droit et des sciences économiques de l'Université de Madagascar

DELEBECQUE Philippe
Professeur à l'Université de Paris I Panthéon Sorbonne

ESOAVELOMANDROSO Faratiana
Maître de Conférences
Faculté de Droit, d'Economie, de Gestion et de Sociologie
Université d'Antananarivo

LUCAS Henri-Jacques
Professeur émérite de l'Université de Poitiers
Ancien professeur à la faculté de droit et des sciences économiques de l'Université de Madagascar

NJARA Ernest
Professeur à la Faculté de Droit, d'Economie, de Gestion et de Sociologie
Université de Fianarantsoa

RAKOTOARISON Tahina F.
Doctorant, ATER
Faculté de Droit, d'Economie, de Gestion et de Sociologie
Université d'Antananarivo

RAKOTOBE Riaka
Maître de conférences
Faculté de Droit, d'Economie, de Gestion et de Sociologie
Université d'Antananarivo

RAKOTOBE-RALAMBONDRAINY Nelly
Magistrat, Premier Président Honoraire de la Cour de Cassation de Madagascar
Chargée d'enseignement à la Faculté de Droit, d'Economie, de Gestion et de Sociologie
Université d'Antananarivo

RALANTONIRINA Manitra
Doctorant, ATER
Faculté de Droit, d'Economie, de Gestion et de Sociologie
Université d'Antananarivo

RAMAROLANTO-RATIARAY
Professeur à la Faculté de Droit, d'Economie, de Gestion et de Sociologie
Université d'Antananarivo

RAMBININTSAOTRA Saholy
Maître de conférences
Faculté de Droit, d'Economie, de Gestion et de Sociologie
Université d'Antananarivo

RAMPARANY-RAVOLOLOMIARANA Hobinavalona
Maître de conférences
Faculté de Droit, d'Economie, de Gestion et de Sociologie
Université d'Antananarivo

RANDRIAMAROTIA Harijaona S.
Doctorant, ATER
Faculté de Droit, d'Economie, de Gestion et de Sociologie
Université d'Antananarivo

RANDRIANJA Lydia
Juriste au Ministère de l'Education Nationale
Chargée d'enseignement à la Faculté de Droit, d'Economie, de Gestion et de Sociologie
Université d'Antananarivo

RASOLONANAHARY Vololona
Magistrat, Président du tribunal de travail
Chargée d'enseignement à la Faculté de Droit, d'Economie, de Gestion et de Sociologie
Université d'Antananarivo

RAVALOSON Johary
Docteur en droit
Chargée d'enseignement à la Faculté de Droit, d'Economie, de Gestion et de Sociologie
Université d'Antananarivo

RAZAFIMAHEFA Alain
Assistant
Faculté de Droit, d'Economie, de Gestion et de Sociologie
Université d'Antananarivo

ROBSON-RANJATOSON Caroline
Maître de Conférences
Faculté de Droit, d'Economie, de Gestion et de Sociologie
Université d'Antananarivo

TSIAZONANGOLY Arielle F.
Doctorant, ATER
Faculté de Droit, d'Economie, de Gestion et de Sociologie
Université d'Antananarivo

Table des matières

L'HARMATTAN, ITALIA
Via Degli Artisti 15 ; 10124 Torino

L'HARMATTAN HONGRIE
Könyvesbolt ; Kossuth L. u. 14-16
1053 Budapest

L'HARMATTAN BURKINA FASO
Rue 15.167 Route du Pô Patte d'oie
12 BP 226 Ouagadougou 12
(00226) 76 59 79 86

ESPACE L'HARMATTAN KINSHASA
Faculté des Sciences Sociales,
Politiques et Administratives
BP243, KIN XI ; Université de Kinshasa

L'HARMATTAN GUINÉE
Almamya Rue KA 028 en face du restaurant le cèdre
OKB agency BP 3470 Conakry
(00224) 60 20 85 08
harmattanguinee@yahoo.fr

L'HARMATTAN CÔTE D'IVOIRE
M. Etien N'dah Ahmon
Résidence Karl / cité des arts
Abidjan-Cocody 03 BP 1588 Abidjan 03
(00225) 05 77 87 31

L'HARMATTAN MAURITANIE
Espace El Kettab du livre francophone
N° 472 avenue Palais des Congrès
BP 316 Nouakchott
(00222) 63 25 980

L'HARMATTAN CAMEROUN
Immeuble Olympia face à la Camair
BP 11486 Yaoundé
(237) 458.67.00/976.61.66
harmattancam@yahoo.fr

L'HARMATTAN SÉNÉGAL
« Villa Rose », rue de Diourbel X G, Point E
BP 45034 Dakar FANN
(00221) 33 825 98 58 / 77 242 25 08
senharmattan@gmail.com

L'HARMATTAN MALI
Rue de Leipzig, face au Palais de la culture,
Porte 203, Badalabougou, Bamako
00 223 20 22 57 24 / 00 223 76 37 80 82
pp.harmattan@gmail.com

636032 - Janvier 2016
Achevé d'imprimer par

1livre.com
du rêve à la réalité !

Made in United States
Orlando, FL
04 November 2026

90200626R00304